令和7年版

司法書士 合格ゾーン

記述式 過去問題集

11 不動産登記法

はしがき

本書は，司法書士試験の不動産登記法記述式の平成 27 年度から令和６年度までの 10 年分の本試験での出題（過去問）集です。

近年では，親族・相続法の改正や債権法の全面改正，商業登記法の会社法人等番号に関する改正と，不動産登記法の記述式に関連する分野では法改正が相次ぎました。

本書では，過去 10 年分の本試験の出題を上記の法改正に対応させ，現行法のもとでの出題として適切なものとなるよう改題を施しています。

不動産登記法記述式の出題は，問題文での受験生への指示が複雑であり，また，それまで見たこともないような形式での指示がされ，さらには，出題形式が大きく変更されることもあり，本試験の現場で受験生は大きな緊張を強いられる問題と言えます。

そうした要らぬ緊張を少しでも和らげるためにも，過去の本試験での出題を検討することが必要です。不動産登記法記述式の出題傾向を把握し，本試験突破へ向けて，本書をご活用いただければ，これに勝る喜びはありません。

本書が，受講生の皆さんの司法書士試験合格への一助となりますよう。

2024 年 11 月

株式会社東京リーガルマインド
LEC 総合研究所　司法書士試験部

法改正等に伴う問題の改題について

1．法令の基準時点

令和７年４月１日時点で施行が確実な法令に合わせて，過去の出題を改題しています。

<不動産登記令及び不動産登記規則の一部改正について>

平成 27 年 11 月２日以降，申請人が会社法人等番号を有する法人であるときは，原則として，当該法人の代表者の資格を証する情報を提供する代わりに，当該法人の会社法人等番号を提供しなければならないとされました。

また，同日以降，申請情報とあわせて会社法人等番号を提供したときは，住所証明情報，住所変更証明情報は提供不要となります。さらに，申請情報とあわせて会社法人等番号を提供したときは，法人の合併による承継を証する情報又は法人の名称変更等を証する情報の提供に代えることができるものとされ，加えて，登記原因証明情報の一部として登記事項証明書の提供が必要とされている場合に，申請情報とあわせて会社法人等番号を提供したときは，登記事項証明書の提供に代えることができるとされました。

掲載の順序について

1．出題年度

本書では，まず，近年の傾向を把握していただく意味で，出題年度順とは逆に問題を掲載しています。既に本試験を受験したことがある受験生の方は，本書掲載順に問題を検討していただくことにより，ご自身の実力を測ったうえで，近年とは異なる出題分野を検討することができます。一方，本試験受験経験のない受験生の方は，本書の掲載順序とは逆に，出題年度順に検討することで，本試験の出題の難化の傾向に沿って，記述式の実力のレベルアップを図ることも可能です。

2．解答例

本書では，解答例は各年度の末尾に掲載しています。

3．過去問題資料集

平成 26 年から平成 18 年までの問題と解答例を出題当時の法令に則った形式で掲載しています。

※平成 24 年度分は，法改正により削除

目　次

☆本書の効果的活用法☆

10年分の問題を現行法に対応させて，改題！

本試験を忠実に再現した答案用紙！

問題　令和６年

本問題の日付は、出題当時の本試験問題に合わせておりますが、法令等については、令和７年４月１日時点において施行されているもの（本書作成時点において施行予定のものを含む。）を適用した上で、解答を作成してください。

以下の（**設例**）に基づき、後記の問１から問５までに答えなさい。

（設例）

１　令和…
下「甲…
という。…
した。…
での事…
書類を…
登記の…
は、甲…

２　令和…
相談を…
日、司…
き甲土…
申請手…
土地及…

３　令和…
下「丙…
という。…
そして、…
実に基…
受領し、…
請を行…

【事実関係…

１　Aは、…

令和６年

別紙１　甲土地の登記事項証明書（抜粋）

表題部（土地の表示）		調製	【略】	不動産番号	【略】
地図番号	余白	筆界特定	余白		
所在	奈良市小山町			余白	
① 地番	② 地目	③ 地積 ㎡		原因及びその日付〔登記の日付〕	
15番3	田	192		余白	
余白	宅地	192	45	②③平成２年１月10日地目変更〔平成２年１月22日〕	

権利部（甲区）（所有権に関する事項）			
順位番号	登記の目的	受付年月日・受付番号	権利者その他の事項
1	所有権移転	平成１年８月21日 第5567号	原因　平成１年８月21日売買 所有者　奈良県奈良市小山町15番地3 A 順位４番の登記を移記

権利部（乙区）（所有権以外の権利に関する事項）			
順位番号	登記の目的	受付年月日・受付番号	権利者その他の事項
1	抵当権設定	平成２年２月20日 第4337号	原因　平成２年２月20日金銭消費貸借同日設定 債権額　金2850万円 利息　年3.5％（年365日日割計算） 損害金　年14％ 債務者　奈良県奈良市小山町15番地3 A 抵当権者　奈良県奈良市元町3番地 大和信用金庫 共同担保　目録(ね)第3451号 順位４番の登記を移記
付記1号	1番抵当権移転	令和３年５月６日 第5541号	原因　令和３年５月１日合併 抵当権者　奈良県生駒市上町12番1号 生駒大和信用金庫

共同担保目録	
記号及び番号	(ね)第3451号
番号	担保の目的である権利…
1	奈良市小山町　15番…
2	奈良市小山町　15番… 15番3の建物

令和６年●答案用紙

第３欄　（甲土地）

		(1)	(2)
登記の目的			
申請事項等	登記原因及びその日付		
	上記以外の申請事項等		
添付情報			
登録免許税			

第４欄

解説　令和６年

[本問の重要論点一覧表]

出題範囲	重要論点	解説箇所
建物の増築工事がされた場合の増築部分の所有権の帰属	Ａ所有の建物にＢが増築をした場合において、当該増築部分が当該建物と別個独立の存在を有せず、その構成部分となっている場合には、増築部分の所有権は当該建物の所有者であるＡに帰属する。	P29参照
解除による抵当権の登記の抹消	同一の登記所の管轄区域内にある二以上の不動産につ…記…一…	
代物弁済による所有権一部移転登記	弁…え…の…給…を…	
保証委託契約による求償債権を担保するための抵当権設定登記	債…で…た…保…す…	
	相…る…と…	
	相…	

重要論点一覧表と前提の知識をリンクさせることにより，復習時の知識の習得を効率UP！

3−2　問題点　解除による抵当権の登記の抹消に関する検討

前提の知識

(1)　**抵当権の解除**

被担保債権を存続させたまま抵当権設定契約のみを解除することもでき、この場合においては、解除を原因とする抵当権の登記の抹消を申請することとなる。

なお、共同担保の関係にある抵当権のうち、一の不動産上の抵当権のみを解除することもできるとされている。

(2)　**一の申請情報による登記の申請の可否**

申請情報は、登記の目的及び登記原因に応じ、一の不動産ごとに作成して提供しなければならないのが原則である（不登令４本文）。しかし、①同一の登記所の管轄区域内にある二以上の不動産について申請する登記についての登記の目的並びに登記原因及びその日付が同一であるとき、②同一の登記所の管轄区域内にある一又は二以上の不動産について申請する二以上の登記が、いずれも同一の登記名義人の氏名若しくは名称又は住所についての変更の登記又は更正の登記であるとき、③同一の不動産について申請する二以上の権利に関する登記についての登記の目的並びに登記原因及びその日付が同一であるとき、④

令和６年

良地方法務局の管轄に属していることから、これらの登記は一の申請情報により申請することができる。

以上より、令和４年４月１日に、甲土地及び乙建物について、「令和４年２月22日解除」を原因とする「１番抵当権抹消」登記を申請することとなる。

申請情報に関する事項

《１番抵当権抹消》甲土地及び乙建物

(1)　**登記の目的**

「１番抵当権抹消」と記載する。

(2)　**登記原因及びその日付**

「令和４年２月22日解除」と記載する。

(3)　**申請人**

「権利者　Ａ
義務者　生駒大和信用金庫」と記載する。

(4)　**申請情報と併せて提供することが必要な情報（添付情報）**

ア　登記原因証明情報（不登61条、不登令７条１項５号ロ）

登記原因証明情報とは、権利に関する登記における登記の原因となる事実又は法律行為を証する情報をいう

申請情報に記載すべき事項を詳細に解説！

解答例

第２欄

(1)

登記の目的		１番抵当権抹消
申請事項等	登記原因及びその日付	令和４年２月22日解除
	上記以外の申請事項等	権利者　Ａ 義務者　生駒大和信用金庫
添付情報		ア、キ、コ、ナ
登録免許税		金2,000円
不動産の表示		甲土地・乙建物

事実関係を正確・迅速に把握するために時系列で表示!

1 事件の概要

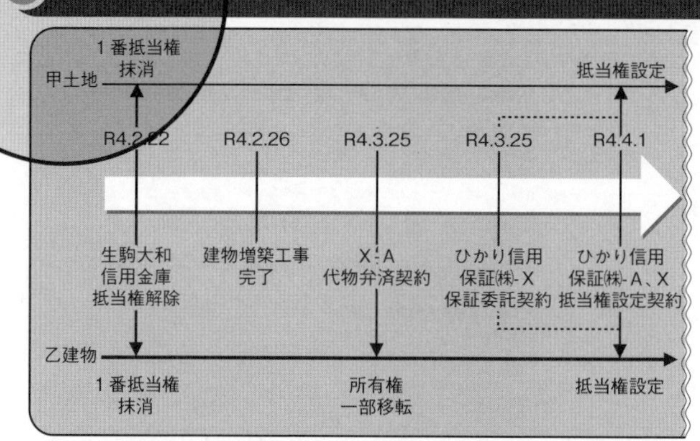

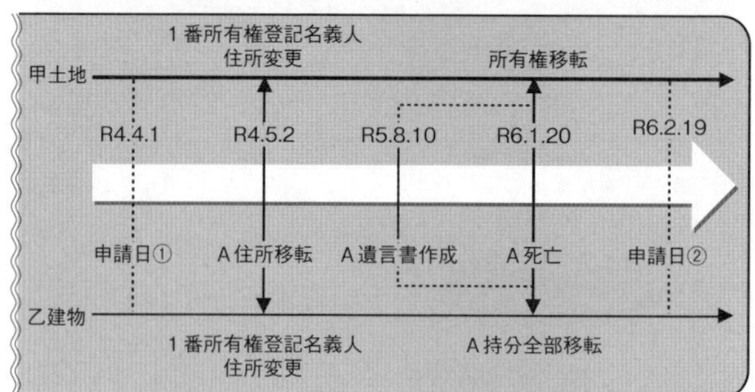

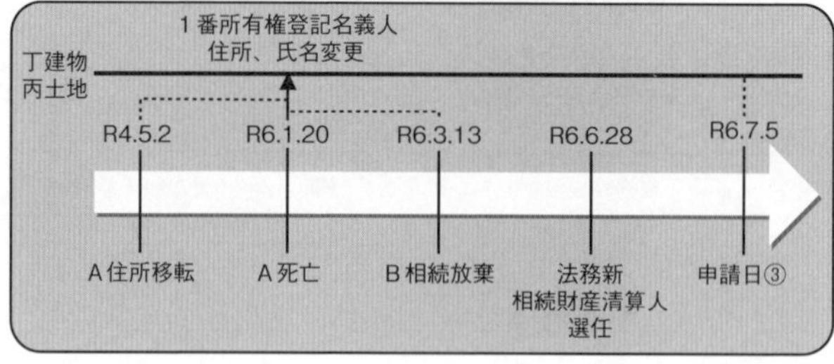

基準点・合格点の推移

年度	基準点				合格点	合格点－基準点
	択一午前の部	択一午後の部	記述式	合計		
令和6	78（26問）	72（24問）	83.0/140	233.0/350.0	267.0/350.0	34.0
	48.9	52.2	（59.2%）	（66.6%）	（76.2%）	
令和5	78（26問）	75（25問）	30.5/70	183.5/280.0	211.0/280.0	27.5
	49.3	52.0	（43.6%）	（65.5%）	（75.3%）	
令和4	81（27問）	75（25問）	35.0/70	191.0/280.0	216.5/280.0	25.5
	58.3	60.2	（50.0%）	（68.2%）	（77.3%）	
令和3	81（27問）	66（22問）	34.0/70	181.0/280.0	208.5/280.0	27.5
	49.8	51.5	（48.6%）	（64.6%）	（74.5%）	
令和2	75（25問）	72（24問）	32.0/70	179.0/280.0	205.5/280.0	26.5
	48.3	52.3	（45.7%）	（63.9%）	（73.4%）	
平成31	75（25問）	66（22問）	32.5/70	173.5/280.0	197.0/280.0	23.5
	51.6	52.4	（46.4%）	（62.0%）	（70.4%）	
平成30	78（26問）	72（24問）	37.0/70	187.0/280.0	212.5/280.0	25.5
	51.9	50.9	（52.9%）	（66.8%）	（75.9%）	
平成29	75（25問）	72（24問）	34.0/70	181.0/280.0	207.0/280.0	26.0
	51.9	51.5	（48.6%）	（64.6%）	（73.9%）	
平成28	75（25問）	72（24問）	30.5/70	177.5/280.0	200.5/280.0	23.0
	52.4	51.5	（43.6%）	（63.4%）	（71.6%）	
平成27	90（30問）	72（24問）	36.5/70	198.5/280.0	218.0/280.0	19.5
	53.9	53.0	（52.1%）	（70.8%）	（77.8%）	

※　択一午前の部・択一午後の部の下段は，偏差値を示している。この偏差値は，例年実施している択一成績診断から算出しているＬＥＣ独自のものである。

略語　本書の解説では，以下の法規を略して表記しています。

不登 …… 不動産登記法
不登令 …… 不動産登記令
不登令別表 …… 不動産登記令別表
不登規 …… 不動産登記規則
不登附則 …… 不動産登記法附則
不登準則 …… 不動産登記事務手続準則
登録税 …… 登録免許税法
登録税別表 …… 登録免許税法別表
登録税令 …… 登録免許税法施行令
登録税施規 …… 登録免許税法施行規則
国税通則 …… 国税通則法
民 …… 民法
区分所有 …… 建物の区分所有に関する法律
農地 …… 農地法
農地施規 …… 農地法施行規則
会社 …… 会社法
会社整備 …… 会社法の施行に伴う関係法律の整備等に関する法律
商登 …… 商業登記法
民保 …… 民事保全法
民執 …… 民事執行法
民訴 …… 民事訴訟法

不動産登記法

問題　令和６年

本問題の日付は、出題当時の本試験問題に合わせておりますが、法令等については、令和７年４月１日時点において施行されているもの（本書作成時点において施行予定のものを含む。）を適用した上で、解答を作成してください。

以下の（**設例**）に基づき、後記の問１から問５までに答えなさい。

（設例）

1　令和４年３月１日、司法書士法務新は、別紙１の登記がされている不動産（以下「甲土地」という。）及び別紙２の登記がされている不動産（以下「乙建物」という。）についてXから相談を受け、後記**【事実関係】**１及び２の事実を聴取した。そして、同年４月１日、司法書士法務新は、後記**【事実関係】**１から６までの事実に基づいて行うべき甲土地及び乙建物の登記申請手続に必要な全ての書類を受領した上で、別紙５の登記原因証明情報を起案し、関係当事者全員から登記の申請手続等について代理することの依頼を受けた。同日、司法書士法務新は、甲土地及び乙建物について必要な登記の申請を行った。

2　令和６年２月５日、司法書士法務新は、甲土地及び乙建物について再びXから相談を受け、後記**【事実関係】**７から９までの事実を聴取した。そして、同月19日、司法書士法務新は、後記**【事実関係】**１から９までの事実に基づいて行うべき甲土地及び乙建物の登記申請手続に必要な全ての書類を受領し、Xから登記の申請手続等について代理することの依頼を受けた。同日、司法書士法務新は、甲土地及び乙建物について必要な登記の申請を行った。

3　令和６年３月１日、司法書士法務新は、別紙８の登記がされている不動産（以下「丙土地」という。）及び別紙９の登記がされている不動産（以下「丁建物」という。）についてBから相談を受け、後記**【事実関係】**10の事実を聴取した。そして、同年７月５日、司法書士法務新は、後記**【事実関係】**１から12までの事実に基づいて行うべき丙土地及び丁建物の登記申請手続に必要な全ての書類を受領し、同日、司法書士法務新は、丙土地及び丁建物について必要な登記の申請を行った。

【事実関係】

1　Aは、住居として乙建物を使用し、その敷地として甲土地を使用していたが、引っ越しをすることとなった。そこで、Aと懇意にしてきたXは、自ら工事代金を負担して乙建物の増築工事（以下「本件増築工事」という。）を行った上で、乙建物を住居として使用することとした。本件増築工事は、令和４年２月26日に完了した。

2　Xは、本件増築工事を行うに当たり、ひかり銀行株式会社から融資を受けることとし、所定の申込手続を行った。なお、融資の条件として、乙建物の一部又は全部をXの所有名義とすることが必要とされた。

3　令和４年３月４日、Xは、土地家屋調査士法務蒼太の事務所を訪問し、乙建物の表題部の変更の登記の申請を依頼した。当該登記は同月17日に完了し、乙建物の床面積が97.44㎡に変更されたが、その他の登記事項に変更はない。

4　甲土地及び乙建物の乙区１番に記録されている抵当権については、別紙３の抵当権解除証書を含む関係書類が交付されている。

5　令和４年３月25日、Xは、住所を奈良県奈良市小山町15番地３に移転した。同日、Xは、ひかり銀行株式会社との間で前記**【事実関係】**２の申込みに係る金銭消費貸借契約を締結するとともに、ひかり信用保証株式会社との間でXがひかり銀行株式会社に対して負担する金銭債務に係る保証委託契約を締結した。

6　令和４年４月１日、ひかり銀行株式会社は、Xに対する融資を実行した。また、同日、X、A及びひかり信用保証株式会社は、別紙４の抵当権設定契約証書により抵当権設定契約を締結した。

7　令和４年５月２日、Aは、住所を奈良県丹生郡今川町1305番地に移転した。

8　令和５年８月10日、Aは、別紙６の遺言書により遺言をした。

9　令和６年１月20日、Aは死亡した。Aの親族関係は、別紙７に記載されたとおりである。また、Xは、Aの遺言に係る遺言執行者の就職を承諾した。

10　Aは、生前に住居として丁建物を使用し、その敷地として丙土地を使用していた。Aの死亡後、丁建物には誰も住んでいないが、Bが丁建物の管理を継続して行っていた。しかし、Bは、丁建物とは別に自宅を有しており、丁建物に居住するつもりはなかった上、Aには丙土地及び丁建物のほかに遺産もなかったことから、Bは、Aに係る相続の放棄をしたいと考えていた。

11　令和６年３月13日、Bは、Aの最後の住所地を管轄する奈良家庭裁判所五條支部にAに係る相続の放棄をする旨の申述をし、同日、当該申述は受理された。

12　令和６年５月８日、Bは、奈良家庭裁判所五條支部に相続財産清算人の選任の申立てをし、同年６月28日、司法書士法務新が相続財産清算人に選任された。

〔事実関係に関する補足〕

1　本件増築工事による乙建物の増築部分は、乙建物の既存部分に接して築造されており、建物としての構造上の独立性はなく、当該既存部分と一体として利用され、取引されるべき状態にある。

2　登記申請に当たって法律上必要な手続は、申請日までに全てされている。なお、登記原因につき第三者の許可、同意又は承諾を要する場合には、各申請日までに、それぞれ当該第三者の許可、同意又は承諾を得ている。また、登記上の利害関係を有する第三者の承諾を要する場合には、各申請日までに、当該第三者の承諾を得ている。

3　司法書士法務新が令和４年４月１日に行った登記の申請は、同月７日に完了している。また、司法書士法務新が令和６年２月19日に行った登記の申請は、同月22日に完了している。

4　**【事実関係】**は全て真実に合致しており、また、これらに基づく行為や司法書士法務新の説明内容は、全て適法である。

5　司法書士法務新は、同じ日付で複数の登記を申請する場合には、次の要領で登記を申請するものとする。

⑴　権利部（甲区）又は権利部（乙区）の別を問わず、登記原因の日付の早いものから登記を申請する。

⑵　登記原因の日付が同日のものがある場合は、権利部（甲区）に関する登記を申請し、その後に権利部（乙区）に関する登記を申請する。

⑶　複数の不動産について一括して申請することができる場合は１件で申請することとし、申請件数及び登録免許税の額が最も少なくなるように登記を申請する。

6　本件の関係当事者間には、**【事実関係】**及び各別紙に記載されている権利義務以外には、実体上の権利義務関係は存在しない。

7　甲土地及び乙建物は、奈良地方法務局の管轄に属している。また、丙土地及び丁建物は、奈良地方法務局五條支局の管轄に属している。司法書士法務新は、いずれの登記の申請も、管轄登記所に書面を提出する方法により行ったものとする。

8　司法書士法務新は、いずれの登記申請においても、判決による登記申請及び債権者代位による登記申請を行っていない。

9　令和４年４月１日現在の甲土地の課税標準の額は836万6933円とし、本件増築工事後の乙建物の課税標準の額は238万188円とする。令和６年２月19日現在の甲土地の課税標準の額は820万2876円とする。令和６年７月５日現在の丙土地の課税標準の額は466万3251円とする。

問１　令和４年３月１日、司法書士法務新がＸの訪問を受けた際に、Ｘから、乙建

物の増築部分の所有権の帰属について質問を受けたため、司法書士法務新は、判例の立場を前提として、本件増築工事が完了した時点で当該増築部分の所有権が誰に帰属するか及びその理由を説明した。司法書士法務新が行った説明の内容につき、当該増築部分の所有権が誰に帰属するかを明示した上で、その理由を答案用紙の第１欄に記載しなさい。

問２　司法書士法務新が**甲土地及び乙建物について令和４年４月１日に申請した登記**の申請情報の内容のうち、登記の目的、登記記録の「権利者その他の事項」欄に記録される情報及び申請人（以下「申請事項等」という。問３において同じ。）、添付情報、登録免許税額並びに不動産の表示を、司法書士法務新が申請した登記の順に従って、答案用紙の第２欄⑴から⑶までの各欄に記載しなさい。

問３　司法書士法務新が**甲土地について令和６年２月19日に申請した登記**の申請情報の内容のうち、登記の目的、申請事項等、添付情報及び登録免許税額を、司法書士法務新が申請した登記の順に従って、答案用紙の第３欄⑴及び⑵の各欄に記載しなさい。なお、解答を記載するに当たっては、**〔設例〕**２及び**〔事実関係に関する補足〕**５⑶にかかわらず、甲土地についてのみ登記の申請をしたものとし、乙建物については記載することを要しない。

問４　令和６年３月１日、司法書士法務新がＢの訪問を受けた際に、Ｂから、**Ａに係る相続の放棄をした場合において、Ｂが丙土地及び丁建物についてどのような義務を負うことがあるかについて**質問を受けたため、司法書士法務新は、法令に照らし、以下のとおりの説明をした。空欄に当てはまる文言（［　Ｂ　］及び［　Ｃ　］は順不同）を、答案用紙の第４欄に記載しなさい。

【司法書士法務新の説明】

「相続放棄をした者は、その放棄の時に相続財産に属する財産を［　Ａ　］占有しているときは、［　Ｂ　］又は［　Ｃ　］に対して当該財産を引き渡すまでの間、［　Ｄ　］の注意をもって、その財産を［　Ｅ　］しなければなりません。」

問５　司法書士法務新が**丙土地について令和６年７月５日に申請した登記**の申請情報の内容のうち、登記の目的、登記原因及びその日付、申請人及び登録免許税額を、司法書士法務新が申請した登記の順に従って、答案用紙の第５欄に記載しなさい。なお、解答を記載するに当たっては、**〔設例〕**３及び**〔事実関係に関する補足〕**５⑶にかかわらず、丙土地についてのみ登記の申請をしたものとし、丁建物については記載することを要しない。

(答案作成に当たっての注意事項)

1　答案用紙の第２欄及び第３欄の申請事項等欄の「上記以外の申請事項等」欄に解答を記載するに当たっては、次の要領で行うこと。

⑴　「上記以外の申請事項等」欄には、登記記録の「権利者その他の事項」のうち登記原因及びその日付を除いた情報並びに申請人を記載する。

⑵　申請人について、「権利者」、「義務者」、「申請人」、「所有者」、「抵当権者」、「(被承継者)」等の表示も記載する。

⑶　申請人について、住所又は本店所在地は、記載することを要しない。また、会社法人等番号を有する法人について、代表機関の資格及び氏名並びに会社法人等番号は、記載することを要しない。

⑷　登記権利者及び登記義務者が共同して権利に関する登記の申請をする場合その他の法令の規定により登記の申請をする場合において、申請人が登記識別情報又は登記済証を提供することができないときは、当該登記識別情報又は登記済証を提供することができない理由を記載する。

⑸　申請人が法令に掲げる者のいずれであるかを申請情報の内容とすべきときは、「民法423条１項」の振り合いで、当該法令を記載する。

2　答案用紙の第２欄及び第３欄の添付情報欄に解答を記載するに当たっては、次の要領で行うこと。

⑴　添付情報の解答は、その登記の申請に必要な添付情報を後記**【添付情報一覧】**から選択し、その記号（アからハまで）を記載する。

⑵　法令の規定により添付を省略することができる情報及び提供されたものとみなされる情報についても、後記**【添付情報一覧】**から選択し、その記号（アからハまで）を記載する。

⑶　後記**【添付情報一覧】**のアからハまでに掲げられた情報以外の情報（登記の申請に関する委任状等）は、記載することを要しない。

⑷　後記**【添付情報一覧】**のシを記載するときは、シの記号に続けて、シの括弧書きの「(何某が何土地又は何建物の何区何番で通知を受けたもの)」に通知を受けた者、通知を受けた不動産及びその順位番号を補い、「シ（Aが甲土地の甲区１番で通知を受けたもの)」の要領で記載する。

⑸　後記**【添付情報一覧】**のネ又はノのいずれかあるいは複数を記載するときは、それぞれの記号の後に続けて、ネ又はノの括弧書きの「(何某のもの)」に当該情報の作成者の氏名を補い、「ネ（Aのもの)」の要領で記載する。

⑹　後記**【添付情報一覧】**のハを記載するときは、ハの括弧書きの「(何某の本

人確認をしたもの)」に司法書士法務新が本人確認をした申請人の氏名を補い、「ハ（Aの本人確認をしたもの)」の要領で記載する。

(7) 後記**【添付情報一覧】**のスからソまでに掲げられた印鑑に関する証明書は、登記名義人となる者の住所を証する情報としては使用しないものとする。

(8) 後記**【添付情報一覧】**のタのAに関する住民票の除票の写しには、本籍及び前住所が記載されているものとする。

(9) 後記**【添付情報一覧】**に掲げられた添付情報のうち、発行日、作成日等の日付が明示されておらず、かつ、登記の申請に際して有効期限の定めがあるものは、登記の申請時において、全て有効期限内であるものとする。

3 答案用紙の第２欄の不動産の表示欄に解答を記載するに当たっては、甲土地、乙建物のいずれか又はその両方を丸で囲うこと。

4 答案用紙の第５欄の申請人欄に解答を記載するに当たっては、次の要領で行うこと。

(1) 申請人について、「権利者」、「義務者」、「申請人」、「所有者」、「抵当権者」、「(被承継者)」等の表示も記載する。

(2) 申請人について、住所又は本店所在地は、記載することを要しない。また、会社法人等番号を有する法人について、代表機関の資格及び氏名並びに会社法人等番号は、記載することを要しない。

(3) 登記権利者及び登記義務者が共同して権利に関する登記の申請をする場合その他の法令の規定により登記の申請をする場合において、申請人が登記識別情報又は登記済証を提供することができないときは、当該登記識別情報又は登記済証を提供することができない理由を記載する。

(4) 申請人が法令に掲げる者のいずれであるかを申請情報の内容とすべきときは、「民法423条１項」の振り合いで、当該法令を記載する。

5 答案用紙の第２欄、第３欄及び第５欄の各項目の欄に申請すべき登記の申請情報等の内容を記載するに当たり、記載すべき情報等がない場合には、その欄に「なし」と記載すること。

6 申請できる登記は全て申請するものとし、申請すべき登記がない場合には、答案用紙の第２欄及び第３欄の**登記の目的欄**に「登記不要」と記載すること。

7 別紙は、いずれも、実際の様式と異なる。また、別紙には記載内容の一部が省略されているものがあり、別紙を含め登記の申請に必要な添付情報は、いずれも、**【事実関係】**に沿う形で、法律上適式に作成されているものとする。

8 数字を記載する場合には、算用数字を使用すること。

9 登録免許税が免除され、又は軽減される場合には、その根拠となる法令の条項を登録免許税額欄に登録免許税額（非課税である場合は、その旨）とともに記載する。なお、登録免許税額の算出について、登録免許税法以外の法令による税の減免規定の適用はないものとする。

10　答案用紙の**各欄に記載する文字は字画を明確にし**、訂正、加入又は削除をするときは、訂正は訂正すべき字句に線を引き、近接箇所に訂正後の字句を記載し、加入は加入する部分を明示して行い、削除は削除すべき字句に線を引いて、訂正、加入又は削除をしたことが明確に分かるように記載すること。ただし、押印や字数を記載することを要しない。

【添付情報一覧】

ア　抵当権解除証書（別紙３）
イ　抵当権設定契約証書（別紙４）
ウ　登記原因証明情報（別紙５）
エ　遺言書（別紙６）
オ　登記済証（甲土地の甲区１番のもの）
カ　登記済証（甲土地の乙区１番のもの）
キ　登記識別情報（生駒大和信用金庫が甲土地の乙区１番付記１号で通知を受けたもの）
ク　登記済証（乙建物の甲区１番のもの）
ケ　登記済証（乙建物の乙区１番のもの）
コ　登記識別情報（生駒大和信用金庫が乙建物の乙区１番付記１号で通知を受けたもの）
サ　登記済証（丙土地の甲区１番のもの）
シ　登記識別情報（何某が何土地又は何建物の何区何番で通知を受けたもの）
ス　Ａの印鑑に関する証明書
セ　Ｂの印鑑に関する証明書
ソ　Ｘの印鑑に関する証明書
タ　Ａの住民票の除票の写し
チ　Ｂの住民票の写し
ツ　Ｘの住民票の写し
テ　Ａが死亡した旨の記載のある戸籍の全部事項証明書
ト　大和信用金庫の会社法人等番号
ナ　生駒大和信用金庫の会社法人等番号
ニ　ひかり銀行株式会社の会社法人等番号
ヌ　ひかり信用保証株式会社の会社法人等番号
ネ　登記原因につき第三者の許可、同意又は承諾を証する情報及び当該情報の作成者の印鑑に関する証明書（何某のもの）
ノ　登記上の利害関係を有する第三者の承諾を証する情報及び当該情報の作成者の印鑑に関する証明書（何某のもの）
ハ　本人確認情報（何某の本人確認をしたもの）

別紙1　甲土地の登記事項証明書(抜粋)

表題部(土地の表示)		調製	【略】	不動産番号	【略】
地図番号	余白	筆界特定	余白		
所在	奈良市小山町			余白	
① 地番	② 地目	③ 地積 ㎡		原因及びその日付〔登記の日付〕	
15番3	田	192		余白	
余白	宅地	192	45	②③平成2年1月10日地目変更 〔平成2年1月22日〕	

権利部(甲区)(所有権に関する事項)			
順位番号	登記の目的	受付年月日・受付番号	権利者その他の事項
1	所有権移転	平成1年8月21日 第5567号	原因　平成1年8月21日売買 所有者　奈良県奈良市小山町15番地3 A 順位4番の登記を移記

権利部(乙区)(所有権以外の権利に関する事項)			
順位番号	登記の目的	受付年月日・受付番号	権利者その他の事項
1	抵当権設定	平成2年2月20日 第4337号	原因　平成2年2月20日金銭消費貸借同日設定 債権額　金2850万円 利息　年3.5%(年365日日割計算) 損害金　年14% 債務者　奈良県奈良市小山町15番地3 A 抵当権者　奈良県奈良市元町3番地 大和信用金庫 共同担保　目録(ね)第3451号 順位4番の登記を移記
付記1号	1番抵当権移転	令和3年5月6日 第5541号	原因　令和3年5月1日合併 抵当権者　奈良県生駒市上町12番1号 生駒大和信用金庫

共同担保目録				
記号及び番号	(ね)第3451号		調製	【略】
番号	担保の目的である権利の表示	順位番号	予備	
1	奈良市小山町　15番3の土地	1	余白	
2	奈良市小山町　15番地3　家屋番号 15番3の建物	1	余白	

これは登記記録に記録されている事項の全部を証明した書面である。

令和４年３月１日

奈良地方法務局　　　　　　　　　　　　　　　　登記官　紅　山　美　怜　印

別紙2　乙建物の登記事項証明書(抜粋)

表 題 部（主である建物の表示）		調製	【略】	不動産番号	【略】
所在図番号	余白				
所　　在	奈良市小山町　15番地3			余白	
家屋番号	15番3			余白	
① 種 類	② 構 造	③ 床面積 ㎡		原因及びその日付〔登記の日付〕	
居宅	木造瓦葺平家建	62	66	平成2年1月10日新築 〔平成2年1月22日〕	

権 利 部（甲 区）（所 有 権 に 関 す る 事 項）			
順位番号	登 記 の 目 的	受付年月日・受付番号	権利者その他の事項
1	所有権保存	平成2年2月20日 第4335号	所有者　奈良県奈良市小山町15番地3 A 順位1番の登記を移記

権 利 部（乙 区）（所 有 権 以 外 の 権 利 に 関 す る 事 項）			
順位番号	登 記 の 目 的	受付年月日・受付番号	権利者その他の事項
1	抵当権設定	平成2年2月20日 第4337号	原因　平成2年2月20日金銭消費貸借同日設定 債権額　金2850万円 利息　年3.5%(年365日日割計算) 損害金　年14% 債務者　奈良県奈良市小山町15番地3 A 抵当権者　奈良県奈良市元町3番地 大和信用金庫 共同担保　目録(ね)第3451号 順位4番の登記を移記
付記1号	1番抵当権移転	令和3年5月6日 第5541号	原因　令和3年5月1日合併 抵当権者　奈良県生駒市上町12番1号 生駒大和信用金庫

共 同 担 保 目 録				
記号及び番号	(ね)第3451号		調製	【略】
番　号	担保の目的である権利の表示	順位番号	予　備	
1	奈良市小山町　15番3の土地	1	余白	
2	奈良市小山町　15番地3　家屋番号 15番3の建物	1	余白	

これは登記記録に記録されている事項の全部を証明した書面である。

令和４年３月１日

奈良地方法務局　　　　登記官　紅　山　美　怜　印

別紙３　抵当権解除証書

抵当権解除証書

奈良県奈良市小山町15番地３

Ａ　　　　　　　　　　　　　　　　殿

平成２年２月20日付け抵当権設定契約により、次の不動産に設定した抵当権(平成２年２月20日奈良地方法務局受付第4337号登記済)は、本日、解除しました。

不動産の表示

当欄には、甲土地及び乙建物が記載されているものとする。

令和４年２月22日

奈良県生駒市上町12番１号

生駒大和信用金庫

理事長　　黒　木　　公　㊞

別紙４　抵当権設定契約証書

抵当権設定契約証書

大阪市東区丸井２丁目１番地
ひかり信用保証株式会社　御中

令和４年４月１日

債務者 (保証委託者) 兼抵当権設定者	当欄には、関係当事者全員が適式に署名し、押印しているものとする。
抵当権設定者	

債務者及び抵当権設定者は、債務者がひかり銀行株式会社から融資を受けるについて、令和４年３月25日付で貴社との間に締結した保証委託契約(以下単に「保証委託契約」という。)に付帯して、下記の条項を契約します。

第１条(抵当権の設定)
抵当権設定者は、債務者が保証委託契約により貴社に対し負担すべき求償債務を担保するため、その所有する末尾記載の物件の上に次の要領により順位第１番の抵当権を設定いたします。

1　債　務　額　　金900万円
1　遅延損害金　　年14%

【中略】

物件の表示

当欄には、甲土地及び乙建物が記載されているものとする。

別紙５　登記原因証明情報

登記原因証明情報

1　登記申請情報の要項

(1)　登記の目的　【略】

(2)　登記の原因　【略】

(3)　当　事　者　【略】

(4)　不動産の表示

所　　在　奈良県奈良市小山町15番地3

家屋番号　15番3

種　　類　居宅

構　　造　木造瓦葺平家建

床 面 積　97.44㎡

2　登記の原因となる事実又は法律行為

(1) 令和4年2月26日、Xは、Aが所有する上記1(4)の建物(以下「本件建物」という。)に対して、建物増築工事を行った。

(2) これによって、Aが所有する本件建物の価値は増加した。

(3) Aは、Xに対して、本件建物の増加価値につき償金を支払う債務があることを確認した。

(4) 令和4年3月25日、XとAは、AがXに対し、前記(3)の債務の弁済に代えて、増築後の本件建物の所有権の持分10分の7を移転する旨の契約をした。

(5) よって、同日、本件建物の所有権の持分の10分の7が、AからXに移転した。

令和4年4月1日　奈良地方法務局　御中

上記の登記原因のとおり相違ありません。

当欄には、関係当事者全員が適式に署名し、押印しているものとする。

別紙６　遺言書

注：本遺言書は、以下の２葉で構成されており、その発見当時、当該２葉は同一の封筒に入れられ、封かんされていた。

１枚目の文字は全て手書きであり、適式な押印がされている。

２枚目はパソコンで作成されており、Ａの自署と適式な押印がされている。

本遺言書は家庭裁判所で検認されており、検認済み証明書が合てつされている。

（１枚目）

遺　言　書

Ｘ（平成３年６月９日生、住所　奈良県奈良市小山町15番地３）に別紙財産目録の不動産を相続させる。

本遺言の遺言執行者として、前記Ｘを指定する。

令和５年８月10日

奈良県丹生郡今川町1305番地

Ａ　㊞

（２枚目）

別紙

財産目録

当欄には、甲土地及び乙建物が記載されているものとする。

Ａ　㊞

別紙7　Aの親族関係図

注：二重線は婚姻関係を示しており、一本線は親子関係を示している。

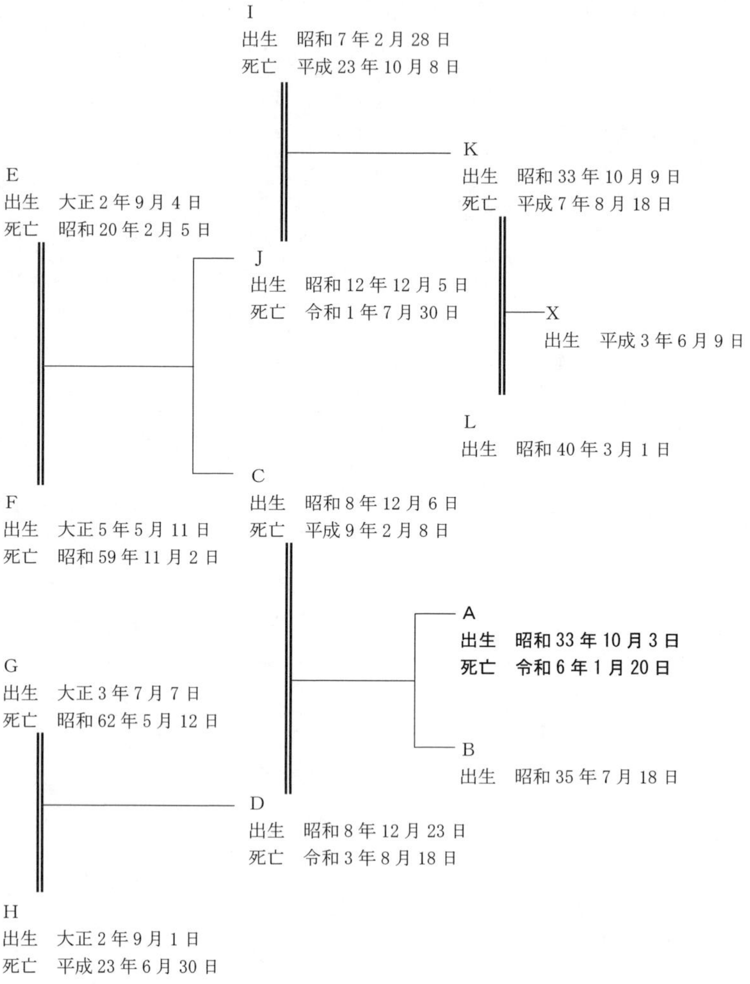

I
出生　昭和7年2月28日
死亡　平成23年10月8日

K
出生　昭和33年10月9日
死亡　平成7年8月18日

E
出生　大正2年9月4日
死亡　昭和20年2月5日

J
出生　昭和12年12月5日
死亡　令和1年7月30日

X
出生　平成3年6月9日

L
出生　昭和40年3月1日

C
出生　昭和8年12月6日
死亡　平成9年2月8日

F
出生　大正5年5月11日
死亡　昭和59年11月2日

A
出生　昭和33年10月3日
死亡　令和6年1月20日

G
出生　大正3年7月7日
死亡　昭和62年5月12日

B
出生　昭和35年7月18日

D
出生　昭和8年12月23日
死亡　令和3年8月18日

H
出生　大正2年9月1日
死亡　平成23年6月30日

別紙8　丙土地の登記事項証明書(抜粋)

表　題　部（土地の表示）		調製	【略】	不動産番号	【略】
地図番号	余白	筆界特定	余白		
所　　在	丹生郡今川町			余白	
① 地　番	② 地　目	③ 地　積　　　㎡		原因及びその日付〔登記の日付〕	
1305番	宅地	332 53		余白	

権　利　部（　甲　区　）（　所　有　権　に　関　す　る　事　項　）			
順位番号	登　記　の　目　的	受付年月日・受付番号	権利者その他の事項
1	所有権移転	平成10年8月18日 第4727号	原因　平成9年2月8日相続 所有者　奈良県奈良市小山町15番地3 A

これは登記記録に記録されている事項の全部を証明した書面である。ただし、登記記録の乙区に記録されている事項はない。

令和6年2月28日

奈良地方法務局五條支局　　　　登記官　金　城　優　紀　印

別紙9　丁建物の登記事項証明書(抜粋)

表　題　部（主である建物の表示）		調製	【略】	不動産番号	【略】
所在図番号	余白				
所　　在	丹生郡今川町　1305番地			余白	
家屋番号	1305番			余白	
① 種　類	② 構　造	③ 床　面　積　　　㎡		原因及びその日付〔登記の日付〕	
居宅	木造瓦葺平家建	147 23		昭和53年9月10日新築 〔昭和53年11月15日〕	

権　利　部（　甲　区　）（　所　有　権　に　関　す　る　事　項　）			
順位番号	登　記　の　目　的	受付年月日・受付番号	権利者その他の事項
1	所有権移転	平成10年8月18日 第4727号	原因　平成9年2月8日相続 所有者　奈良県奈良市小山町15番地3 A

これは登記記録に記録されている事項の全部を証明した書面である。ただし、登記記録の乙区に記録されている事項はない。

令和6年2月28日

奈良地方法務局五條支局　　　　登記官　金　城　優　紀　印

別紙10　相続財産清算人選任審判書謄本

令和6年(家)第10号　相続財産清算人選任申立事件

審　　判

本　　　籍　(省略)

住　　　所　奈良県丹生郡今川町1432番地

申立人　B

本　　　籍　(省略)

最後の住所　奈良県丹生郡今川町1305番地

被相続人　亡　A

昭和33年10月3日生

令和6年1月20日死亡

本件について、当裁判所は、その申立てを相当と認め、民法第952条により次のとおり審判する。

主　　文

被相続人亡Aの相続財産清算人として、

住　　所　奈良県奈良市南町二丁目77番地

氏　　名　法務　新

を選任する。

令和6年6月28日

奈良家庭裁判所五條支部

裁判官　　吉　田　匠　実

上記は謄本である。

令和6年6月30日

奈良家庭裁判所五條支部

裁判所書記官　　光　野　司　印

MEMO

令和6年●答案用紙

第1欄

誰に帰属するか	
理由	

第2欄　(甲土地及び乙建物)

		(1)	(2)	(3)
登記の目的				
申請事項等	登記原因及びその日付			
	上記以外の申請事項等			
添付情報				
登録免許税				
不動産の表示		甲土地　乙建物	甲土地　乙建物	甲土地　乙建物

第３欄　（甲土地）

		(1)	(2)
登記の目的			
申請事項等	登記原因及びその日付		
	上記以外の申請事項等		
添付情報			
登録免許税			

第４欄

A	
B	
C	
D	
E	

第5欄

登記の目的	
登記原因 及びその日付	
申請人	
登録免許税	

MEMO

[本問の重要論点一覧表]

出題範囲	重要論点	解説箇所
建物の増築工事がされた場合の増築部分の所有権の帰属	Ａ所有の建物にＢが増築をした場合において、当該増築部分が当該建物と別個独立の存在を有せず、その構成部分となっている場合には、増築部分の所有権は当該建物の所有者であるＡに帰属する。	P29参照
解除による抵当権の登記の抹消	同一の登記所の管轄区域内にある二以上の不動産について申請する登記についての登記の目的並びに登記原因及びその日付が同一である場合、当該登記は一の申請情報により申請することができる。	P30参照
代物弁済による所有権一部移転登記	弁済者が債権者との間で債務者の負担した給付に代えて他の給付をすることにより債務を消滅させる旨の契約をした場合において、その弁済者が当該他の給付をしたときは、その給付は、弁済と同一の効力を有する。	P33参照
保証委託契約による求償債権を担保するための抵当権設定登記	債務者が第三者との間で保証委託契約を締結した上で、当該契約により生ずる求償債権のみを担保するために抵当権を設定した場合においては、「年月日保証委託契約による求償債権年月日設定」を原因とする抵当権の設定登記を申請することができる。	P36参照
遺贈による所有権の移転登記及び前提としての登記名義人の住所変更登記	相続人以外の者に対して特定の不動産を「相続させる」旨の遺言をした上で死亡した場合、遺贈を原因とする所有権の移転登記を申請することとなる。	P39参照
	相続人以外の者に対して不動産を遺贈したことによる所有権移転登記を申請する場合において、受遺者が同時に遺言執行者として指定されているときは、遺言執行者たる受遺者は、双方の地位に基づき遺贈を原因とする所有権移転登記を申請することができる。	P40参照
相続の放棄をした者が負うことのある義務の内容	相続の放棄をした者が、その放棄の時に相続財産に属する財産を現に占有しているときは、相続人又は相続財産の清算人に対して当該財産を引き渡すまでの間、自己の財産におけるのと同一の注意をもって、その財産を保存しなければならない。	P43参照

出題範囲	重要論点	解説箇所
住所移転及び相続人不存在による登記名義人住所、氏名変更登記	相続財産が法人化した場合、被相続人が死亡した日をもって「年月日相続人不存在」を原因とする登記名義人氏名変更登記を申請する。	P44参照
	相続人不存在を原因とする登記名義人の氏名変更登記を申請する場合において、被相続人の死亡時の住所が登記記録上の住所と異なるときは、申請書にその変更についての登記原因及びその日付を併記する。	P44参照

1 事件の概要

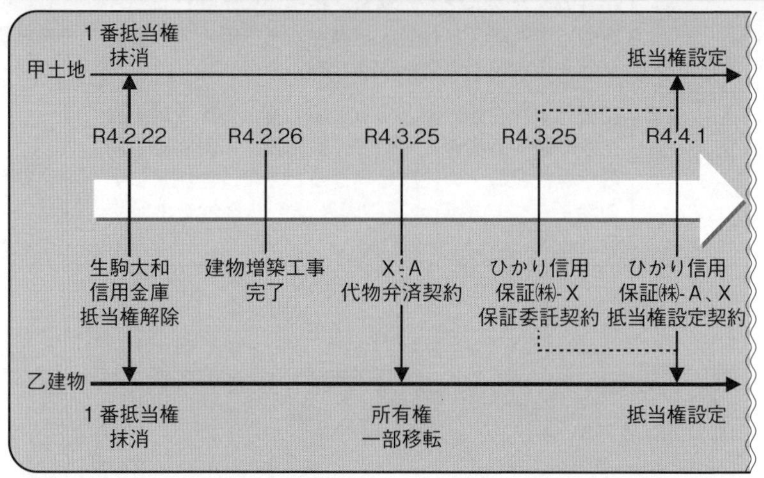
1番抵当権
抹消
甲土地
抵当権設定
R4.2.22
R4.2.26
R4.3.25
R4.3.25
R4.4.1
生駒大和
信用金庫
抵当権解除
建物増築工事
完了
X-A
代物弁済契約
ひかり信用
保証㈱-X
保証委託契約
ひかり信用
保証㈱-A、X
抵当権設定契約
乙建物
1番抵当権
抹消
所有権
一部移転
抵当権設定

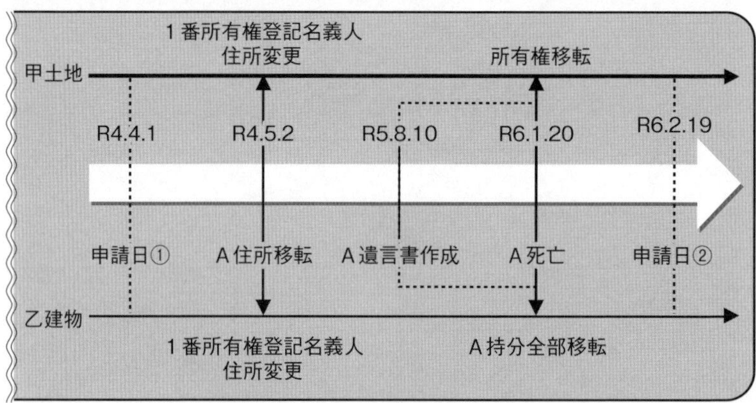
1番所有権登記名義人
住所変更
所有権移転
甲土地
R4.4.1
R4.5.2
R5.8.10
R6.1.20
R6.2.19
申請日①
A住所移転
A遺言書作成
A死亡
申請日②
乙建物
1番所有権登記名義人
住所変更
A持分全部移転

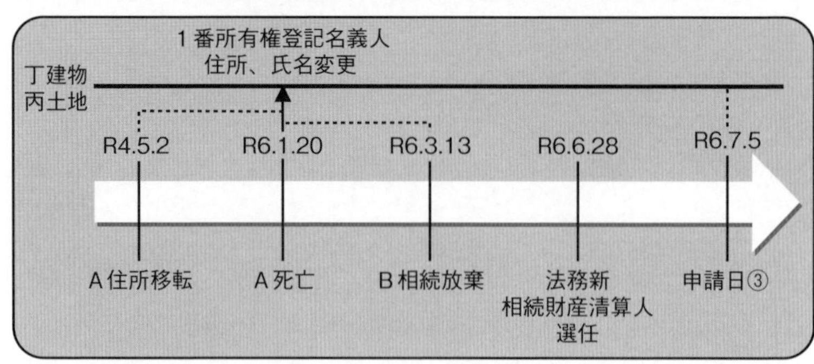
1番所有権登記名義人
住所、氏名変更
丁建物
丙土地
R4.5.2
R6.1.20
R6.3.13
R6.6.28
R6.7.5
A住所移転
A死亡
B相続放棄
法務新
相続財産清算人
選任
申請日③

2 建物の増築工事がされた場合の増築部分の所有権の帰属

2−1 問題の所在

A所有の乙建物にXが工事代金を負担して増築工事をした場合の当該増築部分の所有権の帰属先及びその理由について、判例の立場を踏まえて検討する。

2−2 問題点　建物の増築工事がされた場合の増築部分の所有権の帰属に関する検討

前提の知識

建物の増築部分の所有権の帰属

A所有の建物にBが増築をした場合において、当該増築部分が当該建物と別個独立の存在を有せず、その構成部分となっている場合には、増築部分の所有権は当該建物の所有者であるAに帰属する（最判昭38.5.31）。

2−3 本問へのあてはめ

本問では、A所有の乙建物にXが工事代金を負担して増築工事をした場合の当該増築部分の所有権の帰属先及びその理由について問われている。

この点、〔**事実関係に関する補足**〕１より、「本件増築工事による乙建物の増築部分は、乙建物の既存部分に接して築造されており、建物としての構造上の独立性はなく、当該既存部分と一体として利用され、取引されるべき状態にある」とされている点から、増築部分が当該建物と別個独立の存在を有せず、その構成部分となっていると判断することができ、乙建物の増築部分の所有権は乙建物の所有者であるAに帰属することとなる。

以上の内容を答案用紙第１欄に記載することとなる（解答例参照）。

3 解除による抵当権の登記の抹消

3−1 問題の所在

生駒大和信用金庫が甲土地及び乙建物の乙区１番抵当権を解除した場合における登記の申請手続の内容について検討する。

3−2 問題点　解除による抵当権の登記の抹消に関する検討

前提の知識

(1) **抵当権の解除**

被担保債権を存続させたまま抵当権設定契約のみを解除することもでき、この場合においては、解除を原因とする抵当権の登記の抹消を申請することとなる。

なお、共同担保の関係にある抵当権のうち、一の不動産上の抵当権のみを解除することもできるとされている。

(2) **一の申請情報による登記の申請の可否**

申請情報は、登記の目的及び登記原因に応じ、一の不動産ごとに作成して提供しなければならないのが原則である(不登令４本文)。しかし、①同一の登記所の管轄区域内にある二以上の不動産について申請する登記についての登記の目的並びに登記原因及びその日付が同一であるとき、②同一の登記所の管轄区域内にある一又は二以上の不動産について申請する二以上の登記が、いずれも同一の登記名義人の氏名若しくは名称又は住所についての変更の登記又は更正の登記であるとき、③同一の不動産について申請する二以上の権利に関する登記についての登記の目的並びに登記原因及びその日付が同一であるとき、④同一の登記所の管轄区域内にある二以上の不動産について申請する登記が、同一の債権を担保する先取特権、質権又は抵当権に関する登記であって、登記の目的が同一であるときは、一の申請情報により申請することができる(不登令４但書、不登規35⑧・⑨・⑩)。

3−3 本問へのあてはめ

本問では、**【事実関係】** ４及び別紙３より、令和４年２月22日に、生駒大和信用金庫が甲土地及び乙建物の乙区１番抵当権を解除していることが分かる。

そこで、甲土地及び乙建物につき、解除を原因とする抵当権の登記の抹消を申請することとなるが、〔**事実関係に関する補足**〕７より、甲土地及び乙建物は共に奈良地方法務局の管轄に属していることから、これらの登記は一の申請情報により申請することができる。

以上より、令和４年４月１日に、甲土地及び乙建物について、「令和４年２月22日解除」を原因とする「１番抵当権抹消」登記を申請することとなる。

申請情報に関する事項

《１番抵当権抹消》甲土地及び乙建物

(1) **登記の目的**

「１番抵当権抹消」と記載する。

(2) **登記原因及びその日付**

「令和４年２月22日解除」と記載する。

(3) **申請人**

「権利者　A

義務者　生駒大和信用金庫」と記載する。

(4) **申請情報と併せて提供することが必要な情報（添付情報）**

ア　**登記原因証明情報（不登61条、不登令７条１項５号ロ）**

登記原因証明情報とは、権利に関する登記における登記の原因となる事実又は法律行為を証する情報をいう。

権利に関する登記を申請する場合には、申請人は、法令に別段の定めがある場合を除き、その申請情報と併せて登記原因を証する情報を提供しなければならない（不登61）。登記の正確性をより向上させるためには、登記原因があったことを確認して登記する必要があるからである。

登記名義人の氏名等についての変更又は更正の登記を申請するときは、登記名義人の氏名若しくは名称又は住所について変更又は錯誤若しくは遺漏があったことを証する市町村長、登記官、その他の公務員が職務上作成した情報（公務員が職務上作成した情報がない場合にあっては、これに代わるべき情報）が添付情報となる（不登令別表23添付情報欄）。

本問では、別紙３の解除証書を添付することから、**【添付情報一覧】**より「ア」を選択し、その記号を記載する。

イ　**登記識別情報（不登22条、不登令８条）**

登記識別情報とは、不動産登記法22条本文の規定により登記名義人が登記を申請する場合において、当該登記名義人自らが当該登記を申請していることを確認するために用いられるものであり、アラビア数字その他の符号の組合せにより不動産及び登記名義人となった申請人ごとに定める情報で、登記名義人を識別することができるものをいう（不登２⑭、不登規61）。

登記権利者及び登記義務者が共同して権利に関する登記の申請をする場合その他登記名義人が政令で定める登記の申請をする場合、申請人は、その申請情報と併せて登記義務者等の登記識別情報を提供しなければならない（不登22）。登記義務者等の本人性の確認をするためである。

なお、オンライン指定後も、従前の登記済証を書面による申請における添付書面として利用することができ、登記済証を提出すれば、登記識別情報が提供されたものとみなされる（不登附則７）。

本問では、生駒大和信用金庫が甲土地の乙区１番付記１号及び乙建物の乙区１番付記１号で通知を受けた登記識別情報を提供することから、**【添付情報一覧】**より「キ、コ」を選択し、その記号を記載する。

ウ　代理人の権限を証する情報（不登令７条１項２号）

登記の申請を代理人により行う場合には、一定の場合を除き、代理人の権限を証する情報を提供しなければならない。登記の申請が申請人の意図しているとおりのものであるか否かを登記官が確認する必要があるためである。

本問では、Ａ及び生駒大和信用金庫の理事長黒木公の委任状を添付することとなるが、**【添付情報一覧】**より選択する記号はない。

エ　会社法人等番号（不登令７条１項１号イ）

申請人が会社法人等番号を有する法人であるときは、原則として、当該法人の会社法人等番号を提供することを要する。

また、申請情報と併せて会社法人等番号を提供したときは、法人の印鑑に関する証明書、法人の住所を証する情報、法人の合併による承継を証する情報又は法人の名称変更等を証する情報の提供に代えることができる。

なお、住所の変更事項等が閉鎖登記記録に記録されている場合であっても、会社法人等番号を提供すれば、原則として、法人の住所変更等を証する情報の提供を省略することができる。ただし、平成24年５月20日（外国会社にあっては平成27年３月１日）以前の法人の登記においては、組織変更や他の登記所の管轄区域内への本店の移転の登記等をする場合に会社法人等番号が変更されていたため、平成24年５月20日（外国会社にあっては平成27年３月１日）以前の会社法人等番号が記録された登記記録に住所の移転の事項が記録されているときは、現在の会社法人等番号の提供に加えて、住所の移転の事項を確認することができる閉鎖事項証明書又は閉鎖登記簿謄本を提供する必要がある。

本問では、生駒大和信用金庫の会社法人等番号を提供することから、**【添付情報一覧】**より「ナ」を選択し、その記号を記載する。

(5) **登録免許税**

不動産１個につき、金1,000円である（登録税別表1.1.(15)）。

したがって、「金2,000円」と記載する。

4 代物弁済による所有権一部移転登記

4−1 問題の所在

X及びAが、乙建物の増築工事により生じた乙建物の増加価値に関してAがXに対して負っている償金の支払債務の弁済に代えて、増築後の乙建物の所有権の持分10分の７をXに移転する旨の契約を締結した場合における登記の申請手続の内容について検討する。

4−2 問題点　代物弁済による所有権一部移転登記に関する検討

前提の知識

代物弁済

弁済をすることができる者（以下「弁済者」という。）が、債権者との間で、債務者の負担した給付に代えて他の給付をすることにより債務を消滅させる旨の契約をした場合において、その弁済者が当該他の給付をしたときは、その給付は、弁済と同一の効力を有する（民482）。

不動産を給付の目的物とする代物弁済契約を締結した場合、その不動産の所有権は、所有権の移転時期についての特約があるときを除き、代物弁済の合意の時に移転することとなる（民176、最判昭57.6.4）。一方、代物弁済契約に従って代物が給付されなければ債務は消滅しないことから、債務については原則として所有権の移転登記を備えた時に消滅するとされている（最判昭39.11.26）。ただし、債権者が所有権移転登記手続に必要な一切の書類を債務者から授受したときに債務を消滅させる旨の特約があるときは、書類の受領時に債務が消滅することとなる（最判昭43.11.19）。

4-3 本問へのあてはめ

本問では、別紙５より、令和４年３月25日に、Ｘ及びＡが、乙建物の増築工事により生じた乙建物の増加価値に関してＡがＸに対して負っている償金の支払債務の弁済に代え34て、増築後の乙建物の所有権の持分10分の７をＸに移転する旨の契約を締結したことが分かるが、当該契約は民法上の代物弁済契約であると判断することができる。

以上より、令和４年４月１日に、乙建物について、「令和４年３月25日代物弁済」を原因とする「所有権移転」登記を申請することとなる。

申請情報に関する事項

《所有権一部移転》乙建物

(1) 登記の目的

「所有権一部移転」と記載する。

(2) 登記原因及びその日付

「令和４年３月25日代物弁済」と記載する。

(3) 申請人

「権利者　持分10分の７　Ｘ
　義務者　Ａ」と記載する。

(4) 申請情報と併せて提供することが必要な情報（添付情報）

ア　登記原因証明情報（不登61条、不登令７条１項５号ロ）

本問では、司法書士法務新が作成した別紙５の登記原因証明情報を添付することから、**【添付情報一覧】**より「ウ」を選択し、その記号を記載する。

イ　登記済証（不登22条、不登令８条、不登附則７条）

本問では、Ａの乙建物の甲区１番の登記済証を添付することから、**【添付情報一覧】**より「ク」を選択し、その記号を記載する。

ウ　印鑑に関する証明書（不登令18条２項、不登規49条２項）

委任による代理人によって登記を申請する場合、法務省令で定める場合を除き、申請人又はその代表者が、当該代理人の権限を証する情報を記載した書面（委任状）に記名押印しなければならず、当該書面には、法務省令で定める場合を除き、記名押印した者（委任による代理人を除く。）の印鑑に関する証明書（原則として、市町村長又は登記官が作成するもの）を添付しなければならない。登記義務者の登記申請意思を登記官が形式的に確認し、真正な登記の実現を図る必要があるからである。

本問では、Aの印鑑に関する証明書を添付することから、**【添付情報一覧】**より「ス」を選択し、その記号を記載する。

エ　住所を証する情報（不登令７条１項６号、不登令別表28添付情報欄ニ、不登令別表29添付情報欄ハ、不登令別表30添付情報欄ハ）

所有権の保存又は移転の登記を申請する場合、所有権の登記名義人となる者についての市町村長、登記官その他の公務員が職務上作成した住所を証する情報（公務員が職務上作成した情報がない場合にあっては、これに代わるべき情報）を提供しなければならない。登記記録上に架空の所有者が現れることを防ぐためである。

なお、オンライン庁における申請では、住民基本台帳法７条13号に規定する住民票コードを提供すれば、当該住所を証する情報を提供することを要しない（不登令９、不登規36Ⅳ）。

本問では、Xの住民票の写しを添付することから、**【添付情報一覧】**より「ツ」を選択し、その記号を記載する。

オ　代理人の権限を証する情報（不登令７条１項２号）

本問では、X及びAの委任状を添付することとなるが、**【添付情報一覧】**より選択する記号はない。

⑸　**課税価格　※本問においては解答が要求されていない。**

「乙建物の価額」に移転する持分の割合を乗じた額（登録税10Ⅱ）である。

よって、次のように算定する。

金238万188円×10分の７≒金166万6,131円

ただし、課税標準の金額に1,000円未満の端数があるときは、その端数は切り捨てる（国税通則118Ⅰ）。

したがって、金166万6,000円となる。

⑸　**登録免許税**

課税価格に「1,000分の20」（登録税別表1.1.(2)ハ）を乗じた額である。

よって、次のように算定する。

金166万6,000円×1,000分の20＝金３万3,320円

ただし、登録免許税の金額に100円未満の端数があるときは、その端数は切り捨てる（国税通則119Ⅰ）。

したがって、「金３万3,300円」と記載する。

5 保証委託契約による求償債権を担保するための抵当権設定登記

5−1 問題の所在

ひかり信用保証株式会社並びにA及びXが、ひかり信用保証株式会社のXに対する保証委託契約に基づく求償債権を担保するために抵当権を設定する旨の契約を締結した場合における登記の申請手続の内容について検討する。

5−2 問題点　保証委託契約による求償債権を担保するための抵当権設定登記に関する検討

前提の知識

保証委託契約に関する債権を担保するための抵当権設定

金銭消費貸借契約の債務者が第三者との間で保証委託契約を締結した場合、当該契約により生ずる債権を担保するための抵当権を設定することができる。

当該登記を申請する場合、その登記原因については、保証委託契約により生ずる債権の態様に応じてそれぞれ次のように記載する。

《保証委託契約のある保証人の求償債権を担保する場合の登記原因》

担保の態様	相続人以外の者
求償債権のみを担保	年月日保証委託契約による求償債権年月日設定
保証料債権のみを担保	年月日保証委託契約による保証料債権年月日設定
求償債権及び保証料債権の両者を担保	年月日保証委託契約年月日設定

5−3 本問へのあてはめ

本問では、**【事実関係】**５より、令和４年３月25日に、ひかり銀行株式会社及びXが、金銭消費貸借契約を締結するとともに、ひかり信用保証株式会社及びXが、上記債務についての保証委託契約を締結したことが分かる。そして、**【事実関係】**６及び別紙４より、令和４年４月１日に、ひかり信用保証株式会社並びにA及びXが、ひかり信用保証株式会社のXに対する上記保証委託契約に基づく求償債権を担保するために、甲土地及び乙建物を目的として、債権額金900万円、損害金年14%とする抵当権を設定する旨の契約を締結していることが分かる。

以上より、令和４年４月１日に、甲土地及び乙建物について、「令和４年３月25日保証委託契約による求償債権令和４年４月１日設定」を原因とする「抵当権設定」登記を申請することとなる。

申請情報に関する事項

《抵当権設定》甲土地及び乙建物

⑴　登記の目的

「抵当権設定」と記載する。

⑵　登記原因及びその日付

「令和４年３月25日保証委託契約による求償債権令和４年４月１日設定」と記載する。

⑶　登記事項

「債権額　金900万円
損害金　年14％
債務者　奈良県奈良市小山町15番地３
　　　　Ｘ　　　　　　　　　　　」と記載する。

⑷　申請人

「抵当権者　ひかり信用保証株式会社
設定者　　Ａ
　　　　　Ｘ　　　　　　　　　　」と記載する。

⑸　申請情報と併せて提供することが必要な情報（添付情報）

ア　登記原因証明情報（不登61条、不登令７条１項５号ロ）

本問では、別紙４の抵当権設定契約証書を添付することから、**【添付情報一覧】**より「イ」を選択し、その記号を記載する。

イ　登記識別情報・登記済証（不登22条、不登令８条、不登附則７条）

本問では、Ａの甲土地の甲区１番及び乙建物の甲区１番の登記済証並びに代物弁済による所有権一部移転登記（P34参照）の申請によりＸが乙建物の甲区２番で通知を受けることとなる登記識別情報を提供することから、**【添付情報一覧】**より「オ、ク、シ」を選択した上で、「オ、ク、シ（Ｘが乙建物の甲区２番で通知を受けたもの）」の要領で記載する。

ウ　印鑑に関する証明書（不登令18条２項、不登規49条２項）

本問では、Ａ及びＸの印鑑に関する証明書を添付することから、**【添付情報一覧】**より「ス、ソ」を選択し、その記号を記載する。

エ　代理人の権限を証する情報（不登令７条１項２号）

本問では、ひかり信用保証株式会社の代表取締役○○並びにＡ及びＸの委任状を添付することとなるが、**【添付情報一覧】**より選択する記号はない。

オ　会社法人等番号（不登令7条1項1号イ）

本問では、ひかり信用保証株式会社の会社法人等番号を提供することから、**【添付情報一覧】**より「ヌ」を選択し、その記号を記載する。

(6)　**課税価格　※本問においては解答が要求されていない。**

「当該抵当権の債権額」である。

したがって、金900万円となる。

(7)　**登録免許税**

課税価格に「1,000分の4」（登録税別表1.1.(5)）を乗じた額である。

よって、次のように算定する。

金900万円×1,000分の4＝金3万6,000円

したがって、「金3万6,000円」と記載する。

6 遺贈による所有権の移転登記及び前提としての登記名義人の住所変更登記

6−1 問題の所在

Aが相続人ではないXに不動産を相続させる旨の遺言を遺して死亡していた場合における登記の申請手続の内容につき、Aの最後の住所と登記記録上の住所が異なるといった事情を踏まえつつ検討する。

6−2 問題点①　前提としての登記名義人の住所変更登記に関する検討

前提の知識

(1)　**登記名義人住所（氏名）変更・更正登記**

登記名義人住所（氏名）（法人であれば、本店・商号）変更・更正登記とは、登記名義人の現在の住所、氏名等が登記記録上の表示と一致しない場合に、これを一致させるためにする登記のことである。

登記名義人住所（氏名）変更登記は、その権利の主体には何ら変更がなく、その表示に後発的に変更が生じたときに申請することができ、その表示に原始的に誤りがあるときは、登記名義人住所（氏名）更正登記を申請する。なお、これらの登記は、登記名義人が単独で申請することができるとされている（不登64Ⅰ）。

⑵　**遺贈を原因とする所有権の移転登記の前提としての登記名義人表示変更（更正）登記の要否**

相続人以外の者に対して遺贈を原因とする所有権の移転登記を申請する場合において、遺贈者の登記記録上の住所等と死亡時の住所等が一致しないときは、その登記を申請する前提として、所有権登記名義人の住所等の変更（更正）登記を申請しなければならない。

当該登記の申請は、原則として遺言執行者又は相続人全員から行うこととなるが、その相続人の一部の者が保存行為として申請することも、また、登記権利者である受遺者が債権者代位により申請することもできるとされている。

6−3　本問へのあてはめ

本問では、**【事実関係】**７より、令和４年５月２日に、Ａが奈良県丹生郡今川町1305番地に住所を移転したことが分かる。そこで、Ａが所有権の登記名義人として記録されている甲土地及び乙建物につき、後述する遺贈による所有権の移転の登記を申請する前提として、遺言執行者ＸがＡの住所変更登記を申請することとなるが、**〔事実関係に関する補足〕**７より、甲土地及び乙建物は共に奈良地方法務局の管轄に属していることから、これらの登記は一の申請情報により申請することができる。

以上より、令和６年２月19日に、甲土地及び乙建物について、「令和４年５月２日住所移転」を原因とする「１番所有権登記名義人住所変更」登記を申請することとなる。

6−4　問題点②　遺贈による所有権移転登記に関する検討

前提の知識

⑴　**遺言の解釈**

遺言の解釈は、原則として遺言書に記載の文言（「○○に遺贈する」「○○に相続させる」）によるとされているが、一部この取扱いと異なるものも存在する。

《遺言の解釈》

対象 文言	相続人全員	相続人の一部	相続人以外の者
包括遺贈	相続	遺贈	遺贈
特定遺贈	遺贈	遺贈	遺贈
相続	相続	相続	遺贈

(2) **遺贈を原因とする登記の申請人**

相続人以外の者に対して不動産を遺贈したことによる所有権移転登記は、その遺贈が包括遺贈・特定遺贈いずれであるかを問わず、受遺者の単独申請により申請することはできない。この場合において、遺言執行者が選任されているときは受遺者と遺言執行者が共同して申請し、遺言執行者が選任されていないときは受遺者と遺言者の相続人全員が共同して申請することとなる（昭33.4.28民甲779号）。

なお、受遺者が同時に遺言執行者として指定されている場合、遺言執行者たる受遺者は、双方の地位に基づき遺贈を原因とする所有権移転登記を申請することができる（大9.5.4民事1307号参照）。

(3) **相続人**

自然人が死亡した場合、その者につき相続が開始する。

この場合、被相続人の子は、実子か養子か、嫡出子か非嫡出子かを問わず全て相続人となる（民887Ⅰ）。被相続人に子及び直系卑属がないときは、被相続人の直系尊属（実親と養親がいる場合においては、その両方）が相続人となる（民889Ⅰ①本文）が、親等の異なる直系尊属間においては、被相続人に近い者のみが相続人となる（民889Ⅰ①但書）。被相続人に直系尊属もないときは、被相続人の兄弟姉妹が相続人となる（民889Ⅰ②）。

被相続人の配偶者は、常に相続人となり、この場合において、上記の規定により相続人となるべき者がいるときは、その者と同順位の相続人となる（民890）。相続人としての「配偶者」は、法律上の婚姻関係にある夫婦の一方のことであり、内縁関係を含まない。

6−5 本問へのあてはめ

【事実関係】 8及び9並びに別紙6より、令和6年1月20日に、Aが甲土地の全て及び乙建物の持分10分の3をXに相続させる旨及び遺言執行者としてXを指定する旨の遺言を遺して死亡しており、当該遺言書の検認は適法に行われたことが分かる。後述（P45参照）のとおり、XはAの相続人とはならないため、本問においては、Xが受遺者及び遺言執行者双方の地位に基づき遺贈を原因とする所有権の移転の登記を申請することとなる。

以上より、令和6年2月19日に、甲土地については「令和6年1月20日遺贈」を原因とする「所有権移転」登記を、乙建物については「令和6年1月20日遺贈」を原因とする「A持分全部移転」登記を申請することとなる。

申請情報に関する事項

問題文の指示に従い、甲土地についてのみ申請したものとして記載する。

《１番所有権登記名義人住所変更》甲土地

(1) **登記の目的**

「１番所有権登記名義人住所変更」と記載する。

(2) **登記原因及びその日付**

「令和４年５月２日住所移転」と記載する。

(3) **登記事項**

「変更後の事項

住所　奈良県丹生郡今川町1305番地」と記載する。

(4) **申請人**

「申請人　亡A」と記載する。

(5) **申請情報と併せて提供することが必要な情報（添付情報）**

ア　登記原因証明情報（不登61条、不登令７条１項５号ロ）

本問では、Aの住民票の除票の写しを添付することから、**【添付情報一覧】**より「タ」を選択し、その記号を記載する。

イ　**代理人の権限を証する情報（不登令７条１項２号）**

本問では、別紙６の遺言書、Aが死亡した旨の記載のある戸籍の全部事項証明書並びにXの委任状を添付することから、**【添付情報一覧】**より「エ、テ」を選択し、その記号を記載する。

(6) **登録免許税**

不動産１個につき、金1,000円である（登録税別表1.1.(14)）。

したがって、「金1,000円」と記載する。

《所有権移転》甲土地

(1) **登記の目的**

「所有権移転」とする。

(2) **登記原因及びその日付**

「令和６年１月20日遺贈」と記載する。

(3) **申請人**

「権利者　X

義務者　亡A」と記載する。

(4) **申請情報と併せて提供することが必要な情報（添付情報）**

ア　登記原因証明情報（不登61条、不登令７条１項５号ロ）

本問では、別紙６の遺言書を添付することから、**【添付情報一覧】**より「エ」を選択し、その記号を記載する。

イ　登記済証（不登22条、不登令８条、不登附則７条）

本問では、Ａの甲土地の甲区１番の登記済証を添付することから、**【添付情報一覧】**より「オ」を選択し、その記号を記載する。

ウ　印鑑に関する証明書（不登令18条２項、不登規49条２項）

本問では、Ｘの印鑑に関する証明書を添付することから、**【添付情報一覧】**より「ソ」を選択し、その記号を記載する。

エ　住所を証する情報（不登令７条１項６号、不登令別表28添付情報欄ニ、不登令別表29添付情報欄ハ、不登令別表30添付情報欄ハ）

本問では、Ｘの住民票の写しを添付することから、**【添付情報一覧】**より「ツ」を選択し、その記号を記載する。

オ　代理人の権限を証する情報（不登令７条１項２号）

本問では、別紙６の遺言書、Ａが死亡した旨の記載のある戸籍の全部事項証明書並びにＸの委任状を添付することから、**【添付情報一覧】**より「エ、テ」を選択し、その記号を記載する。

(5)　課税価格　※本問においては解答が要求されていない。

「甲土地の価額」である。

ただし、課税標準の金額に1,000円未満の端数があるときは、その端数は切り捨てる（国税通則118Ⅰ）。

したがって、金820万2,000円となる。

(6)　登録免許税

課税価格に「1,000分の20」（登録税別表1.1.(2)ハ）を乗じた額である。

よって、次のように算定する。

金820万2,000円×1,000分の20＝金16万4,040円

ただし、登録免許税の金額に100円未満の端数があるときは、その端数は切り捨てる（国税通則119Ⅰ）。

したがって、「金16万4,000円」と記載する。

7 相続の放棄をした者が負うことのある義務の内容

7−1 問題の所在

Ａの相続につき相続の放棄をしたＢが相続財産につき負うことのある義務の内容について検討する。

7−2 問題点　相続の放棄をした者が負うことのある義務の内容に関する検討

前提の知識

> **相続の放棄をした者の義務**
>
> 相続の放棄をした者が、その放棄の時に相続財産に属する財産を現に占有しているときは、相続人又は相続財産の清算人に対して当該財産を引き渡すまでの間、自己の財産におけるのと同一の注意をもって、その財産を保存しなければならない（民法940Ⅰ）。

7−3 本問へのあてはめ

本問では、ＢがＡに係る相続の放棄をした場合において、Ｂ自身が丙土地及び丁建物について負うことのある義務の内容について問われているが、**【司法書士法務新の説明】**に適切な文言を入れると、次のようになる。

> 相続の放棄をした者は、その放棄の時に相続財産に属する財産を［Ａ　現］に占有しているときは、［Ｂ　相続人］又は［Ｃ　相続財産の清算人］に対して当該財産を引き渡すまでの間、［Ｄ　自己の財産におけるのと同一］の注意をもって、その財産を［Ｅ　保存］しなければなりません。

8 住所移転及び相続人不存在による登記名義人住所、氏名変更登記

8−1 問題の所在

丙土地及び丁建物の所有権登記名義人であるＡが死亡したものの、Ａの相続人に

該当する者がいない場合における登記の申請手続の内容について、Aの最後の住所と登記記録上の住所が異なるといった事情を踏まえつつ検討する。

8−2 問題点　住所移転及び相続人不存在による登記名義人住所、氏名変更登記に関する検討

前提の知識

(1) **相続財産法人の成立**

相続人の存在が明らかでない場合及び相続人がいないことが明らかな場合、相続財産は法人化する（民951）。死者は権利帰属主体となることができない以上、被相続人の権利・義務について相続財産清算人が清算事務を行うために特別に規定されたものである。

なお、相続財産清算人は、利害関係人（相続債権者、受遺者、国、特別縁故者としての分与を欲する者等）又は検察官の請求によって、家庭裁判所が選任する（民952Ⅰ）。

(2) **相続人不存在の場合の登記手続**

相続財産が法人化した場合、その登記手続は登記名義人の氏名変更登記によるものとされている（昭10.1.14民甲39号）。相続財産の法人化は、主体が変更しているわけではなく、主体の名義が変更されたものと考えられるからである。

そして、当該登記は、最終的に相続財産が特別縁故者等へ帰属した場合における所有権移転登記を申請する前提として申請しなければならない。相続が開始してから特別縁故者等に権利が帰属することとなるまでの間においては相続財産は法人化している以上、その実体を登記記録に反映させる必要があるためである。

なお、当該登記を申請する場合、その登記原因については、被相続人が死亡した日をもって「年月日相続人不存在」と記載する。また、当該登記は相続財産清算人からの単独申請によるが、所有権移転登記を申請する特別縁故者は、代位によりその氏名変更登記を申請することができるとされている。

(3) **相続人不存在の場合において被相続人の住所等に変更があるときの処理**

相続人不存在を原因とする登記名義人の氏名変更登記を申請する場合において、被相続人の死亡時の住所氏名が登記記録上の住所氏名と異なるときは、申請書にその変更についての登記原因及びその日付を併記する（登研665-165）。

8−3 本問へのあてはめ

本問では、**【事実関係】**９より、令和６年１月20日に、丙土地及び丁建物の所有権登記名義人であるＡが死亡したことが分かる。この点、別紙７より、Ａには配偶者及び直系卑属に当たる者はおらず、直系尊属に当たる者は全て死亡していることから、兄弟姉妹であるＢが唯一の相続人となるが、**【事実関係】**11より、令和６年３月13日に、ＢはＡに係る相続の放棄をする旨の申述をしていることが分かる。よって、Ａの相続財産は当然に法人化し、相続人不存在を原因とする所有権登記名義人氏名変更登記を申請することとなるが、前述（P39参照）のとおり、Ａは令和４年５月２日に奈良県丹生郡今川町1305番地に住所を移転していることから、当該氏名変更登記の申請書にその住所変更登記の登記原因についても併記することとなる。

以上より、令和６年７月５日に、丙土地及び丁建物について、「令和４年５月２日住所移転　令和６年１月20日相続人不存在」を原因とする「１番所有権登記名義人住所、氏名変更」登記を申請することとなる。

申請情報に関する事項

問題文の指示に従い、丙土地についてのみ申請したものとして記載する。

《１番所有権登記名義人住所、氏名変更》丙土地

⑴　**登記の目的**

「１番所有権登記名義人住所、氏名変更」と記載する。

⑵　**登記原因及びその日付**

「令和４年５月２日住所移転
　令和６年１月20日相続人不存在」と記載する。

⑶　**申請人**

「申請人　亡Ａ相続財産清算人
　　　　　法務新　　　　　　」と記載する。

⑷　**登録免許税**

不動産１個につき、金1,000円である（登録税別表1.1.(14)）。
したがって、「金1,000円」と記載する。

解答例

第１欄

誰に帰属するか	A
理由	乙建物の増築部分は建物としての独立性はないとされているところ、増築部分が建物と別個独立の存在を有せず、その構成部分となっている場合、増築部分の所有権は当該建物の所有者に帰属するものとされているため。

第２欄

(1)

登記の目的		１番抵当権抹消
申請事項等	登記原因及びその日付	令和４年２月22日解除
	上記以外の申請事項等	権利者　A 義務者　生駒大和信用金庫
添付情報		ア、キ、コ、ナ
登録免許税		金2,000円
不動産の表示		甲土地・乙建物

(2)

登記の目的		所有権一部移転
申請事項等	登記原因及びその日付	令和４年３月25日代物弁済
	上記以外の申請事項等	権利者　持分10分の７　X 義務者　A
添付情報		ウ、ク、ス、ツ
登録免許税		金３万3,300円
不動産の表示		甲土地・乙建物

※１　「１番登記名義人住所変更」と記載しても誤りでないと解される。
※２　「変更後の事項」を記載しなくとも誤りでないと解される。

(3)

<table>
<tr><td colspan="2">登記の目的</td><td>抵当権設定</td></tr>
<tr><td rowspan="2">申請事項等</td><td>登記原因
及びその日付</td><td>令和４年３月25日保証委託契約による求償債権令和４年４月１日設定</td></tr>
<tr><td>上記以外の
申請事項等</td><td>債権額　金900万円
損害金　年14％
債務者　奈良県奈良市小山町15番地３
X
抵当権者　ひかり信用保証株式会社
設定者　A
X</td></tr>
<tr><td colspan="2">添付情報</td><td>イ、オ、ク、シ（Xが乙建物の甲区２番で通知を受けたもの）、ス、ソ、ヌ</td></tr>
<tr><td colspan="2">登録免許税</td><td>金３万6,000円</td></tr>
<tr><td colspan="2">不動産の表示</td><td>甲土地・乙建物</td></tr>
</table>

第３欄

(1)

<table>
<tr><td colspan="2">登記の目的</td><td>１番所有権登記名義人住所変更　※１</td></tr>
<tr><td rowspan="2">申請事項等</td><td>登記原因
及びその日付</td><td>令和４年５月２日住所移転</td></tr>
<tr><td>上記以外の
申請事項等</td><td>変更後の事項
　住所　奈良県丹生郡今川町1305番地
申請人　亡A　※２</td></tr>
<tr><td colspan="2">添付情報</td><td>エ、タ、テ</td></tr>
<tr><td colspan="2">登録免許税</td><td>金1,000円</td></tr>
</table>

※１　「１番登記名義人住所変更」と記載しても良いものと解される。
※２　「遺言執行者　X」を併せて記載しても良いものと解される。

(2)

登記の目的		所有権移転
申請事項等	登記原因 及びその日付	令和６年１月20日遺贈
	上記以外の 申請事項等	権利者　X 義務者　亡A　※
添付情報		エ、オ、ソ、ツ、テ
登録免許税		金16万4,000円

※　「遺言執行者　X」を併せて記載しても良いものと解される。

第４欄　※BとCは順不同

A	現に
B	相続人
C	相続財産の清算人
D	自己の財産におけるのと同一
E	保存

第５欄

登記の目的	１番所有権登記名義人住所、氏名変更　※
登記原因 及びその日付	令和４年５月２日住所移転 令和６年１月20日相続人不存在
申請人	申請人　亡A相続財産清算人 法務新
登録免許税	金1,000円

※　「１番登記名義人住所、氏名変更」と記載しても良いものと解される。

MEMO

問題　令和5年

本問題の日付は、出題当時の本試験問題に合わせておりますが、法令等については、令和7年4月1日時点において施行されているもの（本書作成時点において施行予定のものを含む。）を適用した上で、解答を作成してください。

令和4年1月末の夕暮時、司法書士鈴木一郎は、別紙1の登記がされている不動産（以下「甲土地」という。）を購入したいというAから相談を受け、関係当事者から後記**【事実関係】**1から4までの事実を聴取し確認した。そして、令和4年2月18日、関係当事者全員は、甲土地の売買契約（以下「本件売買契約」という。）を締結し、本件売買契約に必要な同意又は承諾を得た上で、買主のAは売買代金を支払った。また、司法書士鈴木一郎は、Sが、本件売買に関する所有権の移転の登記に必要となる登記識別情報の通知を受けていたが、当該登記識別情報を失念していることを確認し、当該申請に必要な本人確認情報を作成した。なお、甲土地は、今まで居住の用に供されたことはなく、今後もその予定はない。令和4年2月26日、司法書士鈴木一郎は、甲土地の登記の申請手続に必要な全ての書類を受領して登記原因証明情報等の必要書類を作成し、関係当事者全員から登記の申請手続等について代理することの依頼を受けた。令和4年2月28日、司法書士鈴木一郎は、甲土地について必要な登記の申請を行った。

令和5年6月18日の午後、司法書士鈴木一郎は、Bから令和4年12月4日に死亡したAの相続に関する相談を受け、甲土地及び別紙2の登記がされている不動産（以下「乙土地」という。）について、関係当事者から後記**【事実関係】**5から9までの事実を聴取し確認した。また、司法書士鈴木一郎は、X及びYから後記**【事実関係】**6及び7の事実を必ず登記するように依頼を受けたため、これを了承した。そして、令和5年6月22日、司法書士鈴木一郎は、甲土地及び乙土地の登記の申請手続に必要な全ての書類を受領して登記原因証明情報等の必要書類を作成し、関係当事者全員から登記の申請手続等について代理することの依頼を受けた。令和5年6月22日、司法書士鈴木一郎は、甲土地及び乙土地について必要な登記の申請を行った。

以上に基づき、後記の問1から問4までに答えなさい。

【事実関係】

1　平成26年3月3日、Sは、Tから500万円を借入れ、その債務の担保として譲渡担保契約を締結し、同日、SとTは、甲土地について譲渡担保を登記原因とする所有権の移転の登記を申請し、当該登記は完了した。

2　令和２年８月８日、ＳとＴは、**【事実関係】**１の譲渡担保契約を解除することに合意し、別紙３のとおり譲渡担保契約は解除された。

3　令和３年２月10日、Ｓは、住所を東京都台東区上野三丁目１番19号に移転した。

4　令和３年９月２日、ＲがＳの成年後見人に選任され、司法書士ＵがＳの成年後見監督人に選任された。

5　令和４年12月４日に死亡したＡの相続人は、Ｂ、Ｃ及びＤの３名である。

6　令和５年５月19日、Ｂ、Ｃ及びＤは、Ａの遺産について遺産分割協議を行い、別紙４の遺産分割協議書を作成した。また、Ｂ、Ｃ及びＤは、令和５年５月19日、ＡがＸに対して負担している平成28年７月１日付け金銭消費貸借契約に係る債務については、Ｂが免責的に引き受け、Ｃ及びＤは債務を免れる旨の免責的債務引受契約を締結した。

7　令和５年５月21日、Ｘは、**【事実関係】**６の免責的債務引受契約を承諾した。

8　令和５年６月12日、ＸとＢは、必要な同意又は承諾を得た上で、別紙５の抵当権追加設定契約を締結した。

9　令和５年６月14日、ＹとＺは、必要な同意又は承諾を得た上で、乙土地のＹの２番抵当権とＺの３番根抵当権の順位を同順位とする契約を締結した。

〔事実関係に関する補足〕

1　登記申請に当たって法律上必要な手続は、各申請日までに全てされている。なお、登記原因につき第三者の許可、同意又は承諾を要する場合には、各申請日までに、それぞれ当該第三者の許可、同意又は承諾を得ている。また、登記上の利害関係を有する第三者の承諾を要する場合には、各申請日までに、当該第三者の承諾を得ている。

2　**【事実関係】**は全て真実に合致しており、また、これらに基づく行為や司法書士鈴木一郎の説明内容は、全て適法である。

3　司法書士鈴木一郎は、同日付けで複数の登記を申請する場合には、次の要領で登記を申請するものとする。

(1)　権利部（甲区）に関する登記を申請し、その後に権利部（乙区）に関する登記を申請する。

(2)　同一の権利部に関する登記を申請する場合には、登記原因の日付の早いものから登記を申請する。

(3)　申請件数及び登録免許税の額が最も少なくなるように登記を申請する（ただし、Ｘ及びＹから依頼を受けた**【事実関係】**６及び７の事実に係る登記は申請することとする。）。

4　本件の関係当事者間には、**【事実関係】**及び各別紙に記載されている権利義務以外には、実体上の権利義務関係は存在しない。

5　甲土地及び乙土地は水戸地方法務局の管轄に属している。また、司法書士鈴木一郎は、いずれの登記の申請も、管轄登記所に書面を提出する方法により行ったものとし、その登記がされることによって申請人自らが登記名義人になる場合において、当該登記が完了したときは、当該申請人に対し、登記識別情報の通知がされているものとする。

6　司法書士鈴木一郎は、いずれの登記申請においても、判決による登記申請及び債権者代位による登記申請を行っていない。

7　令和４年２月28日現在の甲土地の課税標準の額は762万8480円とし、令和５年６月22日現在の甲土地の課税標準の額は779万3200円とする。

問１　司法書士鈴木一郎が**甲土地について**令和４年２月28日に申請した登記の申請情報の内容のうち、登記の目的、登記記録の「権利者その他の事項」欄に記録される情報及び申請人（以下「申請事項等」という。）、添付情報並びに登録免許税額を、司法書士鈴木一郎が申請した登記の順に従って、答案用紙の第１欄⑴から⑷までの各欄に記載しなさい。

問２　仮に、**【事実関係】**２の後、司法書士鈴木一郎が問１の登記の申請をする前に、Ｔがａに甲土地を売却して、Ｔからａへの所有権の移転の登記がされたとする。この場合、Ｓは、ａに対して、甲土地の所有権を取得したことを主張することができるか。判例の立場を前提に、結論及びその理由を答案用紙の第２欄に記載しなさい。

問３　司法書士鈴木一郎が**乙土地について**令和５年６月22日に申請した所有権以外の権利の登記の申請情報の内容のうち、登記の目的、申請事項等、添付情報及び登録免許税額を、司法書士鈴木一郎が申請した登記の順に従って、答案用紙の第３欄⑴から⑷までの各欄に記載しなさい。

問４　以下の⑴及び⑵の各小問に答えなさい。なお、⑴と⑵とは、それぞれ独立した問題として解答すること。

⑴　**【事実関係】**９の後、ＢのＸに対する債務が債務不履行となった結果、乙土地のみが担保不動産競売の方法により売却されることとなったとする。この場合、Ｘ、Ｙ及びＺが乙土地からそれぞれ受ける配当額を、解答用紙第４欄⑴に記載しなさい。ただし、甲土地の売却価額は1200万円、乙土地の売却価額は

600万円、Ｘの債権額は300万円、Ｙの債権額は600万円、Ｚの債権額は300万円とし、債権の利息その他の附帯の債権及び執行費用は考慮しないものとする。

⑵ **【事実関係】**９の後、ＢのＸに対する債務が債務不履行となった結果、乙土地のみが担保不動産競売の方法により売却され、令和６年２月14日に配当が実施されたところ、Ｘは、当該配当によって債権全額の弁済を受けられたが、Ｙは、当該配当によって債権全額の弁済を受けられなかったとする。この場合、甲土地についてＹが申請することができる①登記の形式（主登記又は付記登記）、②登記の目的、③登記原因及びその日付、④申請人を、答案用紙第４欄(２)に記載しなさい。ただし、①登記の形式については、「主登記」又は「付記登記」のいずれかを記載し、④申請人については「権利者」、「義務者」、「申請人」等の表示も記載すること。

（答案作成に当たっての注意事項）

１　答案用紙の第１欄及び第３欄の申請事項等欄の「上記以外の申請事項等」欄に解答を記載するに当たっては、次の要領で行うこと。

⑴ 「上記以外の申請事項等」欄には、登記記録の「権利者その他の事項」のうち登記原因及びその日付を除いた情報並びに申請人を記載する。

⑵ 申請人について、「権利者」、「義務者」、「申請人」、「所有者」、「抵当権者」、「（被承継者）」等の表示も記載する。

⑶ 申請人について、住所又は本店所在地、代表機関の資格及び氏名並びに会社法人等番号は、記載することを要しない。

⑷ 登記権利者及び登記義務者が共同して権利に関する登記の申請をする場合その他の法令の規定により登記の申請をする場合において、申請人が登記識別情報又は登記済証を提供することができないときは、当該登記識別情報又は登記済証を提供することができない理由を記載する。

⑸ 申請人が法令に掲げる者のいずれであるかを申請情報の内容とすべきときは、「民法423条１項」の振り合いで、当該法令を記載する。

２　答案用紙の第１欄及び第３欄の添付情報欄に解答を記載するに当たっては、次の要領で行うこと。

⑴ 添付情報の解答は、その登記の申請に必要な添付情報を後記**【添付情報一覧】**から選択し、その記号（アからツまで）を記載する。

⑵ 法令の規定により添付を省略することができる情報及び提供されたものとみなされる情報についても、後記**【添付情報一覧】**から選択しその記号（アからツまで）を記載する。

⑶ 後記**【添付情報一覧】**のアからツまでに掲げられた情報以外の情報（登記の

申請に関する委任状等）は、記載することを要しない。

⑷　後記**【添付情報一覧】**のキを記載するときは、キの記号に続けて、キの括弧書きの「(年月日受付第何号のもの又は何某が何土地の何区何番で通知を受けたもの)」に当該登記識別情報の通知を受けた際の申請の受付年月日及び受付番号を補い、「キ（令和４年５月12日受付第100号のもの)」の要領で記載し、受付年月日及び受付番号が不明な場合は、「キ（Ｈが甲土地の甲区４番で通知を受けたもの)」の要領で記載する。

⑸　後記**【添付情報一覧】**のタ又はチのいずれかあるいは複数を記載するときは、それぞれの記号の後に続けて、タ又はチの括弧書きの「(何某のもの)」に当該情報の作成者の氏名を補い、「タ（Ｉのもの)」の要領で記載する。

⑹　後記**【添付情報一覧】**のツを記載するときは、ツの括弧書きの「(何某の本人確認をしたもの)」に司法書士鈴木一郎が本人確認をした者の氏名を補い、「ツ（Ｊの本人確認をしたもの)」の要領で記載する。

⑺　後記**【添付情報一覧】**のクからシまでに掲げられた印鑑に関する証明書は、登記名義人となる者の住所を証する情報としては使用しないものとする。

⑻　後記**【添付情報一覧】**のセのＳに関する住民票には、**【事実関係】**３の住所に変更された事実が記載されているものとする。

⑼　**【添付情報一覧】**に掲げられた添付情報のうち、発行日、作成日等の日付が明示されておらず、かつ、登記の申請に際して有効期限の定めがあるものは、登記の申請時において、全て有効期限内であるものとする。

3　答案用紙の第１欄及び第３欄の各項目の欄に申請すべき登記の申請情報等の内容を記載するに当たり、記載すべき情報等がない場合には、その欄に「なし」と記載すること。

4　申請することができる登記は全て申請するものとし、申請すべき登記がない場合には、答案用紙の第１欄及び第３欄の登記の目的欄に「登記不要」と記載すること。

5　別紙は、いずれも、実際の様式と異なる。また、別紙には記載内容の一部が省略されているものがあり、別紙を含め登記の申請に必要な添付情報は、いずれも、**【事実関係】**に沿う形で、法律上適式に作成されているものとする。

6　数字を記載する場合には算用数字を使用すること。

7　登録免許税が免税され、又は軽減される場合には、その根拠となる法令の条項を登録免許税額欄に登録免許税額（非課税である場合は、その旨）とともに記載する。

なお、登録免許税額の算出について、登録免許税法以外の法令による税の減免規定の適用はないものとする。

8　答案用紙の**各欄に記載する文字は字画を明確にし**、訂正、加入又は削除をするときは、訂正は訂正すべき字句に線を引き、近接箇所に訂正後の字句を記載し、加入は加入する部分を明示して行い、削除は削除すべき字句に線を引いて、訂正、加入又は削除をしたことが明確に分かるように記載すること。ただし、押印や字数を記載することを要しない。

【添付情報一覧】

ア	解除証書（別紙３）
イ	遺産分割協議書（別紙４）
ウ	抵当権追加設定契約証書（別紙５）
エ	登記原因証明情報（本件売買契約に基づき司法書士鈴木一郎が作成し、関係当事者全員が記名押印したもの）
オ	登記原因証明情報（**【事実関係】**５から７までに基づき司法書士鈴木一郎が作成し、関係当事者全員が記名押印したもの）
カ	順位変更契約書（**【事実関係】**９に基づき関係当事者全員が作成記名押印したもの）
キ	登記識別情報（年月日受付第何号のもの又は何某が何土地の何区何番で通知を受けたもの）
ク	Ｂの印鑑に関する証明書
ケ	Ｃの印鑑に関する証明書
コ	Ｄの印鑑に関する証明書
サ	Ｒの印鑑に関する証明書
シ	Ｔの印鑑に関する証明書
ス	Ａの住民票の写し
セ	Ｓの住民票の写し（**【事実関係】**３の住所の変更の事実が記載されたもの）
ソ	成年被後見人Ｓに係る登記事項証明書
タ	登記原因につき第三者の許可、同意又は承諾を証する情報及び当該情報の作成者の印鑑に関する証明書（何某のもの）
チ	登記上の利害関係を有する第三者の承諾を証する情報及び当該情報の作成者の印鑑に関する証明書（何某のもの）
ツ	本人確認情報（何某の本人確認をしたもの）

別紙１　甲土地の登記事項証明書（抜粋）

表　題　部（土地の表示）	調製	余白	不動産番号	【略】
地図番号	【略】	筆界特定	余白	
所　　在	水戸市三の丸一丁目		余白	
① 地　番	② 地　目	③ 地　積　　㎡	原因及びその日付〔登記の日付〕	
1番18	雑種地	300	【略】	

権利部（甲区）（所有権に関する事項）			
順位番号	登記の目的	受付年月日・受付番号	権利者その他の事項
1	所有権移転	平成22年2月8日 第50号	原因　平成22年1月11日相続 所有者　東京都千代田区丸の内一丁目２番３号 S
2	所有権移転	平成26年3月3日 第80号	原因　平成26年3月3日譲渡担保 所有者　東京都千代田区麹町四丁目18番４号 T

別紙2　乙土地の登記事項証明書(抜粋)

表　題　部（土地の表示）		調製	余白	不動産番号	【略】
地図番号	【略】	筆界特定	余白		
所　　在	水戸市三の丸一丁目			余白	
① 地　番	② 地　目	③ 地　積　　㎡		原因及びその日付〔登記の日付〕	
5番12	雑種地	800		【略】	

権利部（甲区）（所有権に関する事項）			
順位番号	登記の目的	受付年月日・受付番号	権利者その他の事項
1	所有権移転	昭和52年7月5日 第500号	原因　昭和49年8月3日相続 所有者　笠間市中央三丁目1番1号 J
2	所有権一部移転	平成22年11月19日 第800号	原因　平成22年11月5日売買 共有者　水戸市三の丸一丁目3番5号 持分2分の1　B
3	J持分全部移転	平成28年11月7日 第740号	原因　平成28年11月7日売買 共有者　水戸市三の丸一丁目3番5号 持分2分の1　A

権利部（乙区）（所有権以外の権利に関する事項）			
順位番号	登記の目的	受付年月日・受付番号	権利者その他の事項
1	B持分抵当権設定	平成28年7月11日 第450号	原因 平成28年7月1日金銭消費貸借同日設定 債権額　金400万円 利息　年2% 連帯債務者　水戸市三の丸一丁目3番5号 A 水戸市三の丸一丁目3番5号 B 抵当権者　水戸市宮町三丁目3番3号 X
2	抵当権設定	平成30年4月9日 第180号	原因 平成30年4月9日金銭消費貸借同日設定 債権額　金700万円 利息　年2% 債務者　水戸市三の丸一丁目3番5号 B 抵当権者　日立市幸町一丁目1番1号 Y
3	根抵当権設定	令和1年8月6日 第430号	原因　令和1年8月6日設定 極度額　金300万円 債権の範囲　金銭消費貸借取引 債務者　水戸市三の丸一丁目3番5号 B 根抵当権者　ひたちなか市石川町五丁目5番地 Z

別紙３　解除証書

解除証書

東京都千代田区丸の内一丁目２番３号
　S　　　　　　　　　　　　　　　殿

平成26年3月3日付け金銭消費貸借契約に基づく譲渡担保契約を、本日、解除いたします。

不動産の表示　　水戸市三の丸一丁目１番18　雑種地　300㎡

令和２年8月8日

東京都千代田区麹町四丁目18番４号
　T　　　　　　　　　　　　　㊞

別紙4　遺産分割協議書

遺産分割協議書

令和4年12月4日に死亡したAの相続に関し、相続人全員において次のとおり遺産分割の協議をした。

相続人Bは、下記不動産を取得する。
水戸市三の丸一丁目1番18の土地
水戸市三の丸一丁目5番12の土地（Aの持分2分の1）

この遺産分割の協議を証するためこの証書を作成し、各相続人が記名押印の上、各人1通を所持する。

令和5年5月19日

A相続人　水戸市三の丸一丁目3番5号
B　㊞
水戸市小吹町2000番地
C　㊞
水戸市小吹町2000番地
D　㊞

別紙５　抵当権追加設定契約証書

抵当権追加設定契約証書

令和５年６月12日

抵当権者　水戸市宮町三丁目３番３号
X

抵当権設定者　水戸市三の丸一丁目３番５号
B　　　㊞

第1条(抵当権の追加設定)

抵当権設定者は、平成28年7月1日付金銭消費貸借契約に基づいて後記1の不動産に設定された抵当権(平成28年7月11日水戸地方法務局受付第450号登記済)の共同担保として、本日後記2の不動産に抵当権を設定しました。

～第２条以下省略～

物件の表示

1. 既存抵当物件　水戸市三の丸一丁目５番12の土地(持分２分の１)
2. 追加抵当物件　水戸市三の丸一丁目１番18の土地
　水戸市三の丸一丁目５番12の土地(Bが新たに取得した持分)

令和5年●答案用紙

第1欄

(1)

<table>
<tr><td colspan="2">登記の目的</td><td></td></tr>
<tr><td rowspan="2">申請事項等</td><td>登記原因
及びその日付</td><td></td></tr>
<tr><td>上記以外の
申請事項等</td><td></td></tr>
<tr><td colspan="2">添付情報</td><td></td></tr>
<tr><td colspan="2">登録免許税</td><td></td></tr>
</table>

(2)

<table>
<tr><td colspan="2">登記の目的</td><td></td></tr>
<tr><td rowspan="2">申請事項等</td><td>登記原因
及びその日付</td><td></td></tr>
<tr><td>上記以外の
申請事項等</td><td></td></tr>
<tr><td colspan="2">添付情報</td><td></td></tr>
<tr><td colspan="2">登録免許税</td><td></td></tr>
</table>

(3)

<table>
<tr><td colspan="2">登記の目的</td><td></td></tr>
<tr><td rowspan="2">申請事項等</td><td>登記原因
及びその日付</td><td></td></tr>
<tr><td>上記以外の
申請事項等</td><td></td></tr>
<tr><td colspan="2">添付情報</td><td></td></tr>
<tr><td colspan="2">登録免許税</td><td></td></tr>
</table>

(4)

<table>
<tr><td colspan="2">登記の目的</td><td></td></tr>
<tr><td rowspan="2">申請事項等</td><td>登記原因
及びその日付</td><td></td></tr>
<tr><td>上記以外の
申請事項等</td><td></td></tr>
<tr><td colspan="2">添付情報</td><td></td></tr>
<tr><td colspan="2">登録免許税</td><td></td></tr>
</table>

第２欄

結論	
理由	

第３欄

(1)

登記の目的		
申請事項等	登記原因及びその日付	
	上記以外の申請事項等	
添付情報		
登録免許税		

(2)

登記の目的		
申請事項等	登記原因及びその日付	
	上記以外の申請事項等	
添付情報		
登録免許税		

(3)

登記の目的		
申請事項等	登記原因及びその日付	
	上記以外の申請事項等	
添付情報		
登録免許税		

(4)

登記の目的		
申請事項等	登記原因及びその日付	
	上記以外の申請事項等	
添付情報		
登録免許税		

第４欄

(1)

配当額	

(2)

①登記の形式	
②登記の目的	
③登記原因及びその日付	
④申請人	

MEMO

[本問の重要論点一覧表]

出題範囲	重要論点	解説箇所
譲渡担保契約解除による所有権の登記の抹消	不動産についての譲渡担保契約を解除した場合、「年月日譲渡担保契約解除」を原因とする所有権の登記の抹消を申請することができる。	P71参照
	所有権の登記の抹消を申請する場合において、その登記権利者となる前所有権登記名義人の登記記録上の住所が現在の住所と一致しないときは、前登記名義人の住所の変更を証する情報を添付して、その登記の抹消を申請することとなる。	P71参照
売買による所有権移転登記及び前提としての登記名義人住所変更登記	所有権の移転の登記を申請する場合において、登記義務者の登記記録上の住所と現在の住所が一致しないときは、その登記を申請する前提として、登記義務者の住所の変更登記を申請しなければならない。	P75参照
	成年被後見人所有の不動産につき売買による所有権移転登記を申請する場合において、成年後見監督人があるときは、その同意書を添付することを要する。	P76参照
問２の検討	不動産を目的として設定された譲渡担保権について、その権利が消滅した後に目的不動産が譲渡担保権者から第三者へと譲渡されたときは、譲渡担保権設定者は登記なくしてその所有権を当該第三者に対抗することができない。	P80参照
相続による所有権移転及び持分全部移転登記	所有権登記名義人が死亡し、その共同相続登記がされる前に遺産分割協議が成立した場合、協議により定めた相続分に従って、相続を原因とする所有権移転登記を申請することができる。	P81参照
連帯債務者のうちの一人についての相続及び免責的債務引受による抵当権変更登記	抵当権の連帯債務者のうちの一人が死亡した場合において、債務引受契約により共同相続人のうち一人が抵当権付債務を引き受けたときは、「年月日連帯債務者何某の相続」を原因とする抵当権の変更登記を申請した上で、「年月日連帯債務者何某の免責的債務引受」を原因とする抵当権の変更登記を申請することとなる。	P82参照

出題範囲	重要論点	解説箇所
及ぼす変更登記及び抵当権の追加設定登記	及ぼす変更登記を申請する場合において、新たに抵当権の効力を及ぼす部分についての後順位の担保権者がいるときは、その者の承諾書を提供することを要する。	P86参照
順位変更の登記	順位変更は、抵当権と元本確定前の根抵当権の間においてもすることができ、また、順位変更により異順位の担保権を同順位とすることもできる。	P90参照
問４の検討	共同抵当権の目的不動産のうち一の不動産について競売手続がされた場合において、その競売により全額の配当を受けることができなかった後順位抵当権者は、その配当実施の日をもって、「年月日民法第392条第２項による代位」を原因とする抵当権の代位の登記を申請することができる。	P92参照

1 事件の概要

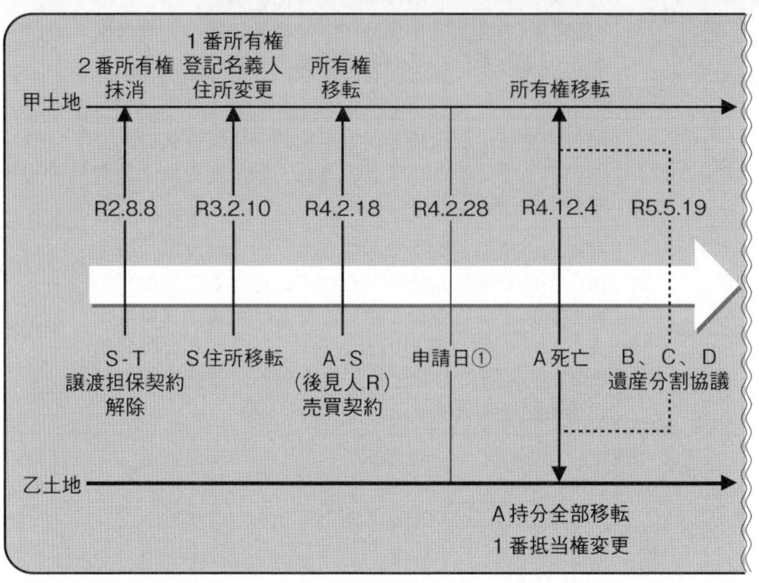
1番所有権
2番所有権
登記名義人
所有権
抹消
住所変更
移転
所有権移転
甲土地
R2.8.8
R3.2.10
R4.2.18
R4.2.28
R4.12.4
R5.5.19
S-T
譲渡担保契約
解除
S住所移転
A-S
（後見人R）
売買契約
申請日①
A死亡
B、C、D
遺産分割協議
乙土地
A持分全部移転
1番抵当権変更

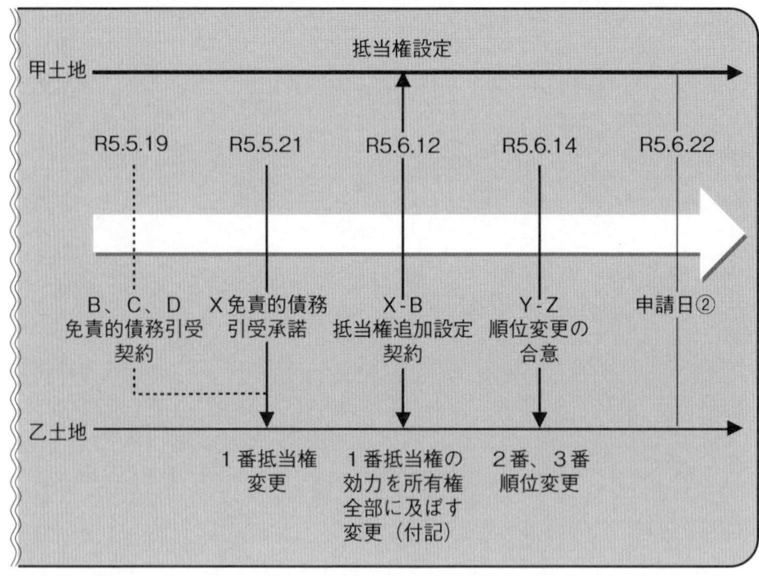
抵当権設定
甲土地
R5.5.19
R5.5.21
R5.6.12
R5.6.14
R5.6.22
B、C、D
免責的債務引受
契約
X免責的債務
引受承諾
X-B
抵当権追加設定
契約
Y-Z
順位変更の
合意
申請日②
乙土地
1番抵当権
変更
1番抵当権の
効力を所有権
全部に及ぼす
変更（付記）
2番、3番
順位変更

２ 譲渡担保契約解除による所有権の登記の抹消

2−1 問題の所在

令和２年８月８日に、ＳとＴが、甲土地についての譲渡担保契約を解除していることから、当該事実に基づく登記の申請手続について、前提としてのＳの住所変更登記の要否を踏まえて検討する。

2−2 問題点　譲渡担保契約解除による所有権の登記の抹消に関する検討

前提の知識

⑴　**譲渡担保契約を解除した場合における登記手続**

不動産についての譲渡担保契約を解除した場合、その登記は、譲渡担保権者名義の所有権の登記の抹消の方法によっても譲渡担保権者から譲渡担保権設定者への所有権の移転登記の方法によっても申請することができる（登研849-116）。当該登記を申請する場合、その登記原因についてはいずれも「年月日譲渡担保契約解除」と記載することとされている。

⑵　**所有権の登記の抹消の前提としての前登記名義人の表示変更（更正）登記の要否**

所有権の登記の抹消を申請する場合において、その登記権利者となる前所有権登記名義人の登記記録上の住所等が現在の住所等と一致しないときは、前所有権登記名義人の住所等の変更（更正）を証する情報を提供して、その登記の抹消を申請することとなる（登研463-83）。

2−3 本問へのあてはめ

本問では、**【事実関係】**２及び別紙３より、令和２年８月８日に、ＳとＴが、甲土地についての譲渡担保契約を解除していることが分かる。

以上より、令和４年２月28日に、甲土地について、「令和２年８月８日譲渡担保契約解除」を原因として「２番所有権抹消」登記を申請する。

なお、**【事実関係】**３より、令和３年２月10日に、当該登記の抹消の登記権利者となるＳが、東京都台東区上野三丁目１番19号に住所を移転していることが分かるが、この場合、Ｓの住所に変更が生じたことを証する書面を添付して当該登記の抹消を申請した後、Ｓの住所変更登記を申請することとなる（P75参照）。

> ※　前述のとおり、譲渡担保契約が解除された場合、その登記は所有権の移転登記の方法によっても申請することができるとされている以上、本問においては、「譲渡担保契約解除」を原因とする所有権の移転登記の方法によっても申請することができる。当該方法により申請した場合、解答例記載の方法より登録免許税額は高額となるものの、Ｓについては「東京都台東区上野三丁目１番19号」の住所をもって記録することができる以上、（登記名義人の住所変更登記の申請が不要となり）申請する登記の件数が少なくなることとなる。しかし、〔**事実関係に関する補足**〕３⑶には、「申請件数及び登録免許税の額が最も少なくなるように登記を申請する」とあるのみであって、上記のように申請件数が最少となる登記の申請方法と登録免許税額が最少となる登記の申請方法が異なる場合に、どちらの方法により申請すべきであるかについては、本問の記載からは判断することができない。
>
> この点、①司法書士が依頼者に対して登録免許税の額が高くなる申請方法を提示し、その方法により登記を申請することは司法書士の職責に照らして妥当ではないこと、②所有権移転登記の方法により申請した場合、登記権利者たるＳ（成年後見人Ｒ）に登記識別情報が通知され（〔**事実関係に関する補足**〕５）、当該登記識別情報を売買を原因とする所有権移転登記の申請に際して提供することができる（したものとみなされる）ことから、問題文冒頭にある「当該申請に必要な本人確認情報を作成した」の文言と乖離すること、③本問が「登記名義人の表示変更登記は現に効力を有する登記の名義人についてのものでなければ申請することができない」といった論点を踏まえて作成されていると推察することができることから、（問題文の指示が不十分であることは否めないものの、）本書においては、登記の抹消の方法により申請するものとして解答例及び解説を作成している。

申請情報に関する事項

《２番所有権抹消》甲土地

⑴　**登記の目的**

「２番所有権抹消」とする。

⑵　**登記原因及びその日付**

「令和２年８月８日譲渡担保契約解除」とする。

⑶　**申請人**

「権利者　Ｓ　※
　義務者　Ｔ　　」とする。

※　**【事実関係】**４より、令和３年９月２日に、ＲがＳの成年後見人に選任されたことが分かるが、申請書にはＲの氏名等を記載することを要しない。

⑷　**申請情報と併せて提供することが必要な情報（添付情報）**

ア　**登記原因証明情報（不登61条、不登令７条１項５号ロ）**

登記原因証明情報とは、権利に関する登記における登記の原因となる事実又は法律行為を証する情報をいう。

権利に関する登記を申請する場合には、申請人は、法令に別段の定めがある場合を除き、その申請情報と併せて登記原因を証する情報を提供しなければならない（不登61）。登記の正確性をより向上させるためには、登記原因があったことを確認して登記する必要があるからである。

登記名義人の氏名等についての変更又は更正の登記を申請するときは、登記名義人の氏名若しくは名称又は住所について変更又は錯誤若しくは遺漏があったことを証する市町村長、登記官、その他の公務員が職務上作成した情報（公務員が職務上作成した情報がない場合にあっては、これに代わるべき情報）が添付情報となる（不登令別表23添付情報欄）。

本問では、解除証書（別紙３）を添付することから、**【添付情報一覧】**より「ア」を選択する。

イ　**登記識別情報（不登22条、不登令８条）**

登記識別情報とは、不動産登記法22条本文の規定により登記名義人が登記を申請する場合において、当該登記名義人自らが当該登記を申請していることを確認するために用いられるものであり、アラビア数字その他の符号の組合せにより不動産及び登記名義人となった申請人ごとに定める情報で、登記名義人を識別することができるものをいう（不登２⑭、不登規61）。

登記権利者及び登記義務者が共同して権利に関する登記の申請をする場合その他登記名義人が政令で定める登記の申請をする場合、申請人は、その申請情報と併せて登記義務者等の登記識別情報を提供しなければならない（不登22）。登記義務者等の本人性の確認をするためである。

なお、オンライン指定後も、従前の登記済証を書面による申請における添付書面として利用することができ、登記済証を提出すれば、登記識別情報が提供されたものとみなされる（不登附則７）。

本問では、Tの平成26年３月３日水戸地方法務局受付第80号の登記識別情報を提供することから、**【添付情報一覧】**より「キ」を選択した上で、「キ（平成26年３月３日受付第80号のもの）」の要領で記載する。

ウ　印鑑に関する証明書（不登令18条２項、不登規49条２項）

委任による代理人によって登記を申請する場合、法務省令で定める場合を除き、申請人又はその代表者が、当該代理人の権限を証する情報を記載した書面（委任状）に記名押印しなければならず、当該書面には、法務省令で定める場合を除き、記名押印した者（委任による代理人を除く。）の印鑑に関する証明書（原則として、市町村長又は登記官が作成するもの）を添付しなければならない。登記義務者の登記申請意思を登記官が形式的に確認し、真正な登記の実現を図る必要があるからである。

本問では、Tの印鑑に関する証明書を添付することから、**【添付情報一覧】**より「シ」を選択する。

エ　代理人の権限を証する情報（不登令７条１項２号）

登記の申請を代理人により行う場合には、一定の場合を除き、代理人の権限を証する情報を提供しなければならない。登記の申請が申請人の意図しているとおりのものであるか否かを登記官が確認する必要があるためである。

本問では、成年被後見人Sに係る登記事項証明書、R及びTの委任状を添付することから、**【添付情報一覧】**より「ソ」を選択する。

オ　変更証明情報（登研463-83）

本問では、Sの住民票の写しを添付することから、**【添付情報一覧】**より「セ」を選択する。

⑸　登録免許税

不動産１個につき、金1,000円である（登録税別表1.1.(15)）。

以上より、金1,000円となる。

3　売買による所有権移転登記及び前提としての登記名義人住所変更登記

3−1　問題の所在

令和３年２月10日に、Sが東京都台東区上野三丁目１番19号に住所を移転した後、令和４年２月18日に、Aと成年被後見人Sの成年後見人Rが、甲土地の売買契約を締結していることから、当該事実に基づく登記の申請手続について、成年後見人が一定の行為をする場合には成年後見監督人の同意を要する点を踏まえて検討する。

3−2 問題点①　前提としての登記名義人の住所変更登記に関する検討

前提の知識

(1)　**登記名義人住所(氏名)変更・更正登記**

登記名義人住所(氏名)(法人であれば、本店・商号)変更・更正登記とは、登記名義人の現在の住所、氏名等が登記記録上の表示と一致しない場合に、これを一致させるためにする登記のことである。

登記名義人住所(氏名)変更登記は、その権利の主体には何ら変更がなく、その表示に後発的に変更が生じたときに申請することができ、その表示に原始的に誤りがあるときは、登記名義人住所(氏名)更正登記を申請する。なお、これらの登記は、登記名義人が単独で申請することができるとされている(不登64Ⅰ)。

(2)　**前提としての登記名義人表示変更(更正)登記の要否**

所有権その他の権利の移転又は変更等の登記を申請する場合において、登記義務者の登記記録上の住所等と現在の住所等が一致しないときは、その登記を申請する前提として、登記義務者の住所等の変更(更正)登記を申請しなければならない。

3−3 本問へのあてはめ

本問では、**【事実関係】**３より、令和３年２月10日に、Ｓが東京都台東区上野三丁目１番19号に住所を移転していることが分かる。よって、譲渡担保契約の解除の結果Ｓが所有することとなる甲土地（P71参照）につき、後述する売買による所有権の移転登記を申請する前提として、Ｓの住所の変更登記を申請することとなる。

以上より、令和４年２月28日に、甲土地について、「令和３年２月10日住所移転」を原因として「１番所有権登記名義人住所変更」登記を申請する。

3−4　問題点②　売買による所有権移転登記に関する検討

前提の知識

(1)　**売買**

売買とは、当事者の一方がある財産権を相手方に移転することを約し、相手方がこれに対してその代金を支払うことを約することによって成立する契約のことである。なお、売買代金の授受は、売買契約成立のための要件ではない。

(2)　**成年後見監督人が選任されている場合における不動産の処分**

後見人が被後見人に代わって不動産その他重要な財産に関する権利の得喪を目的とする行為をする場合において、後見監督人があるときは、その同意を得なければならない（民864・13Ⅰ③）。よって、成年被後見人所有の不動産につき売買による所有権移転登記を申請する場合において、成年後見監督人があるときは、その同意書を添付することを要する（登研815-119）。

3−5　本問へのあてはめ

本問では、問題文冒頭より、令和４年２月18日に、Ａと成年被後見人Ｓの成年後見人Ｒが、甲土地の売買契約を締結していることが分かる。

この点、**【事実関係】**４より、成年被後見人Ｓには、成年後見監督人として司法書士Ｕが選任されていることから、成年後見人ＲがＳに代わってＡとの間で売買契約を締結するにはＵの同意を得なければならないところ、問題文冒頭より、その同意は適切に得られていることが分かる。

以上より、令和４年２月28日に、甲土地について、「令和４年２月18日売買」を原因として「所有権移転」登記を申請する。

申請情報に関する事項

《１番所有権登記名義人住所変更》甲土地

(1)　**登記の目的**

「１番所有権登記名義人住所変更」とする。

(2)　**登記原因及びその日付**

「令和３年２月10日住所移転」とする。

(3)　**登記事項**

「変更後の事項

住所　東京都台東区上野三丁目１番19号」とする。

(4)　**申請人**

「申請人　Ｓ　※」とする。

※　**【事実関係】**４より、令和３年９月２日に、ＲがＳの成年後見人に選任されたことが分かるが、申請書にはＲの氏名等を記載することを要しない。

(5)　**申請情報と併せて提供することが必要な情報（添付情報）**

ア　**登記原因証明情報（不登61条、不登令７条１項５号ロ）**

本問では、Ｓの住民票の写しを添付することから、**【添付情報一覧】**より「セ」を選択する。

イ　**代理人の権限を証する情報（不登令７条１項２号）**

本問では、成年被後見人Ｓに係る登記事項証明書及びＲの委任状を添付することから、**【添付情報一覧】**より「ソ」を選択する。

(6)　**登録免許税**

不動産１個につき、金1,000円である（登録税別表1.1.(14)）。

以上より、金1,000円となる。

《所有権移転》甲土地

(1)　**登記の目的**

「所有権移転」とする。

(2)　**登記原因及びその日付**

「令和４年２月18日売買」とする。

(3)　**申請人**

「権利者　Ａ
　義務者　Ｓ　※」とする。

※　**【事実関係】**４より、令和３年９月２日に、ＲがＳの成年後見人に選任されたことが分かるが、申請書にはＲの氏名等を記載することを要しない。

(4)　**申請情報と併せて提供することが必要な情報（添付情報）**

ア　**登記原因証明情報（不登61条、不登令７条１項５号ロ）**

本問では、司法書士鈴木一郎が作成し、関係当事者全員が記名押印した登記原因証明情報を添付することから、**【添付情報一覧】**より「エ」を選択する。

イ　本人確認情報（不登23条４項１号）

申請人が登記識別情報（登記済証）を提供することができないことにつき正当な理由がある場合において、当該申請が登記の申請の代理を業とすることができる代理人によってされた場合であれば、当該登記識別情報（登記済証）の提供に代えて、当該申請人が不動産登記法23条１項の登記義務者であることを確認するために必要な情報（以下「本人確認情報」という。）の提供をすることができる（不登23Ⅳ①）。ただし、登記官が、本人確認情報の内容を相当と認めることができない場合には、事前通知の手続が採られることになる（不登準則49条Ⅳ）。

なお、不動産登記規則72条１項においては、本人確認情報のなかで明らかにしなければならない事項が挙げられている。

本問では、司法書士鈴木一郎が成年後見人Ｒの本人確認をしたことを証する本人確認情報を添付することから、**【添付情報一覧】**より「ツ」を選択した上で、「ツ（Ｒの本人確認をしたもの）」の要領で記載する。

ウ　印鑑に関する証明書（不登令18条２項、不登規49条２項）

本問では、Ｒの印鑑に関する証明書を添付することから、**【添付情報一覧】**より「サ」を選択する。

エ　住所を証する情報（不登令７条１項６号、不登令別表28添付情報欄ニ、不登令別表29添付情報欄ハ、不登令別表30添付情報欄ハ）

所有権の保存又は移転の登記を申請する場合、所有権の登記名義人となる者についての市町村長、登記官その他の公務員が職務上作成した住所を証する情報（公務員が職務上作成した情報がない場合にあっては、これに代わるべき情報）を提供しなければならない。登記記録上に架空の所有者が現れることを防ぐためである。

なお、オンライン庁における申請では、住民基本台帳法７条13号に規定する住民票コードを提供すれば、当該住所を証する情報を提供することを要しない（不登令９条、不登規36条４項）。

本問では、Ａの住民票の写しを添付することから、**【添付情報一覧】**より「ス」を選択する。

オ　代理人の権限を証する情報（不登令７条１項２号）

本問では、成年被後見人Ｓに係る登記事項証明書並びにＡ及びＲの委任状を添付することから、**【添付情報一覧】**より「ソ」を選択する。

カ　登記原因についての第三者の許可、同意又は承諾を証する情報（不登令７条１項５号ハ）

登記原因について第三者の許可、同意又は承諾を要するときは、当該第三者が許可、同意又は承諾したことを証する情報を提供しなければならない。

登記官が登記原因の発生に実体法上必要な第三者の許可等がされたことを手続の上で確認することで、無効な権利変動による登記がされることを防ぐためである。

本問では、Uの同意を証する情報を添付することから、**【添付情報一覧】**より「タ」を選択した上で、「タ（Uのもの）」の要領で記載する。

(5)　登記識別情報を提供することができない理由

登記の申請に当たって登記識別情報を提供することができないときは、当該登記識別情報を提供することができない理由を申請情報の内容とする必要があるが（不登令３条⑫）、本問においては、（答案作成に当たっての注意事項）1(4)より、「上記以外の申請事項等」欄に「失念」と記載することとなる。

(6)　課税価格

「甲土地の価額」である。

ただし、課税標準の金額に1,000円未満の端数があるときは、その端数は切り捨てる（国税通則118条Ⅰ）。

以上より、金762万8,000円となる。

(7)　登録免許税

課税価格に「1,000分の20」（登録税別表1.1.(2)ハ）を乗じた額である。

よって、次のように算定する。

金762万8,000円×1,000分の20＝金15万2,560円

ただし、登録免許税の金額に100円未満の端数があるときは、その端数は切り捨てる（国税通則119条Ⅰ）。

以上より、金15万2,500円となる。

4　問２の検討

4－1　問題の所在

ＳとＴが甲土地の譲渡担保契約を解除した後、その登記を申請する前にＴがａに甲土地を売却して、Ｔからａへの所有権の移転の登記がされた場合におけるＳとａの優劣について、判例の立場を踏まえて検討する。

4−2 問題点　譲渡担保契約が解除された後の第三者と譲渡担保権を設定した者との関係に関する検討

前提の知識

譲渡担保権が消滅した後に生じた第三者と譲渡担保権設定者との関係

不動産が譲渡担保の目的とされ、設定者から譲渡担保権者へと所有権移転登記が経由された場合において、譲渡担保権が消滅した後に目的不動産が譲渡担保権者から第三者へと譲渡されたときは、当該第三者が背信的悪意者でない限り、譲渡担保権設定者は登記なくしてその所有権を当該第三者に対抗することができない（最判昭62.11.12）。

4−3 本問へのあてはめ

本問では、ＳとＴが甲土地の譲渡担保契約を解除した後、その登記を申請する前にＴがａに甲土地を売却して、Ｔからａへの所有権の移転の登記がされた場合におけるＳとａの優劣について問われている。

この点、譲渡担保権が消滅した後の第三者と譲渡担保権設定者とは対抗関係に立つとされていることから、Ｓは先に登記を備えたａに対して甲土地の所有権を取得したことを主張することはできない。

以上の内容を答案用紙第２欄に記載することとなる（解答例参照）。

5 相続による所有権移転及び持分全部移転登記

5−1 問題の所在

令和４年12月４日にＡが死亡し、その相続人であるＢ、Ｃ及びＤが、令和５年５月19日付けでＡの遺産に属する甲土地及び乙土地の持分の全部をＢが承継する旨の遺産分割協議をしていることから、当該事実に基づく登記の申請手続について検討する。

5−2 問題点　遺産分割協議に基づく相続による所有権移転及び持分全部移転登記に関する検討

前提の知識

相続登記前に遺産分割協議がされた場合の登記手続

所有権登記名義人が死亡し、その共同相続登記がされる前に遺産分割協議が成立した場合、協議により定めた相続分に従って、相続を原因とする所有権移転登記を申請することができる（昭19.10.19民甲692号）。なぜなら、各相続人は遺産分割によって取得した財産を相続開始の時に被相続人から直接承継したものと扱われるためである。

5−3 本問へのあてはめ

本問では、問題文冒頭及び**【事実関係】**５より、令和４年12月４日に、Ａが死亡し、その相続人はＢ、Ｃ及びＤであることが分かる。また、**【事実関係】**６及び別紙４より、令和５年５月19日に、Ｂ、Ｃ及びＤが、Ａの遺産に属する甲土地及び乙土地の持分の全部をＢが承継する旨の遺産分割協議を行っていることが分かる。甲土地及び乙土地のＡ持分についてＡの死亡による相続登記がされた事実はないことから、当該遺産分割協議に基づき、ＡからＢへの相続を原因とする所有権の移転登記を申請することとなる。

以上より、令和５年６月22日に、甲土地については、「令和４年12月４日相続」を原因として「所有権移転」登記を、乙土地については、「令和４年12月４日相続」を原因として「Ａ持分全部移転」登記を申請することとなるが、当該登記については解答が要求されていない。

6 連帯債務者のうちの一人についての相続及び免責的債務引受による抵当権変更登記

6−1 問題の所在

令和４年12月４日にＡが死亡し、その相続人はＢ、Ｃ及びＤであること、令和５年５月19日に、Ｂ、Ｃ及びＤが、ＡがＸに対して負担している平成28年７月１日付の金銭消費貸借契約に係る債務について、Ｂが免責的に引き受ける旨の契約を締結していることから、当該事実に基づく登記の申請手続について、遺産分割協議により債務者を定めた場合と異なり、債務引受契約には遡及効がないことを踏まえて検討する。

6−2 連帯債務者の一人についての相続及び免責的債務引受による抵当権変更登記に関する検討

前提の知識

(1) 債務者の相続による抵当権変更登記

抵当権の債務者が死亡した場合、その相続人は被相続人の債務を承継する（民896）。

この場合において、遺産分割協議によって共同相続人のうち一人が抵当権付債務を引き受け、かつ、その引受けにつき債権者の承諾があったときは、共同相続人全員を債務者とする抵当権の変更登記を申請することなく、直接「年月日相続」を原因とする抵当権の変更登記を申請することで、引受人のみを債務者として記録することができる（昭33.5.10民甲964号）。

一方、債務引受契約によって共同相続人のうち一人が抵当権付債務を引き受けたときは、「年月日相続」を原因とする抵当権の変更登記を申請することで共同相続人の全員を債務者として記録した上で、「年月日何某の債務引受」を原因とする抵当権の変更登記を申請する必要がある（昭33.5.10民甲964号）。債務引受契約がされる前に共同相続人全員を債務者とする相続による抵当権の変更登記がされているときは、「年月日何某の債務引受」を原因とする抵当権の変更登記を申請することとなる。

(2) 連帯債務者のうちの一人に相続が生じた場合の登記手続

抵当権の連帯債務者のうちの一人が死亡した場合において、債務引受契約により共同相続人のうち一人が抵当権付債務を引き受けたときは、「年月日連帯債務者何某の相続」を原因とする抵当権の変更登記を申請した上で、「年月日連帯債務者何某の免責的債務引受」を原因とする抵当権の変更登記を申請することとなる。

なお、抵当権の連帯債務者Ａ、ＢのうちＡが死亡し、その相続人がＢ及びＣである場合において、ＢがＣの相続債務を引き受ける旨の契約を締結したときであっても、元からＢが連帯債務者として有していた債務とＢが連帯債務者Ｃから引き受けたＡの相続債務は依然併存することから、変更後の債務者の表示としては「債務者　Ｂ」ではなく「連帯債務者　Ｂ」と記載すべきものとされている。

⑶　**免責的債務引受による抵当権の変更登記**

抵当権の被担保債権につき免責的債務引受がされ、引受人が負担する債務に担保権を移転させることとした場合においては、免責的債務引受を原因とする抵当権の変更登記を申請することとなる。

なお、免責的債務引受が債権者と引受人となる者との契約によりされた場合においては、債権者が債務者に対して免責的債務引受契約をした旨を通知したときにその効力が生ずるため（民472Ⅱ）、その日を登記原因日付として記載することとなる。

⑷　**抵当権の債務者変更登記の添付書面**

抵当権の債務者の変更登記を申請する場合、原則として抵当権設定者の印鑑証明書を提供することを要しない（不登規48条Ⅰ⑤・47条③イ⑴、不登令16条Ⅰ・Ⅱ）。ただし、不動産登記法22条ただし書の規定により登記識別情報を提供することなく抵当権の債務者の変更登記を申請する場合においては、抵当権設定者の印鑑証明書を提供することを要するとされている（不登規48条Ⅰ⑤・47③ロ、不登令16条Ⅰ・Ⅱ）。

6−3　本問へのあてはめ

本問では、前述（P81参照）のとおり、令和４年12月４日にＡが死亡し、その相続人はＢ、Ｃ及びＤであること、**【事実関係】**６より、令和５年５月19日に、ＡがＸに対して負担している平成28年７月１日付け金銭消費貸借契約に係る債務について、Ｂが免責的に引き受ける旨の契約を締結し、**【事実関係】**７より、Ｘが令和５年５月21日に当該免責的債務引受契約を承諾していることが分かる。この点、遺産分割協議により債務者を定めた場合と異なり、債務引受契約には遡及効がないことから、連帯債務者をＢ、Ｃ及びＤとする相続による抵当権変更登記を申請した後、Ｘの承諾の日である令和５年５月21日を原因日付として、Ｃ及びＤの免責的債務引受による抵当権変更登記を申請することとなる。

以上より、令和５年６月22日に、乙土地について、「令和４年12月４日連帯債務者Ａの相続」を原因として「１番抵当権変更」登記を申請した後、「令和５年５月21日連帯債務者Ｃ及びＤの免責的債務引受」を原因として「１番抵当権変更」登記を申請する。

申請情報に関する事項

《1番抵当権変更》乙土地

⑴　登記の目的

「1番抵当権変更」とする。

⑵　登記原因及びその日付

「令和4年12月4日連帯債務者Aの相続」とする。

⑶　登記事項

「変更後の事項
　連帯債務者　水戸市三の丸一丁目3番5号　B
　　　　　　　水戸市小吹町2000番地　C
　　　　　　　水戸市小吹町2000番地　D　　　」とする。

⑷　申請人

「権利者　X
　義務者　B」とする。

⑸　申請情報と併せて提供することが必要な情報（添付情報）

ア　登記原因証明情報（不登61条、不登令7条1項5号ロ）

本問では、司法書士鈴木一郎が作成し、関係当事者全員が記名押印した登記原因証明情報を添付することから、**【添付情報一覧】**より「オ」を選択する。

イ　登記識別情報（不登22条、不登令8条）

本問では、Bの平成22年11月19日水戸地方法務局受付第800号の登記識別情報を提供することから、**【添付情報一覧】**より「キ」を選択した上で、「キ（平成22年11月19日受付第800号のもの）」の要領で記載する。

ウ　代理人の権限を証する情報（不登令7条1項2号）

本問では、X及びBの委任状を添付することとなるが、**【添付情報一覧】**より選択する記号はない。

※　抵当権の債務者の変更登記を申請する場合であるため、Bの印鑑に関する証明書については提供することを要しない。

⑹　登録免許税

不動産1個につき、金1,000円である（登録税別表1.1.(14)）。

以上より、金1,000円となる。

《１番抵当権変更》乙土地

⑴　**登記の目的**

「１番抵当権変更」とする。

⑵　**登記原因及びその日付**

「令和５年５月21日連帯債務者Ｃ及びＤの免責的債務引受」とする。

⑶　**登記事項**

「変更後の事項
　連帯債務者　水戸市三の丸一丁目３番５号　Ｂ」とする。

⑷　**申請人**

「権利者　Ｘ
　義務者　Ｂ」とする。

⑸　**申請情報と併せて提供することが必要な情報（添付情報）**

ア　登記原因証明情報（不登61条、不登令７条１項５号ロ）

本問では、司法書士鈴木一郎が作成し、関係当事者全員が記名押印した登記原因証明情報を添付することから、**【添付情報一覧】**より「オ」を選択する。

イ　登記識別情報（不登22条、不登令８条）

本問では、Ｂの平成22年11月19日水戸地方法務局受付第800号の登記識別情報を提供することから、**【添付情報一覧】**より「キ」を選択した上で、「キ（平成22年11月19日受付第800号のもの）」の要領で記載する。

ウ　代理人の権限を証する情報（不登令７条１項２号）

本問では、Ｘ及びＢの委任状を添付することとなるが、**【添付情報一覧】**より選択する記号はない。

※　抵当権の債務者の変更登記を申請する場合であるため、Ｂの印鑑に関する証明書については提供することを要しない。

⑹　**登録免許税**

不動産１個につき、金1,000円である（登録税別表1.1.(14)）。

以上より、金1,000円となる。

7 及ぼす変更登記及び抵当権の追加設定登記

7−1 問題の所在

令和５年６月12日に、ＸとＢが、Ｂが新たに取得した甲土地及び乙土地の持分を目的として、乙土地乙区１番抵当権を追加設定する旨の契約を締結していることから、当該事実に基づく登記の申請手続について、及ぼす変更登記により申請するための要件を踏まえて検討する。

7−2 問題点　及ぼす変更登記及び抵当権の追加設定登記に関する検討

前提の知識

(1)　**及ぼす変更登記**

不動産の共有者が他の共有者の持分を取得した場合において、共有持分に設定された抵当権の効力を取得した持分全部に及ぼすため、取得した持分について抵当権を及ぼす旨の契約（追加設定契約）を新たに締結したときは、登記の目的を「何番抵当権の効力を所有権全部（又は何某持分全部）に及ぼす変更」とする抵当権の変更登記を申請することができる（昭28.4.6民甲556号）。当該登記を申請する際に提供すべき登記識別情報は、新たに抵当権の効力が及ぼされる持分についてのもののみで足りるとされており、既に抵当権が設定されている持分についての登記識別情報を提供する必要はない。

なお、根抵当権につき及ぼす変更登記を申請することもできるが、根抵当権の担保すべき元本の確定前でなければならないとされている。

(2)　**及ぼす変更登記の要件**

①　追加設定の局面である。
②　既登記の担保権が目的物の一部に設定されている。
③　設定目的物が②と同一物の残部又は残部の一部である。
④　②及び③の目的物の権利者が同一人である。

(3)　**及ぼす変更登記における登記上の利害関係を有する第三者**

及ぼす変更登記は、登記上の利害関係を有する第三者の承諾等がある場合又は当該第三者が存在しない場合に限り、付記登記によってすることができる（不登66）。具体的には、新たに抵当権の効力を及ぼす部分についての後順位の担保権者、所有権仮登記権利者などが登記上の利害関係を有する第三者に該当する。

なお、登記上の利害関係を有する第三者の承諾が得られない場合、及ぼす変更登記は主登記でされる。

(4) 共同抵当権の設定登記

共同抵当権には、当初から数個の不動産に対し設定する場合と、当初抵当権を設定した不動産の追加として他の不動産に対し設定する場合がある。前者を同時設定、後者を追加設定という。

被担保債権の発生原因たる債権契約及びその日付・抵当権者は、同一債権を担保するための設定であるかを判断するための指標となるため、既登記抵当権と同一でなければ追加設定登記を申請することができない。これに対し、債権額・利息・損害金・債務者については、既登記抵当権と同一でなくても、追加設定登記を申請することができる。

そして、同一債権の担保として数個の不動産に関する権利を目的として設定された抵当権については、法律上当然に共同担保関係が成立することとなる。根抵当権とは異なり、共同抵当権設定の旨の登記をすることによって共同担保関係が成立するわけではないため、登記の目的に「共同」と記載する必要はない。

7−3 本問へのあてはめ

本問では、**【事実関係】** ８及び別紙５より、令和５年６月12日に、ＸとＢが、Ｂが相続により新たに取得した甲土地及び乙土地の持分の全部（P80参照）を目的として、乙土地乙区１番抵当権を追加設定する旨の契約を締結していることが分かる。

以下、当該事実に基づき各不動産について申請することとなる登記について検討する。

【甲土地について】

既登記の抵当権が乙土地に設定されているところに、甲土地についてＢが新たに取得した持分を目的として抵当権を追加設定するものであることから、及ぼす変更登記により申請することができる要件を満たしていない。よって、抵当権の追加設定登記により申請することとなる。

以上より、令和５年６月22日に、甲土地について、「平成28年７月１日金銭消費貸借令和５年６月12日設定」を原因として「抵当権設定」登記を申請することとなるが、当該登記については解答が要求されていない。

【乙土地について】

既登記の抵当権が乙土地のB持分に設定されているところに、乙土地についてBが新たに取得した持分を目的として抵当権を追加設定するものであることから、及ぼす変更登記により申請することができる要件を満たしている。

ここで、別紙2より、乙土地乙区2番抵当権の抵当権者であるY及び乙土地乙区3番根抵当権の根抵当権者であるZが及ぼす変更登記における登記上の利害関係を有する第三者に該当することとなるが、**【事実関係】** 8より、その承諾は事前に得られていると判断することができる。

以上より、令和5年6月22日に、乙土地について、「平成28年7月1日金銭消費貸借令和5年6月12日設定」を原因として「1番抵当権の効力を所有権全部に及ぼす変更（付記）」登記を申請する。

申請情報に関する事項

《1番抵当権の効力を所有権全部に及ぼす変更（付記）》乙土地

⑴　登記の目的

「1番抵当権の効力を所有権全部に及ぼす変更（付記）」とする。

⑵　登記原因及びその日付

「平成28年7月1日金銭消費貸借令和5年6月12日設定」とする。

⑶　申請人

「権利者　X
　義務者　B」とする。

⑷　申請情報と併せて提供することが必要な情報（添付情報）

ア　登記原因証明情報（不登61条、不登令7条1項5号ロ）

本問では、抵当権追加設定契約証書（別紙5）を添付することから、**【添付情報一覧】** より「ウ」を選択する。

イ　登記識別情報（不登22条、不登令8条）

本問では、相続によるA持分全部移転登記（P81参照）の申請によりBが乙土地の甲区4番で通知を受けることとなる登記識別情報を提供することから、**【添付情報一覧】** より「キ」を選択した上で、「キ（Bが乙土地の甲区4番で通知を受けたもの）」の要領で記載する。

ウ　印鑑に関する証明書（不登令18条2項、不登規49条2項）

本問では、Bの印鑑に関する証明書を添付することから、**【添付情報一覧】** より「ク」を選択する。

エ　代理人の権限を証する情報（不登令７条１項２号）

本問では、Ｘ及びＢの委任状を添付することとなるが、**【添付情報一覧】**より選択する記号はない。

オ　登記上の利害関係を有する第三者の承諾を証する情報（不登令７条１項６号、不登令別表25添付情報欄ロ）

登記上の利害関係人に不測の損害を与えることを防止するとともに、その登記をめぐる紛争を未然に防止することにより取引の安全を図るため、有効にその者の承諾がされていることを証明し、登記の真正を担保するために提供する。

本問では、Ｙ及びＺの承諾書を添付することから、**【添付情報一覧】**より「チ」を選択した上で、「チ（Ｙ及びＺのもの）」の要領で記載する。

(5)　登録免許税

及ぼす変更登記は実質的に担保権の追加設定登記であることから、その税額は不動産に関する権利の件数１件につき金1,500円となる（登録税13Ⅱ）。

以上より、金1,500円となる。

※　この場合、登記の申請書には、「金1,500円（登録免許税法第13条第２項）」と記載する（不登規189Ⅲ）。

8　順位変更の登記

8−1　問題の所在

令和５年６月14日に、ＹとＺが、Ｙの有する乙土地乙区２番抵当権とＺの有する乙土地乙区３番根抵当権を同順位とする順位変更契約を締結していることから、当該事実に基づく登記の申請手続について検討する。

8−2　問題点　順位変更の登記に関する検討

前提の知識

(1)　順位変更

順位変更とは、利害関係を有する第三者の承諾を得て、同一不動産上の数個の抵当権の順位を各抵当権者の合意により変更することである（民374）。

順位変更は、抵当権相互間のみならず、根抵当権（元本確定の有無を問わない）や不動産質権、不動産先取特権等の担保権相互間においてもすることができる。順位変更の内容に制限はなく、異順位の担保権を同順位としたり、同順位の担保権を異順位としたりすることもできる。

⑵　**順位変更の登記**

順位変更は、その登記をしなければ、その効力を生じない（民374条Ⅱ）。

順位変更の登記を申請する場合、その登記原因については、順位変更の合意がされた日と利害関係を有する第三者の承諾がされた日のいずれか遅い日をもって「年月日合意」と記載する。ただし、同一人が有する担保権相互間の順位変更の場合においては、「年月日変更」と記載することとなる。

8−3　本問へのあてはめ

本問では、**【事実関係】**９より、令和５年６月14日に、ＹとＺが、Ｙの有する乙土地乙区２番抵当権とＺの有する乙土地乙区３番根抵当権を同順位とする順位変更契約を締結していると判断することができる。乙土地乙区３番根抵当権の元本が確定している旨の事実はないが、元本確定前の根抵当権であっても順位変更をすることはできるため、適法である。

以上より、令和５年６月22日に、乙土地について、「令和５年６月14日合意」を原因として「２番、３番順位変更」登記を申請する。

※　**【事実関係】**９においては、「ＹとＺは…乙土地のＹの２番抵当権とＺの３番根抵当権の順位を同順位とする契約を締結した」とのみ記述されていることから、２番抵当権の順位を３番根抵当権のために放棄することで、順位変更をするより登録免許税額を低額にしつつ同様の効果を生じさせることができるのではないかとの考え方もある。

しかし、①**【添付情報一覧】**カには、「順位変更契約書（**【事実関係】**９に基づき関係当事者全員が作成記名押印したもの」と記述されていること、②順位放棄はあくまでもその契約当事者間における配当割合のみを変更させるものであって、「順位を同順位とする」効果までは持ち合わせていないことから、本書においては、順位変更の方法により申請するものとして解答例及び解説を作成している。

申請情報に関する事項

《２番、３番順位変更》乙土地

⑴　**登記の目的**

「２番、３番順位変更」とする。

⑵　**登記原因及びその日付**

「令和５年６月14日合意」とする。

⑶　**登記事項**

「変更後の順位

第１　２番抵当権

第１　３番根抵当権」とする。

⑷　**申請人**

「申請人　Y

Z」とする。

⑸　**申請情報と併せて提供することが必要な情報（添付情報）**

ア　登記原因証明情報（不登61条、不登令７条１項５号ロ）

本問では、順位変更契約書を添付することから、**【添付情報一覧】**より「カ」を選択する。

イ　登記識別情報（不登22条、不登令８条）

本問では、Yの平成30年４月９日水戸地方法務局受付第180号の登記識別情報及びZの令和１年８月６日水戸地方法務局受付第430号の登記識別情報を提供することから、**【添付情報一覧】**より「キ」を選択した上で、「キ（平成30年４月９日受付第180号及び令和１年８月６日受付第430号のもの）」の要領で記載する。

ウ　代理人の権限を証する情報（不登令７条１項２号）

本問では、Y及びZの委任状を添付することとなるが、**【添付情報一覧】**より選択する記号はない。

⑹　**登録免許税**

金1,000円に担保権の数及び不動産の個数をそれぞれ乗じた額である（登録税別表1.1.⑻、昭46.12.27.民三960号）。

よって、次のように算定する。

金1,000円×２件×１個＝金2,000円

以上より、金2,000円となる。

9 問４の検討

9−1 問題の所在

ＢのＸに対する債務が債務不履行となった結果、乙土地のみが担保不動産競売の方法により売却されることとなった場合を前提として、⑴担保権者相互が受けるべき配当の額、⑵後順位担保権者が全額の弁済を受けることができなかったときに先順位担保権者が同一の債権を担保するために他の不動産に設定していた担保権を目的として申請することができる登記の内容について検討する。

9−2 問題点　共同抵当権のうち一の不動産のみが担保不動産競売により売却されることとなった場合における諸問題に関する検討

前提の知識

民法392条２項による代位の登記

共同抵当権の目的不動産のうち一の不動産について競売手続がされた場合において、その競売により全額の配当を受けることができなかった後順位担保権者は、その配当実施の日をもって「年月日民法第392条第２項による代位」を原因とする抵当権の代位の登記を申請することができる。当該登記は、代位者を登記権利者、被代位者を登記義務者とする共同申請によるとされており、その登記事項は、先順位の抵当権者が優先弁済を受けた不動産に関する権利、その競売代価及び弁済を受けた額（不登91Ⅰ）並びに代位者の有する債権の内容（不登91Ⅱ）とされている。

9−3 本問へのあてはめ

⑴についての検討

本問では、問４の⑴において、ＢのＸに対する債務が債務不履行となった結果、乙土地のみが担保不動産競売の方法により売却されることとなった場合におけるＸ、Ｙ及びＺがそれぞれ受ける配当額について問われている。乙土地の売却価額は金600万円とされているところ、まずは、乙土地乙区１番抵当権の抵当権者であるＸが、その債権額の全額である金300万円について配当を受けることとなる。そして、令和５年６月14日付けでＹの有する乙土地乙区２番抵当権とＺの有する乙土地乙区３番根抵当権は同順位となっていることから（P90参照）、Ｘに配当される金300万円を除いた残りの金300万円については、Ｙの債権額金600万円及びＺの債権額金300万円に応じて按分されることとなる。

以上より、Ｘが受ける配当額は金300万円、Ｙが受ける配当額は金200万円、Ｚが受ける配当額は金100万円となる。

⑵についての検討

本問では、問４の⑵において、Ｂの所有する乙土地のみが担保不動産競売の方法により売却され、令和６年２月14日に配当が実施されたところ、Ｘは当該配当によって債権全額の弁済を受けられたものの、Ｙは当該配当によって債権全額の弁済を受けられなかった場合において、Ｂの所有する甲土地についてＹが申請することができる登記の①登記の形式、②登記の目的、③登記原因及びその日付、④申請人について問われていることが分かる。この点、乙土地の競売の結果、その全額の配当を受けることができなかったＹは、乙土地乙区１番抵当権の被担保債権と同一の債権を担保するものとして甲土地乙区１番で登記されている抵当権（P92参照）に代位することができる（民法392Ⅱ）ことから、その代位の付記登記を申請することとなる。

以上より、①には「付記登記」、②には「１番抵当権代位」、③には「令和６年２月14日民法第392条第２項による代位」、④には「権利者Ｙ　義務者Ｘ」と記載することとなる。

第１欄

(1)

登記の目的		２番所有権抹消
申請事項等	登記原因及びその日付	令和２年８月８日譲渡担保契約解除
	上記以外の申請事項等	権利者　S 義務者　T
添付情報		ア、キ（平成26年３月３日受付第80号のもの)、シ、セ、ソ
登録免許税		金1,000円

(2)

登記の目的		１番所有権登記名義人住所変更　※１
申請事項等	登記原因及びその日付	令和３年２月10日住所移転
	上記以外の申請事項等	変更後の事項　※２ 住所　東京都台東区上野三丁目１番19号 申請人　S
添付情報		セ、ソ
登録免許税		金1,000円

※１　「１番登記名義人住所変更」と記載しても誤りでないと解される。
※２　「変更後の事項」を記載しなくとも誤りでないと解される。

(3)

登記の目的		所有権移転
申請事項等	登記原因及びその日付	令和４年２月18日売買
	上記以外の申請事項等	権利者　A 義務者　S 登記識別情報を提供することができない理由　失念
添付情報		エ、サ、ス、ソ、タ（Uのもの)、ツ（Rの本人確認をしたもの)
登録免許税		金15万2,500円

(4)

登記の目的		登記不要
申請事項等	登記原因 及びその日付	
	上記以外の 申請事項等	
添付情報		
登録免許税		

第２欄

結論	主張することができない
理由	不動産が譲渡担保の目的とされ、設定者から譲渡担保権者へと所有権移転登記が経由された場合において、譲渡担保権が消滅した後に目的不動産が譲渡担保権者から第三者へと譲渡されたときは、当該第三者が背信的悪意者でない限り、譲渡担保権の設定者は登記なくしてその所有権を当該第三者に対抗することができないとされている以上、先に登記を備えたａがＳに優先することとなるため。　※

※　理由については、「登記なくして第三者に対抗することができない」旨が記載されていれば良いものと解される。

第３欄

(1)

<table>
<tr><td colspan="2">登記の目的</td><td>１番抵当権変更</td></tr>
<tr><td rowspan="2">申請事項等</td><td>登記原因
及びその日付</td><td>令和４年12月４日連帯債務者Ａの相続</td></tr>
<tr><td>上記以外の
申請事項等</td><td>変更後の事項　※１・２
　連帯債務者　水戸市三の丸一丁目３番５号　Ｂ
　　　　　　　水戸市小吹町2000番地　Ｃ
　　　　　　　水戸市小吹町2000番地　Ｄ
権利者　Ｘ
義務者　Ｂ</td></tr>
<tr><td colspan="2">添付情報</td><td>オ、キ（平成22年11月19日受付第800号のもの）</td></tr>
<tr><td colspan="2">登録免許税</td><td>金1,000円</td></tr>
</table>

※１　「変更後の事項」を記載しなくとも誤りでないと解される。
※２　「変更後の事項
　　　　連帯債務者　（被相続人　Ａ）
　　　　水戸市三の丸一丁目３番５号　Ｂ
　　　　水戸市小吹町2000番地　Ｃ
　　　　水戸市小吹町2000番地　Ｄ　」
　と記載しても誤りでないと解される。

(2)

<table>
<tr><td colspan="2">登記の目的</td><td>１番抵当権変更</td></tr>
<tr><td rowspan="2">申請事項等</td><td>登記原因
及びその日付</td><td>令和５年５月21日連帯債務者Ｃ及びＤの免責的債務引受　※１</td></tr>
<tr><td>上記以外の
申請事項等</td><td>変更後の事項　※２
　連帯債務者　水戸市三の丸一丁目３番５号　Ｂ
権利者　Ｘ
義務者　Ｂ</td></tr>
<tr><td colspan="2">添付情報</td><td>オ、キ（平成22年11月19日受付第800号のもの）</td></tr>
<tr><td colspan="2">登録免許税</td><td>金1,000円</td></tr>
</table>

※１　「令和５年５月21日連帯債務者Ｃ及びＤの債務引受」と記載しても誤りでないと解される。
※２　「変更後の事項」を記載しなくとも誤りでないと解される。

(3)

<table>
<tr><td colspan="2">登記の目的</td><td>１番抵当権の効力を所有権全部に及ぼす変更（付記）</td></tr>
<tr><td rowspan="2">申請事項等</td><td>登記原因
及びその日付</td><td>平成28年７月１日金銭消費貸借令和５年６月12日設定</td></tr>
<tr><td>上記以外の
申請事項等</td><td>権利者　X
義務者　B</td></tr>
<tr><td colspan="2">添付情報</td><td>ウ、キ（Bが乙土地の甲区４番で通知を受けたもの）、ク、チ（Y及びZのもの）</td></tr>
<tr><td colspan="2">登録免許税</td><td>金1,500円（登録免許税法第13条第２項）</td></tr>
</table>

(4)

<table>
<tr><td colspan="2">登記の目的</td><td>２番、３番順位変更</td></tr>
<tr><td rowspan="2">申請事項等</td><td>登記原因
及びその日付</td><td>令和５年６月14日合意</td></tr>
<tr><td>上記以外の
申請事項等</td><td>変更後の順位　※１・２
第１　２番抵当権
第１　３番根抵当権
申請人　Y
　　　　Z</td></tr>
<tr><td colspan="2">添付情報</td><td>カ、キ（平成30年４月９日受付第180号及び令和１年８月６日受付第430号のもの）</td></tr>
<tr><td colspan="2">登録免許税</td><td>金2,000円</td></tr>
</table>

※１　「変更後の順位」を記載しなくとも誤りでないと解される。

※２　「変更後の順位　第１　２番抵当権　３番根抵当権」と記載しても誤りでないと解される。

解答例

第４欄(1)

配当額	X…300万円、Y…200万円、Z…100万円

第４欄(2)

①　登記の形式	付記登記
②　登記の目的	１番抵当権代位
③　登記原因及び その日付	令和６年２月14日民法第392条第２項による代位
④　申請人	権利者　Y 義務者　X

MEMO

本問題の日付は、出題当時の本試験問題に合わせておりますが、法令等については、令和7年4月1日時点において施行されているもの（本書作成時点において施行予定のものを含む。）を適用した上で、解答を作成してください。

別紙1－1の登記がされている不動産（以下「甲土地」という。），別紙1－2の登記がされている不動産（以下「乙建物」という。），別紙1－3の登記がされている不動産（以下「丙土地」という。甲土地，乙建物及び丙土地を合わせて「本件不動産」という。）及び別紙1－4の登記がされている不動産（以下「丁土地」という。）について，司法書士法務朝男は，後記**【事実関係】**1から10までの事実を聴取し，確認した。

令和4年6月10日，司法書士法務朝男は，別紙2－5の登記原因を証する情報（以下「登記原因証明情報」という。）の起案をしたほか，当該聴取に係る関係当事者全員から後記**【事実関係】**1から10までの事実に基づいて行うべき本件不動産の登記の申請手続に必要な全ての書類を受領し，登記の申請手続等について代理することの依頼を受けた。併せて，司法書士法務朝男は，申請情報と併せて提供すべき登記識別情報を提供することができない者がいる場合には，資格者代理人による本人確認情報を作成及び提供することの依頼を受けた。同日，司法書士法務朝男は，以上の依頼に係る登記の申請を行った。

以上に基づき，後記の問1から問4までに答えなさい。

【事実関係】

1　中村英二は，平成26年2月3日に死亡した。別紙2－1は中村英二の法定相続情報一覧図の写し（抜粋）である。

2　中村登は，中村英二の子であり，令和2年7月1日に死亡した。別紙2－2は中村登の法定相続情報一覧図の写し（抜粋）である。また，別紙2－3は，中村登及びその妻である中村和子の戸籍の附票の写し（抜粋）である。

3　石川義子及び中村大介は，中村登及び中村和子の子である。

4　中村登は，中村英二の死亡により，その相続財産である乙建物の所有権を相続により取得した。

5　中村登の相続財産は，本件不動産のみである。

6　中村登は，生前に，甲土地について，別紙2－4のとおり適式な自筆証書遺言

（以下「本件遺言」という。）をしていた。石川洋平は，本件遺言に係る遺贈を承認している。本件遺言について，遺言執行者は選任されていない。

7　中村和子，石川義子及び中村大介（以下これらの者を「中村登の相続人ら」という。）は，令和４年３月１日，乙建物及び丙土地について遺産分割協議を行った（以下，当該遺産分割協議に係る遺産分割協議書を「本件遺産分割協議書」という。）。その結果，中村大介が乙建物の所有権を単独で取得すること，中村和子が乙建物について配偶者居住権（以下「本件配偶者居住権」という。）を取得すること，丙土地について中村和子が共有持分権２分の１，石川義子が共有持分権４分の１，中村大介が共有持分権４分の１を取得することが決められた。

なお，本件配偶者居住権に関する事実関係等は，別紙２－５の登記原因証明情報（抜粋）の「登記の原因となる事実又は法律行為」欄に記載されたとおりである。

8　別紙３－１は，株式会社いなば銀行の履歴事項一部証明書（抜粋）である。株式会社いなば銀行は，令和３年４月１日，株式会社みの銀行を吸収合併した。

9　株式会社いなば銀行は，令和４年４月４日，中村商事株式会社から，丙土地に設定された根抵当権の登記に係る根抵当権の被担保債権全額について弁済を受けたことから，別紙３－２の根抵当権解除証書を作成するとともに，中村登の相続人らに対して，当該根抵当権設定登記の抹消を申請するために必要な全ての書類を交付した。

10　司法書士法務朝男は，石川洋平から，丁土地に石川洋平の父である石川利夫が所有者として登記されており，令和３年２月５日に石川利夫が死亡したことから，石川利夫の唯一の相続人である石川洋平に対する相続を原因とする所有権の移転の登記をしたいとの相談を受けた。これに対し，司法書士法務朝男は，石川洋平に対し，当該登記をすることが相当でない可能性がある旨を告げるとともに，<u>その理由を実体上の観点から説明し，</u>丁土地について調査を行うことを勧めた。

〔事実関係に関する補足〕

1　登記申請に当たって法律上必要な手続は，申請日までに全てされている。なお，登記原因につき第三者の許可，同意又は承諾を要する場合には，申請日までに，それぞれ当該第三者の許可，同意又は承諾を得ている。また，登記上の利害関係を有する第三者の承諾を要する場合には，申請日までに，当該第三者の承諾を得ている。

2　**【事実関係】**は全て真実に合致しており，また，これらに基づく行為や司法書士法務朝男の説明内容は，全て適法である。

3　司法書士法務朝男は，複数の登記を申請する場合には，権利部（甲区）に関する登記を申請し，その後に権利部（乙区）に関する登記を申請する。また，司法書士法務朝男は，複数の登記を申請する場合には，申請件数及び登録免許税の額が最も少なくなるように登記を申請するものとする。

4　本件の関係当事者間には，**【事実関係】**及び各別紙に記載されている権利義務以外には，実体上の権利義務関係は存在しない。

5　甲土地は名古屋法務局春日井支局，乙建物は名古屋法務局，丙土地は名古屋法務局名東出張所の管轄に属している。また，司法書士法務朝男は，いずれの登記の申請も，令和４年６月10日に管轄登記所に書面を提出する方法により行ったものとする。

なお，管轄登記所ごとに同じ内容の書類を提出する必要がある場合には，司法書士法務朝男は，必要な通数を関係当事者から交付を受けたものとする。

6　司法書士法務朝男は，いずれの登記申請においても，判決による登記申請及び債権者代位による登記申請を行っていない。

7　令和４年１月１日現在の甲土地の課税標準の額は775万8304円，乙建物の課税標準の額は，344万8067円，丙土地の課税標準の額は996万6706円である。

問１　司法書士法務朝男が**甲土地について**令和４年６月10日に申請した登記の申請情報の内容のうち，登記の目的，登記記録の「権利者その他の事項」欄に記録される情報及び申請人（以下「申請事項等」という。），添付情報及び登録免許税額を，司法書士法務朝男が申請した登記の順に従って，答案用紙の第１欄(1)から(3)までの各欄に記載しなさい。

なお，**中村登の相続人らの一部の者を申請人とすることも，全員を申請人とすることもできる登記申請については，中村登の相続人ら全員を申請人とすること。**

問２　司法書士法務朝男が**乙建物について**令和４年６月10日に申請した登記の申請情報の内容のうち，登記の目的，申請事項等，添付情報及び登録免許税額を，司法書士法務朝男が申請した登記の順に従って，答案用紙の第２欄(1)から(3)までの各欄に記載しなさい。

問３　司法書士法務朝男が**丙土地について**令和４年６月10日に申請した登記の申請情報の内容のうち，登記の目的，申請事項等，添付情報及び登録免許税額を，司法書士法務朝男が申請した登記の順に従って，答案用紙の第３欄(1)から(3)までの各欄に記載しなさい。

なお，**中村登の相続人らの一部の者を申請人とすることも，全員を申請人と**

することもできる登記申請については，中村登の相続人ら全員を申請人とすること。

問４　事実関係10の下線部で司法書士法務朝男が石川洋平に対して行った説明の内容を答案用紙の第４欄に記載しなさい。

(答案作成に当たっての注意事項)

1　答案用紙の第１欄から第３欄までの申請事項等欄の「上記以外の申請事項等」欄に解答を記載するに当たっては，次の要領で行うこと。

(1)「上記以外の申請事項等」欄には，登記記録の「権利者その他の事項」欄に記録される情報のうち登記原因及びその日付を除いた情報並びに申請人を記載する。

(2)　申請人について,「権利者」,「義務者」,「申請人」,「所有者」,「抵当権者」,「(被承継者)」等の表示も記載する。

(3)　申請人について，住所又は本店所在地，代表機関の資格及び氏名並びに会社法人等番号は，記載することを要しない。

(4)　登記権利者及び登記義務者が共同して権利に関する登記の申請をする場合その他の法令の規定により登記の申請をする場合において，申請人が登記識別情報又は登記済証を提供することができないときは，当該登記識別情報又は登記済証を添付することができない理由を記載する。

(5)　申請人が法令に掲げる者のいずれであるかを申請情報の内容とすべきときは,「民法423条１項」の振り合いで，当該法令を記載する。

2　答案用紙の第１欄から第３欄までの添付情報欄に解答を記載するに当たっては，次の要領で行うこと。

(1)　添付情報の解答は,その登記の申請に必要な添付情報を後記**【添付情報一覧】**から選択し，その記号（アからトまで）を記載する。

(2)　法令の規定により添付を省略することができる情報及び提供されたものとみなされる情報についても，後記**【添付情報一覧】**から選択し，その記号（アからトまで）を記載する。

(3)　後記**【添付情報一覧】**のアからトまでに掲げられた情報以外の情報（登記の申請に関する委任状等）は，記載することを要しない。

(4)　後記**【添付情報一覧】**のカに掲げられた本件遺産分割協議書（相続人全員の印鑑に関する証明書が添付されているもの）は，配偶者居住権に関する登記の登記原因証明情報としては使用しないものとする。

(5)　後記**【添付情報一覧】**のソからチまでに掲げられた印鑑に関する証明書は，

登記名義人となる者の住所を証する情報としては使用しないものとする。

(6) 後記**【添付情報一覧】**のテ又はトの一方又は双方を記載するときは，それぞれの記号の後に続けて，テ又はトの括弧書きの「(何某のもの)」に当該情報の作成者の氏名又は名称を補い，「テ（株式会社いなば銀行のもの)」の要領で記載する。

(7) **【添付情報一覧】**に掲げられた添付情報のうち，発行日，作成日等の日付が明示されておらず，かつ，登記の申請に際して有効期限の定めがあるものは，登記の申請時において，全て有効期限内であるものとする。

3 答案用紙の第１欄から第３欄までの各項目の欄に申請すべき登記の申請情報等の内容を記載するに当たり，記載すべき情報等がない場合には，その欄に「なし」と記載すること。

4 申請すべき登記がない場合には，答案用紙の第１欄から第３欄までの**登記の目的欄**に「登記不要」と記載すること。

5 別紙は，いずれも，実際の様式と異なる。また，別紙には記載内容の一部が省略されているものがあり，別紙を含め登記の申請に必要な添付情報は，いずれも**【事実関係】**に沿う形で，法律上適式に作成されているものとする。

6 数字を記載する場合には，算用数字を使用すること。

7 登録免許税が免除され，又は軽減される場合には，その根拠となる法令の条項を登録免許税額欄に登録免許税額（非課税である場合は，その旨）とともに記載する。

なお，登録免許税額の算出について，登録免許税法以外の法令による税の減免の規定の適用はないものとする。

8 答案用紙の**各欄に記載する文字は字画を明確にし**，訂正，加入又は削除をするときは，訂正は訂正すべき字句に線を引き，近接箇所に訂正後の字句を記載し，加入は加入する部分を明示して行い，削除は削除すべき字句に線を引いて，訂正，加入又は削除をしたことが明確に分かるように記載すること。ただし，押印や字数を記載することは要しない。

【添付情報一覧】

ア	中村英二の法定相続情報一覧図の写し（別紙２－１）
イ	中村登の法定相続情報一覧図の写し（別紙２－２）
ウ	中村登及び中村和子の戸籍の附票の写し（別紙２－３）
エ	検認済み証明書が合てつされた中村登の遺言書（別紙２－４）
オ	登記原因証明情報（別紙２－５）
カ	本件遺産分割協議書（相続人全員の印鑑に関する証明書が添付されているもの）（※）
キ	登記原因証明情報（根抵当権の元本確定の事実を証するもの）
ク	株式会社いなば銀行の会社法人等番号
ケ	根抵当権解除証書（別紙３－２）
コ	平成１年２月３日名古屋法務局春日井支局受付第4567号の登記済証
サ	平成22年９月30日名古屋法務局名東出張所受付第50221号の登記識別情報
シ	乙建物について令和４年６月10日付け申請により通知される登記識別情報
ス	丙土地について令和４年６月10日付け申請により通知される登記識別情報
セ	司法書士法務朝男が作成した本人確認情報
ソ	令和４年６月10日発行の中村和子の印鑑に関する証明書
タ	令和４年６月10日発行の石川義子の印鑑に関する証明書
チ	令和４年６月10日発行の中村大介の印鑑に関する証明書
ツ	石川洋平の住民票の写し
テ	登記原因につき第三者の許可，同意又は承諾を証する情報及び当該情報の作成者の印鑑に関する証明書（何某のもの）
ト	登記上の利害関係を有する第三者の承諾を証する情報及び当該情報の作成者の印鑑に関する証明書（何某のもの）

※前記（答案作成に当たっての注意事項）２（４）記載のとおり，**【添付情報一覧】**のカに掲げられた本件遺産分割協議書（相続人全員の印鑑に関する証明書が添付されているもの）は，配偶者居住権に関する登記の登記原因証明情報としては使用しないものとする。

別紙１－１　甲土地の登記事項証明書(抜粋)

表　題　部（土地の表示）		調製	【略】		不動産番号	【略】
地図番号	余白	筆界特定	余白			
所　　在	春日井市小田町字山北				余白	
① 地　番	② 地　目		③ 地　積　㎡		原因及びその日付〔登記の日付〕	
50番２	宅地		77	66	50番から分筆 〔昭和47年８月10日〕	
余白	余白		余白		【略】	

権　利　部　（　甲　区　）　（　所　有　権　に　関　す　る　事　項　）			
順位番号	登　記　の　目　的	受付年月日・受付番号	権利者その他の事項
1	所有権移転	平成１年２月３日 第4567号	原因　平成１年２月３日売買 所有者　名古屋市南川区水谷２番地 　中村登 順位６番の登記を移記
	余白	余白	【略】

これは登記記録に記録されている事項の全部を証明した書面である。ただし，登記記録の乙区に記録されている事項はない。

令和４年６月10日

(名古屋法務局春日井支局管轄)

名古屋法務局　　　　　　　　　　　登記官　○　○　○　○　印

別紙１－２　乙建物の登記事項証明書(抜粋)

表 題 部（主である建物の表示）	調製	余白		不動産番号	【略】
所在図番号	余白				
所　　在	名古屋市栄区川上一丁目　100番地			余白	
家屋番号	100番の１			余白	
① 種 類	② 構 造	③ 床 面 積　　㎡		原因及びその日付〔登記の日付〕	
居宅	本造かわらぶき２階建	１階　120 ２階　　60	31 12	平成４年５月30日新築 〔平成24年２月15日〕	
所有者	名古屋市栄区川上一丁目１番２号　中村英二				

これは登記記録に記録されている事項の全部を証明した書面である。ただし，登記記録の甲区及び乙区に記録されている事項はない。

令和４年６月10日

名古屋法務局　　　　　　　　　　　　　　登記官　○　○　○　○　印

令和４年

別紙１－３　丙土地の登記事項証明書(抜粋)

表　題　部（土地の表示）	調製	余白	不動産番号	【略】
地図番号	余白	筆界特定	余白	
所　　在	名古屋市名東区市村		余白	

①　地　番	②　地　目	③　地　積　　㎡		原因及びその日付〔登記の日付〕
803番３	雑種地	222		803番から分筆 〔平成16年６月17日〕
余白	宅地	222	33	②③平成17年11月９日地目変更 〔平成17年12月２日〕

権　利　部　（　甲　区　）　（　所　有　権　に　関　す　る　事　項　）			
順位番号	登　記　の　目　的	受付年月日・受付番号	権　利　者　そ　の　他　の　事　項
１	所有権移転	平成16年６月７日 第13456号	原因　平成16年６月７日売買 共有者　名古屋市栄区小平一丁目１番２号 　持分２分の１ 　株式会社東山土地開発 　名古屋市栄区小平二丁目３番４号 　２分の１ 　株式会社都市開発山西 　順位４番の登記を転写 　平成16年６月14日受付 　第13789号
２	株式会社東山土地開発持分全部移転	平成22年６月29日 第36666号	原因　平成22年６月29日共有物分割 所有者　名古屋市栄区小平二丁目３番４号 　持分２分の１ 　株式会社都市開発山西
３	所有権移転	平成22年９月２日 第49222号	原因　平成22年９月２日売買 所有者　名古屋市東山区西山27番地 　中村登
４	所有権移転	令和３年２月15日 第6789号	原因　令和２年７月１日相続 共有者 　名古屋市栄区川上一丁目１番２号 　持分２分の１ 　中村和子 　春日井市小田町字山北50番地１ 　４分の１ 　石川義子 　名古屋市栄区川上一丁目１番２号 　４分の１ 　中村大介 代位者　岐阜市高木一丁目１番１号 　株式会社みの銀行 代位原因　平成22年９月30日設定の根抵当権の実行による競売

5	差押	令和３年２月24日 第8456号	原因　令和３年２月19日岐阜地方裁判所担保不 　動産競売開始決定 債権者　岐阜市高木一丁目１番１号 　株式会社みの銀行
6	５番差押登記抹消	令和３年７月29日 第34567号	原因　令和３年７月26日取下

権利部（乙区）（所有権以外の権利に関する事項）			
順位番号	登記の目的	受付年月日・受付番号	権利者その他の事項
1	根抵当権設定	平成22年９月30日 第50221号	原因　平成22年９月30日設定 極度額　金1,200万円 債権の範囲　銀行取引　手形債権　小切手債権 債務者　名古屋市東山区西山27番地 　中村商事株式会社 根抵当権者　岐阜市高木一丁目１番１号 　株式会社みの銀行

これは登記記録に記録されている事項の全部を証明した書面である。

令和４年６月10日

（名古屋法務局名東出張所管轄）

名古屋法務局　　　　　　　　　　登記官　○　○　○　○　印

別紙1－4　丁土地の登記事項証明書（抜粋）

<table>
<tr><td colspan="2">表　題　部（土地の表示）</td><td>調製</td><td>【略】</td><td>不動産番号</td><td>【略】</td></tr>
<tr><td>地図番号</td><td>【略】</td><td>筆界特定</td><td colspan="3">余白</td></tr>
<tr><td>所　在</td><td colspan="3">岐阜市高道一丁目</td><td colspan="2">余白</td></tr>
<tr><td>① 地　番</td><td>② 地　目</td><td colspan="2">③ 地　積　　㎡</td><td colspan="2">原因及びその日付〔登記の日付〕</td></tr>
<tr><td>7番5</td><td>宅地</td><td>1000</td><td>30</td><td colspan="2">7番から分筆
〔昭和48年11月13日〕</td></tr>
<tr><td>余白</td><td>余白</td><td>40</td><td>06</td><td colspan="2">③7番5、7番8ないし7番18に分筆
〔昭和49年6月28日〕</td></tr>
<tr><td>余白</td><td>余白</td><td>余白</td><td></td><td colspan="2">【略】</td></tr>
</table>

<table>
<tr><td colspan="4">権　利　部　（　甲　区　）　（　所　有　権　に　関　す　る　事　項　）</td></tr>
<tr><td>順位番号</td><td>登　記　の　目　的</td><td>受付年月日・受付番号</td><td>権　利　者　そ　の　他　の　事　項</td></tr>
<tr><td>1</td><td>所有権移転</td><td>昭和56年6月4日
第20200号</td><td>原因　昭和56年6月4日売買
所有者　愛知県豊明市一枝23番地4
　岩田晃
順位3番の登記を移記</td></tr>
<tr><td></td><td>余白</td><td>余白</td><td>【略】</td></tr>
<tr><td>2</td><td>所有権移転</td><td>平成15年12月25日
第58111号</td><td>原因　平成15年12月25日売買
所有者　名古屋市東山区西水11番地
　大西高史</td></tr>
<tr><td>3</td><td>所有権移転</td><td>平成18年11月29日
第46111号</td><td>原因　平成18年11月3日委任の終了
所有者　愛知県春日井市小田町字山北50番地1
　石川利夫</td></tr>
</table>

これは登記記録に記録されている事項の全部を証明した書面である。ただし，登記記録の乙区に記録されている事項はない。

令和4年6月10日

（岐阜地方法務局管轄）

名古屋法務局　　　　　　　　　　登記官　○　○　○　○　印

別紙２－１　中村英二の法定相続情報一覧図の写し(抜粋)

被相続人　中村英二　法定相続情報

最後の本籍　愛知県名古屋市栄区川上一丁目102番地

最後の住所　名古屋市栄区川上一丁目１番２号

出生　昭和４年５月６日

死亡　平成26年２月３日

(被相続人)中村英二 ――――――――― 住所　名古屋市栄区川上一丁目１番２号
出生　昭和31年４月５日
(長男)中村登

以下余白

これは，令和４年６月１日に申出のあった当局保管に係る法定相続情報一覧図の写しである。

(以下略)

別紙２－２　中村登の法定相続情報一覧図の写し（抜粋）

被相続人　中村登　法定相続情報

最後の本籍　愛知県名古屋市栄区川上一丁目102番地

最後の住所　名古屋市栄区川上一丁目１番２号

出生　昭和31年４月５日

死亡　令和２年７月１日

（被相続人）中村登

住所　愛知県春日井市小田町字山北50番地１

出生　昭和52年３月４日

（長女）石川義子（申出人）

住所　名古屋市栄区川上一丁目１番２号

出生　昭和54年５月６日

（長男）中村大介

住所　名古屋市栄区川上一丁目１番２号

出生　昭和31年10月11日

（配偶者）中村和子

以下余白

これは，令和４年６月１日に申出のあった当局保管に係る法定相続情報一覧図の写しである。

（以下略）

別紙２－３　中村登及び中村和子の戸籍の附票の写し（抜粋）

本　籍 氏　名	愛知県名古屋市栄区川上一丁目102番地 中村登
改製日	平成20年９月27日
附票に記録されている者 【除票】 令和２年７月１日	【名】登 【住　所】名古屋市栄区川上一丁目１番２号 【住定日】平成23年３月１日
	【住　所】名古屋市東山区西山27番地 【住定日】平成22年９月１日
	【住　所】名古屋市南川区水谷２番地 【住定日】昭和51年２月１日
附票に記録されている者	【名】和子 【生年月日】昭和31年10月11日 【性　　別】女 【住　所】名古屋市栄区川上一丁目１番２号 【住定日】平成23年３月１日
	【住　所】名古屋市東山区西山27番地 【住定日】平成22年９月１日
	【住　所】名古屋市南川区水谷２番地 【住定日】昭和51年２月１日
	以下余白

発行番号【略】

この写しは，戸籍の附票の原本と相違ないことを証明する。

令和４年６月10日

名古屋市栄区長　○　○　○　○　印

令和４年

別紙２－４　中村登の遺言書(抜粋)

注：本遺言書は，発見当時，封筒に入れられ，封かんされていた。

文字は全て手書きであり，㊞には適式な押印がされている。

本遺言書は家庭裁判所で検認されており，検認済み証明書が合てつされている。

遺　言　書

石川洋平(昭和51年２月３日生，住所　愛知県春日井市小田町字山北50番地１)に次の不動産を遺贈する。

春日井市小田町字山北50番２　　宅地　77・66㎡

平成26年４月５日

名古屋市栄区川上一丁目１番２号

中村登　㊞

別紙２－５　登記原因証明情報（抜粋）

登　記　原　因　証　明　情　報

名古屋法務局　御中

１　登記申請情報の要項

（1）　登記の目的　【略】

（2）　登記の原因　【略】

（3）　当　事　者　【略】

（4）　不動産の表示　名古屋市栄区川上一丁目100番地　　家屋番号　100番の１
居宅　木造かわらぶき２階建
床面積　１階　120・31㎡　２階　60・12㎡

２　登記の原因となる事実又は法律行為

(1)　令和２年７月１日，被相続人中村登（最後の本籍　愛知県名古屋市栄区川上一丁目102番地，最後の住所　名古屋市栄区川上一丁目１番２号）は死亡し，その相続人は，妻中村和子，子石川義子及び子中村大介である。

(2)　中村和子は，相続開始の時に，上記１の(4)の建物（以下「本件不動産」という。）に居住していた。

(3)　令和４年３月１日，中村和子，石川義子及び中村大介ら３名は遺産分割協議を行い，中村大介が，本件不動産の所有権を単独で取得し，中村和子が，本件不動産について配偶者居住権を取得した。

(4)　(3)の配偶者居住権については，存続期間を「令和４年３月２日から20年又は配偶者居住権者の死亡時までのうち，いずれか短い期間」とする定めがある。

(5)　(3)の配偶者居住権については，本件不動産について，中村和子が「第三者に居住建物の使用又は収益をさせることができる」とする定めがある。

登記原因は上記のとおりであることを証明する。

令和４年６月10日

当欄には，関係当事者全員の住所及び氏名が記載され，押印がされているものとする。

令和４年

別紙３－１　株式会社いなば銀行の履歴事項一部証明書（抜粋）

会社法人等番号	【省略】	
商　号	株式会社いなば銀行	
本　店	岐阜市大野一丁目１番２号	
公告をする方法	日本新聞に掲載する方法により行う。	
会社成立の年月日	大正10年１月27日	
役員に関する事項	岐阜市柳谷一丁目２番３号 代表取締役　森弘和	令和３年６月５日就任 令和３年６月11日登記
吸収合併	令和３年４月１日岐阜市高木一丁目１番１号株式会社みの銀行を合併 令和３年４月１日登記	
取締役会設置会社に関する事項	取締役会設置会社 平成17年法律第87号 第136条の規定により 平成18年５月１日登記	
監査役設置会社に関する事項	監査役設置会社 平成17年法律第87号 第136条の規定により 平成18年５月１日登記	
監査役会設置会社に関する事項	監査役会設置会社 平成18年５月15日登記	
会計監査人設置会社に関する事項	会計監査人設置会社 平成18年５月15日登記	

これは登記記録に記録されている閉鎖されていない事項の一部であることを証明した書面である。

令和４年６月10日

（岐阜地方法務局管轄）

名古屋法務局　　　　　　　　　　　　登記官　○　○　○　○　印

別紙３－２　根抵当権解除証書

根抵当権解除証書

当欄には，根抵当権設定者の住所及び氏名が記載されているものとする。　殿

平成22年９月30日付け根抵当権設定契約により，次の不動産に設定した根抵当権(平成22年９月30日名古屋法務局名東出張所受付第50221号登記済)は，本日，被担保債権の全額について弁済を受け消滅しました。

不動産の表示　名古屋市名東区市村803番３　宅地　222・33㎡

令和４年４月４日

岐阜市大野一丁目１番２号
株式会社いなば銀行
代表取締役　森弘和　㊞

令和4年●答案用紙

第1欄

(1)

<table>
<tr><td colspan="2">登記の目的</td><td></td></tr>
<tr><td rowspan="2">申請事項等</td><td>登記原因及びその日付</td><td></td></tr>
<tr><td>上記以外の申請事項等</td><td></td></tr>
<tr><td colspan="2">添付情報</td><td></td></tr>
<tr><td colspan="2">登録免許税</td><td></td></tr>
</table>

(2)

<table>
<tr><td colspan="2">登記の目的</td><td></td></tr>
<tr><td rowspan="2">申請事項等</td><td>登記原因及びその日付</td><td></td></tr>
<tr><td>上記以外の申請事項等</td><td></td></tr>
<tr><td colspan="2">添付情報</td><td></td></tr>
<tr><td colspan="2">登録免許税</td><td></td></tr>
</table>

(3)

<table>
<tr><td colspan="2">登記の目的</td><td></td></tr>
<tr><td rowspan="2">申請事項等</td><td>登記原因
及びその日付</td><td></td></tr>
<tr><td>上記以外の
申請事項等</td><td></td></tr>
<tr><td colspan="2">添付情報</td><td></td></tr>
<tr><td colspan="2">登録免許税</td><td></td></tr>
</table>

第２欄

(1)

<table>
<tr><td colspan="2">登記の目的</td><td></td></tr>
<tr><td rowspan="2">申請事項等</td><td>登記原因
及びその日付</td><td></td></tr>
<tr><td>上記以外の
申請事項等</td><td></td></tr>
<tr><td colspan="2">添付情報</td><td></td></tr>
<tr><td colspan="2">登録免許税</td><td></td></tr>
</table>

(2)

<table>
<tr><td colspan="2">登記の目的</td><td></td></tr>
<tr><td rowspan="2">申請事項等</td><td>登記原因
及びその日付</td><td></td></tr>
<tr><td>上記以外の
申請事項等</td><td></td></tr>
<tr><td colspan="2">添付情報</td><td></td></tr>
<tr><td colspan="2">登録免許税</td><td></td></tr>
</table>

(3)

<table>
<tr><td colspan="2">登記の目的</td><td></td></tr>
<tr><td rowspan="2">申請事項等</td><td>登記原因
及びその日付</td><td></td></tr>
<tr><td>上記以外の
申請事項等</td><td></td></tr>
<tr><td colspan="2">添付情報</td><td></td></tr>
<tr><td colspan="2">登録免許税</td><td></td></tr>
</table>

第３欄

(1)

登記の目的		
申請事項等	登記原因及びその日付	
	上記以外の申請事項等	
添付情報		
登録免許税		

(2)

登記の目的		
申請事項等	登記原因及びその日付	
	上記以外の申請事項等	
添付情報		
登録免許税		

(3)

<table>
<tr><td colspan="2">登記の目的</td><td></td></tr>
<tr><td rowspan="2">申請事項等</td><td>登記原因
及びその日付</td><td></td></tr>
<tr><td>上記以外の
申請事項等</td><td></td></tr>
<tr><td colspan="2">添付情報</td><td></td></tr>
<tr><td colspan="2">登録免許税</td><td></td></tr>
</table>

第４欄

MEMO

解説　令和４年

[本問の重要論点一覧表]

出題範囲	重要論点	解説箇所
遺贈による所有権の移転登記及び前提としての登記名義人の住所の変更登記	相続人以外の者に対する遺贈を原因とする所有権移転登記を申請する場合において，遺贈者の登記記録上の住所と死亡時の住所が相違するときは，その登記を申請する前提として，所有権登記名義人の住所の変更登記を申請しなければならない。	P127参照
	登記名義人が数回にわたって住所を移転している場合，一の申請情報により住所の変更登記を申請することができる。この場合においては，登記原因及びその日付として便宜その最後の住所移転に関するもののみを記載すれば足りるとされている。	P128参照
	遺言執行者が選任されていない場合，相続人以外の者に対する遺贈を原因とする登記は，受遺者と遺言者の相続人全員が共同して申請することとなる。	P129参照
数次相続による所有権の保存登記及び配偶者居住権の設定登記並びに更正登記の要否	表題部所有者について数次相続が生じている場合であっても，直接現在の相続人名義で所有権保存登記を申請することができる。	P134参照
	配偶者居住権の設定の登記は，配偶者居住権者を登記権利者，居住建物の所有者を登記義務者として共同で申請する。登記の目的については「配偶者居住権設定」と記載し，登記原因及びその日付については，遺産分割の協議の成立した年月日をもって「年月日遺産分割」と記載することとなる。	P137参照
	配偶者居住権を取得した配偶者につき，第三者に居住建物の使用又は収益をさせることを許す旨の定めを登記することができる。この場合，「特約　第三者に居住建物の使用又は収益をさせることができる」のように記載する。	P137参照

出題範囲	重要論点	解説箇所
弁済による根抵当権の登記の抹消 及び 前提としての合併による根抵当権の移転登記	根抵当権者が抵当不動産について競売による差押えを申し立てた場合において，その後，根抵当権者が当該申立てを取り下げたとしても，元本確定の効果は消滅しないものとされている。	P142参照
	抵当権の被担保債務の弁済が抵当権者の相続又は合併の後にされているときは，相続又は合併による抵当権の移転登記を申請した後に，抵当権の登記の抹消を申請することとなる。	P142参照
委任の終了を原因とする所有権の移転登記がされている場合の相続登記の可否	権利能力なき社団が有する不動産につきその代表者の個人名義で登記を受けている場合において，その代表者が死亡したとしても，その不動産の実質的な所有者は当該権利能力なき社団である以上，その不動産については相続財産とならない。	P146参照

1 事件の概要

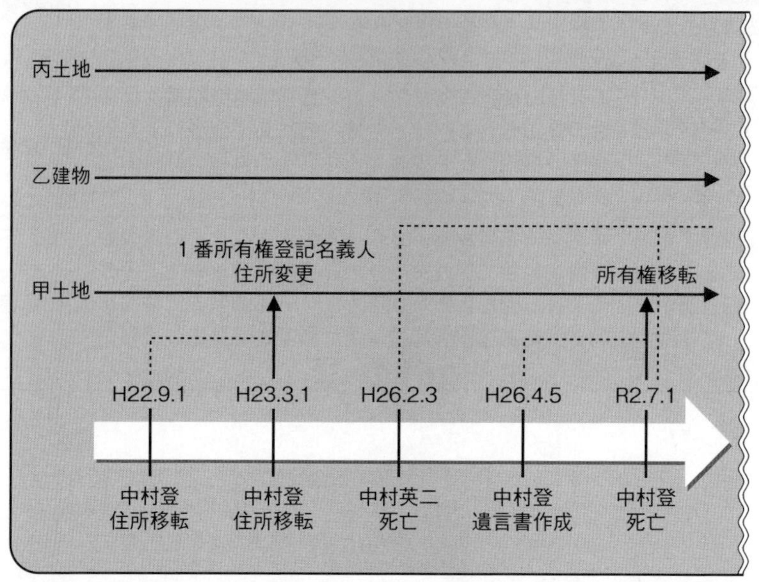

丙土地
乙建物
1番所有権登記名義人
住所変更
所有権移転
甲土地
H22.9.1
H23.3.1
H26.2.3
H26.4.5
R2.7.1
中村登
住所移転
中村登
住所移転
中村英二
死亡
中村登
遺言書作成
中村登
死亡

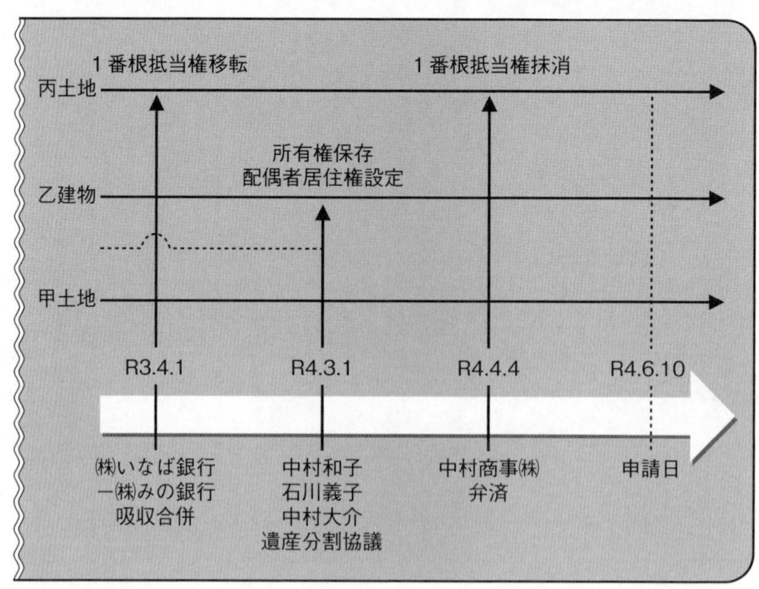

1番根抵当権移転
1番根抵当権抹消
丙土地
所有権保存
配偶者居住権設定
乙建物
甲土地
R3.4.1
R4.3.1
R4.4.4
R4.6.10
㈱いなば銀行
一㈱みの銀行
吸収合併
中村和子
石川義子
中村大介
遺産分割協議
中村商事㈱
弁済
申請日

2 遺贈による所有権の移転登記及び前提としての登記名義人の住所の変更登記

2－1 問題の所在

本問では，甲土地の所有権登記名義人である中村登が，住所を複数回移転した後に，石川洋平に甲土地を遺贈する旨の遺言を遺して死亡していることから，当該事実に基づき必要となる登記の申請手続につき，中村登の住所の変更登記の申請の要否を踏まえつつ検討する。

2－2 問題点① 前提としての登記名義人の住所変更登記に関する検討

前提の知識

⑴ **登記名義人住所（氏名）変更・更正登記**

登記名義人住所（氏名）（法人であれば，本店・商号）変更・更正登記とは，登記名義人の現在の住所，氏名等が登記記録上の表示と一致しない場合に，これを一致させるためにする登記のことである。

登記名義人住所（氏名）変更登記は，その権利の主体には何ら変更がなく，その表示に後発的に変更が生じたときに申請することができ，その表示に原始的に誤りがあるときは，登記名義人住所（氏名）更正登記を申請する。なお，これらの登記は，登記名義人が単独で申請することができる（不登64Ⅰ）。

⑵ **遺贈を原因とする所有権移転登記の前提としての登記名義人表示変更登記の要否**

遺贈を原因とする所有権移転登記を、登記権利者と登記義務者が共同で申請する場合において、遺贈者の登記記録上の住所等と死亡時の住所等が相違するときは，その登記を申請する前提として，所有権登記名義人の住所等の変更（更正）登記を申請しなければならない。当該登記の申請は，遺言執行者又は被相続人全員若しくはその一部の者からの保存行為として申請することとなるが，登記権利者である受遺者も債権者代位により当該登記を申請することができるとされている。

なお、相続人に対する遺贈を原因とする所有権移転登記を、登記権利者である受遺者が単独で申請する場合（不登63Ⅲ）においては、遺贈者の登記記録上の住所等と死亡時の住所等と相違しているときであっても、相続による所有権移転登記の申請と同様に、その同一性を証する情報の提供により、前提として所有権登記名義人の住所等の変更（更正）登記をすることなく、所有権移転登記を申請することができるとされている（民事月報Vol.78.5）。

(3) **登記名義人が数回にわたって住所を移転している場合の処理**

登記名義人が数回にわたって住所を移転している場合，一の申請情報により住所の変更登記を申請することができる（不登令４但書，不登規35⑧）。この場合においては，登記原因及びその日付として便宜その最後の住所移転に関するもののみを記載すれば足りるとされている。また，この場合における登録免許税額は，不動産１個につき金1,000円となる（昭32.3.22民甲423号）。

2−3 本問へのあてはめ

本問では，別紙２－３より，甲土地の所有権登記名義人である中村登が，平成22年９月１日に名古屋市南川区水谷２番地から名古屋市東山区西山27番地へ住所を移転し，平成23年３月１日に名古屋市東山区西山27番地から名古屋市栄区川上一丁目１番２号に住所を移転していることが分かる。そこで，後述する相続人以外の者に対する遺贈を原因とする所有権移転登記を申請する前提として，中村登の住所の変更登記を申請しなければならないが，この場合においては，一の申請情報により中村登の住所の変更登記を申請することができる。

以上より，令和４年６月10日に，甲土地について，「平成23年３月１日住所移転」を原因として，「１番所有権登記名義人住所変更」登記を申請する。

2−4 問題点②　遺贈による所有権の移転登記に関する検討

前提の知識

(1) **遺言の解釈**

遺言の解釈は，原則として遺言書に記載の文言（「○○に遺贈する」「○○に相続させる」）によるとされているが，一部この取扱いと異なるものも存在する。

《遺言の解釈》

文言＼対象	相続人全員	相続人の一部	相続人以外の者
包括遺贈	相続	遺贈	遺贈
特定遺贈	遺贈	遺贈	遺贈
相続	相続	相続	遺贈

⑵　**遺贈を原因とする登記の申請人**

相続人以外の者に対して不動産を遺贈した場合，その遺贈が包括遺贈・特定遺贈いずれであるかを問わず，受遺者の単独申請により遺贈による所有権の移転登記を申請することはできない。この場合において，遺言執行者が選任されているときは受遺者と遺言執行者が共同して申請し，遺言執行者が選任されていないときは受遺者と遺言者の相続人全員が共同して申請することとなる（昭33.4.28民甲779号）。

なお，受遺者が同時に遺言執行者として指定されている場合，遺言執行者は同時に登記権利者として遺贈を原因とする所有権移転登記を申請することができる（大9.5.4民事1307号参照）。

2−5　本問へのあてはめ

本問では，**【事実関係】**２，６，別紙２－２及び２－４より，令和２年７月１日，甲土地の所有権登記名義人である中村登が，甲土地を石川洋平に遺贈する旨の遺言を遺して死亡していることが分かる。

以上より，令和４年６月10日に，甲土地について，「令和２年７月１日遺贈」を原因として「所有権移転」登記を申請する。

申請情報に関する事項

《１番所有権登記名義人住所変更》甲土地

⑴　**登記の目的**

「１番所有権登記名義人住所変更」とする。

⑵　**登記原因及びその日付**

「平成23年３月１日住所移転」とする。

※　登記原因がともに住所移転となるため，その最後の住所移転に関するもののみを登記原因として記載すれば足りる。

⑶　**登記事項**

「変更後の事項
　住所　名古屋市栄区川上一丁目１番２号」とする。

⑷　**申請人**

「申請人　亡中村登
　　　　　上記相続人中村和子
　　　　　上記相続人石川義子
　　　　　上記相続人中村大介」とする。

※　遺言執行者が選任されていないことから，中村登の相続人が申請人となるが，問題文より，「中村登の相続人らの一部の者を申請人とすることも，全員を申請人とすることもできる登記申請については，中村登の相続人ら全員を申請人とする」とあることから，中村登の相続人の全員である中村和子，石川義子及び中村大介が当該登記の申請人となる。

(5)　申請情報と併せて提供することが必要な情報（添付情報）

ア　登記原因証明情報（不登61条，不登令7条1項5号ロ）

登記原因証明情報とは，権利に関する登記における登記の原因となる事実又は法律行為を証する情報をいう。

権利に関する登記を申請する場合には，申請人は，法令に別段の定めがある場合を除き，その申請情報と併せて登記原因を証する情報を提供しなければならない（不登61）。登記の正確性をより向上させるためには，登記原因があったことを確認して登記する必要があるからである。

登記名義人の氏名等についての変更又は更正の登記を申請するときは，登記名義人の氏名若しくは名称又は住所について変更又は錯誤若しくは遺漏があったことを証する市町村長，登記官，その他の公務員が職務上作成した情報（公務員が職務上作成した情報がない場合にあっては，これに代わるべき情報）が添付情報となる（不登令別表23添付情報欄）。

本問では，中村登及び中村和子の戸籍の附票の写し（別紙2－3）を添付することから，**【添付情報一覧】**より「ウ」を選択する。

イ　代理人の権限を証する情報（不登令7条1項2号）

登記の申請を代理人により行う場合には，一定の場合を除き，代理人の権限を証する情報を提供しなければならない。登記の申請が申請人の意図しているとおりのものであるか否かを登記官が確認する必要があるためである。

本問では，中村和子，石川義子及び中村大介の委任状を添付することとなるが，**【添付情報一覧】**より選択するものはない。

ウ　相続その他の一般承継があったことを証する情報（不登令7条1項5号イ）

一般承継人が権利に関する登記を申請するとき（不登62）は，相続その他の一般承継があったことを証する市町村長，登記官，その他の公務員が職務上作成した情報（公務員が職務上作成した情報がない場合にあっては，これに代わるべき情報）が添付情報となる。申請人が登記権利者又は登記義務者等の承継人である場合において，当該承継人に申請適格があることを証するためである。

本問では，中村登の法定相続情報一覧図の写し（別紙２－２）を添付することから，**【添付情報一覧】**より「イ」を選択する。

⑹　登録免許税

不動産１個につき，金1,000円である（登録税別表1.1.(14)）。

本問では，金1,000円となる。

《所有権移転》甲土地

⑴　登記の目的

「所有権移転」とする。

⑵　登記原因及びその日付

「令和２年７月１日遺贈」とする。

⑶　申請人

「権利者　石川洋平
　義務者　亡中村登相続人中村和子
　　　　　亡中村登相続人石川義子
　　　　　亡中村登相続人中村大介」とする。

※　遺言執行者が選任されていないことから，中村登の相続人である中村和子，石川義子及び中村大介が当該登記の申請人となる。

⑷　申請情報と併せて提供することが必要な情報（添付情報）

ア　登記原因証明情報（不登61条，不登令７条１項５号ロ）

本問では，検認済み証明書が合てつされた中村登の遺言書（別紙２－４）を添付することから，**【添付情報一覧】**より「エ」を選択する。

イ　登記識別情報（登記済証）（不登22条，不登令８条，不登附則７条）

登記識別情報とは，不動産登記法22条本文の規定により登記名義人が登記を申請する場合において，当該登記名義人自らが当該登記を申請していることを確認するために用いられるものであり，アラビア数字その他の符号の組合せにより不動産及び登記名義人となった申請人ごとに定める情報で，登記名義人を識別することができるものをいう（不登２⑭，不登規61）。

登記権利者及び登記義務者が共同して権利に関する登記の申請をする場合その他登記名義人が政令で定める登記の申請をする場合，申請人は，その申請情報と併せて登記義務者等の登記識別情報を提供しなければならない（不登22）。登記義務者等の本人性の確認をするためである。

なお，オンライン指定後も，従前の登記済証を書面による申請における添付書面として利用することができ，登記済証を提出すれば，登記識別情報が提供されたものとみなされる（不登附則7）。

本問では，中村登の甲土地甲区1番の登記済証（平成1年2月3日名古屋法務局春日井支局受付第4567号）を添付することから，**【添付情報一覧】**より「コ」を選択する。

ウ　印鑑に関する証明書（不登令18条2項，不登規49条2項）

委任による代理人によって登記を申請する場合，法務省令で定める場合を除き，申請人又はその代表者が，当該代理人の権限を証する情報を記載した書面（委任状）に記名押印しなければならず，当該書面には，法務省令で定める場合を除き，記名押印した者（委任による代理人を除く。）の印鑑に関する証明書（原則として，市町村長又は登記官が作成するもの）を添付しなければならない。登記義務者の登記申請意思を登記官が形式的に確認し，真正な登記の実現を図る必要があるからである。

本問では，中村和子，石川義子及び中村大介の市町村長作成の印鑑証明書を添付することから，**【添付情報一覧】**より「ソ，タ，チ」を選択する。

エ　住所を証する情報（不登令7条1項6号，不登令別表28添付情報欄ニ，不登令別表30添付情報欄ハ）

所有権の保存又は移転の登記を申請する場合に，所有権の登記名義人となる者についての市町村長，登記官その他の公務員が職務上作成した住所を証する情報（公務員が職務上作成した情報がない場合にあっては，これに代わるべき情報）を提供しなければならない。登記記録上に架空の所有者が現れることを防ぐためである。

なお，オンライン庁における申請では，住民基本台帳法7条13号に規定する住民票コードを提供すれば，当該住所を証する情報を提供することを要しない（不登令9，不登規36Ⅳ）。

本問では，石川洋平の住民票の写しを添付することから，**【添付情報一覧】**より「ツ」を選択する。

オ　代理人の権限を証する情報（不登令7条1項2号）

本問では，石川洋平，中村和子，石川義子及び中村大介の委任状を添付することとなるが，**【添付情報一覧】**より選択するものはない。

カ　相続その他の一般承継があったことを証する情報（不登令7条1項5号イ）

本問では，中村登の法定相続情報一覧図の写し（別紙2－2）を添付することから，**【添付情報一覧】**より「イ」を選択する。

⑸　**課税価格**

「甲土地の価額」である。

ただし，課税標準の金額に1,000円未満の端数があるときは，その端数は切り捨てる（国税通則118Ⅰ）。

以上より，金775万8,000円となる。

⑹　**登録免許税**

課税価格に「1,000分の20」（登録税別表1.1.⑵ハ）を乗じた額である。

よって,次のように算定する。

金775万8,000円×1,000分の20＝金15万5,160円

ただし,登録免許税の金額に100円未満の端数があるときは,その端数は切り捨てる(国税通則119Ⅰ)。

以上より,金15万5,100円となる。

3 数次相続による所有権の保存登記及び配偶者居住権の設定登記並びに更正登記の要否

3－1 問題の所在

本問では，乙建物の表題部所有者である中村英二が死亡した後，その唯一の相続人である中村登が死亡したため，中村登の相続人である中村和子，石川義子及び中村大介間で，中村大介が乙建物の所有権を単独で取得し，中村和子が乙建物について配偶者居住権を取得する旨の遺産分割協議がされていることから，当該事実に基づき必要となる登記の申請手続について，一の申請情報による申請の可否の判断を踏まえつつ検討する。

また，丙土地については，株式会社みの銀行の代位による相続登記が申請されているところに，上記遺産分割協議において，中村和子が２分の１，石川義子及び中村大介がそれぞれ４分の１の割合で丙土地を取得する旨が定められているが，当該事実に基づく相続登記の更正の要否について検討する。

3–2 問題点① 数次相続による所有権保存登記に関する検討

前提の知識

(1) 所有権保存登記

所有権保存登記とは，所有権の登記がない不動産について初めてする所有権の登記のことをいう。

所有権保存登記には登記義務者の概念がなく，所有者の単独申請によることとなる。ただし，所有者の認定を容易にするため，当該登記は，一定の申請適格者に限り申請することができるとされている（不登74）。

① 表題部所有者又はその相続人その他の一般承継人

表題部所有者が死亡している場合，その死亡している表題部所有者名義で所有権保存登記を申請することもできる（昭32.10.18民甲1953号）。

表題部所有者をＡＢとする不動産についてＣとＤがＡを相続した場合に，ＢＣＤを登記名義人とする所有権保存登記を申請することや，表題部所有者ＡＢのいずれもが死亡している場合に，Ａについてはその相続人名義で，ＢについてはＢ名義で所有権保存登記を申請することもできる（昭36.9.18民甲2323号）。

また，合併による存続会社・新設会社名義で所有権保存登記を申請することもできる（明40.1.14民刑1414号）。

② 所有権を有することが確定判決によって確認された者

③ 収用によって所有権を取得した者

④ 区分建物においては，表題部所有者から所有権を取得した者

(2) 数次相続が発生した場合の所有権保存登記

表題部所有者の相続人は，直接自己の名義で所有権保存登記を申請することができる（不登74Ⅰ①後段）ところ，表題部所有者について数次相続が生じている場合であっても，直接現在の相続人名義で所有権保存登記を申請することができる。所有権の移転登記により申請する場合と異なり，中間の相続が単独相続であることは要しない。

(3) 表題部所有者の相続人間で遺産分割協議がされた場合の所有権保存登記

表題部所有者の相続人間で遺産分割協議がされ，相続人のうち特定の者が当該不動産を取得することとなった場合，その取得した者は，直接，自己の名義で所有権保存登記を申請することができる。

⑷　表題部所有者の相続人等がする所有権保存登記の添付情報

表題部所有者の相続人その他の一般承継人が所有権保存登記を申請するときは，表題部所有者からその相続人等に所有権が承継され，相続人等が申請適格を有することを証するため，相続その他の一般承継による承継を証する情報（市町村長，登記官その他の公務員が職務上作成した情報（公務員が職務上作成した情報がない場合にあっては，これに代わるべき情報）を含むものに限る。）を提供しなければならない（不登令別表28添付情報欄イ）。

なお，表題部所有者の相続人間で遺産分割協議がされた場合においては，前記の情報のほか，遺産分割協議書も添付することとなる。

3−3　本問へのあてはめ

本問では，**【事実関係】**１ないし３並びに別紙２－１及び２－２より，平成26年２月３日，乙建物の表題部所有者である中村英二が死亡し，その相続人は中村登のみであること，また，令和２年７月１日，中村英二の相続人である中村登が死亡し，その相続人は妻の中村和子並びに子の石川義子及び中村大介であることが分かる。

そして，**【事実関係】**７より，令和４年３月１日，中村和子，石川義子及び中村大介間で，中村大介が乙建物の所有権を単独で取得する旨の遺産分割協議が成立していることが分かる。

よって，乙建物につき中村大介を所有者とする登記を申請することとなるが，別紙１－２より，乙建物には未だ権利に関する登記がされていないことから，所有権保存登記により申請することとなる。そして，本問の場合においては，直接，上記遺産分割協議により乙建物の所有権を取得した中村大介を所有者とする所有権保存登記を申請することができる。

以上より，令和４年６月10日に，乙建物について，所有者を中村大介のみとする「所有権保存」登記を申請する。

3−4 問題点②　配偶者居住権の設定登記に関する検討

前提の知識

⑴　**配偶者居住権の意義**

配偶者居住権とは，配偶者が相続開始の時に居住していた被相続人の財産に属した建物（居住建物）について，配偶者の居住権を長期的に保護するために，配偶者が終身又は一定期間（遺産分割の協議若しくは遺言に別段の定めがあるとき，又は家庭裁判所が遺産分割の審判において別段の定めをしたときは，その定めるところによる。）その居住建物を無償で使用することができる法定の権利である。配偶者居住権は帰属上の一身専属権であり，譲渡することができない（民1032Ⅱ）。

⑵　**配偶者居住権の成立要件等**

被相続人の配偶者は，被相続人の財産に属した建物に相続開始の時に居住していた場合において，次の①及び②のいずれかに該当するときは，その居住していた建物の全部について無償で使用及び収益をする権利（配偶者居住権）を取得する（民1028Ⅰ）。ただし，被相続人が相続開始の時に居住建物を配偶者以外の者と共有していた場合はこの限りではない（民1028Ⅰ但書）。

①　遺産分割によって配偶者居住権を取得するものとされたとき

②　配偶者居住権が遺贈・死因贈与の目的とされたとき

その後，居住建物が配偶者居住権を取得した配偶者の財産に属することとなった場合であっても，他の者がその共有持分を有するときは，配偶者居住権は，消滅しない（民1028Ⅱ）。

⑶　**第三者による使用・収益等**

配偶者居住権を有する配偶者は，居住建物の所有者の承諾を得なければ，居住建物の改築若しくは増築をし，又は第三者に居住建物の使用若しくは収益をさせることができない（民1032Ⅲ）。

承諾を得ずに増改築及び無断転貸を行った場合において，居住建物の所有者が相当の期間を定めてその是正の催告をし，その期間内に是正がされないときは，居住建物の所有者は，配偶者に対する意思表示によって配偶者居住権を消滅させることができる（民1032Ⅳ）。

⑷　**配偶者居住権の登記**

居住建物の所有者は，配偶者居住権を有する配偶者に対し，配偶者居住権の設定の登記を備えさせる義務を負う（民1031Ⅰ）。なお，配偶者居住権の設定の登記を申請するに当たっては，その前提として，被相続人が所有権の登記名義人である居住建物について，相続や遺贈を原因とする所有権の移転の登記がされている必要がある。

⑸　配偶者居住権設定の登記の申請手続

配偶者居住権の設定の登記は，配偶者居住権者を登記権利者，居住建物の所有者を登記義務者として共同で申請する。登記の目的については「配偶者居住権設定」と記載し，登記原因及びその日付については，遺産分割協議により配偶者居住権を取得した場合は遺産分割の協議若しくは調停の成立した年月日又はその審判の確定した年月日をもって「年月日遺産分割」と，遺贈により配偶者居住権を取得した場合は遺言者の死亡の年月日をもって「年月日遺贈」と，死因贈与により配偶者居住権を取得した場合は贈与者の死亡の年月日をもって「年月日死因贈与」とそれぞれ記載することとなる。

⑹　配偶者居住権の登記の登記事項

①　存続期間（絶対的登記事項）

⑴　存続期間の定めがない場合

「存続期間　配偶者居住権者の死亡時まで」又は「存続期間　年月日から配偶者居住権者の死亡時まで」のように記載する。

原則として，配偶者居住権の登記原因日付（遺産分割協議日等）が存続期間の始期となるため，存続期間の始期が登記原因日付と異なるような場合には，その具体的な日付（相続開始の年月日等）を記載することを要する。

⑵　存続期間の定めがある場合

「存続期間　年月日から○年又は配偶者居住権者の死亡時までのうち，いずれか短い期間」又は「存続期間　年月日から年月日まで又は配偶者居住権者の死亡時までのうち，いずれか短い期間」のように記載する。

②　第三者に居住建物の使用又は収益をさせることを許す旨の定め（任意的登記事項）

配偶者居住権を取得した配偶者は，居住建物の所有者の承諾を得なければ，第三者に居住建物の使用又は収益をさせることができないとされているところ（民1032Ⅲ），あらかじめ第三者に居住建物の使用又は収益をさせることを許す旨を定めることができ，その定めは登記事項となる（不登81の２②）。

この場合，「特約　第三者に居住建物の使用又は収益をさせることができる」のように記載する。

3−5 本問へのあてはめ

本問では，**【事実関係】**７より，令和４年３月１日，中村登の相続人である中村和子，石川義子及び中村大介間で，中村登の妻中村和子が乙建物について配偶者居住権を取得する旨の遺産分割協議がされていることが分かる。別紙２−５より，当該配偶者居住権については，存続期間を「令和４年３月２日から20年又は配偶者居住権者の死亡時までのうち，いずれか短い期間」とする旨の定めと「第三者に居住建物の使用又は収益をさせることができる」旨の定めがあるが，いずれも適法である。

以上より，令和４年６月10日に，乙建物について，「令和４年３月１日遺産分割」を原因として「配偶者居住権設定」登記を申請する。

3−6 問題点③　更正登記の要否に関する検討

本問では，**【事実関係】**７より，令和４年３月１日，中村登の相続人である中村和子，石川義子及び中村大介間で，中村和子が２分の１，石川義子及び中村大介がそれぞれ４分の１の割合で丙土地を取得する旨の遺産分割協議が成立していることが分かる。この点，別紙１−３より，丙土地については，株式会社みの銀行を差押債権者とする差押の登記の前提として，株式会社みの銀行の代位により，中村和子の持分を２分の１，石川義子及び中村大介の持分をそれぞれ４分の１とする相続による所有権の移転登記が甲区４番で申請されているところ，当該登記記録の内容は上記遺産分割協議により各相続人に帰属する権利の内容と相違はなく，登記事項に変更は生じない。

以上より，当該事実に基づき丙土地につき申請する登記はないこととなる。

申請情報に関する事項

《所有権保存》乙建物

(1) **登記の目的**

「所有権保存」とする。

(2) **申請人**

「所有者　(被相続人　中村英二)
　　　　　(上記相続人　中村登)
　　　　　中村大介　　　　　」とする。

⑶　申請情報と併せて提供することが必要な情報（添付情報）

ア　住所を証する情報（不登令７条１項６号，不登令別表28添付情報欄ニ，不登令別表30添付情報欄ハ）

本問では，中村登の法定相続情報一覧図の写し（別紙２－２）を添付することから，**【添付情報一覧】**より「イ」を選択する。

※　本問では，中村登の法定相続情報一覧図の写しに中村大介の住所が記載されていることから，当該情報を住所を証する情報として使用することができる。

イ　代理人の権限を証する情報（不登令７条１項２号）

本問では，中村大介の委任状を添付することとなるが，**【添付情報一覧】**より選択するものはない。

ウ　相続その他の一般承継による承継を証する情報（不登令別表28添付情報欄イ）

表題部所有者の相続人その他の一般承継人を名義人とする所有権の保存登記を申請する場合においては，その者が申請適格を有することを証するために，相続その他の一般承継による承継を証する情報（市町村長，登記官その他の公務員が職務上作成した情報（公務員が職務上作成した情報がない場合にあっては，これに代わるべき情報）を含むものに限る。）を提供しなければならない。

本問では，中村英二の法定相続情報一覧図の写し（別紙２－１）及び中村登の法定相続情報一覧図の写し（別紙２－２）並びに遺産分割協議書を添付することから，**【添付情報一覧】**より「ア，イ，カ」を選択する。

⑷　申請条項

不動産登記法74条１項の規定に基づく所有権保存登記を申請する場合，申請人が不動産登記法74条１項各号に掲げる者のいずれであるかを申請情報の内容とする必要があるが（不登令別表28申請情報欄イ），本問においては，（答案作成に当たっての注意事項）１⑸より，「上記以外の申請事項等」欄に「不動産登記法74条１項１号」と記載することとなる。

⑸　課税価格

「乙建物の価額」である。

ただし，課税標準の金額に1,000円未満の端数があるときは，その端数は切り捨てる（国税通則118Ⅰ）。

以上より，金344万8,000円となる。

令和４年

(6) **登録免許税**

課税価格に「1,000分の４」（登録税別表1.1.(1)）を乗じた額である。

以上から，次のように算定する。

金344万8,000円×1,000分の４＝金１万3,792円

ただし，登録免許税の金額に100円未満の端数があるときは，その端数は切り捨てる（国税通則119Ⅰ）。

以上より，金１万3,700円となる。

《配偶者居住権設定》乙建物

(1) **登記の目的**

「配偶者居住権設定」とする。

(2) **登記原因及びその日付**

「令和４年３月１日遺産分割」とする。

(3) **登記事項**

「存続期間　令和４年３月２日から20年又は配偶者居住権者の死亡時までのうち，いずれか短い期間

特約　第三者に居住建物の使用又は収益をさせることができる」

とする。

(4) **申請人**

「権利者　中村和子

義務者　中村大介」とする。

(5) **申請情報と併せて提供することが必要な情報（添付情報）**

ア　登記原因証明情報（不登61条，不登令７条１項５号ロ）

本問では，登記原因証明情報（別紙２－５）を添付することから，**【添付情報一覧】**より「オ」を選択する。

イ　登記識別情報（不登22条，不登令８条）

本問では，中村大介の乙建物甲区１番の登記識別情報（令和４年６月10日付け申請により通知される登記識別情報）を提供することから，**【添付情報一覧】**より「シ」を選択する。

ウ　印鑑に関する証明書（不登令18条２項，不登規49条２項）

本問では，中村大介の市町村長作成の印鑑証明書を添付することから，**【添付情報一覧】**より「チ」を選択する。

エ　代理人の権限を証する情報（不登令７条１項２号）

本問では，中村和子及び中村大介の委任状を添付することとなるが，**【添付情報一覧】**より選択するものはない。

(6)　課税価格

「乙建物の価額」である。

ただし，課税標準の金額に1,000円未満の端数があるときは，その端数は切り捨てる（国税通則118Ⅰ）。

以上より，金344万8,000円となる。

(7)　登録免許税

課税価格に「1,000分の２」（登録税別表1.1.(3の2)）を乗じた額である。

よって，次のように算定する。

金344万8,000円×1,000分の２＝金6,896円

ただし，登録免許税の金額に100円未満の端数があるときは，その端数は切り捨てる（国税通則119Ⅰ）。

以上より，金6,800円となる。

4　弁済による根抵当権の登記の抹消及び前提としての合併による根抵当権の移転登記

4−1　問題の所在

本問では，丙土地乙区１番根抵当権の根抵当権者である株式会社みの銀行を消滅会社，株式会社いなば銀行を存続会社とする吸収合併の効力が生じた後，当該根抵当権の債務者である中村商事株式会社が，株式会社いなば銀行に対して当該根抵当権の被担保債務の全額につき弁済していることから，当該事実に基づき必要となる登記の申請手続について，当該根抵当権の元本の確定の有無及び前提としての合併による根抵当権の移転の登記の要否を踏まえつつ検討する。

4－2 問題点　弁済による根抵当権の登記の抹消及び前提としての合併による根抵当権の移転登記に関する検討

前提の知識

(1)　**根抵当権の被担保債務の弁済**

元本確定前の根抵当権の被担保債務につき弁済がされたとしても，元本確定前の根抵当権については債務との付従性が否定されている以上，登記事項に変更を生ずることはない。一方，元本確定後の根抵当権の被担保債務の全部につき弁済がされたときは，根抵当権も付従性により消滅することとなる。

なお，元本確定後の根抵当権の被担保債務の一部につき弁済がされたとしても，根抵当権は依然として極度額の範囲内で残存債権を担保することとなる以上，登記事項に変更を生ずることはない。

(2)　**根抵当権者による競売等と元本確定**

根抵当権者が抵当不動産について競売，担保不動産収益執行，物上代位による差押えを申し立てたときは，根抵当権の担保すべき元本が確定する。ただし，当該事由による元本の確定の効果は，競売手続若しくは担保不動産収益執行手続の開始又は差押えがあったときに限って生ずるとされている（民398の20Ⅰ①）。

なお，その後根抵当権者が当該申立てを取り下げたとしても，元本確定の効果は消滅しないものとされている。

(3)　**抵当権の登記の抹消と抵当権者の合併**

抵当権の登記の抹消を申請する場合において，抵当権の被担保債務の弁済等が抵当権者の相続又は合併の前にされているときは，抵当権の移転登記を申請することなく，その相続人又は合併後の存続会社を登記義務者として抵当権の登記の抹消を申請することができる（昭37.2.22民甲321号）。これに対して，抵当権の被担保債務の弁済等が抵当権者の相続又は合併の後にされているときは，相続又は合併による抵当権の移転登記を申請した後に，抵当権の登記の抹消を申請することとなる（昭32.12.27民甲2440号）。

(4)　**合併による根抵当権移転登記**

吸収合併存続会社又は新設合併設立会社は，効力発生日又はその成立の日に，吸収合併消滅会社又は新設合併消滅会社の権利義務を承継する（会社750Ⅰ・754Ⅰ）。したがって，根抵当権者である会社を吸収合併消滅会社又は新設合併消滅会社とする合併があった場合，合併を原因とする根抵当権の移転登記を申請することとなる。

なお，吸収合併存続会社が合併の際に商号変更や本店移転をしている場合においては，直接変更後の表示によって合併による移転登記を申請することができる。

(5) 前提としての元本確定登記の要否

元本の確定後でなければすることができない登記の申請は，登記記録上元本の確定が明らかな場合を除き，元本確定の登記がされた後でなければすることができない。登記記録上元本の確定が明らかな場合とは，①登記記録上の確定期日が既に到来している場合，②根抵当権者又は債務者について相続による移転又は変更の登記がされた後，指定根抵当権者の合意又は指定債務者の合意の登記がされないまま６か月を経過している場合，③根抵当権者が抵当不動産について競売，担保不動産収益執行，滞納処分による差押えを申し立てた場合等であるとされている（昭46.12.27民三960号第七）。

4−3 本問へのあてはめ

本問では，**【事実関係】**８及び別紙３－１より，令和３年４月１日，丙土地乙区１番根抵当権の根抵当権者である株式会社みの銀行を吸収合併消滅会社，株式会社いなば銀行を吸収合併存続会社とする吸収合併の効力が生じており，その後，**【事実関係】**９及び別紙３－２より，令和４年４月４日，当該根抵当権の債務者である中村商事株式会社が，株式会社いなば銀行に対して，当該根抵当権の被担保債務の全額につき弁済をしていることが分かる。

この点，別紙１－３より，株式会社みの銀行が当該根抵当権につき担保不動産競売による差押えの申立てをしていることが分かるため，当該根抵当権の元本は確定していると判断することができる。よって，被担保債務全額の弁済の結果，当該根抵当権も付従性により消滅することとなる。

したがって，当該事実に基づき根抵当権の登記の抹消を申請することとなるが，上述のとおり，被担保債務の全額の弁済前に根抵当権者につき合併が生じていることから，本問においては，根抵当権の登記の抹消を申請する前提として，合併による根抵当権の移転登記を申請しなければならないこととなる。

以上より，令和４年６月10日に，丙土地について，まず，「令和３年４月１日合併」を原因として「１番根抵当権移転」登記を申請し，次いで，「令和４年４月４日弁済」を原因として「１番根抵当権抹消」登記を申請する。

なお，当該根抵当権の元本の確定は登記記録上明らかであるため，弁済による根抵当権の登記の抹消を申請する前提として，元本確定の登記を申請することを要しない。

申請情報に関する事項

《1番根抵当権移転》丙土地

⑴　登記の目的

「1番根抵当権移転」とする。

⑵　登記原因及びその日付

「令和3年4月1日合併」とする。

⑶　申請人

「根抵当権者（被合併会社　株式会社みの銀行）
株式会社いなば銀行
（会社法人等番号　××××－××－××××××）
代表取締役　森弘和」

とする。

⑷　添付情報

ア　登記原因証明情報（不登61条，不登令7条1項5号ロ）

本問では，株式会社いなば銀行の会社法人等番号の提供により当該書面の添付に代えることができる（下記「ウ」の解説参照）ことから，**【添付情報一覧】**より選択するものはない。

イ　代理人の権限を証する情報（不登令7条1項2号）

本問では，株式会社いなば銀行の代表取締役森弘和の委任状を添付することとなるが，**【添付情報一覧】**より選択するものはない。

ウ　会社法人等番号（不登令7条1項1号イ）

申請人が会社法人等番号を有する法人であるときは，原則として，当該法人の会社法人等番号を提供することを要する。

また，申請情報と併せて会社法人等番号を提供したときは，法人の印鑑に関する証明書，法人の住所を証する情報，法人の合併による承継を証する情報又は法人の名称変更等を証する情報の提供に代えることができる。

なお，住所の変更事項等が閉鎖登記記録に記録されている場合であっても，会社法人等番号を提供すれば，原則として，法人の住所変更等を証する情報の提供を省略することができる。ただし，平成24年5月20日（外国会社にあっては平成27年3月1日）以前の法人の登記においては，組織変更や他の登記所の管轄区域内への本店の移転の登記等をする場合に会社法人等番号が変更されていたため，平成24年5月20日（外国会社にあっては平成27年３月１日）以前の会社法人等番号が記録された登記記録に住所の移転の事項が記録されているときは，現在の会社法人等番号の提供に加えて，住所の移転の事項を確認することができる閉鎖事項証明書又は閉鎖登記簿謄本を提供する必要がある。

本問では，株式会社いなば銀行の会社法人等番号を提供することから，**【添付情報一覧】**より「ク」を選択する。

⑸ **課税価格**

「当該根抵当権の極度額」である。

以上より，金1,200万円となる。

⑹ **登録免許税**

課税価格に「1,000分の１」（登録税別表1.1.⑹イ）を乗じた額である。

よって，次のように算定する。

金1,200万円×1,000分の１＝金１万2,000円

以上より，金１万2,000円となる。

《１番根抵当権抹消》丙土地

⑴ **登記の目的**

「１番根抵当権抹消」とする。

⑵ **登記原因及びその日付**

「令和４年４月４日弁済」とする。

⑶ **申請人**

「権利者　中村和子
　　　　　石川義子
　　　　　中村大介
　義務者　株式会社いなば銀行
　　　　　（会社法人等番号　××××－××－××××××）
　　　　　代表取締役　森弘和」とする。

⑷ **添付情報**

ア　**登記原因証明情報（不登61条，不登令７条１項５号ロ）**

本問では，根抵当権解除証書（別紙３－２）を添付することから，**【添付情報一覧】**より「ケ」を選択する。

イ　**登記識別情報（不登22条，不登令８条）**

本問では，株式会社いなば銀行の丙土地乙区１番付記１号の登記識別情報（令和４年６月10日付け申請により通知される登記識別情報）を提供す

ることから，**【添付情報一覧】**より「ス」を選択する。

ウ　代理人の権限を証する情報（不登令７条１項２号）

本問では，中村和子，石川義子，中村大介及び株式会社いなば銀行の代表取締役森弘和の委任状を添付することとなるが，**【添付情報一覧】**より選択するものはない。

エ　会社法人等番号（不登令７条１項１号イ）

本問では，株式会社いなば銀行の会社法人等番号を提供することから，**【添付情報一覧】**より「ク」を選択する。

(5)　**登録免許税**

不動産１個につき，金1,000円である（登録税別表1.1.(15)）。

本問では，金1,000円となる。

5 委任の終了を原因とする所有権の移転登記がされている場合の相続登記の可否

5−1 問題の所在

本問では，問４において，委任の終了を原因とする所有権の移転登記がされている不動産について，その所有権登記名義人が死亡したことによる相続を原因とする所有権の移転登記を申請することが相当でない理由についての記載を求めていることから，当該内容につき検討する。

5−2 問題点　委任の終了を原因とする所有権の移転登記がされている場合の相続登記の可否に関する検討

前提の知識

委任の終了を原因とする所有権の移転登記がされている場合の相続登記

権利能力なき社団が所有している不動産につきその代表者の個人名義で登記を受けている場合において，その代表者が死亡したとしても，当該不動産については相続登記を申請すべきではないこととなる。なぜなら，その不動産の実質的な所有者は当該権利能力なき社団である以上，当該不動産については相続財産とならないためである。

5−3 本問へのあてはめ

本問では，**【事実関係】**10より，司法書士法務朝男が，丁土地の所有権登記名義人である石川利夫が令和３年２月５日に死亡した事実に基づき，その唯一の相続人石川洋平への相続を原因とする所有権の移転登記の申請の適否につき相談を受けていることが分かる。

しかし，別紙１－４より，丁土地の登記記録の甲区３番において，委任の終了を原因とする石川利夫への所有権の移転登記がされていることから，丁土地は実質的に権利能力なき社団が所有する不動産である可能性がある。そして，権利能力なき社団が丁土地を所有しているとすると，当該土地は石川利夫の相続財産とならないことから，当該事実に基づき石川洋平への相続を原因とする所有権の移転登記を申請すべきではないこととなる。

以上の内容を答案用紙第４欄に記載することとなる（解答例参照）。

解答例

第１欄

(1)

<table>
<tr><td colspan="2">登記の目的</td><td>１番所有権登記名義人住所変更　※１</td></tr>
<tr><td rowspan="2">申請事項等</td><td>登記原因
及びその日付</td><td>平成23年３月１日住所移転</td></tr>
<tr><td>上記以外の
申請事項等</td><td>変更後の事項　※２
　住所　名古屋市栄区川上一丁目１番２号
申請人　亡中村登
　　　　上記相続人中村和子
　　　　上記相続人石川義子
　　　　上記相続人中村大介</td></tr>
<tr><td colspan="2">添付情報</td><td>イ，ウ</td></tr>
<tr><td colspan="2">登録免許税</td><td>金1,000円</td></tr>
</table>

※１　「１番登記名義人住所変更」と記載しても誤りでないと解される。
※２　「変更後の事項」を記載しなくとも誤りでないと解される。

(2)

<table>
<tr><td colspan="2">登記の目的</td><td>所有権移転</td></tr>
<tr><td rowspan="2">申請事項等</td><td>登記原因
及びその日付</td><td>令和２年７月１日遺贈</td></tr>
<tr><td>上記以外の
申請事項等</td><td>権利者　石川洋平
義務者　亡中村登相続人中村和子
　　　　亡中村登相続人石川義子
　　　　亡中村登相続人中村大介</td></tr>
<tr><td colspan="2">添付情報</td><td>イ，エ，コ，ソ，タ，チ，ツ</td></tr>
<tr><td colspan="2">登録免許税</td><td>金15万5,100円</td></tr>
</table>

(3)

<table>
<tr><td colspan="2">登記の目的</td><td>登記不要</td></tr>
<tr><td rowspan="2">申請事項等</td><td>登記原因
及びその日付</td><td></td></tr>
<tr><td>上記以外の
申請事項等</td><td></td></tr>
<tr><td colspan="2">添付情報</td><td></td></tr>
<tr><td colspan="2">登録免許税</td><td></td></tr>
</table>

第２欄

(1)

<table>
<tr><td colspan="2">登記の目的</td><td>所有権保存</td></tr>
<tr><td rowspan="2">申請事項等</td><td>登記原因
及びその日付</td><td>なし</td></tr>
<tr><td>上記以外の
申請事項等</td><td>所有者　（被相続人　中村英二）
（上記相続人　中村登）
中村大介
不動産登記法74条１項１号</td></tr>
<tr><td colspan="2">添付情報</td><td>ア，イ，カ</td></tr>
<tr><td colspan="2">登録免許税</td><td>金１万3,700円</td></tr>
</table>

(2)

<table>
<tr><td colspan="2">登記の目的</td><td>配偶者居住権設定</td></tr>
<tr><td rowspan="2">申
請
事
項
等</td><td>登記原因
及びその日付</td><td>令和４年３月１日遺産分割</td></tr>
<tr><td>上記以外の
申請事項等</td><td>存続期間　令和４年３月２日から20年又は配偶者居住権者の死亡時までのうち，いずれか短い期間
特約　第三者に居住建物の使用又は収益をさせることができる
権利者　中村和子
義務者　中村大介</td></tr>
<tr><td colspan="2">添付情報</td><td>オ，シ，チ</td></tr>
<tr><td colspan="2">登録免許税</td><td>金6,800円</td></tr>
</table>

(3)

<table>
<tr><td colspan="2">登記の目的</td><td>登記不要</td></tr>
<tr><td rowspan="2">申
請
事
項
等</td><td>登記原因
及びその日付</td><td></td></tr>
<tr><td>上記以外の
申請事項等</td><td></td></tr>
<tr><td colspan="2">添付情報</td><td></td></tr>
<tr><td colspan="2">登録免許税</td><td></td></tr>
</table>

第３欄

(1)

登記の目的		１番根抵当権移転
申請事項等	登記原因及びその日付	令和３年４月１日合併
	上記以外の申請事項等	根抵当権者（被合併会社　株式会社みの銀行） 株式会社いなば銀行
添付情報		ク
登録免許税		金１万2,000円

(2)

登記の目的		１番根抵当権抹消
申請事項等	登記原因及びその日付	令和４年４月４日弁済
	上記以外の申請事項等	権利者　中村和子 石川義子 中村大介 義務者　株式会社いなば銀行
添付情報		ク，ケ，ス
登録免許税		金1,000円

(3)

登記の目的		登記不要
申請事項等	登記原因及びその日付	
	上記以外の申請事項等	
添付情報		
登録免許税		

第４欄

丁土地については，委任の終了を原因とする所有権移転がされており，実質的には権利能力なき社団が所有している不動産である可能性があるところ，仮に権利能力なき社団が当該不動産を所有しているとすると，当該不動産は石川利夫の相続財産とならないため。

MEMO

問題 令和３年

本問題の日付は、出題当時の本試験問題に合わせておりますが、法令等については、令和７年４月１日時点において施行されているもの（本書作成時点において施行予定のものを含む。）を適用した上で、解答を作成してください。

令和３年４月15日，別紙１－１の登記がされている土地（以下「Ａ土地」という。）及び別紙１－２の登記がされている建物（以下「Ｂ建物」という。Ａ土地及びＢ建物を合わせて「本件不動産」という。）について，司法書士法務朝男は，後記**【事実関係】**１及び２の事実を聴取・確認した。

令和３年６月10日，司法書士法務朝男は，後記**【事実関係】**１から５までに基づいて行うべき登記の申請手続について関係当事者全員から聴取及び確認を行い，当該**【事実関係】**に基づいて本件不動産の登記の申請手続に必要な全ての書類を受領し，関係当事者全員から，所要の手続についての助言及び登記原因証明情報等不動産登記申請手続に必要な添付情報の起案のほか，本件不動産について必要となる登記の申請手続等について代理して申請をすることの委任を受け，同日，司法書士法務朝男は，依頼に係る登記の申請（以下「６月10日付け申請」という。）を行った。

令和３年６月18日，司法書士法務朝男は，６月10日付け申請に係る登記が完了したことを確認の上，６月10日付け申請に係る事実関係を除く後記**【事実関係】**６について関係当事者全員から聴取及び確認を行い，当該**【事実関係】**に基づいて本件不動産の登記の申請手続に必要な全ての書類を受領し，関係当事者全員から，登記原因証明情報等不動産登記申請手続に必要な添付情報の起案のほか，本件不動産について必要となる登記の申請手続等について代理して申請をすることの委任を受け，同月18日，司法書士法務朝男は，依頼に係る登記の申請を行った。

以上に基づき，後記の問１から問４までに答えなさい。

【事実関係】

1　株式会社こまち（以下「こまち社」という。別紙３－１はその履歴事項全部証明書であり，別紙４はその株主名簿である。）と株式会社はやぶさ（以下「はやぶさ社」という。別紙３－２はその履歴事項全部証明書であり，別紙５はその株主名簿である。）は，令和３年４月１日，こまち社がはやぶさ社に対してこまち社の清掃用具の賃貸事業に関して有する権利義務（以下「本件承継権利義務」

という。）の全部を承継させる旨の吸収分割（以下「本件会社分割」という。）を内容とする契約を締結した（以下，同契約に係る契約書（別紙２）を「本件吸収分割契約書」という。）。なお，本件吸収分割契約書において，本件会社分割が効力を生ずる日は，令和３年６月１日と定められている。

2　令和３年４月14日，関係当事者全員で，以下の内容を協議し合意した。

⑴　佐藤一郎は，はやぶさ社に対し，Ｂ建物に設定された１番根抵当権を抹消しないまま，本件会社分割の効力発生を条件として，Ｂ建物をはやぶさ社に売却する。ただし，Ｂ建物の所有権は，売買代金が全額支払われたときに移転するものとする。

⑵　株式会社羽後銀行は，本件不動産に設定されている極度額4500万円の確定前の１番共同根抵当権を令和３年６月10日付けで極度額3000万円の共同根抵当権と極度額1500万円の共同根抵当権とに分割して，極度額1500万円の共同根抵当権を同日付けで株式会社奥羽銀行に譲渡する。

3　令和３年４月15日，司法書士法務朝男は，関係当事者全員から，上記１及び２の事実関係を聴取した。また，司法書士法務朝男は，関係当事者全員に対し，**【事実関係】** ２⑴の売買契約を締結するに当たって会社法上求められる手続及び当該売買契約に基づく登記を申請する場合に当該会社法上求められる手続との関係で提供しなければならない添付情報（当該添付情報に添付すべき情報を含む。）について，その理由と併せて説明を行った。

4　令和３年６月１日の到来により，本件会社分割の効力が生じた。それに伴うこまち社及びはやぶさ社に関する所要の商業登記の申請も適正にされて，同年６月10日までにこれらの登記が完了した。

5　令和３年６月10日，はやぶさ社は，佐藤一郎に対し，Ｂ建物の売買代金全額を支払った。

6　令和３年６月17日，関係当事者全員は，６月10日付け申請に係る登記が完了したことを確認の上，以下の内容を協議し合意した。

⑴　株式会社羽後銀行を根抵当権者とする極度額3000万円の共同根抵当権については，令和３年６月18日付けで担保すべき債権の範囲に「根抵当権者・債務者間の取引によらない電子記録債権法に基づく電子記録債権」及び「本件会社分割の効力発生前の根抵当権者のはやぶさ社に対する債権」を加える。

⑵　**【事実関係】** ２⑵で株式会社奥羽銀行が譲り受けた極度額1500万円の共同根抵当権については，令和３年６月18日付けで債務者をはやぶさ社のみとする。

〔事実関係に関する補足〕

1　登記申請に当たって法律上必要な手続は，各申請日までに全てされている。なお，登記原因につき第三者の許可，同意又は承諾を要する場合には，各申請日までに，それぞれ当該第三者の許可，同意又は承諾を得ている。また，登記上の利害関係を有する第三者の承諾を要する場合には，各申請日までに，当該第三者の承諾を得ている。

2　**【事実関係】**は全て真実に合致しており，また，これらに基づく行為や司法書士法務朝男の説明内容は，全て適法である。

3　司法書士法務朝男は，複数の登記を申請する場合には，権利部（甲区）に関する登記を申請し，その後に権利部（乙区）に関する登記を申請する。また，司法書士法務朝男は，複数の登記を申請する場合には，申請件数及び登録免許税の額が最も少なくなるように登記を申請するものとする。

4　本件の関係当事者間には，**【事実関係】**及び各別紙に記載されている権利義務以外には，実体上の権利義務関係は存在しない。

5　本件不動産は，いずれも秋田地方法務局の管轄に属している。また，司法書士法務朝男は，いずれの登記の申請も，管轄登記所に書面を提出する方法により行ったものとする。

6　令和３年１月１日現在において固定資産課税台帳に登録された本件不動産の価格は，Ａ土地について785万0304円，Ｂ建物について484万8067円であり，それぞれ当該価格を所有権の移転の登記の課税標準とする。

問１　司法書士法務朝男が**Ａ土地について令和３年６月10日に申請した所有権の登記**の申請情報の内容のうち，登記の目的，登記記録の「権利者その他の事項」欄に記録される情報及び申請人（以下「申請事項等」という。），添付情報並びに登録免許税額を，司法書士法務朝男が申請した登記の順に従って，別紙答案用紙の第１欄(1)から(3)までの各欄に記載しなさい（司法書士法務朝男がＢ建物について令和３年６月10日に申請した所有権の登記については，記載することを要しない。）。

問２　司法書士法務朝男が**本件不動産について令和３年６月10日に申請した所有権以外の権利の登記**の申請情報の内容のうち，登記の目的，申請事項等，添付情報及び登録免許税額を，司法書士法務朝男が申請した登記の順に従って，別紙答案用紙の第２欄(1)から(4)までの各欄に記載しなさい。

問３　司法書士法務朝男が**本件不動産について令和３年６月18日に申請した所有権以外の権利の登記**の申請情報の内容のうち，登記の目的及び申請事項等を，司法書士法務朝男が申請した登記の順に従って，別紙答案用紙の第３欄(1)から

(3)までの各欄に記載しなさい。

なお，株式会社羽後銀行を根抵当権者とする極度額3000万円の共同根抵当権は（あ）共同根抵当権と，株式会社奥羽銀行を根抵当権者とする極度額1500万円の共同根抵当権は（い）共同根抵当権と記載すること。

問４　**【事実関係】**３の下線部で司法書士法務朝男が関係当事者全員に対して行った説明の内容を，①売買契約の締結に当たって会社法上求められる手続，②当該売買契約に基づく登記を申請する場合に当該会社法上求められる手続との関係で提供しなければならない添付情報並びに③上記①及び②の理由の各項目に分けて，本問の事実関係に即して別紙答案用紙の第４欄に具体的に記載しなさい。

（答案作成に当たっての注意事項）

１　答案用紙の第１欄から第３欄までの申請事項等欄の「上記以外の申請事項等」欄に解答を記載するに当たっては，次の要領で行うこと。

(1)「上記以外の申請事項等」欄には，登記記録の「権利者その他の事項」欄に記録される情報のうち登記原因及びその日付を除いた情報並びに申請人を記載する。

(2)　申請人について，「権利者」，「義務者」，「申請人」，「所有者」，「（被承継会社）」等の表示も記載する。

(3)　申請人について，住所又は本店所在地，代表機関の資格及び氏名並びに会社法人等番号は，記載することを要しない。

(4)　登記権利者及び登記義務者が共同して権利に関する登記の申請をする場合その他の法令の規定により登記の申請をする場合において，申請人が登記識別情報又は登記済証を提供することができないときは，当該登記識別情報又は登記済証を提供することができない理由についても記載する。ただし，申請人が登記識別情報又は登記済証を提供することができる場合には「登記識別情報の提供の有無」を記載することを要しない。なお，「登記識別情報通知希望の有無」は，記載することを要しない。

(5)　申請人が法令に掲げる者のいずれであるかを申請情報の内容とすべきときは，「民法423条１項」の振り合いで，当該法令を記載する。

２　答案用紙の第１欄及び第２欄の添付情報欄に解答を記載するに当たっては，次の要領で行うこと。

(1)　添付情報の解答は，その登記の申請に必要な添付情報を後記**【添付情報一覧】**から選択し，その記号（アからニまで）を記載する。

(2) 後記**【添付情報一覧】**のアからニまでに掲げられた情報以外の情報（登記の申請に関する委任状等）は，記載することを要しない。

(3) 法令の規定により添付を省略することができる情報及び提供されたものとみなされる情報についても，後記**【添付情報一覧】**から選択し，その記号（アからニまで）を記載する。

(4) 後記**【添付情報一覧】**のチからトまでに掲げられた印鑑に関する証明書は，登記名義人となる者の住所を証する情報としては使用しないものとする。

(5) 後記**【添付情報一覧】**のナ又はニの一方又は双方を記載するときは，それぞれの記号の後に続けて，ナ又はニの括弧書きの「(何某のもの)」に当該第三者の氏名又は名称を「ニ（X株式会社)」の要領で記載する。

(6) 後記**【添付情報一覧】**に掲げられた添付情報のうち，発行日，作成日等の日付が明示されておらず，かつ，登記の申請に際して有効期限の定めがあるものは，登記の申請時において，全て有効期限内であるものとする。

3　答案用紙の第１欄から第３欄までの各項目の欄に申請すべき登記の申請情報等の内容を記載するに当たり，記載すべき情報等がない場合には，その欄に「なし」と記載すること。

4　申請すべき登記がない場合には，答案用紙の第１欄から第３欄までの**登記の目的欄**に「登記不要」と記載すること。

5　別紙は，いずれも，実際の様式と異なる。また，別紙には記載内容の一部が省略されているものがあり，別紙を含め登記の申請に必要な添付情報は，いずれも**【事実関係】**に沿う形で，法律上適式に作成されているものとする。

6　数字を記載する場合には，算用数字を使用すること。

7　登録免許税が免除され，又は軽減される場合には，その根拠となる法令の条項を登録免許税欄に登録免許税額（非課税である場合は，その旨）とともに記載する。

なお，登録免許税額の算出について，登録免許税法以外の法令による税の減免の規定の適用はないものとする。

8　答案用紙の**各欄に記載する文字は字画を明確にし**，訂正，加入又は削除をするときは，訂正は訂正すべき字句に線を引き，近接箇所に訂正後の字句を記載し，加入は加入する部分を明示して行い，削除は削除すべき字句に線を引いて，訂正，加入又は削除をしたことが明確に分かるように記載すること。ただし，押印や字数を記載することは要しない。

【添付情報一覧】

ア　本件吸収分割契約書（別紙２）
イ　株式会社こまちの会社法人等番号
ウ　株式会社はやぶさの会社法人等番号
エ　株式会社羽後銀行の会社法人等番号
オ　株式会社奥羽銀行の会社法人等番号
カ　登記原因証明情報（**【事実関係】**２⑴及び５に基づき関係当事者が作成記名押印したもの）
キ　登記原因証明情報（**【事実関係】**２⑵に基づき関係当事者が作成記名押印したもの）
ク　登記原因証明情報（**【事実関係】**６⑴に基づき関係当事者が作成記名押印したもの）
ケ　登記原因証明情報（**【事実関係】**６⑵に基づき関係当事者が作成記名押印したもの）
コ　平成３年12月20日秋田地方法務局受付第35749号の登記済証
サ　平成４年６月９日秋田地方法務局受付第16480号の登記済証
シ　平成４年７月13日秋田地方法務局受付第19716号の登記済証
ス　Ａ土地について６月10日付け申請により通知される所有権に関する登記識別情報
セ　Ｂ建物について６月10日付け申請により通知される所有権に関する登記識別情報
ソ　Ａ土地について６月10日付け申請により通知される根抵当権に関する登記識別情報
タ　Ｂ建物について６月10日付け申請により通知される根抵当権に関する登記識別情報
チ　令和３年６月10日発行の佐藤一郎の印鑑に関する証明書
ツ　令和３年６月10日発行の鈴木知良の印鑑に関する証明書
テ　令和３年６月10日発行の鈴木亜希子の印鑑に関する証明書
ト　令和３年６月10日発行の大森登美子の印鑑に関する証明書
ナ　登記原因につき第三者の許可，同意又は承諾を証する情報（何某のもの）
ニ　登記上の利害関係を有する第三者の承諾を証する情報（何某のもの）

別紙1－1　A土地の登記事項証明書(抜粋)

表題部(土地の表示)		調製	平成10年9月10日	不動産番号	【略】
地図番号	【略】	筆界特定	平成24年11月30日筆界特定（手続番号平成24年第2号）		
所在	秋田市大字南長池字村北			余白	

① 地 番	② 地 目	③ 地 積 ㎡		原因及びその日付〔登記の日付〕
100番	田	505		余白
100番1	余白	472		①③100番1、同番2に分筆 〔平成4年6月2日〕
余白	宅地	472	00	②③平成4年5月30日地目変更 〔平成4年6月2日〕
余白	余白	余白		昭和63年法務省令第37号附則第2条第2項の規定により移記 平成10年9月10日

権利部（甲区）（所有権に関する事項）			
順位番号	登記の目的	受付年月日・受付番号	権利者その他の事項
1	所有権移転	平成3年12月20日 第35749号	原因　平成3年12月20日売買 所有者　秋田市大字鶴賀435番地 有限会社秋田商店 順位9番の登記を移記
	余白	余白	昭和63年法務省令第37号附則第2条第2項の規定により移記 平成10年9月10日

権利部（乙区）（所有権以外の権利に関する事項）			
順位番号	登記の目的	受付年月日・受付番号	権利者その他の事項
1	根抵当権設定	平成4年7月13日 第19716号	原因　平成4年7月13日設定 極度額　金4,500万円 債権の範囲　銀行取引　手形債権　小切手債権 債務者　秋田市大字鶴賀435番地 有限会社秋田商店 根抵当権者　秋田市大字南秋田124番地5 株式会社羽後銀行 共同担保　目録(け)第9470号 順位1番の登記を移記
	余白	余白	昭和63年法務省令第37号附則第2条第2項の規定により移記 平成10年9月10日

共　同　担　保　目　録			
記号及び番号	(け)第9470号	調製	平成11年７月８日
番号	担保の目的である権利の表示	順位番号	予　備
1	秋田市大字南長池字村北　100番１の土地	1	余白
2	秋田市大字南長池字村北　100番地１ 家屋番号　100番１の建物	1	余白

これは登記記録に記録されている事項の全部を証明した書面である。

令和３年４月14日

秋田地方法務局　　　　　　　　　　　　　　登記官　○　○　○　○　印

別紙1－2　B建物の登記事項証明書(抜粋)

表題部（主である建物の表示）		調製	平成10年9月10日		不動産番号	【略】
所在図番号	余白					
所在	秋田市大字南長池字村北　100番地1				余白	
家屋番号	100番1				余白	
① 種類	② 構造		③ 床面積 ㎡		原因及びその日付〔登記の日付〕	
事務所・倉庫	鉄骨造亜鉛メッキ鋼板葺 平家建		167	66	平成4年5月30日新築	
余白	余白		余白		昭和63年法務省令第37号附則第2条第2項の規定により移記 平成10年9月10日	

権利部（甲区）（所有権に関する事項）			
順位番号	登記の目的	受付年月日・受付番号	権利者その他の事項
1	所有権保存	平成4年6月9日 第16480号	所有者　秋田市大字高田203番地8 佐藤一郎 順位1番の登記を移記
	余白	余白	昭和63年法務省令第37号附則第2条第2項の規定により移記 平成10年9月10日

権利部（乙区）（所有権以外の権利に関する事項）			
順位番号	登記の目的	受付年月日・受付番号	権利者その他の事項
1	根抵当権設定	平成4年7月13日 第19716号	原因　平成4年7月13日設定 極度額　金4,500万円 債権の範囲　銀行取引　手形債権　小切手債権 債務者　秋田市大字鶴賀435番地 有限会社秋田商店 根抵当権者　秋田市大字南秋田124番地5 株式会社羽後銀行 共同担保　目録(け)第9470号 順位1番の登記を移記
	余白	余白	昭和63年法務省令第37号附則第2条第2項の規定により移記 平成10年9月10日

共　同　担　保　目　録			
記号及び番号	(け)第9470号	調製	平成11年７月８日
番号	担保の目的である権利の表示	順位番号	予　備
1	秋田市大字南長池字村北　100番１の土地	1	余白
2	秋田市大字南長池字村北　100番地１ 家屋番号　100番１の建物	1	余白

これは登記記録に記録されている事項の全部を証明した書面である。

令和３年４月14日

秋田地方法務局　　　　　　　　　　　　　登記官　○　○　○　○　印

別紙２

吸収分割契約書

株式会社こまち（以下「甲」という。）と株式会社はやぶさ（以下「乙」という。）は，第１条に定める事業に関して甲が有する権利義務を乙に承継させる吸収分割（以下「本件会社分割」という。）について，以下のとおり吸収分割契約書（以下「本契約」という。）を締結する。

（吸収分割）
第１条　甲は，本契約の定めに従い，本件効力発生日（第４条において定義する。）をもって，会社法が規定する吸収分割の方法により甲の清掃用具の賃貸事業（以下「本件対象事業」という。）に関して有する第２条所定の権利義務を乙に承継させ，乙はこれを承継する。

（承継する権利義務）
第２条　甲は，令和３年３月31日現在の貸借対照表その他同日現在の計算を基礎とし，これに本件効力発生日の前日までの増減を加除した，別紙承継権利義務明細表記載の本件対象事業に関する資産，債務，雇用契約その他の権利義務を，本件効力発生日において乙に移転し，乙はこれを承継する。

（分割対価の交付）
第３条　乙は，本件会社分割に際し，乙が前条に基づき承継する権利義務の対価を支払わない。

（効力発生日）
第４条　本件会社分割が効力を生ずる日（以下「本件効力発生日」という。）は，令和３年６月１日とする。

～中略～

（本契約に定めのない事項）
第10条　本契約に定める事項のほか，本件会社分割に関し必要な事項は，本契約の趣旨に従い，甲及び乙が協議の上定める。

令和３年４月１日

本契約締結の証として，本書２通を作成し，甲乙記名押印のうえ，各自１通を保有する。

甲　秋田市大字南長池100番地１
株式会社こまち
代表取締役　佐　藤　一　郎

乙　秋田市大字南長池100番地１
株式会社はやぶさ
代表取締役　佐　藤　一　郎

承継権利義務明細表

１．資産
(1) 流動資産
① 現金　1,983,941円
② 本件対象事業に属する売掛債権，貯蔵品，前払費用及びその他の流動資産
(2) 固定資産
① 有形固定資産
所　在　秋田市大字南長池字村北
地　番　100番１
地　目　宅地
地　積　472.00平方メートル

上記のほか，本件対象事業に属する不動産，構築物，機械装置，車両運搬具及び工具器具備品等の有形固定資産
② 無形固定資産
本件対象事業に属する電話加入権及びソフトウエア等の無形固定資産
(3) 繰延資産

２．債務
(1) 流動負債
本件対象事業に属する買掛債務，未払金，未払費用，預り金，前受金，賞与引当金，未払法人税及び住民税並びに未払消費税等の流動負債
(2) 固定負債
本件対象事業に属する退職給付引当金，受入れ保証金，預かり保証金等の固定負債

３．承継するその他の権利義務等
(1) 雇用契約
本件対象事業に主として従事する従業員との間の雇用契約
(2) その他の契約
本件対象事業に関連する業務委託契約，賃貸借契約，リース契約その他本件対象事業に関する一切の契約上の地位及びこれらの契約に基づいて発生した一切の権利義務

別紙３－１　株式会社こまちの履歴事項全部証明書

会社法人等番号	【省略】	
商　号	株式会社こまち	
本　店	秋田市大字鶴賀435番地	
	秋田市大字南長池100番地１	平成29年９月１日移転 平成29年９月８日登記
公告をする方法	官報に掲載してする。	
会社成立の年月日	昭和25年１月27日	
目　的	１．清掃用具の賃貸 ２．造園業 ３．建築物の清掃業 ４．前各号に附帯する一切の業務	
発行可能株式総数	12万株	
発行済株式の総数 並びに種類及び数	発行済株式の総数 ３万株	
資本金の額	金300万円	
株式の譲渡制限に 関する規定	当会社の株式を譲渡により取得するには，株主総会の承認を受けなければならない。	
役員に関する事項	取締役　　佐　藤　一　郎	平成24年４月６日就任
	秋田市大字高田203番地８ 代表取締役　　佐　藤　一　郎	平成24年４月６日就任
会社分割	令和３年６月１日秋田市大字南長池100番地１株式会社はやぶさに分割 令和３年６月１日登記	
登記記録に関する 事項	平成24年４月６日有限会社秋田商店を商号変更し，移行したことにより設立 平成24年４月６日登記	

これは登記簿に記録されている閉鎖されていない事項の全部であることを証明した書面である。

令和３年６月17日

秋田地方法務局　　　　　　　　　　登記官　○　○　○　○　印

別紙３－２　株式会社はやぶさの履歴事項全部証明書

<table>
<tr><td>会社法人等番号</td><td colspan="2">【省略】</td></tr>
<tr><td>商　号</td><td colspan="2">株式会社はやぶさ</td></tr>
<tr><td>本　店</td><td colspan="2">秋田市大字南長池100番地１</td></tr>
<tr><td>公告をする方法</td><td colspan="2">官報に掲載してする。</td></tr>
<tr><td>会社成立の年月日</td><td colspan="2">平成13年５月10日</td></tr>
<tr><td rowspan="2">目　的</td><td colspan="2"><u>１．造園緑化工事の設計施工及び維持管理業務</u>
<u>２．上記に附帯関連する一切の事業</u></td></tr>
<tr><td colspan="2">１．造園緑化工事の設計施工及び維持管理業務
２．清掃用具，環境衛生用品の賃貸及び販売
３．空気清浄機，浄水器の賃貸及び管理
４．化粧品，健康食品，飲料水等の販売
５．ねずみ，昆虫防除業務
６．前各号に附帯する一切の業務
令和２年１月１日変更　令和２年１月６日登記</td></tr>
<tr><td>発行可能株式総数</td><td colspan="2">60株</td></tr>
<tr><td>発行済株式の総数並びに種類及び数</td><td colspan="2">発行済株式の総数
60株</td></tr>
<tr><td>資本金の額</td><td colspan="2">金300万円</td></tr>
<tr><td>株式の譲渡制限に関する規定</td><td colspan="2">当会社の株式を譲渡により取得するには，株主総会の承認を受けなければならない。</td></tr>
<tr><td rowspan="2">役員に関する事項</td><td>取締役　　佐　藤　一　郎</td><td>令和１年12月11日就任</td></tr>
<tr><td>秋田市大字高田203番地８
代表取締役　　佐　藤　一　郎</td><td>令和１年12月11日就任</td></tr>
<tr><td>会社分割</td><td colspan="2">令和３年６月１日秋田市大字南長池100番地１株式会社こまちから分割
令和３年６月１日登記</td></tr>
<tr><td>登記記録に関する事項</td><td colspan="2">令和１年12月11日有限会社大舘商店を商号変更し，移行したことにより設立
令和１年12月11日登記</td></tr>
</table>

これは登記簿に記録されている閉鎖されていない事項の全部であることを証明した書面である。

令和３年６月17日

秋田地方法務局　　　　登記官　○　○　○　○　印

別紙４

株式会社こまち株主名簿

令和３年６月10日現在

株主の氏名 又は名称	株主の住所	株主の有する 株式の数	株主が株式を 取得した日
佐藤一郎	秋田市大字高田203番地８	12,000株	昭和49年５月10日
鈴木知良	岩手県盛岡市笑門57番地６	10,000株	昭和43年７月14日
鈴木亜希子	岩手県盛岡市笑門57番地６	4,000株	昭和45年11月19日
大森登美子	山形県尾花沢市柳町1250番地	4,000株	平成23年８月10日

〜〜〜〜〜〜〜〜〜〜　以下省略　〜〜〜〜〜〜〜〜〜〜

別紙５

株式会社はやぶさ株主名簿

令和３年６月10日現在

株主の氏名 又は名称	株主の住所	株主の有する 株式の数	株主が株式を 取得した日
佐藤一郎	秋田市大字高田203番地８	28株	平成13年５月10日
鈴木知良	岩手県盛岡市笑門57番地６	24株	平成18年10月１日
鈴木亜希子	岩手県盛岡市笑門57番地６	8株	平成24年11月19日

〜〜〜〜〜〜〜〜〜〜　以下省略　〜〜〜〜〜〜〜〜〜〜

第1欄

(1)

登記の目的		
申請事項等	登記原因及びその日付	
	上記以外の申請事項等	
添付情報		
登録免許税		

(2)

登記の目的		
申請事項等	登記原因及びその日付	
	上記以外の申請事項等	
添付情報		
登録免許税		

(3)

<table>
<tr><td colspan="2">登記の目的</td><td></td></tr>
<tr><td rowspan="2">申請事項等</td><td>登記原因
及びその日付</td><td></td></tr>
<tr><td>上記以外の
申請事項等</td><td></td></tr>
<tr><td colspan="2">添付情報</td><td></td></tr>
<tr><td colspan="2">登録免許税</td><td></td></tr>
</table>

第２欄

(1)

<table>
<tr><td colspan="2">登記の目的</td><td></td></tr>
<tr><td rowspan="2">申請事項等</td><td>登記原因
及びその日付</td><td></td></tr>
<tr><td>上記以外の
申請事項等</td><td></td></tr>
<tr><td colspan="2">添付情報</td><td></td></tr>
<tr><td colspan="2">登録免許税</td><td></td></tr>
</table>

(2)

登記の目的		
申請事項等	登記原因及びその日付	
	上記以外の申請事項等	
添付情報		
登録免許税		

(3)

登記の目的		
申請事項等	登記原因及びその日付	
	上記以外の申請事項等	
添付情報		
登録免許税		

(4)

登記の目的		
申請事項等	登記原因及びその日付	
	上記以外の申請事項等	
添付情報		
登録免許税		

第３欄

(1)

登記の目的		
申請事項等	登記原因及びその日付	
	上記以外の申請事項等	

(2)

<table>
<tr><td colspan="2">登記の目的</td><td></td></tr>
<tr><td rowspan="2">申
請
事
項
等</td><td>登記原因
及びその日付</td><td></td></tr>
<tr><td>上記以外の
申請事項等</td><td></td></tr>
</table>

(3)

<table>
<tr><td colspan="2">登記の目的</td><td></td></tr>
<tr><td rowspan="2">申
請
事
項
等</td><td>登記原因
及びその日付</td><td></td></tr>
<tr><td>上記以外の
申請事項等</td><td></td></tr>
</table>

第４欄

① 売買契約の締結に当たって会社法上求められる手続
② 当該売買契約に基づく登記を申請する場合に当該会社法上求められる
手続との関係で提供しなければならない添付情報
③ 上記①及び②の理由

[本問の重要論点一覧表]

出題範囲	重要論点	解説箇所
有限会社からの移行及び本店移転による所有権登記名義人表示変更登記	特例有限会社がその商号中に株式会社の文字を使用する旨の商号変更をした場合，商号変更を原因とする登記名義人名称変更登記を申請する。	P179参照
	同一の所有権登記名義人についての本店移転による住所変更登記と商号変更による名称変更登記は一の申請情報により申請することができる。	P180参照
会社分割による所有権移転登記	不動産の所有者である会社を吸収分割会社とする会社分割がされた場合において，分割契約書内に所有権が吸収分割承継会社へ承継される旨の記載があるときは，会社分割を原因とする所有権移転登記を申請する。	P183参照
売買による所有権移転登記	特定物売買においては，契約締結時に所有権が移転するのが原則であるが，当事者間で所有権移転時期の特約が定められているときは，その特約に従って所有権が移転することとなる。	P186参照
有限会社からの移行及び本店移転による根抵当権の債務者の表示変更登記	根抵当権の債務者の住所等について変更が生じた場合，根抵当権者を登記権利者，根抵当権設定者を登記義務者として，根抵当権の変更登記を申請する。	P187参照
債務者の会社分割による根抵当権変更登記	元本確定前の根抵当権の債務者を吸収分割会社とする会社分割がされたときは，債務者を吸収分割会社及び吸収分割承継会社として，会社分割を原因とする根抵当権の変更の登記を申請しなければならない。	P189参照
根抵当権の分割譲渡の登記	元本確定前の根抵当権の根抵当権者は，根抵当権設定者の承諾を得て，１個の根抵当権を２個に分割して，その一方を他に譲渡することができる。	P192参照

出題範囲	重要論点	解説箇所
債権の範囲の変更による根抵当権変更登記	元本確定前の根抵当権の債務者を吸収分割会社とする会社分割がされた場合において，吸収分割承継会社が分割前から負担していた債務を当該根抵当権で担保させるためには，当該債務を特定債務として根抵当権の債権の範囲に加える根抵当権の変更登記を申請することとなる。	P196参照
債務者の変更による根抵当権変更登記	債務者を「Ａ及びＢ」から「Ａ」に変更する根抵当権の変更登記を申請する場合，設定者が登記権利者，根抵当権者が登記義務者となる。	P199参照
会社と代表取締役の利益相反取引	取締役が自己又は第三者のために株式会社と取引をしようとするときには，取締役は，株主総会（取締役会設置会社においては取締役会）において，当該取引につき重要な事実を開示し，その承認を受けなければならない。	P201参照

1 事件の概要

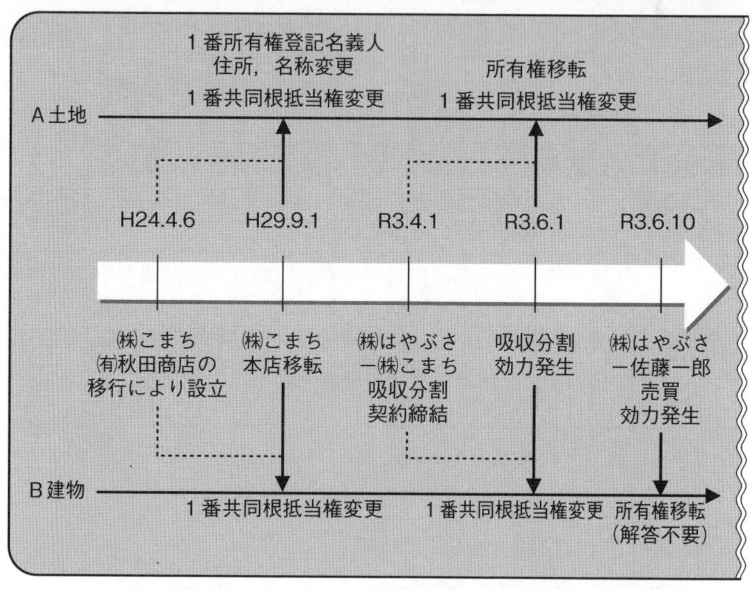

1番所有権登記名義人
住所，名称変更
1番共同根抵当権変更
所有権移転
1番共同根抵当権変更
A土地
H24.4.6
H29.9.1
R3.4.1
R3.6.1
R3.6.10
㈱こまち
㈲秋田商店の
移行により設立
㈱こまち
本店移転
㈱はやぶさ
ー㈱こまち
吸収分割
契約締結
吸収分割
効力発生
㈱はやぶさ
ー佐藤一郎
売買
効力発生
B建物
1番共同根抵当権変更
1番共同根抵当権変更
所有権移転
(解答不要)

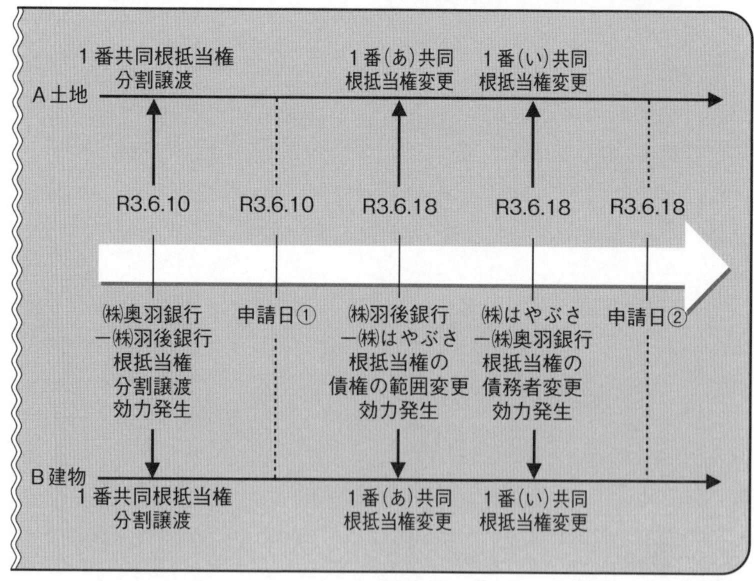

1番共同根抵当権
分割譲渡
1番(あ)共同
根抵当権変更
1番(い)共同
根抵当権変更
A土地
R3.6.10
R3.6.10
R3.6.18
R3.6.18
R3.6.18
㈱奥羽銀行
ー㈱羽後銀行
根抵当権
分割譲渡
効力発生
申請日①
㈱羽後銀行
ー㈱はやぶさ
根抵当権の
債権の範囲変更
効力発生
㈱はやぶさ
ー㈱奥羽銀行
根抵当権の
債務者変更
効力発生
申請日②
B建物
1番共同根抵当権
分割譲渡
1番(あ)共同
根抵当権変更
1番(い)共同
根抵当権変更

2 有限会社からの移行及び本店移転による所有権登記名義人表示変更登記

2−1 問題の所在

本問では，平成24年４月６日，Ａ土地の所有者である有限会社秋田商店が株式会社に移行し，その商号を株式会社こまちに変更しており，その後，平成29年９月１日，本店を秋田市大字南長池100番地１に移転していることから，これらの事実に基づき必要となる登記の手続について，一の申請情報による申請の可否の判断を含め，検討する。

2−2 問題点　有限会社からの移行及び本店移転による所有権登記名義人表示変更登記に関する検討

前提の知識

⑴　登記名義人住所（氏名）変更・更正登記

登記名義人住所（氏名）（法人であれば，本店・商号）変更・更正登記とは，登記名義人の現在の住所，氏名等が登記記録上の表示と一致しない場合に，これを一致させるためにされる登記をいう。当該登記は，主たる登記と一体として公示する必要があるため，付記登記で実行される（不登規３①）。

登記名義人住所（氏名）変更登記を申請することができる場合は，その権利の主体には何ら変更がなく，後発的にその表示に変更が生じたときに限られ，原始的にその表示に誤りがあるときは，登記名義人住所（氏名）更正登記を申請する。そして，この登記名義人住所（氏名）変更・更正登記は，登記名義人が単独で申請することができる（不登64Ⅰ）。

⑵　特例有限会社が株式会社となった場合の不動産登記手続

特例有限会社がその商号中に株式会社の文字を使用する旨の商号変更をした場合，商号変更を原因とする登記名義人名称変更登記を申請する（平18.3.29民二755号）。

⑶　前提としての登記名義人表示変更登記の要否

所有権その他の権利の移転又は変更等の登記を申請する場合において，登記義務者の表示が登記記録上の表示と一致しないときは，その登記の前提として，登記義務者の住所等の変更（更正）登記をしなければ，申請情報の内容である登記申請人の氏名若しくは名称又は住所が登記記録と合致しないこととなり，不動産登記法25条７号の却下事由に該当する。

令和３年

(4) 一の申請情報による住所・氏名変更（更正）登記の申請の可否

同一の登記所の管轄区域内にある一又は二以上の不動産について申請する二以上の登記が，いずれも同一の登記名義人の氏名若しくは名称又は住所についての変更の登記又は更正の登記であるときは，一の申請情報により申請することができる（不登令４但書，不登規35⑧）。

よって，同一の所有権登記名義人についての本店移転による住所変更登記と商号変更等による名称変更登記は，一の申請情報により申請することができる（昭32.3.22民甲423号参照）。この場合，登記の目的は「○番所有権登記名義人住所，名称変更」，登記原因及びその日付は「令和○年○月○日本店移転　令和○年○月○日商号変更」と記載する。この場合の登録免許税は不動産１個につき金1,000円となる（昭42.7.22民甲2121号参照）。

2−3 本問へのあてはめ

本問では，別紙３－１より，平成24年４月６日，Ａ土地の所有者である有限会社秋田商店が株式会社に移行し，その商号を株式会社こまちに変更しており，その後，平成29年９月１日，本店を秋田市大字南長池100番地１に移転していることが分かる。そこで，後述する会社分割を原因とする所有権移転登記を申請する前提として，所有権登記名義人の表示の変更登記を申請する必要がある。

この点，商号変更による名称の変更登記と本店移転による住所の変更登記は一の申請情報により申請することができるところ，**〔事実関係に関する補足〕**３より，司法書士法務朝男は，申請件数及び登録免許税の額が最も少なくなるように登記を申請するとあることから，当該登記は一の申請情報により申請することとなる。

以上より，令和３年６月10日に，Ａ土地について，「平成24年４月６日商号変更　平成29年９月１日本店移転」を原因として「１番所有権登記名義人住所，名称変更」登記を申請する。

申請情報に関する事項

《１番所有権登記名義人住所，名称変更》Ａ土地

(1) 登記の目的

「１番所有権登記名義人住所，名称変更」とする。

(2) 登記原因及びその日付

「平成24年４月６日商号変更
　平成29年９月１日本店移転」とする。

⑶　**登記事項**

「変更後の事項
　本店商号
　　秋田市大字南長池100番地１
　　　株式会社こまち　　　　　」とする。

⑷　**申請人**

「申請人　株式会社こまち
　　　　（会社法人等番号　××××－××－××××××）
　　　　代表取締役　佐藤一郎　　　　　　　　　　　　」とする。

⑸　**申請情報と併せて提供することが必要な情報（添付情報）**

ア　登記原因証明情報（不登61条，不登令７条１項５号ロ）

登記原因証明情報とは，権利に関する登記における登記の原因となる事実又は法律行為を証する情報をいう。

権利に関する登記を申請する場合には，申請人は，法令に別段の定めがある場合を除き，その申請情報と併せて登記原因を証する情報を提供しなければならない（不登61）。登記の正確性をより向上させるためには，登記原因があったことを確認して登記する必要があるからである。

登記名義人の氏名等についての変更又は更正の登記を申請するときは，登記名義人の氏名若しくは名称又は住所について変更又は錯誤若しくは遺漏があったことを証する市町村長，登記官，その他の公務員が職務上作成した情報（公務員が職務上作成した情報がない場合にあっては，これに代わるべき情報）が添付情報となる（不登令別表23添付情報欄）。

本問では，株式会社こまちの会社法人等番号を提供することにより，当該書面の添付を省略することができる。

イ　代理人の権限を証する情報（不登令７条１項２号）

登記の申請を代理人により行う場合には，一定の場合を除き，代理人の権限を証する情報を提供しなければならない。登記の申請が申請人の意図しているとおりのものであるか否かを登記官が確認する必要があるためである。

本問では，株式会社こまちの代表取締役佐藤一郎の委任状を添付する。

なお，委任状については，解答が要求されていない。

ウ　会社法人等番号（不登令７条１項１号イ）

申請人が会社法人等番号を有する法人であるときは，原則として，当該法人の会社法人等番号を提供することを要する。

令和３年

また，申請情報と併せて会社法人等番号を提供したときは，印鑑証明書，住所証明情報，住所変更証明情報は提供不要となる。さらに，申請情報と併せて会社法人等番号を提供したときは，法人の合併による承継を証する情報又は法人の名称変更等を証する情報の提供に代えることができるものとされ，加えて，登記原因証明情報の一部として登記事項証明書の提供が必要とされている場合に，申請情報と併せて会社法人等番号を提供したときは，登記事項証明書の提供に代えることができる。

なお，住所の変更事項等が閉鎖登記記録に記録されている場合であっても，会社法人等番号を提供すれば，原則として，法人の住所変更等を証する情報の提供を省略することができる。ただし，平成24年５月20日（外国会社にあっては平成27年３月１日）以前の法人の登記においては，組織変更や他の登記所の管轄区域内への本店の移転の登記等をする場合に会社法人等番号が変更されていたため，平成24年５月20日（外国会社にあっては平成27年３月１日）以前の会社法人等番号が記録された登記記録に住所の移転の事項が記録されているときは，現在の会社法人等番号の提供に加えて，住所の移転の事項を確認することができる閉鎖事項証明書又は閉鎖登記簿謄本を提供する必要がある。

本問では，株式会社こまちの会社法人等番号を提供する。

(6) **登録免許税**

不動産１個につき，金1,000円である（登録税別表1.1.⑭）。

本問では，金1,000円となる。

3 会社分割による所有権移転登記

3−1 問題の所在

本問では，令和３年６月１日付けで，株式会社こまちを吸収分割会社，株式会社はやぶさを吸収分割承継会社とする吸収分割の効力が発生していることから，当該事実に基づき必要となる登記の手続について検討する。

3−2　問題点　会社分割による所有権移転登記に関する検討

前提の知識

会社分割による所有権移転登記

不動産の所有者である会社を吸収分割会社又は新設分割会社とする会社分割がされた場合において，分割契約書又は分割計画書内に所有権が吸収分割承継会社又は新設分割設立会社へ承継される旨の記載があるときは，当該所有権は吸収分割承継会社又は新設分割設立会社に承継される（会社759Ⅰ・764Ⅰ）。したがって，吸収分割会社又は新設分割会社名義の所有権について，会社分割を原因とする所有権移転登記を申請することとなる。

なお，会社分割による権利移転は法律上当然に生ずる包括承継の性質を有するものではあるが，登記の申請構造としては，承継会社又は設立会社を権利者，分割会社を義務者とする共同申請によるとされている（平13.3.30民二867号）。

3−3　本問へのあてはめ

本問では，**【事実関係】**１及び別紙２より，令和３年４月１日，株式会社こまちと株式会社はやぶさとの間で，令和３年６月１日を効力発生日として，株式会社こまちを吸収分割会社，株式会社はやぶさを吸収分割承継会社とする吸収分割契約が締結されており，別紙２（承継権利義務明細表）より，吸収分割に際し株式会社はやぶさが承継する資産としてＡ土地の所有権が含まれていることが分かる。そして，**【事実関係】**４より，令和３年６月１日，本件吸収分割の効力が生じているため，同日付けで，Ａ土地の所有権が株式会社こまちから株式会社はやぶさに移転することとなる。

以上より，令和３年６月10日に，Ａ土地について「令和３年６月１日会社分割」を原因として「所有権移転」登記を申請する。

申請情報に関する事項

《所有権移転》Ａ土地

⑴　**登記の目的**

「所有権移転」とする。

⑵　**登記原因及びその日付**

「令和３年６月１日会社分割」とする。

(3) **申請人**

「権利者　株式会社はやぶさ
　　　　　(会社法人等番号　××××－××－××××××)
　　　　　　代表取締役　佐藤一郎
　義務者　株式会社こまち
　　　　　(会社法人等番号　××××－××－××××××)
　　　　　　代表取締役　佐藤一郎　　　　　　　　　　」とする。

(4) **申請情報と併せて提供することが必要な情報（添付情報）**

ア　**登記原因証明情報（不登61条，不登令7条1項5号ロ）**

本問では，吸収分割契約書（別紙2）を添付する。

なお，株式会社はやぶさの会社法人等番号を提供することにより，承継会社である株式会社はやぶさの登記事項証明書については添付を省略することができる。

イ　**登記識別情報（登記済証）（不登22条，不登令8条，不登附則7条）**

登記識別情報とは，不動産登記法22条本文の規定により登記名義人が登記を申請する場合において，当該登記名義人自らが当該登記を申請していることを確認するために用いられるものであり，アラビア数字その他の符号の組合せにより不動産及び登記名義人となった申請人ごとに定める情報で，登記名義人を識別することができるものをいう（不登2⑭，不登規61）。

登記権利者及び登記義務者が共同して権利に関する登記の申請をする場合その他登記名義人が政令で定める登記の申請をする場合，申請人は，その申請情報と併せて登記義務者等の登記識別情報を提供しなければならない（不登22）。登記義務者等の本人性の確認をするためである。

なお，オンライン指定後も，従前の登記済証を書面による申請における添付書面として利用することができ，登記済証を提出すれば，登記識別情報が提供されたものとみなされる（不登附則7）。

本問では，株式会社こまちのA土地甲区1番の登記済証（平成3年12月20日秋田地方法務局受付第35749号）を添付する。

ウ　**印鑑証明書（不登令18条2項，不登規49条2項）**

委任による代理人によって登記を申請する場合，法務省令で定める場合を除き，申請人又はその代表者が，当該代理人の権限を証する情報を記載した書面（委任状）に記名押印しなければならず，当該書面には，法務省令で定める場合を除き，記名押印した者（委任による代理人を除く。）の印鑑に関する証明書（原則として，市町村長又は登記官が作成するもの）を添付しなければならない。登記義務者の登記申請意思を登記官が形式的に確認し，真正な登記の実現を図る必要があるからである。

本問では，株式会社こまちの会社法人等番号を提供することにより，当該書面の添付を省略することができる。

エ　住所証明情報（不登令７条１項６号，不登令別表30添付情報欄ハ）

所有権の保存又は移転の登記を申請する場合に，所有権の登記名義人となる者についての市町村長，登記官その他の公務員が職務上作成した住所を証する情報（公務員が職務上作成した情報がない場合にあっては，これに代わるべき情報）を提供しなければならない。登記記録上に架空の所有者が現れることを防ぐためである。

なお，オンライン庁における申請では，住民基本台帳法７条13号に規定する住民票コードを提供すれば，当該住所を証する情報を提供することを要しない（不登令９，不登規36Ⅳ）。

本問では，株式会社はやぶさの会社法人等番号を提供することにより，当該書面の添付を省略することができる。

オ　代理権限証明情報（不登令７条１項２号）

本問では，株式会社はやぶさの代表取締役佐藤一郎及び株式会社こまちの代表取締役佐藤一郎の委任状を添付する。

なお，委任状については，解答が要求されていない。

カ　会社法人等番号（不登令７条１項１号イ）

本問では，株式会社はやぶさ及び株式会社こまちの会社法人等番号を提供する。

⑸　課税価格

「Ａ土地の価額」が課税価額となる。

なお，課税標準となる金額に1,000円未満の端数があるときは，その端数を切り捨てる（国税通則118Ⅰ）。

したがって，課税価格は，金785万円となる。

⑹　登録免許税

課税価格に「1,000分の20」（登録税別表1.1.⑵ハ）を乗じた額である。

以上から，次のように算定する。

金785万円×1,000分の20＝金15万7,000円

したがって，登録免許税は，金15万7,000円となる。

4 売買による所有権移転登記

4−1 問題の所在

本問では，令和３年４月14日，株式会社はやぶさと佐藤一郎との間で，Ｂ建物につき売買契約を締結していると判断することができることから，当該事実に基づき必要となる登記の手続について，検討する。

4−2 問題点　売買による所有権移転登記に関する検討

前提の知識

売買契約における所有権移転時期

特定物売買においては，契約締結時に所有権が移転するのが原則であるが，当事者間で所有権移転時期の特約（Ex.「所有権は令和○年○月○日に移転するものとする」，「所有権は売買代金の支払と同時に移転するものとする」）が定められているときは，その特約に従って所有権が移転することとなる（最判昭38.5.31）。

4−3 本問へのあてはめ

本問では，**【事実関係】** 2⑴より，令和３年４月14日，株式会社はやぶさと佐藤一郎との間で，Ｂ建物につき売買契約を締結していると判断することができる。この点，当該売買契約においては，売買代金が全額支払われたときにＢ建物の所有権が移転する旨の特約が定められているところ，**【事実関係】** ５より，令和３年６月10日，株式会社はやぶさが佐藤一郎に対してＢ建物の売買代金全額を支払っていることが分かる。

以上より，令和３年６月10日に，Ｂ建物について，「令和３年６月10日売買」を原因として「所有権移転」登記を申請することとなるが，当該登記については解答が要求されていない。

なお，問４において解答が求められている，**【事実関係】** 2⑴の売買契約を締結するに当たって会社法上求められる手続及び当該売買契約に基づく登記を申請する場合に当該会社法上求められる手続との関係で提供しなければならない添付情報については後述する。

5 有限会社からの移行及び本店移転による根抵当権の債務者の表示変更登記

5−1 問題の所在

本問では，平成24年４月６日，Ａ土地の乙区１番根抵当権の債務者である有限会社秋田商店が株式会社に移行し，その商号を株式会社こまちに変更しており，その後，平成29年９月１日，本店を秋田市大字南長池100番地１に移転していることから，これらの事実に基づき必要となる登記の手続について，一の申請情報による申請の可否の判断を含め，検討する。

5−2 問題点　有限会社からの移行及び本店移転による根抵当権の債務者の表示変更登記に関する検討

前提の知識

根抵当権の債務者の表示変更

根抵当権の債務者の住所等について変更が生じた場合，根抵当権者を登記権利者，根抵当権設定者を登記義務者として，根抵当権の変更登記を申請する。抵当権の債務者の住所等の変更登記を申請する場合とは異なり，当該登記を申請する場合，根抵当権設定者の印鑑証明書を提供することを要する。

5−3 本問へのあてはめ

本問では，前述のとおり，平成24年４月６日，Ａ土地及びＢ建物の乙区１番根抵当権の債務者である有限会社秋田商店が株式会社に移行し，その商号を株式会社こまちに変更しており，その後，平成29年９月１日，本店を秋田市大字南長池100番地１に移転していることが分かる。

そこで，当該根抵当権の債務者の表示の変更登記を申請することとなるが，債務者の商号変更による根抵当権変更登記と債務者の本店移転による根抵当権変更登記は一の申請情報により申請することができると解されている。

以上より，令和３年６月10日に，Ａ土地及びＢ建物について，「平成24年４月６日商号変更　平成29年９月１日本店移転」を原因として「１番共同根抵当権変更」登記を申請する。

申請情報に関する事項

《1番共同根抵当権変更》A土地及びB建物

(1) 登記の目的

「1番共同根抵当権変更」とする。

(2) 登記原因及びその日付

「平成24年4月6日商号変更
平成29年9月1日本店移転」とする。

(3) 登記事項

「変更後の事項
債務者　秋田市大字南長池100番地1
株式会社こまち　」とする。

(4) 申請人

「権利者　株式会社羽後銀行
（会社法人等番号　××××－××－××××××）
代表取締役　○○
義務者　株式会社はやぶさ
（会社法人等番号　××××－××－××××××）
代表取締役　佐藤一郎　」とする。

(5) 申請情報と併せて提供することが必要な情報（添付情報）

ア　登記原因証明情報（不登61条，不登令7条1項5号ロ）

本問では，株式会社こまちの会社法人等番号を提供することにより，当該書面の添付を省略することができる。

イ　登記識別情報（不登22条，不登令8条）

本問では，令和3年6月10日付け申請により株式会社はやぶさに通知されるA土地甲区2番及びB建物甲区2番の登記識別情報を提供する。

ウ　印鑑に関する証明書（不登令18条2項，不登規49条2項）

本問では，株式会社はやぶさの会社法人等番号を提供することにより，当該書面の添付を省略することができる。

エ　代理人の権限を証する情報（不登令7条1項2号）

本問では，株式会社羽後銀行の代表取締役○○及び株式会社はやぶさの代表取締役佐藤一郎の委任状を添付する。

なお，委任状については，解答が要求されていない。

オ　会社法人等番号（不登令７条１項１号イ）

本問では，株式会社羽後銀行及び株式会社はやぶさの会社法人等番号を提供する。

⑹　登録免許税

不動産１個につき，金1,000円である（登録税別表1.1.⒁）。

本問では，不動産の個数が２つ（Ａ土地及びＢ建物）であるため，金2,000円となる。

6　債務者の会社分割による根抵当権変更登記

6−1　問題の所在

本問では，令和３年６月１日付けで，株式会社こまちを吸収分割会社，株式会社はやぶさを吸収分割承継会社とする吸収分割の効力が発生していることから，当該事実に基づき必要となる登記の手続について検討する。

6−2　問題点　債務者の会社分割による根抵当権変更登記に関する検討

前提の知識

元本確定前の根抵当権の債務者に会社分割があった場合の処理

元本確定前の根抵当権の債務者を吸収分割会社又は新設分割会社とする会社分割がされたときは，当該根抵当権は，分割の時に存する債務のほか，吸収分割会社及び吸収分割承継会社又は新設分割会社及び新設分割設立会社が分割後に負担する債務を担保する（民398の10Ⅱ）。分割契約書又は分割計画書の記載にかかわらず，法律上当然に，吸収分割会社と吸収分割承継会社との又は新設分割会社と新設分割設立会社との共用根抵当権となるため，分割契約書又は分割計画書において根抵当権の被担保債務について別段の定めがされている場合であっても，債務者を吸収分割会社及び吸収分割承継会社又は新設分割会社及び新設分割設立会社として，会社分割を原因とする根抵当権の変更の登記を申請しなければならない（平13.3.30民二867号）。

6-3 本問へのあてはめ

本問では，前述のとおり，令和３年４月１日，株式会社こまちと株式会社はやぶさとの間で，令和３年６月１日を効力発生日として，株式会社こまちを吸収分割会社，株式会社はやぶさを吸収分割承継会社とする吸収分割契約が締結されていることが分かる。この点，株式会社こまちはＡ土地及びＢ建物に乙区１番で設定されている元本確定前の根抵当権の債務者であるところ，前述のとおり，令和３年６月１日に本件吸収分割の効力が生じているため，同日付けで，当該根抵当権は法律上当然に株式会社こまちと株式会社はやぶさとの共用根抵当権となる。

以上より，令和３年６月10日に，Ａ土地及びＢ建物について「令和３年６月１日会社分割」を原因として「１番共同根抵当権変更」登記を申請する。

申請情報に関する事項

《１番共同根抵当権変更》Ａ土地及びＢ建物

⑴ 登記の目的

「１番共同根抵当権変更」とする。

⑵ 登記原因及びその日付

「令和３年６月１日会社分割」とする。

⑶ 登記事項

「変更後の事項
　　債務者　秋田市大字南長池100番地１
　　　　　　株式会社こまち
　　　　　　秋田市大字南長池100番地１
　　　　　　株式会社はやぶさ　　　　」とする。

⑷ 申請人

「権利者　株式会社羽後銀行
　　　　（会社法人等番号　××××－××－××××××）
　　　　代表取締役　○○
　義務者　株式会社はやぶさ
　　　　（会社法人等番号　××××－××－××××××）
　　　　代表取締役　佐藤一郎　　　　」とする。

⑸　**申請情報と併せて提供することが必要な情報（添付情報）**

ア　**登記原因証明情報（不登61条，不登令７条１項５号ロ）**

本問では，株式会社はやぶさの会社法人等番号を提供することにより，承継会社である株式会社はやぶさの登記事項証明書の添付を省略することができる。

※　確定前根抵当権の債務者につき会社分割が生じたことを原因とする根抵当権変更登記を申請する場合，登記原因証明情報として吸収分割契約書を提供することを要しない。

イ　**登記識別情報（不登22条，不登令８条）**

本問では，令和３年６月10日付け申請により株式会社はやぶさに通知されるＡ土地甲区２番及びＢ建物甲区２番の登記識別情報を提供する。

ウ　**印鑑証明書（不登令18条２項，不登規49条２項）**

本問では，株式会社はやぶさの会社法人等番号を提供することにより，当該書面の添付を省略することができる。

エ　**代理人の権限を証する情報（不登令７条１項２号）**

本問では，株式会社羽後銀行の代表取締役○○及び株式会社はやぶさの代表取締役佐藤一郎の委任状を添付する。

なお，委任状については，解答が要求されていない。

オ　**会社法人等番号（不登令７条１項１号イ）**

本問では，株式会社羽後銀行及び株式会社はやぶさの会社法人等番号を提供する。

⑹　**登録免許税**

不動産１個につき，金1,000円である（登録税別表1.1.⒁）。

本問では，不動産の個数が２つ（Ａ土地及びＢ建物）であるため，金2,000円となる。

7　根抵当権の分割譲渡の登記

7－1　問題の所在

本問では，令和３年６月10日付けで，Ａ土地及びＢ建物に設定されている極度額金4,500万円の確定前の１番共同根抵当権を極度額金3,000万円の共同根抵当権と極度額金1,500万円の共同根抵当権に分割して，極度額金1,500万円の共同根抵当権を株式会社奥羽銀行に譲渡する旨の契約の効力が発生していることから，当該事実に基づき必要となる登記の手続について検討する。

7−2 問題点　根抵当権の分割譲渡の登記に関する検討

前提の知識

⑴　**根抵当権の分割譲渡**

元本確定前の根抵当権の根抵当権者は，根抵当権設定者の承諾を得て，１個の根抵当権を２個に分割して，その一方を他に譲渡することができる（民398の12Ⅱ前段）。

根抵当権の分割譲渡がされた場合，分割された２個の根抵当権は同順位の独立した根抵当権となる。例えば，Ａが有する１番根抵当権をＢに分割譲渡した場合，Ａの有する１番（あ）根抵当権とＢの有する１番（い）根抵当権とに分割され，これらは同順位の独立した根抵当権となる。

⑵　**分割譲渡における設定者及び根抵当権を目的とする権利を有する者の承諾**

根抵当権の分割譲渡をすると，根抵当権の被担保債権の決定基準の一つである根抵当権者が変更され，根抵当権設定者に多大な影響を与えることとなるため，根抵当権の分割譲渡をする場合においては，根抵当権設定者の承諾を得なければならない。また，分割譲渡する根抵当権を目的とする権利（転抵当権等）が存在するときは，その権利は，譲り渡した根抵当権について消滅することとなる（民398の12Ⅱ後段）ため，根抵当権の分割譲渡をする場合においては，分割譲渡する根抵当権を目的とする権利を有する者の承諾を得なければならない（民398の12Ⅲ）。

根抵当権設定者の承諾又は分割譲渡する根抵当権を目的とする権利を有する者の承諾が分割譲渡契約の後に得られているときは，その承諾の日が効力発生日となる。

7−3 本問へのあてはめ

本問では，**【事実関係】** 2⑵より，令和３年４月14日，関係当事者全員が，Ａ土地及びＢ建物に設定されている極度額金4,500万円の確定前の１番共同根抵当権を令和３年６月10日付けで極度額金3,000万円の共同根抵当権と極度額金1,500万円の共同根抵当権とに分割して，極度額金1,500万円の共同根抵当権を株式会社奥羽銀行に譲渡する旨の契約を締結していると判断することができる。

この点，当該根抵当権の分割譲渡をするためには，根抵当権設定者である株式会社はやぶさの承諾を得なければならないが，〔**事実関係に関する補足**〕１より，その承諾は登記の申請日までに得られていることが分かる。

また，当該根抵当権においては，株式会社はやぶさが根抵当権設定者，代表取締役を同じくする株式会社こまちと株式会社はやぶさが債務者となっているため，当該根抵当権の分割譲渡は，根抵当権設定者である株式会社はやぶさにつき利益相反取引に該当すると解される。ここで，別紙３－２より，株式会社はやぶさは取締役会設置会社でないことが分かるため，株式会社はやぶさの株主総会において利益相反取引の承認を受ける必要があるが，〔**事実関係に関する補足**〕１より，その承認は登記の申請日までに得られていることが分かる。

以上より，令和３年６月10日に，Ａ土地及びＢ建物について，「令和３年６月10日分割譲渡」を原因として「１番共同根抵当権分割譲渡」の登記を申請する。

申請情報に関する事項

《１番共同根抵当権分割譲渡》Ａ土地及びＢ建物

⑴　**登記の目的**

「１番共同根抵当権分割譲渡」とする。

⑵　**登記原因及びその日付**

「令和３年６月10日分割譲渡」とする。

⑶　**登記事項**

「（根抵当権の表示）

平成４年７月13日受付第19716号

原因　　　平成４年７月13日設定

極度額　　金1,500万円

（分割後の原根抵当権の極度額　金3,000万円）

債権の範囲　銀行取引
　　　　　　手形債権
　　　　　　小切手債権

債務者　　秋田市大字南長池100番地１
　　　　　株式会社こまち
　　　　　秋田市大字南長池100番地１
　　　　　株式会社はやぶさ

共同担保　目録（け）第9470号　　　　」とする。

＊登記原因の記載について

（答案作成に当たっての注意事項）１⑴より，「上記以外の申請事項等」

欄には，「登記記録の「権利者その他の事項」欄に記録される情報のうち登記原因及びその日付を除いた情報」を記載するとある。

当該文言を文面どおり解釈した場合，（根抵当権の表示）中「原因　平成４年７月13日設定」の部分の記載が不要となる。しかし，根抵当権の分割譲渡の登記における「根抵当権の表示」の一部分のみについての記載を不要とするような出題をしているとの想定をし難いことから，上記文言における「登記原因及びその日付」とは，不動産登記法59条３号における「登記原因及びその日付」のみを指していると解し，分割譲渡の登記において記載する「根抵当権の設定の登記に係る登記原因及びその日付」（不動産登記令別表60イ）は上記文言における「登記原因及びその日付」に含まれないと解して，模範解答を作成している。

⑷　**申請人**

「権利者　株式会社奥羽銀行
　　　　（会社法人等番号　××××－××－××××××）
　　　　　代表取締役　○○
　義務者　株式会社羽後銀行
　　　　（会社法人等番号　××××－××－××××××）
　　　　　代表取締役　○○　　　　　　　　　　　」とする。

⑸　**申請情報と併せて提供することが必要な情報（添付情報）**

ア　登記原因証明情報（不登61条，不登令７条１項５号ロ）

本問では，株式会社奥羽銀行及び株式会社羽後銀行が作成記名押印した登記原因証明情報を添付する。

イ　登記識別情報（登記済証）（不登22条，不登令８条，不登附則７条）

本問では，株式会社羽後銀行のＡ土地乙区１番及びＢ建物乙区１番の登記済証（平成４年７月13日秋田地方法務局受付第19716号）を添付する。

ウ　代理権限証明情報（不登令７条１項２号）

本問では，株式会社奥羽銀行の代表取締役○○及び株式会社羽後銀行の代表取締役○○の委任状を添付する。

なお，委任状については，解答が要求されていない。

エ　登記原因についての第三者の許可，同意又は承諾を証する情報（不登令７条１項５号ハ）

登記原因について第三者の許可，同意又は承諾を要するときは，当該第三者が許可し，同意し，又は承諾したことを証する情報を提供しなければならない。

登記官が登記原因の発生に実体法上必要な第三者の許可等がされたことを手続の上で確認することで，無効な権利変動による登記がされることを防ぐためである。

本問では，株式会社はやぶさの承諾書及び株式会社はやぶさの株主総会議事録を添付する。

オ　会社法人等番号（不登令７条１項１号イ）

本問では，株式会社奥羽銀行及び株式会社羽後銀行の会社法人等番号を提供する。

⑹　**課税価格及び登録免許税**

「分割した根抵当権の極度額」を課税価格として，それに「1,000分の２」（登録税別表1.1.⑹ロ）を乗じた額である。

以上から，次のように算定する。

金1,500万円×1,000分の２＝金３万円

8　債権の範囲の変更による根抵当権変更登記

8−1　問題の所在

本問では，令和３年６月18日付けで，Ａ土地及びＢ建物の乙区１番（あ）で登記されている共同根抵当権について，債権の範囲に「根抵当権者・債務者間の取引によらない電子記録債権法に基づく電子記録債権」及び「会社分割の効力発生前の根抵当権者の株式会社はやぶさに対する債権」を加える旨の契約の効力が発生していることから，当該事実に基づき必要となる登記の手続について検討する。

8−2 問題点　債権の範囲の変更による根抵当権変更登記に関する検討

前提の知識

(1)　債権の範囲の変更

元本確定前の根抵当権においては，根抵当権の債権の範囲を変更することができる（民398の４Ⅰ）。ただし，元本の確定前にその変更の登記をしなかった場合は，変更をしなかったものとみなされる（民398の４Ⅲ）。

根抵当権の債権の範囲を変更する契約を締結する場合においては，後順位担保権者その他の第三者の承諾を得ることを要しない（民398の４Ⅱ）。

なお，共同根抵当権についての債権の範囲の変更は，その共同担保に係るすべての不動産について登記をしなければ，その効力が生じない（民398の17Ⅰ）。

(2)　債務者について会社分割が生じた後の根抵当権によって担保される債務の範囲

元本確定前の根抵当権の債務者を吸収分割会社又は新設分割会社とする会社分割がされたときは，当該根抵当権は，分割の時に存する債務のほか，吸収分割会社及び吸収分割承継会社又は新設分割会社及び新設分割設立会社が分割後に負担する債務を担保する（民398の10Ⅱ）。したがって，吸収分割承継会社が分割前から負担していた債務は，当該根抵当権で当然には担保されないこととなる。当該債務を当該根抵当権で担保させるためには，当該債務を特定債務として根抵当権の債権の範囲に加える根抵当権の変更登記を申請することとなる。

8−3 本問へのあてはめ

本問では，**【事実関係】** 6(1)より，令和３年６月17日，関係当事者全員が，株式会社羽後銀行を根抵当権者とする分割譲渡後の共同根抵当権（乙区１番（あ）根抵当権）について，令和３年６月18日付けで担保すべき債権の範囲に「根抵当権者・債務者間の取引によらない電子記録債権法に基づく電子記録債権」及び「会社分割の効力発生前の根抵当権者の株式会社はやぶさに対する債権」を加える旨の契約を締結していると判断することができる。

以上より，令和３年６月18日に，Ａ土地及びＢ建物について，「令和３年６月18日変更」を原因として「１番（あ）共同根抵当権変更」登記を申請する。

申請情報に関する事項

《１番（あ）共同根抵当権変更》Ａ土地及びＢ建物

⑴ **登記の目的**

「１番（あ）共同根抵当権変更」とする。

⑵ **登記原因及びその日付**

「令和３年６月18日変更」とする。

⑶ **登記事項**

「変更後の事項
　債権の範囲　銀行取引
　　　　　　　手形債権
　　　　　　　小切手債権
　　　　　　　電子記録債権
　　　　　　　令和３年６月１日会社分割の効力発生前の根抵当権者
　　　　　　　の株式会社はやぶさに対する債権　※　　　　　　」
とする。

※　本部分については，「令和３年６月１日吸収分割前の株式会社はやぶさの債務に係る債権」のように記載することも考えられる。

⑷ **申請人**

「権利者　株式会社羽後銀行
　　　　　（会社法人等番号　××××－××－××××××）
　　　　　代表取締役　○○
　義務者　株式会社はやぶさ
　　　　　（会社法人等番号　××××－××－××××××）
　　　　　代表取締役　佐藤一郎　　　　　　　　　　　」とする。

⑸ **申請情報と併せて提供することが必要な情報（添付情報）**

※　添付情報については，解答が要求されていない。

ア　登記原因証明情報（不登61条，不登令７条１項５号ロ）

本問では，株式会社羽後銀行及び株式会社はやぶさが作成記名押印した登記原因証明情報を添付する。

イ　登記識別情報（不登22条，不登令８条）

本問では，令和３年６月10日付け申請により株式会社はやぶさに通知されるＡ土地甲区２番及びＢ建物甲区２番の登記識別情報を添付する。

ウ　印鑑に関する証明書（不登令18条２項，不登規49条２項）

本問では，株式会社はやぶさの会社法人等番号を提供することにより，当該書面の添付を省略することができる。

エ　代理人の権限を証する情報（不登令７条１項２号）

本問では，株式会社羽後銀行の代表取締役○○及び株式会社はやぶさの代表取締役佐藤一郎の委任状を添付する。

オ　会社法人等番号（不登令７条１項１号イ）

本問では，株式会社羽後銀行及び株式会社はやぶさの会社法人等番号を提供する。

(6)　登録免許税

不動産１個につき，金1,000円である（登録税別表1.1.⒁）。

本問では，不動産の個数が２つ（Ａ土地及びＢ建物）であるため，金2,000円となる。

なお，登録免許税については，解答が要求されていない。

9　債務者の変更による根抵当権変更登記

9−1　問題の所在

本問では，令和３年６月18日付けで，Ａ土地及びＢ建物の乙区１番（い）で登記されている共同根抵当権について，債務者を株式会社はやぶさとする旨の契約の効力が発生していることから，当該事実に基づき必要となる登記の手続について検討する。

9−2　問題点　債務者の変更による根抵当権変更登記に関する検討

前提の知識

(1)　債務者の変更

元本確定前の根抵当権においては，根抵当権の債務者を変更することができる（民398の４Ⅰ）。ただし，元本の確定前にその変更の登記をしなかった場合は，変更をしなかったものとみなされる（民398の４Ⅲ）。

根抵当権の債務者を変更する契約を締結する場合においては，後順位担保権者その他の第三者の承諾を得ることを要しない（民398の４Ⅱ）。

なお，根抵当権の元本が確定すると，担保すべき債権が具体的に特定され，根抵当権は被担保債権に随伴することとなるので，抵当権と同様に債務引受等により債務者が変更することはあるが，根抵当権自体の変更としての一般的な債務者の変更は認められない。

⑵　**債務者の変更登記の申請人**

根抵当権の債務者の変更登記を申請する場合，原則として，根抵当権者が登記権利者，設定者が登記義務者となる。

例えば，債務者を「A」から「A及びB」に変更するような場合（追加的変更）や，債務者を「A」から「C」又は「A及びB」から「C」に変更するような場合（交替的変更）においては，原則どおり，根抵当権者が登記権利者，設定者が登記義務者となる。

一方，債務者を「A及びB」から「A」に変更するような場合（縮減的変更）においては，設定者が登記権利者，根抵当権者が登記義務者となる。

9−3　本問へのあてはめ

本問では，**【事実関係】**６⑵より，令和３年６月17日，関係当事者全員が，株式会社奥羽銀行を根抵当権者とする分割譲渡後の共同根抵当権（乙区１番（い）根抵当権）について，令和３年６月18日付けで債務者を株式会社はやぶさのみとする旨の契約を締結していると判断することができる。

以上より，令和３年６月18日に，A土地及びB建物について，「令和３年６月18日変更」を原因として「１番（い）共同根抵当権変更」登記を申請する。

申請情報に関する事項

《１番（い）共同根抵当権変更》A土地及びB建物

⑴　**登記の目的**

「１番（い）共同根抵当権変更」とする。

⑵　**登記原因及びその日付**

「令和３年６月18日変更」とする。

⑶　**登記事項**

「変更後の事項

債務者　秋田市大字南長池100番地１

株式会社はやぶさ　　　　」とする。

(4)　**申請人**

「権利者　株式会社はやぶさ
　　　　　(会社法人等番号　××××－××－××××××)
　　　　　代表取締役　佐藤一郎
　義務者　株式会社奥羽銀行
　　　　　(会社法人等番号　××××－××－××××××)
　　　　　代表取締役　○○　　　　　　　　　　」とする。

※　債務者の縮減的変更であるため，根抵当権設定者を登記権利者，根抵当権者を登記義務者として登記を申請することとなる。

(5)　**申請情報と併せて提供することが必要な情報（添付情報）**

※　添付情報については，解答が要求されていない。

ア　登記原因証明情報（不登61条，不登令７条１項５号ロ）

本問では，株式会社はやぶさ及び株式会社奥羽銀行が作成記名押印した登記原因証明情報を添付する。

イ　登記識別情報（不登22条，不登令８条）

本問では，令和３年６月10日付け申請により株式会社奥羽銀行に通知されるＡ土地乙区１番（い）及びＢ建物乙区１番（い）の登記識別情報を提供する。

ウ　代理権限証明情報（不登令７条１項２号）

本問では，株式会社はやぶさの代表取締役佐藤一郎及び株式会社奥羽銀行の代表取締役○○の委任状を添付する。

エ　会社法人等番号（不登令７条１項１号イ）

本問では，株式会社はやぶさ及び株式会社奥羽銀行の会社法人等番号を提供する。

(6)　**登録免許税**

不動産１個につき，金1,000円である（登録税別表1.1.(14)）。

本問では，不動産の個数が２つ（Ａ土地及びＢ建物）であるため，金2,000円となる。

なお，登録免許税については，解答が要求されていない。

10 会社と代表取締役の利益相反取引

10－1 問題の所在

本問では，佐藤一郎と佐藤一郎が代表取締役を務める株式会社はやぶさとの間で，Ｂ建物の売買契約が締結されているが，以下，売買契約の締結に当たって会社法上求められる手続やその登記を申請する場合における添付情報について検討する。

10－2 問題点　会社と代表取締役の利益相反取引に関する検討

前提の知識

取締役の利益相反取引

取締役が自己又は第三者のために株式会社と取引をしようとするとき，又は，株式会社が取締役の債務を保証することその他取締役以外の者との間において株式会社と当該取締役との利益が相反する取引をしようとするときには，取締役は，株主総会（取締役会設置会社においては取締役会）において，当該取引につき重要な事実を開示し，その承認を受けなければならない（会社356Ｉ②・③・365Ｉ）。

これに違反して取引をした場合，会社は取締役及び悪意の第三者に無効を主張することができるが，善意の第三者に無効を主張することができない（相対的無効：最大判昭43.12.25参照)。したがって，承認決議は厳密な意味で効力発生要件とはいえず，登記原因の日付にも影響を与えないが，取引の安全の要請から，株式会社の株主総会議事録又は取締役会議事録の添付が要求されている（不登令７Ｉ⑤ハ)。

10－3 本問へのあてはめ

本問では，前述のとおり，令和３年４月14日，佐藤一郎と株式会社はやぶさとの間で，Ｂ建物につき売買契約を締結していると判断することができる。この点，別紙３－２より，佐藤一郎は株式会社はやぶさの代表取締役であるため，当該売買契約は株式会社はやぶさにおいて利益相反取引に該当する。ここで，別紙３－２より，株式会社はやぶさは取締役会設置会社でないことが分かるため，株式会社はやぶさの株主総会において，利益相反取引の承認を受ける必要がある。

そして，当該売買契約に基づく登記を申請する場合においては，添付情報として，利益相反取引の承認の旨が記載された株主総会議事録を添付しなければならないが，当該議事録には，議事録の作成者である佐藤一郎が株式会社はやぶさの代表取締役として登記所に届出をしている印鑑によって押印をし，当該印鑑にかかる印鑑証明書（又は株式会社はやぶさの会社法人等番号）を添付しなければならない。

以上の内容を答案用紙第４欄に簡潔に記載する。

MEMO

解答例

第１欄

<table>
<tr><td colspan="2"></td><td>(1)</td><td>(2)</td></tr>
<tr><td colspan="2">登記の目的</td><td>１番所有権登記名義人住所，名称変更</td><td>所有権移転</td></tr>
<tr><td rowspan="2">申請事項等</td><td>登記原因
及びその日付</td><td>平成24年４月６日商号変更
平成29年９月１日本店移転</td><td>令和３年６月１日会社分割</td></tr>
<tr><td>上記以外の
申請事項等</td><td>変更後の事項　※
本店商号
秋田市大字南長池100番地１
株式会社こまち
申請人　株式会社こまち</td><td>権利者　株式会社はやぶさ
義務者　株式会社こまち</td></tr>
<tr><td colspan="2">添付情報</td><td>イ</td><td>ア，イ，ウ，コ</td></tr>
<tr><td colspan="2">登録免許税</td><td>金1,000円</td><td>金15万7,000円</td></tr>
</table>

※　「変更後の事項」の記載は無くてもよいと解される。

<table>
<tr><td colspan="2"></td><td>(3)</td></tr>
<tr><td colspan="2">登記の目的</td><td>登記不要</td></tr>
<tr><td rowspan="2">申請事項等</td><td>登記原因
及びその日付</td><td></td></tr>
<tr><td>上記以外の
申請事項等</td><td></td></tr>
<tr><td colspan="2">添付情報</td><td></td></tr>
<tr><td colspan="2">登録免許税</td><td></td></tr>
</table>

第２欄

<table>
<tr><th colspan="2"></th><th>(1)</th><th>(2)</th></tr>
<tr><td colspan="2">登記の目的</td><td>１番共同根抵当権変更
※１</td><td>１番共同根抵当権変更
※１</td></tr>
<tr><td rowspan="2">申請事項等</td><td>登記原因
及びその日付</td><td>平成24年４月６日商号変更
平成29年９月１日本店移転</td><td>令和３年６月１日会社分割</td></tr>
<tr><td>上記以外の
申請事項等</td><td>変更後の事項　※２
債務者
秋田市大字南長池100
番地１
株式会社こまち
権利者　株式会社羽後銀行
義務者　株式会社はやぶさ</td><td>変更後の事項　※２
債務者
秋田市大字南長池100
番地１
株式会社こまち
秋田市大字南長池100
番地１
株式会社はやぶさ
権利者　株式会社羽後銀行
義務者　株式会社はやぶさ</td></tr>
<tr><td colspan="2">添付情報</td><td>イ，ウ，エ，ス，セ</td><td>ウ，エ，ス，セ</td></tr>
<tr><td colspan="2">登録免許税</td><td>金2,000円</td><td>金2,000円</td></tr>
</table>

※１　「共同」の記載は無くてもよいと解される。
※２　「変更後の事項」の記載は無くてもよいと解される。

		(3)	(4)
登記の目的		１番共同根抵当権分割譲渡	登記不要
申請事項等	登記原因 及びその日付	令和３年６月10日分割譲渡	
	上記以外の 申請事項等	（根抵当権の表示） 平成４年７月13日受付 第19716号 原因　平成４年７月13日 設定 極度額　金1,500万円 （分割後の原根抵当権の極度額　金3,000万円）　※ 債権の範囲　銀行取引 手形債権 小切手債権 債務者　秋田市大字南長池100番地１ 株式会社こまち 秋田市大字南長池100番地１ 株式会社はやぶさ 共同担保　目録（け）第9470号 権利者　株式会社奥羽銀行 義務者　株式会社羽後銀行	
添付情報		エ，オ，キ，シ，ナ（株式会社はやぶさ）	
登録免許税		金３万円	

※「極度額　分割した根抵当権の極度額　　金1,500万円
　　　　　　分割後の原根抵当権の極度額　金3,000万円」と記載してもよいと解される。

第３欄

<table>
<tr><th colspan="2"></th><th>(1)</th><th>(2)</th></tr>
<tr><td colspan="2">登記の目的</td><td>１番（あ）共同根抵当権変更</td><td>１番（い）共同根抵当権変更</td></tr>
<tr><td rowspan="2">申請事項等</td><td>登記原因
及びその日付</td><td>令和３年６月18日変更</td><td>令和３年６月18日変更</td></tr>
<tr><td>上記以外の
申請事項等</td><td>変更後の事項　※
　債権の範囲
　　銀行取引
　　手形債権
　　小切手債権
　　電子記録債権
　　令和３年６月１日会社分割の効力発生前の根抵当権者の株式会社はやぶさに対する債権
権利者　株式会社羽後銀行
義務者　株式会社はやぶさ</td><td>変更後の事項　※
　債務者
　　秋田市大字南長池100番地１
　　株式会社はやぶさ
権利者　株式会社はやぶさ
義務者　株式会社奥羽銀行</td></tr>
</table>

※　「変更後の事項」の記載は無くてもよいと解される。

<table>
<tr><th colspan="2"></th><th>(3)</th></tr>
<tr><td colspan="2">登記の目的</td><td>登記不要</td></tr>
<tr><td rowspan="2">申請事項等</td><td>登記原因
及びその日付</td><td></td></tr>
<tr><td>上記以外の
申請事項等</td><td></td></tr>
</table>

解答例

第４欄

①　売買契約の締結に当たって会社法上求められる手続
　株式会社はやぶさの株主総会において，利益相反取引の承認を受ける必要がある。
②　当該売買契約に基づく登記を申請する場合に当該会社法上求められる手続との関係で提供しなければならない添付情報
　株式会社はやぶさの株主総会議事録及び株式会社はやぶさの印鑑証明書（又は会社法人等番号）
③　上記①及び②の理由
　佐藤一郎は株式会社はやぶさの代表取締役であるため，佐藤一郎と株式会社はやぶさとの間において当該売買契約を締結することは利益相反取引に該当するが，株式会社はやぶさは取締役会設置会社ではないことから，株主総会においてその承認を受けなければならないため。

MEMO

問題　令和2年

本問題の日付は、出題当時の本試験問題に合わせておりますが、法令等については、令和7年4月1日時点において施行されているもの（本書作成時点において施行予定のものを含む。）を適用した上で、解答を作成してください。

令和元年11月11日，別紙1の登記がされている不動産（以下「甲土地」という。）について，司法書士法務律子は，後記**【事実関係】**1から7までの事実を聴取し，後記**【事実関係】**8のとおり説明と依頼を行った。そして，同月29日，司法書士法務律子は，（当該部分については，法改正により削除），当該聴取に係る関係当事者全員から後記**【事実関係】**1から9までの事実に基づいて行うべき甲土地の登記の申請手続に必要な全ての書類を受領し，登記の申請手続等について代理することの依頼を受けた。また，同日，司法書士法務律子は，申請情報と併せて提供すべき登記識別情報を提供することができない者から，資格者代理人による本人確認情報を作成及び提供することの依頼を受けた。同日，司法書士法務律子は，以上の依頼に係る登記の申請を行った。

令和2年6月10日，上記の登記が完了した甲土地及び別紙5の登記がされている不動産（以下「乙建物」という。）について，司法書士法務律子は，後記**【事実関係】**10から13までの事実を聴取したほか，同日，当該聴取に係る関係当事者全員から後記**【事実関係】**10から13までの事実に基づいて行うべき甲土地及び乙建物の登記の申請手続に必要な全ての書類を受領し，登記の申請手続等について代理することの依頼を受けた。また，同日，司法書士法務律子は，申請情報と併せて提供すべき登記識別情報を提供することができない者から，資格者代理人による本人確認情報を作成及び提供することの依頼を受けた。同日，司法書士法務律子は，以上の依頼に係る登記の申請を行った。

令和2年6月30日，司法書士法務律子は，Fから，後記**【事実関係】**14のとおりの質問を受けたため，Fに対し，質問に対する回答をした。

以上に基づき，後記の問1から問6までに答えなさい。

【事実関係】

1　令和元年7月2日，亡Aの夫Bは，別紙2の遺言書により遺言をした。

2　令和元年9月1日，Bは，死亡した。Bの相続人は，長男C及び次男Dであり，他に相続人はいない。

3　令和元年９月20日，Ｄは，別紙２の遺言書が入った封筒を発見したので，同日，別紙２の遺言書が入った封筒を千葉家庭裁判所に提出して，検認の請求をした。そして，千葉家庭裁判所は，当該請求に基づく検認の期日を同年10月30日と指定し，同年９月27日，同裁判所の裁判所書記官は，Ｃ及びＤに対して，当該検認の期日を通知した。

4　令和元年９月24日，上記１及び３の事実を知らないＣは，上記２の事実に基づき，Ｂの遺産である甲土地について相続の登記を単独で申請し，別紙１の甲区３番のとおり登記された。

5　令和元年10月30日，千葉家庭裁判所において上記３の請求に係る検認の期日が開かれ，Ｃ及びＤの立会いのもと，別紙２の遺言書に係る検認手続が行われた。当該手続の事件番号は千葉家庭裁判所（家）第7062号であり，当該期日に当該検認手続の全てが滞りなく終了した。その翌日，Ｄに対し，検認済み証明書が一体化された別紙２の遺言書が返却された。

6　令和元年11月１日，Ｄは，株式会社Ｅ銀行の窓口を訪れ，同行の担当者Ｆに，甲土地上に新たに自宅兼店舗を構えたい旨，相談をした。その結果，Ｄ及びＦは，後日，司法書士法務律子の事務所に赴き，不動産登記に関する相談をすることで話がまとまった。

7　令和元年11月２日，Ｃは，Ｄに対し，上記４の事実を告げた。それを受けて，Ｃ及びＤは，直ちに善後策を協議したものの，結論が出なかった。そこで，Ｃも上記６の相談に同行することで話がまとまった。

8　令和元年11月11日，司法書士法務律子は，Ｃ，Ｄ及びＦから不動産登記に関する相談を受け，上記１から７までの事実関係その他これらに関連する一切の事情を聴取するとともに，別紙１，検認済み証明書が一体化された別紙２の遺言書及び別紙４の案の提示を受けた。司法書士法務律子は，直ちに関係当事者全員に対し，以下の**（司法書士法務律子の説明）**のとおりの説明を行い，関係当事者全員からその了解を得た。（当該部分については法改正により削除）そこで，司法書士法務律子は，関係当事者全員に対し，登記申請に必要な書類を準備するように依頼するとともに，同月29日までに必要な手続を終えるように依頼した。

（司法書士法務律子の説明）

(1)　上記６のＤ及びＦの相談について，まだ甲土地は更地であり，上記６の自宅兼店舗の建築はこれからということですから，まずは，株式会社Ｅ銀行においては別紙４の案に基づく登記を申請するものとして，後記(2)のとおり，その前提としてすべき登記がありますので，御協力をお願いいたします。

(2)　上記７のＣ及びＤの相談について，別紙２の遺言書は，民法上有効と考えられますから，Ｃ及びＤがこの点を重視するのであれば，早急に別紙１の甲区３

番の登記を是正すべきです。なぜなら，例えば，Ｃの債権者が強制競売の申立てをし，別紙１の甲区３番のＣの持分が差し押さえられてしまうと，当該債権者との関係において，Ｄが不利益を受けることになるからです。

⑶　さらに，Ｂの遺産は，別紙２の遺言書記載の不動産以外にもあるということですから，⑵を踏まえて遺産の分割の協議をした方がよいでしょう。

9　令和元年11月29日，司法書士法務律子は，関係当事者全員から別紙３に係る協議の成立及び登記に必要な手続を終えたことの報告を受けたため，上記１から８までの事実に基づいて行うべき登記の申請手続に必要な全ての書類を受領した。(当該部分については法改正により削除)

10　令和２年５月，上記６の自宅兼店舗である乙建物が完成し，別紙５のとおり登記が完了した。

11　令和２年５月25日，Ｄは，千葉市若葉区若森町1040番地４に住所を移転し，乙建物の使用収益を開始した。

12　令和２年６月１日，住居表示が実施されたことにより，Ｄの住所が千葉市若葉区若森三丁目３番３号となった。

13　令和２年６月10日，株式会社Ｅ銀行及びＤは，甲土地の別紙４の根抵当権と同一の債権を担保するため，乙建物を目的として，根抵当権者，取扱店，債務者，債権の範囲及び極度額につき別紙４と同一内容の共同根抵当権の追加設定契約を締結した。

なお，当該追加設定契約に係る令和２年６月10日付の追加根抵当権設定契約証書には，既存の根抵当権の特定事項として，当該既存の根抵当権の設定の日付，管轄登記所，受付年月日及び受付番号の記載がされているが，甲土地の不動産番号，所在，地番，地目及び地積の記載はされていない。

14　令和２年６月30日，司法書士法務律子は，Ｆから，次の **(質問内容)** 記載の質問を受けるとともに，改めて別紙４の提示を受けた。

(質問内容)

⑴　個人事業主であるＤは，乙建物で行っている事業が順調なため，いわゆる法人成りを考えています。具体的には，Ｄのみが出資して当該事業を目的とする株式会社Ｇを設立し，その際，同社の唯一の取締役として，Ｄが就任します。

⑵　他方，株式会社Ｅ銀行は，Ｄに対し，既に債権αを有しています。債権αは，Ｄが乙建物で行っている事業のために負担した貸金の債権であり，別紙４に基づく根抵当権の被担保債権の一つです。

⑶　そこで，株式会社Ｅ銀行としては，株式会社Ｇの設立後，遅滞なく債権αに係る債務を株式会社Ｇに免責的に引き受けてもらって，以後は，当該債務を株式会社Ｇの事業に係る債務として取り扱い，同時に，新たにＤ本人を当該債務

の連帯保証人にしたいと考えています。

(4)　上記(3)に基づく根抵当権の債務者の変更の登記は，別途申請するものとして，法令上，Ｄが上記(3)の連帯保証人となることに先立ち，Ｄにおいて保証債務を履行する意思を表示した公正証書を作成する義務はありますか。

〔事実関係に関する補足〕

1　別紙２の遺言書に係る遺言執行者は，選任されていない。

2　司法書士法務律子が令和元年11月29日に行った登記の申請は，同年12月10日に完了している。

3　登記申請に当たって法律上必要な手続は，各申請日までに全てされている。なお，登記原因につき第三者の許可，同意又は承諾を要する場合には，各申請日までに，それぞれ当該第三者の許可，同意又は承諾を得ている。また，登記上の利害関係を有する第三者の承諾を要する場合には，各申請日までに，当該第三者の承諾を得ている。

4　**【事実関係】**は全て真実に合致しており，また，これらに基づく行為や司法書士法務律子の説明内容は，全て適法である。

5　司法書士法務律子は，複数の登記を申請する場合には，権利部（甲区）に関する登記を申請し，その後に権利部（乙区）に関する登記を申請する。また，司法書士法務律子は，複数の登記を申請する場合には，申請件数及び登録免許税の額が最も少なくなるように登記を申請するものとする。

6　本件の関係当事者間には，**【事実関係】**及び各別紙に記載されている権利義務以外には，実体上の権利義務関係は存在しない。

7　甲土地及び乙建物はいずれも千葉地方法務局の管轄に属している。また，司法書士法務律子は，いずれの登記の申請も，管轄登記所に書面を提出する方法により行ったものとする。

8　令和元年11月29日及び令和２年６月10日現在の甲土地の課税標準の額は7654万3210円とする。また，令和２年６月10日現在の乙建物の課税標準の額は，890万1234円とする。

9　登記権利者又は登記義務者の一方のみが登記を申請することができる場合は，そのように申請しているものとする。

問１　**（司法書士法務律子の説明）**中，司法書士法務律子が下線部の見解を述べた理由を，本件の事実関係に即して，別紙答案用紙の第１欄に具体的に記載しなさい。

問２　司法書士法務律子が甲土地について令和元年11月29日に申請した所有権の登記の申請情報の内容のうち，登記の目的，登記記録の「権利者その他の事項」欄に記録される事項及び当該記録される事項に含まれない申請人（以下「申請事項等」という。問４及び問５において同じ。），添付情報並びに登録免許税額を，司法書士法務律子が申請した登記の順に従って，別紙答案用紙の第２欄⑴及び⑵の各欄に記載しなさい。

問３　司法書士法務律子が甲土地について令和元年11月29日に申請した所有権以外の権利の登記の申請情報の内容のうち，登記の目的，登記原因及びその日付，申請人の氏名又は名称等並びに登録免許税額を，司法書士法務律子が申請した登記の順に従って，別紙答案用紙の第３欄⑴及び⑵の各欄に記載しなさい。

問４　司法書士法務律子が甲土地について令和２年６月10日に申請した権利の登記の申請情報の内容のうち，登記の目的，申請事項等，添付情報及び登録免許税額を，司法書士法務律子が申請した登記の順に従って，別紙答案用紙の第４欄⑴及び⑵の各欄に記載しなさい。

問５　司法書士法務律子が乙建物について令和２年６月10日に申請した権利の登記の申請情報の内容のうち，登記の目的，申請事項等，添付情報及び登録免許税額を，司法書士法務律子が申請した登記の順に従って，別紙答案用紙の第５欄⑴及び⑵の各欄に記載しなさい。

問６　**【事実関係】**の14にて，Ｆから受けた質問に対して，司法書士法務律子が回答した内容について，公正証書の作成義務の有無及びその理由を別紙答案用紙の第６欄に具体的に記載しなさい。

（答案作成に当たっての注意事項）

１　答案用紙の第２欄，第４欄及び第５欄の申請事項等欄の「上記以外の申請事項等」欄並びに第３欄の申請人欄に解答を記載するに当たっては，次の要領で行うこと。

⑴　申請人について，「権利者」，「義務者」，「申請人」，「(被承継会社)」等の表示も記載する。

⑵　申請人について，住所又は本店所在地，代表機関の資格及び氏名並びに会社法人等番号は，記載することを要しない。

⑶　登記権利者及び登記義務者が共同して権利に関する登記の申請をする場合

その他の法令の規定により登記の申請をする場合において，申請人が登記識別情報又は登記済証を提供することができないときは，当該登記識別情報又は登記済証を提供することができない理由を記載する。

(4) 申請人が法令に掲げる者のいずれであるかを登記情報の内容とすべきときは，「民法423条１項」の振り合いで，当該法令を記載する。

2　答案用紙の第２欄から第５欄までの添付情報欄に解答を記載するに当たっては，次の要領で行うこと。

(1) 添付情報の解答は，その登記の申請に必要な添付情報を後記**【添付情報一覧】**から選択し，その記号（アからニまで）を記載する。

(2) 法令の規定により添付を省略することができる情報及び提供されたものとみなされる情報についても，後記**【添付情報一覧】**から選択し，その記号（アからニまで）を記載する。

(3) 後記**【添付情報一覧】**のアからニまでに掲げられた情報以外の情報（登記の申請に関する委任状等）は，記載することを要しない。

(4) 後記**【添付情報一覧】**のカからケまでに掲げられた登記識別情報を添付しなければならないときは，その記号を記載する。

(5) 後記**【添付情報一覧】**のサからソまでに掲げられた印鑑に関する証明書は，登記名義人となる者の住所を証する情報としては使用しないものとする。

(6) 後記**【添付情報一覧】**のテ又はトの一方又は双方を記載するときは，それぞれの記号の後に続けて，テ又はトの括弧書きの「(何某のもの)」に当該情報の作成者の氏名又は名称を補い，「テ（株式会社いろは銀行のもの)」の要領で記載する。当該情報の作成者が会社法人等である場合は，当該情報に会社法人等番号の記載がされているものとする。

(7) 株式会社Ｅ銀行の会社法人等番号を提供する方法により登記の申請手続をすることができる登記については，後記**【添付情報一覧】**ニに掲げられた情報を選択し，その記号（ニ）を記載する。

(8) **【添付情報一覧】**に掲げられた添付情報のうち，発行日，作成日等の日付が明示されておらず，かつ，登記の申請に際して有効期限の定めがあるものは，登記の申請時において，全て有効期限内であるものとする。

3　答案用紙の第２欄から第５欄までの各項目の欄に申請すべき登記の申請情報等の内容を記載するに当たり，記載すべき情報等がない場合には，その欄に「なし」と記載すること。

4　申請すべき登記がない場合には，答案用紙の第２欄から第５欄までの登記の目的欄に「登記不要」と記載すること。

5　別紙は，いずれも，実際の様式と異なる。また，別紙には記載内容の一部が省略されているものがあり，別紙を含め登記の申請に必要な添付情報は，いずれも，**【事実関係】**に沿う形で，法律上適式に作成されているものとする。

6　数字を記載する場合には，算用数字を使用すること。

7　登録免許税が免除され，又は軽減される場合には，その根拠となる法令の条項を登録免許税額欄に登録免許税額（非課税である場合は，その旨）とともに記載する。

　なお，登録免許税額の算出について，登録免許税法以外の法令による税の減免の規定の適用はないものとする。

8　訂正，加入又は削除をするときは，訂正は訂正すべき字句に線を引き，近接箇所に訂正後の字句を記載し，加入は加入する部分を明示して行い，削除は削除すべき字句に線を引いて，訂正，加入又は削除をしたことが明確に分かるように記載すること。ただし，押印や字数を記載することは要しない。

【添付情報一覧】

ア　検認済み証明書が一体化された遺言書（別紙２）
イ　遺産分割協議書（別紙３）
ウ　（当該情報については法改正により削除）
エ　根抵当権設定契約証書（別紙４）
オ　令和２年６月10日付の追加根抵当権設定契約証書（**【事実関係】**13のもの）
カ　甲土地の甲区３番の登記識別情報
キ　甲土地の所有権について令和元年11月29日付け申請により通知される登記識別情報
ク　甲土地の所有権以外の権利について令和元年11月29日付け申請により通知される登記識別情報
ケ　乙建物の所有権について令和２年６月10日付け申請により通知される登記識別情報
コ　司法書士法務律子が作成した登記義務者に係る本人確認情報
サ　令和元年11月29日発行のＣの印鑑に関する証明書
シ　令和２年６月10日発行のＣの印鑑に関する証明書
ス　令和元年11月29日発行のＤの印鑑に関する証明書
セ　令和２年６月10日発行のＤの印鑑に関する証明書
ソ　令和２年６月10日発行の株式会社Ｅ銀行の印鑑に関する証明書
タ　令和元年11月29日発行のＣの住民票の写し（本籍の記載あり）
チ　令和元年11月29日発行のＤの住民票の写し（本籍の記載あり）
ツ　令和２年６月10日発行のＤの戸籍の附票の写し（本籍，**【事実関係】**11の住所移転の事実及び**【事実関係】**12の住居表示実施により住所が変更された事実が記載されたもの）
テ　登記原因につき第三者の許可，同意又は承諾を証する情報及び当該情報の作成者の印鑑に関する証明書（何某のもの）
ト　登記上の利害関係を有する第三者の承諾を証する情報及び当該情報の作成者の印鑑に関する証明書（何某のもの）
ナ　令和２年６月10日発行の甲土地の登記事項証明書
ニ　株式会社Ｅ銀行の会社法人等番号

令和２年

別紙1　甲土地の登記事項証明書(抜粋)

表　題　部(土地の表示)	調製	余白	不動産番号	【略】
地図番号	【略】	筆界特定	余白	
所　在	千葉市若葉区若森町		余白	

① 地　番	② 地　目	③ 地　積　㎡		原因及びその日付〔登記の日付〕
1040番4	宅地	214	00	1040番1から分筆 〔平成25年10月24日〕

権 利 部 (甲 区) (所 有 権 に 関 す る 事 項)			
順位番号	登 記 の 目 的	受付年月日・受付番号	権 利 者 そ の 他 の 事 項
1	所有権移転	昭和42年９月９日 第8755号	原因　昭和22年９月５日相続 所有者 　千葉市若森町1040番地 　A 順位１番の登記を転写 平成25年10月16日受付 第69870号
2	所有権移転	平成25年11月15日 第82523号	原因　平成20年１月25日相続 所有者 　千葉市若葉区若森町1040番地 　B
3	所有権移転	令和１年９月24日 第67356号	原因　令和１年９月１日相続 共有者 　千葉市若葉区東都賀二丁目３番７号 　持分２分の１　C 　千葉市緑区おゆみ野西一丁目５番地１ 　２分の１　D

これは登記記録に記録されている事項の全部を証明した書面である。ただし，登記記録の乙区に記録されている事項はない。

令和元年11月11日
千葉地方法務局　　　　　　　　　　　　　　　　　　　　登記官　○　○　○　○　印

別紙２　遺言書

注：本遺言書は，以下の本文及び別紙の２葉で構成されており，その発見当時，当該２葉は，同一の封筒に入れられ封かんされていた。当該2葉中，文字のフォントの斜体部分は手書きであり，ゴシック部分は印字されたものである。また，㊞には適式な押印がされている。

遺　言　書

一　長男Cに，別紙目録１の不動産を相続させる。
二　次男Dに，別紙目録２の不動産を相続させる。

令和元年７月２日

B　㊞

別紙

目　録

1　千葉市若葉区若森町1040番１　　宅地300・00㎡　の土地
2　千葉市若葉区若森町1040番４　　宅地214・00㎡　の土地

B　㊞

別紙３　遺産分割協議書【別紙目録１及び同２は省略】

遺産分割協議書

令和元年９月１日Ｂの死亡により開始した相続に関し，相続人全員において次のとおり遺産分割の協議をした。

第１条　相続人Ｃ及び同Ｄは，千葉家庭裁判所(家)第7062号遺言検認事件に係るＢの令和元年７月２日付け自筆証書遺言が有効であることを確認する。

第２条　相続人Ｃは，別紙目録１記載の預貯金を単独で取得する。

２　相続人Ｄは，別紙目録２記載の預貯金を単独で取得する。

【第３条以下は省略。なお，第３条以下において，別紙２の遺言書と異なる記載はされていない。】

この遺産分割の協議を証するためこの証書を作成し，各記名押印して各人１通を所持するものである。

令和元年11月17日

当欄には，関係当事者全員の住所及び氏名が記載され，押印がされているものとする。

別紙４　根抵当権設定契約証書

根抵当権設定契約証書

令和元年11月29日

千葉県千葉市中央区港一丁目１番１号
株式会社Ｅ銀行　御中
(取扱店　若森支店)

住　　　　所【略】
根抵当権設定者
兼債務者　Ｄ

第１条(根抵当権の設定)
根抵当権設定者は，その所有する後記物件の上に，次の要項によって根抵当権を設定いたしました。

１．極度額　金6000万円
２．被担保債権の範囲　(1)　銀行取引による一切の債権
(2)　銀行が第三者から取得する手形上，小切手上の債権
(3)　銀行が第三者から取得する電子記録債権
３．債務者　【住所省略】　Ｄ
４．確定期日　定めない

【第２条以下は省略】

物件の表示

当欄には，甲土地が記載されているものとする。

別紙5　乙建物の全部事項証明書

表 題 部（主である建物の表示）	調製	余白		不動産番号	【略】
所在図番号	余白				
所　　在	千葉市若葉区若森町1040番地４			余白	
家屋番号	1040番４			余白	
①　種　類	②　構　造	③　床 面 積　㎡		原因及びその日付〔登記の日付〕	
居宅・店舗	木造合金メッキ鋼板ぶき ２階建	１階　60 ２階　55	35 15	令和２年５月13日新築 〔令和２年５月20日〕	
所　有　者	千葉市緑区おゆみ野西一丁目５番地１　D				

これは登記記録に記録されている事項の全部を証明した書面である。ただし，登記記録の甲区及び乙区に記録されている事項はない。

令和２年５月28日
千葉地方法務局　　　　　　　　　　　　　　　　登記官　○　○　○　○　印

MEMO

令和2年●答案用紙

第1欄

見解を述べた理由

第2欄

		(1)	(2)
登記の目的			
申請事項等	登記原因 及びその日付		
	上記以外の 申請事項等		
添付情報			
登録免許税			

第３欄

	(1)	(2)
登記の目的		
登記原因 及びその日付		
申請人		
登録免許税		

第４欄

		(1)	(2)
登記の目的			
申請事項等	登記原因及びその日付		
	上記以外の申請事項等		
添付情報			
登録免許税			

第５欄

		⑴	⑵
登記の目的			
申請事項等	登記原因及びその日付		
	上記以外の申請事項等		
添付情報			
登録免許税			

第６欄

有無	
理由	

[本問の重要論点一覧表]

出題範囲	重要論点	解説箇所
相続による権利の承継の対抗要件	相続による権利の承継は，遺産の分割によるものかどうかにかかわらず，法定相続分を超える部分につき，登記等の対抗要件を備えなければ，第三者に対抗することができない。	P231参照
特定財産承継遺言がある場合の相続登記の是正	相続人中の１名に対して「相続させる」旨の遺言がされた相続財産について共同相続の登記がされた場合の是正手続は，共同相続の登記を単独相続の登記に更正する手続によるのが相当である。	P232参照
	法定相続分での相続登記がされている不動産について，特定財産承継遺言がされていた場合においては，所有権の更正登記を申請することができる。	P232参照
根抵当権設定	申請人が登記識別情報を提供することができない正当な理由がある場合において，資格者代理人による本人確認情報の提供があり，かつ，登記官がその内容を相当であると認めたときには，登記官は，事前通知の手続を省略することができる。この場合，登記識別情報を提供することができない理由を申請情報の内容としなければならない。	P236参照
所有権登記名義人及び根抵当権の債務者の住所変更	同一の申請情報で住所移転及び住居表示実施を原因とする登記名義人住所変更登記を申請する場合において，最終の登記原因が住居表示実施であるときは，登録免許税は課されない。	P240参照
	根抵当権の追加設定の登記を申請する場合において，既登記根抵当権の債務者の住所又は本店に変更があったときは，その変更登記をしないまま，変更後の住所又は本店で債務者を表示して根抵当権の追加設定登記を申請することはできない。	P242参照
所有権保存	表題部所有者が住所を移転し，表題部に記載された住所と現在の住所とが異なることとなった場合であっても，表題部所有者は，住所の変更を証する情報を提供して，所有権保存登記を申請することができる。	P246参照

出題範囲	重要論点	解説箇所
共同根抵当権の追加設定	純粋共同根抵当権の設定は，数個の不動産について同時にする必要はなく，既登記根抵当権に追加担保として設定することもできる。	P248参照
事業用債務の保証	事業のために負担した貸金等債務を主たる債務とする保証契約は，保証人になろうとする者が公正証書で保証債務を履行する意思を表示していなければ効力を生じない。ただし，保証人となろうとする者が主たる債務者が法人である場合のその取締役である場合は，この限りではない。	P252参照

1 事件の概要

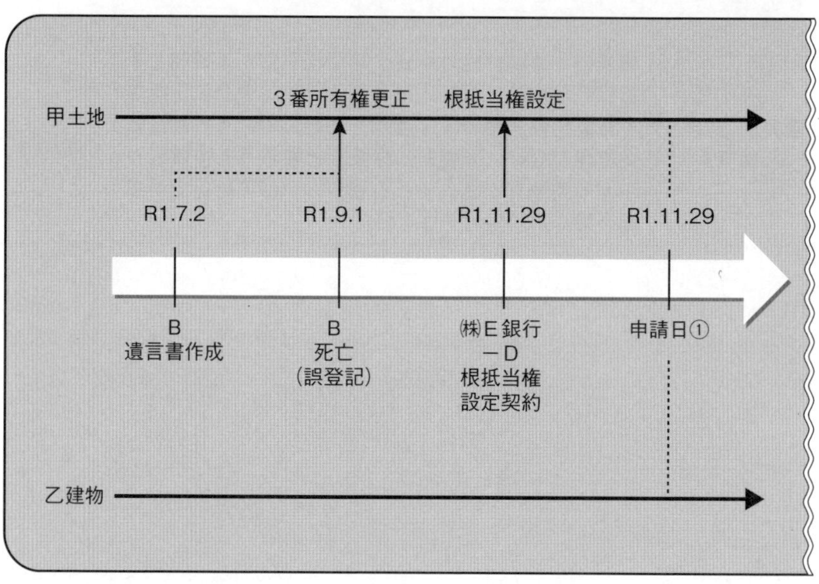
3番所有権更正
根抵当権設定
甲土地
R1.7.2
R1.9.1
R1.11.29
R1.11.29
B
遺言書作成
B
死亡
(誤登記)
㈱E銀行
－D
根抵当権
設定契約
申請日①
乙建物

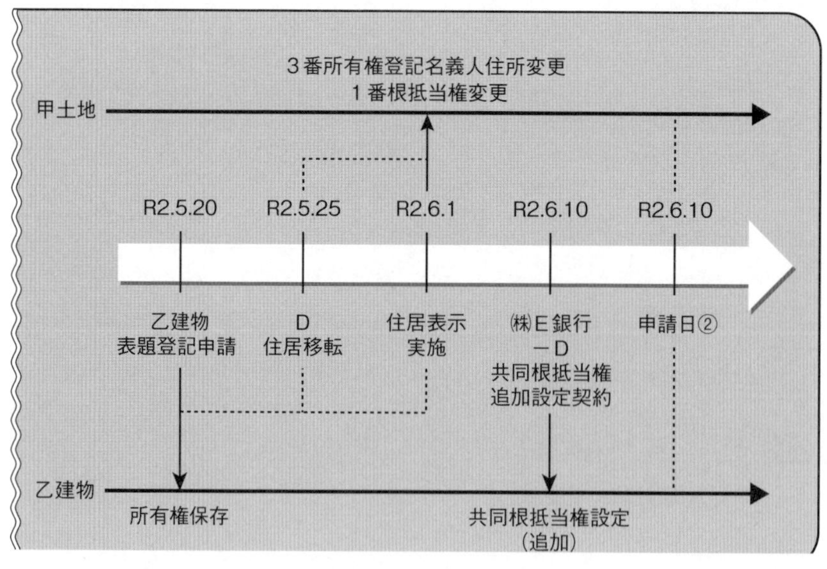
3番所有権登記名義人住所変更
1番根抵当権変更
甲土地
R2.5.20
R2.5.25
R2.6.1
R2.6.10
R2.6.10
乙建物
表題登記申請
D
住居移転
住居表示
実施
㈱E銀行
－D
共同根抵当権
追加設定契約
申請日②
乙建物
所有権保存
共同根抵当権設定
(追加)

2 相続による権利の承継の対抗要件

2−1 問題の所在

本問では，司法書士法務律子がＣ及びＤに対して**【事実関係】**８（**司法書士法務律子の説明**）の(2)の説明をした理由について，民法の条文内容を踏まえ検討する。

2−2 問題点　相続による権利の承継の対抗要件に関する検討

前提の知識

相続による権利の承継の対抗要件

相続による権利の承継は，遺産の分割によるものかどうかにかかわらず，法定相続分を超える部分につき，登記等の対抗要件を備えなければ，第三者に対抗することができない（民899の２Ⅰ）。

2−3 本問へのあてはめ

問１において，司法書士法務律子がＣ及びＤに対して**【事実関係】**８（**司法書士法務律子の説明**）中の下線部の見解を述べた理由が問われている。

この点，**【事実関係】**２より，令和１年９月１日，甲土地の所有権登記名義人であるＢが死亡し，**【事実関係】**４及び別紙１より，その相続人の一人であるＣにより，甲土地につき法定相続分によるＣＤ共有名義の相続登記がされていることが分かる。

しかし，別紙２より，「次男Ｄに甲土地を相続させる」旨のＢの遺言があるため，Ｄは法定相続分を超えて甲土地を取得することとなる。この点，Ｄは登記を備えなければＣの債権者等の第三者に対して法定相続分を超える持分の取得を対抗することができない。

したがって，答案用紙第１欄にそのように記載する（解答例参照）。

③ 特定財産承継遺言がある場合の相続登記の是正

3−1 問題の所在

本問では，別紙２より，「次男Ｄに甲土地を相続させる」旨のＢの遺言があるにもかかわらず，**【事実関係】** ４及び別紙１より，甲土地につきＣＤ共有名義の相続登記がされており，当該登記を是正する必要があることから，是正の方法及び登記の手続について検討する。

3−2 問題点　特定財産承継遺言がある場合の相続登記の是正に関する検討

前提の知識

(1)　是正登記の方法

登記と実体が異なる場合はこれを是正する必要があるが，是正する方法として「抹消」登記による場合と「変更」又は「更正」登記による場合が考えられる。

登記が誤っている場合，原則として，誤っている登記を抹消し，正しい登記をやり直すべきである。しかし，誤りが登記事項の一部であり，かつ，是正前後の登記の間に同一性がある場合においては，変更登記又は更正登記によることができる。この場合において，登記の誤りが原始的に生じたものであるときは「更正」登記をし，後発的に生じたものであるときは「変更」登記をすることとなる。

(2)　特定財産承継遺言がされていた場合における相続登記の更正

法定相続分での相続登記がされている不動産について、特定財産承継遺言がされていた場合においては、所有権の更正登記を申請することができる。当該登記は持分が増加する相続人が単独で申請することができ、その登記原因日付については、特定財産承継遺言の効力の生じた年月日をもって「年月日特定財産承継遺言」と記載することとなる（令5.3.28民二第538号)。

なお，共有者Ａ・ＢのうちＡが脱落する更正登記の完了後には，持分が増加した他の共有者Ｂに対して登記識別情報が通知される。

3−3 本問へのあてはめ

本問では，**【事実関係】**２より，令和１年９月１日，甲土地の所有権登記名義人であるＢが死亡し，**【事実関係】**４及び別紙１より，その相続人の一人であるＣにより，甲土地につきＣＤ共有名義の相続登記がされている。

しかし，別紙２より，「次男Ｄに甲土地を相続させる」旨のＢの遺言があることから，甲土地の所有権はＢの死亡時からＤに帰属していることとなるため，登記と実体が一致していないことが分かる。

そこで，甲土地の所有権に関する登記を実体と合致させる必要があるが，甲土地甲区３番の登記の誤りは原始的に生じたものであり，また，Ｄの持分については実体と一致しているため，是正前後の同一性が認められる。よって，更正登記により是正することとなる。

したがって，令和１年11月29日に，甲土地について，「令和１年９月１日特定財産承継遺言」を原因として「３番所有権更正」登記を申請する。

申請情報に関する事項

《３番所有権更正》甲土地

(1)　登記の目的

「３番所有権更正」とする。

(2)　登記原因及びその日付

「令和１年９月１日特定財産承継遺言」とする。

(3)　登記事項

「更正後の事項
　　所有者　千葉市緑区おゆみ野西一丁目５番地１
　　　　　　Ｄ　　　　　　　　　　　　　　」とする。

(4)　申請人

「権利者（申請人）　Ｄ
　義務者　Ｃ　　　　」とする。

(5)　申請情報と併せて提供することが必要な情報（添付情報）

ア　登記原因証明情報（不登61条，不登令７条１項５号ロ）

登記原因証明情報とは，権利に関する登記における登記の原因となる事実又は法律行為を証する情報をいう。

権利に関する登記を申請する場合には，申請人は，法令に別段の定めがある場合を除き，その申請情報と併せて登記原因を証する情報を提供しなければならない（不登61）。登記の正確性をより向上させるためには，登記

令和2年

原因があったことを確認して登記する必要があるからである。

登記名義人の氏名等についての変更又は更正の登記を申請するときは，登記名義人の氏名若しくは名称又は住所について変更又は錯誤若しくは遺漏があったことを証する市町村長，登記官，その他の公務員が職務上作成した情報（公務員が職務上作成した情報がない場合にあっては，これに代わるべき情報）が添付情報となる（不登令別表23添付情報欄）。

本問では，検認済み証明書が一体化された遺言書（別紙２）を添付する。

イ　代理人の権限を証する情報（不登令７条１項２号）

登記の申請を代理人により行う場合には，一定の場合を除き，代理人の権限を証する情報を提供しなければならない。登記の申請が申請人の意図しているとおりのものであるか否かを登記官が確認する必要があるためである。

本問では，Ｄの委任状を添付する。

なお，委任状については，解答が要求されていない。

(6)　登録免許税

不動産１個につき，金1,000円である（登録税別表1.1.(14)）。

本問では，金1,000円となる。

4　根抵当権設定

4−1　問題の所在

本問では，別紙４より，株式会社Ｅ銀行とＤとの間で，甲土地を目的として根抵当権設定契約が締結されていることから，当該事実に基づき必要となる登記の手続について，資格者代理人による本人確認情報を提供する方法により登記を申請する必要がある点に留意しつつ検討する。

4−2　問題点　根抵当権設定登記に関する検討

前提の知識

(1)　根抵当権

根抵当権とは，一定の範囲に属する不特定多数の債権を極度額の限度において担保する抵当権をいう。

根抵当権は債権者と設定者との設定契約によって生ずる担保物権であり，

当事者の意思の合致のみによって成立する（民176）。ただし，第三者対抗要件としてその登記を要する（民177）。根抵当権を設定するには，その目的となる物件を特定し，担保すべき債権の範囲，債務者及び極度額を定めなければならない。

被担保債権の範囲の定め方は法定されており，具体的には，次の要領で定めることを要する（民398の２）。

㈠ **債務者との特定の継続的取引契約から生じた債権**

債権者（根抵当権者）と債務者との間で締結された具体的な継続的取引契約であり，債権者・債務者間において将来にわたり反復継続して取引を行うことを約した上で締結された契約であればよい。登記することができる例として，「年月日当座貸越契約」，「年月日手形割引契約」，「年月日リース取引等契約」等がある。

㈡ **債務者との一定の種類の取引から生じた債権**

登記することができる例として，「売買取引」，「保証委託取引」，「商品供給取引」，「銀行取引」，「手形貸付取引」，「請負取引」，「消費貸借取引」，「保証取引」，「賃貸借取引」，「使用貸借取引」，「信託取引」等がある。

一方で，「商取引」，「商社取引」，「根抵当取引」，「準消費貸借取引」，「保証債務取引」，「商品委託取引」，「リース取引」，「手形・小切手取引」等については登記することができない。

㈢ **特定の原因に基づいて債務者との間に継続して生ずる債権**

登記することができる例として，「甲工場の排液による損害賠償債権」，「乙工場からの清酒移出による酒税債権」等がある。

㈣ **手形上若しくは小切手上の請求権**

この場合，「手形債権　小切手債権」と記載する。「手形・小切手債権」と省略して記載することはできない。

㈤ **電子記録債権**

⑵ **取扱店の表示**

（根）抵当権者が銀行等の場合においては，（根）抵当権設定登記時にその取扱店の表示を登記事項として登記を申請することができる（昭36.5.17民甲1134号）。

また，（根）抵当権設定登記後においても，（根）抵当権登記名義人の表示変更登記に準じ，その取扱店の表示の追加又は変更の登記を申請することができる。

(3) **資格者代理人による本人確認情報の提供**

申請人が登記識別情報を提供することができない正当な理由がある場合において，資格者代理人による本人確認情報の提供があり，かつ，登記官がその内容を相当であると認めたときには，登記官は，事前通知の手続（不登23Ⅰ）を省略することができる（不登23Ⅳ①）。この場合，登記識別情報を提供することができない理由を申請情報の内容としなければならない（不登令３⑫）。

本人確認情報においては，申請人が「申請の権限を有する登記名義人」であることが確認されていることを要する（不登規72）。なお，登記名義人の法定代理人は，本人確認情報の作成において確認されるべき「申請の権限を有する者」に該当する。

4−3 本問へのあてはめ

本問では，別紙４より，令和１年11月29日，株式会社Ｅ銀行とＤとの間で，甲土地を目的として根抵当権設定契約が締結されたことが分かる。

したがって，令和１年11月29日に，甲土地について，「令和１年11月29日設定」を原因として「根抵当権設定」登記を申請する。

なお，甲土地甲区３番のＣＤ共有名義の相続登記は，Ｃが保存行為として申請した登記であるため，自ら申請人とならなかったＤは登記識別情報の通知を受けておらず，本件根抵当権設定登記の申請に際し，当該持分についての登記識別情報を提供することができない。この点，問題文より，司法書士法務律子は，申請情報と併せて提供すべき登記識別情報を提供することができない者から，資格者代理人による本人確認情報を作成及び提供することの依頼を受けていることが分かるため，本問においては，当該情報を提供して登記の申請をしていると判断することとなる。

申請情報に関する事項

《根抵当権設定》甲土地

(1) **登記の目的**

「根抵当権設定」とする。

(2) **登記原因及びその日付**

「令和１年11月29日設定」とする。

(3) **登記事項**

※　登記事項については，解答が要求されていない。

「極度額　　　金6,000万円
　債権の範囲　銀行取引

手形債権
小切手債権
電子記録債権
債務者　千葉市緑区おゆみ野西一丁目５番地１
D　」とする。

⑷　申請人

「根抵当権者　株式会社Ｅ銀行
（取扱店　若森支店）
（会社法人等番号　××××－××－××××××）
代表取締役　〇〇
設定者　D　」
とする。

⑸　申請情報と併せて提供することが必要な情報（添付情報）

※　添付情報については，解答が要求されていない。

ア　登記原因証明情報（不登61条，不登令７条１項５号ロ）

本問では，根抵当権設定契約証書（別紙４）を添付する。

イ　登記識別情報（不登22条，不登令８条）

登記識別情報とは，不動産登記法22条本文の規定により登記名義人が登記を申請する場合において，当該登記名義人自らが当該登記を申請していることを確認するために用いられるものであり，アラビア数字その他の符号の組合せにより不動産及び登記名義人となった申請人ごとに定める情報で，登記名義人を識別することができるものをいう（不登２⑭，不登規61）。

登記権利者及び登記義務者が共同して権利に関する登記の申請をする場合その他登記名義人が政令で定める登記の申請をする場合には，申請人は，その申請情報と併せて登記義務者等の登記識別情報を提供しなければならない（不登22）。登記義務者等の本人性の確認をするためである。

なお，いわゆるオンライン庁では，オンライン指定後も，従前の登記済証は，書面による申請における添付書面として利用することができ，登記済証を提出すれば，登記識別情報の提供とみなされる（不登附則７）。

本問では，令和１年11月29日付け申請によりＤに通知される甲土地甲区３番付記１号の登記識別情報を提供する。

ウ　本人確認情報（不登23条４項１号）

申請人が登記識別情報（登記済証）を提供することができないことにつき正当な理由がある場合において，当該申請が登記の申請の代理を業とすることができる代理人によってされた場合であれば，当該登記識別情報（登記済証）の提供に代えて，当該申請人が不動産登記法23条１項の登記義務者であることを確認するために必要な情報（以下「本人確認情報」という。）の提供をすることができる（不登23Ⅳ①）。ただし，登記官が，本人確認情報の内容を相当と認めることができない場合には，事前通知の手続が採られることになる（不登準則49Ⅳ）。

なお，不動産登記規則72条１項においては，本人確認情報のなかで明らかにしなければならない事項が挙げられている。

本問では，司法書士法務律子が作成したＤが登記義務者であることを確認する本人確認情報を添付する。

エ　印鑑に関する証明書（不登令18条２項，不登規49条）

委任による代理人によって登記を申請する場合，法務省令で定める場合を除き，申請人又はその代表者が，当該代理人の権限を証する情報を記載した書面（委任状）に記名押印しなければならず，当該書面には，法務省令で定める場合を除き，記名押印した者（委任による代理人を除く。）の印鑑に関する証明書（原則として，市町村長又は登記官が作成するもの）を添付しなければならない。登記義務者の登記申請意思を登記官が形式的に確認し，真正な登記の実現を図る必要があるからである。

本問では，令和１年11月29日発行のＤの印鑑に関する証明書を添付する。

オ　代理人の権限を証する情報（不登令７条１項２号）

本問では，株式会社Ｅ銀行の代表取締役及びＤの委任状を添付する。

なお，委任状については，解答が要求されていない。

カ　会社法人等番号（不登令７条１項１号イ）

申請人が会社法人等番号を有する法人であるときは，原則として，当該法人の会社法人等番号を提供することを要する。

また，申請情報と併せて会社法人等番号を提供したときは，印鑑証明書，住所証明情報，住所変更証明情報は提供不要となる。さらに，申請情報と併せて会社法人等番号を提供したときは，法人の合併による承継を証する情報又は法人の名称変更等を証する情報の提供に代えることができるものとされ，加えて，登記原因証明情報の一部として登記事項証明書の提供が必要とされている場合に，申請情報と併せて会社法人等番号を提供したときは，登記事項証明書の提供に代えることができる。

なお，住所の変更事項等が閉鎖登記記録に記録されている場合であっても，会社法人等番号を提供すれば，原則として，法人の住所変更等を証する情報の提供を省略することができる。ただし，平成24年５月20日（外国会社にあっては平成27年３月１日）以前の法人の登記においては，組織変更や他の登記所の管轄区域内への本店の移転の登記等をする場合に会社法人等番号が変更されていたため，平成24年５月20日（外国会社にあっては平成27年３月１日）以前の会社法人等番号が記録された登記記録に住所の移転の事項が記録されているときは，現在の会社法人等番号の提供に加えて，住所の移転の事項を確認することができる閉鎖事項証明書又は閉鎖登記簿謄本を提供する必要がある。

本問では，株式会社Ｅ銀行の会社法人等番号を提供する。

⑹　**登記識別情報を提供することができない理由**

登記の申請に当たって登記識別情報を提供することができないときは，当該登記識別情報を提供することができない理由を申請情報の内容とする必要があるが（不登令３⑫），本問においては，（答案作成に当たっての注意事項）１⑶より，「申請人」欄に「不通知」と記載することとなる。

⑺　**課税価格及び登録免許税**

「極度額」を課税価額として，それに「1,000分の４」（登録税別表1.1.⑸）を乗じた額である。

以上から，次のように算定する。

金6,000万円×1,000分の４＝金24万円

５　所有権登記名義人及び根抵当権の債務者の住所変更

5－1　問題の所在

本問では，**【事実関係】**11より，甲土地の所有権登記名義人かつ１番根抵当権の債務者であるＤが住所を移転し，その後，**【事実関係】**12より，当該住所につき住居表示が実施されていることから，これらの事実に基づき必要となる登記の手続について検討する。

5-2 問題点①　前提としての登記名義人住所変更登記に関する検討

前提の知識

(1)　登記名義人住所（氏名）変更・更正登記

登記名義人住所（氏名）（法人であれば，本店・商号）変更・更正登記は，現在の登記名義人につき，その住所，氏名等が登記記録上の記録と一致しない場合に，これを一致させるためにされる登記をいう。当該登記は，主たる登記と一体として公示する必要があるため，付記登記で実行される（不登規３Ⅰ）。

登記名義人住所（氏名）変更登記を申請することができる場合は，その権利の主体には何ら変更がなく，その表示に後発的に変更が生じたときに限られ，原始的に表示の誤りがあるときは登記名義人住所（氏名）更正登記を申請する。そして，この登記名義人住所（氏名）変更・更正登記は，登記名義人が単独で申請することができる（不登64Ⅰ）。

(2)　住居表示実施による変更登記

登記名義人の住所につき住居表示が実施された場合，住居表示実施を原因とする登記名義人住所変更登記を申請する。この場合において，財務省令で定める証明書を添付したときは，登録免許税が課されない（登録税５④）。この場合においては，登録免許税の記載に根拠条文を掲げる（不登規189Ⅱ）。

なお，同一の申請情報で住所移転及び住居表示実施を原因とする登記名義人住所変更登記を申請する場合において，最終の登記原因が住居表示実施であるときは，登録免許税は課されない（昭40.10.11民甲2915号参照）。

(3)　前提としての登記名義人表示変更登記の要否

所有権その他の権利の移転又は変更等の登記を申請する場合において，登記義務者の表示が登記記録上の表示と一致しないときは，その登記の前提として，登記義務者の住所等の変更（更正）登記をしなければ，申請情報の内容である登記申請人の氏名若しくは名称又は住所が登記記録と合致しないこととなり，不動産登記法25条７号の却下事由に該当する。

(4)　一の申請情報による住所・氏名変更（更正）登記の申請の可否

同一の登記所の管轄区域内にある一又は二以上の不動産について申請する二以上の登記が，いずれも同一の登記名義人の氏名若しくは名称又は住所についての変更の登記又は更正の登記であるときは，一の申請情報により申請することができる（不登令４但書，不登規35⑧）。

よって，同一の登記名義人についての住所移転による住所変更登記と住居表示実施による住所変更登記は，一の申請情報により申請することができる。この場合，登記の目的は「○番所有権登記名義人住所変更」，登記原因及びその日付は「令和○年○月○日住所移転　令和○年○月○日住居表示実施」と記載する。また，最終の登記原因が住居表示実施となる場合，登録免許税は課されない（昭40.10.11民甲2915号参照）。

5−3 本問へのあてはめ

本問では，**【事実関係】**11より，令和２年５月25日，甲土地の所有者であるＤが千葉市若葉区若森町1040番地４に住所を移転し，その後，**【事実関係】**12より，令和２年６月１日，当該住所につき住居表示が実施され，千葉市若葉区若森三丁目３番３号となっていることが分かる。そこで，後述する１番根抵当権の債務者の住所変更登記を申請する前提として，所有権登記名義人住所変更登記を申請する必要がある。

この点，住所移転を原因とする住所変更の登記と住居表示実施を原因とする住所変更の登記は一の申請情報により申請することができるところ，**〔事実関係に関する補足〕**５より，司法書士法務律子は，申請件数及び登録免許税の額が最も少なくなるように登記を申請するとあることから，当該登記は一の申請情報により申請することとなる。

したがって，令和２年６月10日に，甲土地について，「令和２年５月25日住所移転　令和２年６月１日住居表示実施」を原因として「３番所有権登記名義人住所変更」登記を申請する。

5−4 問題点②　根抵当権の債務者の住所変更に関する検討

前提の知識

(1)　根抵当権の債務者の住所変更

根抵当権の債務者の住所について変更が生じた場合は，根抵当権者を登記権利者，設定者を登記義務者として，根抵当権変更登記を申請することとなる。抵当権の債務者の住所変更登記を申請する場合とは異なり，当該登記を申請する場合，設定者の印鑑証明書を提供することを要する。

なお，住居表示実施を原因とする根抵当権の債務者の住所変更登記を申請する場合，登録免許税は非課税となる。

令和２年

(2) **既登記担保権の債務者の住所変更と追加設定**

抵当権の追加設定の登記を申請する場合において，既登記抵当権の債務者の住所又は本店に変更があったときは，その変更登記をしないまま，変更後の住所又は本店で債務者を表示して抵当権の追加設定登記を申請することができる。

これに対して，根抵当権の追加設定の登記を申請する場合において，既登記根抵当権の債務者の住所又は本店に変更があったときは，その変更登記をしないまま，変更後の住所又は本店で債務者を表示して根抵当権の追加設定登記を申請することはできない。

5-5 本問へのあてはめ

本問では，前述のとおり，甲土地１番根抵当権の債務者であるＤが千葉市若葉区若森町1040番地４に住所を移転し，その後，当該住所につき住居表示が実施され，千葉市若葉区若森三丁目３番３号となっていることが分かる。この点，共同根抵当権追加設定登記の申請情報に記載される債務者の住所が既登記根抵当権の登記記録と一致しない場合，追加設定登記を申請することはできない。そのため，後述する共同根抵当権追加設定登記を申請する前提として，１番根抵当権の債務者の住所を変更する登記を申請する必要がある。

したがって，令和２年６月10日に，甲土地について，「令和２年５月25日住所移転　令和２年６月１日住居表示実施」を原因として「１番根抵当権変更」登記を申請する。

なお，甲土地甲区３番のＣＤ共有名義の相続登記は，Ｃが保存行為として申請した登記であるため，自ら申請人とならなかったＤは登記識別情報の通知を受けておらず，本件根抵当権設定登記の申請に際し，当該持分についての登記識別情報を提供することができない。この点，問題文より，司法書士法務律子は，申請情報と併せて提供すべき登記識別情報を提供することができない者から，資格者代理人による本人確認情報を作成及び提供することの依頼を受けていることが分かるため，本問においては，当該情報を提供して登記の申請をしていると判断することとなる。

申請情報に関する事項

《３番所有権登記名義人住所変更》甲土地

(1) 登記の目的

「３番所有権登記名義人住所変更」とする。

(2) 登記原因及びその日付

「令和２年５月25日住所移転
令和２年６月１日住居表示実施」とする。

(3) 登記事項

「変更後の事項
住所　千葉市若葉区若森三丁目３番３号」とする。

(4) 申請人

「申請人　D」とする。

(5) 申請情報と併せて提供することが必要な情報（添付情報）

ア　登記原因証明情報（不登61条，不登令７条１項５号ロ）

本問では，Dの住所移転の事実及び住居表示実施により住所が変更された事実が記載された令和２年６月10日発行のDの戸籍の附票の写しを添付する。

イ　代理人の権限を証する情報（不登令７条１項２号）

本問では，Dの委任状を添付する。

なお，委任状については，解答が要求されていない。

ウ　非課税証明書（昭37.8.29民甲2470号）

住居表示の実施又は変更に伴う登記事項の変更の登記を申請し，それについて非課税の措置を受ける場合には，その申請情報に，当該住居表示の実施又は変更に係る市町村長の証明書等を添付しなければならない。

本問では，Dの住所移転の事実及び住居表示実施により住所が変更された事実が記載された令和２年６月10日発行のDの戸籍の附票の写しを添付する。

(6) 登録免許税

最終の登記原因が住居表示実施となる登記名義人住所変更登記を申請する場合であるため，登録免許税は非課税となる。

この場合，登録免許税法の適用条項を掲げ，その非課税事由を明らかにする必要があるが，本問においては，（答案作成に当たっての注意事項）７より，「非課税（登録免許税法第５条第４号）」と記載することとなる。

《1番根抵当権変更》甲土地

⑴ **登記の目的**

「1番根抵当権変更」とする。

⑵ **登記原因及びその日付**

「令和2年5月25日住所移転
令和2年6月1日住居表示実施」とする。

⑶ **登記事項**

「変更後の事項
債務者　千葉市若葉区若森三丁目3番3号
D　」とする。

⑷ **申請人**

「権利者　株式会社E銀行
（会社法人等番号　××××-××-××××××）
代表取締役　○○
義務者　D　」とする。

⑸ **申請情報と併せて提供することが必要な情報（添付情報）**

ア　**登記原因証明情報（不登61条，不登令7条1項5号ロ）**

本問では，Dの住所移転の事実及び住居表示実施により住所が変更された事実が記載された令和2年6月10日発行のDの戸籍の附票の写しを添付する。

イ　**登記識別情報（不登22条，不登令8条）**

本問では，令和1年11月29日付け申請によりDに通知される甲土地甲区3番付記1号の登記識別情報を提供する。

ウ　**本人確認情報（不登23条4項1号）**

本問では，司法書士法務律子が作成したDが登記義務者であることを確認する本人確認情報を添付する。

エ　**印鑑に関する証明書（不登令18条2項，不登規49条）**

本問では，令和2年6月10日発行のDの印鑑に関する証明書を添付する。

オ　**代理人の権限を証する情報（不登令7条1項2号）**

本問では，株式会社E銀行の代表取締役及びDの委任状を添付する。

なお，委任状については，解答が要求されていない。

カ　**会社法人等番号（不登令7条1項1号イ）**

本問では，株式会社E銀行の会社法人等番号を提供する。

キ　**非課税証明書（昭37.8.29民甲2470号）**

本問では，Ｄの住所移転の事実及び住居表示実施により住所が変更された事実が記載された令和２年６月10日発行のＤの戸籍の附票の写しを添付する。

⑹　**登記識別情報を提供することができない理由**

本問においては，（答案作成に当たっての注意事項）１⑶より，「上記以外の申請事項等」欄に「不通知」と記載する。

⑺　**登録免許税**

最終の登記原因が住居表示実施となる根抵当権の債務者の住所変更登記を申請する場合であるため，登録免許税は非課税となる。

この場合，登録免許税法の適用条項を掲げ，その非課税事由を明らかにする必要があるが，本問においては，（答案作成に当たっての注意事項）７より，「非課税（登録免許税法第５条第４号）」と記載することとなる。

6 所有権保存

6−1　問題の所在

本問では，**【事実関係】**10及び別紙５より，乙建物につき表題部所有者をＤとする表題登記が完了していることから，当該事実に基づき必要となる登記の手続について検討する。

6−2　問題点　所有権保存登記に関する検討

前提の知識

⑴　**所有権保存登記**

所有権保存登記とは，所有権の登記がない不動産について，初めてされる所有権の登記のことをいう。

所有権保存登記には登記義務者の概念がなく，単独申請によることとなる。ただし，所有者の認定を容易にするため，所有権保存登記は，一定の申請適格者に限り申請することができる（不登74）。

①　表題部所有者又はその相続人その他の一般承継人

死亡者である被相続人名義であっても，所有権保存登記を申請することができる（昭32.10.18民甲1953号）。

複数の表題部所有者のうち一人に相続その他一般承継があったときは，共有者の相続人等一般承継人と他の共有者が所有権保存登記の登記名義人となることができる。例えば，表題部所有者をＡＢとする不動産について，ＣとＤがＡを相続した場合，ＢＣＤを登記名義人とする所有権保存登記を申請することができる。表題部に記載された共有者ＡＢのいずれもが死亡している場合に，亡Ａについてはその相続人名義で，亡ＢについてはＢ名義にて所有権保存登記を申請することもできる（昭36.9.18民甲2323号）。

また，合併による存続会社・新設会社も一般承継人に含まれる（明40.1.14民刑1414号）。

② 所有権を有することが確定判決によって確認された者

③ 収用によって所有権を取得した者

④ 区分建物にあっては，表題部所有者から所有権を取得した者

(2) 表題部所有者の表示に変更がある場合の所有権保存登記

表題部所有者が住所を移転し，表題部に記載された住所と現在の住所とが異なることとなった場合であっても，表題部所有者は，住所の変更を証する情報を提供して，所有権保存登記を申請することができる。

6-3 本問へのあてはめ

本問では，**【事実関係】**10及び別紙５より，乙建物につき表題部所有者をＤとする表題登記が完了していることが分かる。表題部所有者は所有権保存登記の申請適格を有するため，所有者をＤとする所有権保存登記を申請することとなる。

したがって，令和２年６月10日に，乙建物について，「所有権保存」登記を申請する。

なお，前述のとおり，令和２年５月25日，乙建物の表題部所有者であるＤが千葉市若葉区若森町1040番地４に住所を移転し，その後，令和２年６月１日，当該住所につき住居表示が実施され，千葉市若葉区若森三丁目３番３号となっていることから，乙建物の表題部に記載されている住所と現在の住所が異なることとなるが，この場合であっても住所の変更を証する情報を提供して，直ちに所有権保存登記を申請することができる。

申請情報に関する事項

《所有権保存》乙建物

⑴　登記の目的

「所有権保存」とする。

⑵　申請人

「所有者　D」とする。

⑶　申請情報と併せて提供することが必要な情報（添付情報）

ア　住所を証する情報（不登令７条１項６号，不登令別表28添付情報欄ニ，不登令別表29添付情報欄ハ，不登令別表30添付情報欄ハ）

所有権の保存又は移転の登記を申請する場合に，所有権の登記名義人となる者についての，市町村長，登記官その他の公務員が職務上作成した住所を証する情報（公務員が職務上作成した情報がない場合にあっては，これに代わるべき情報）を提供しなければならない。登記記録上に架空の所有者が現れることを防ぐためである。

なお，オンライン庁における申請では，住民基本台帳法７条13号に規定する住民票コードを提供すれば，当該住所を証する情報を提供することを要しない（不登令９，不登規36Ⅳ）。

本問では，Dの令和２年６月10日発行の戸籍の附票の写しを添付する。

イ　変更証明情報（登研213-71）

本問では，Dの住所移転の事実及び住居表示実施により住所が変更された事実が記載された令和２年６月10日発行のDの戸籍の附票の写しを添付する。

ウ　代理人の権限を証する情報（不登令７条１項２号）

本問では，Dの委任状を添付する。

なお，委任状については，解答が要求されていない。

⑷　申請条項

所有権保存登記を申請する場合，申請人が不動産登記法74条１項各号に掲げる者のいずれであるか，あるいは同条２項の規定により登記を申請する旨を申請情報の内容とする必要があるが（不登令別表28申請情報欄イ・29申請情報欄），本問においては，（答案作成に当たっての注意事項）１⑷より，「上記以外の申請事項等」欄に「不動産登記法74条１項１号」と記載することとなる。

⑸　課税価格

課税標準となる金額に1,000円未満の端数があるときは，その端数は切り捨てる（国税通則118Ⅰ）。

したがって，課税価格は，金890万1,000円となる。

(6) **登録免許税**

課税価格に「1,000分の４」（登録税別表1.1.(1)）を乗じた額である。

以上から，次のように算定する。

金890万1,000円×1,000分の４＝金３万5,604円

なお，登録免許税の金額に100円未満の端数があるときは，その端数は切り捨てる（国税通則119Ⅰ）。

したがって，登録免許税は，金３万5,600円となる。

7 共同根抵当権の追加設定

7−1 問題の所在

本問では，**【事実関係】**13より，令和２年６月10日，株式会社Ｅ銀行とＤとの間で，甲土地１番根抵当権の追加担保として，乙建物を目的として共同根抵当権設定契約が締結されていることから，当該事実に基づき必要となる登記の手続について検討する。

7−2 問題点　共同根抵当権の追加設定に関する検討

前提の知識

(1) **共同根抵当権**

同一の債権を担保するために数個の不動産を目的として根抵当権を設定した場合，原則として設定された不動産ごとに根抵当権は成立し，民法392条・393条の適用はない。これを累積式根抵当権という（民398の18）。

これに対し，設定登記と同時に共同担保である旨を登記すれば，民法392条・393条の適用がある共同根抵当権とすることができる（民398の16）。これを純粋共同根抵当権という。

純粋共同根抵当権の設定は，数個の不動産について同時にする必要はなく，既登記根抵当権に追加担保として設定することもできる。共同根抵当権の追加設定の要件は以下のとおりである。

(ｲ) **同一債権を担保すること**

具体的には，極度額，債権の範囲，債務者（不登88Ⅱ・83）及び根抵当権者が既登記根抵当権と同一であることを要する（民398の16）。

なお，確定期日，優先の定め等については，各不動産につき各別の定めをすることができる。

(ロ) **片面的共同担保とならないこと**

a．**共同根抵当権が設定されている甲乙物件に丙物件を追加設定**

甲乙丙を共同根抵当権とする設定→可

甲丙又は乙丙を共同根抵当権とする設定→不可

b．**累積式根抵当権が設定されている甲乙物件に丙物件を追加設定**

甲乙丙を共同根抵当権とする設定→不可

甲丙又は乙丙を共同根抵当権とする設定→可

(ハ) **既登記根抵当権が元本確定前であること**

元本確定後に追加設定をすることはできない（平1.9.5民三3486号）。

(2) **前登記証明書**

共同根抵当権の追加設定の登記を申請する場合において，前の登記に他の登記所の管轄区域内にある不動産に関するものがあるときは，当該前の登記に関する登記事項証明書が添付情報となる（不登令７Ⅰ⑥，不登令別表56添付情報欄ロ）。根抵当権の内容が同一であるか，既登記根抵当権の全ての目的不動産を共同担保として申請しているかを確認するために提供を要し，また，当該書面は登録免許税法13条２項の適用を受けるための書面も兼ねることとなる。

なお，他の登記所の管轄区域内にある不動産が２以上あるときであっても，他の登記所ごとに登記事項証明書（共同担保目録に記録された事項の記載があるものに限る。）を１通提供すれば足りるとされている（不登準則112）。

7−3 本問へのあてはめ

本問では，**【事実関係】**13より，令和２年６月10日，株式会社Ｅ銀行とＤとの間で，甲土地１番根抵当権の追加担保として，乙建物を目的として共同根抵当権追加設定契約が締結されたことが分かる。

この点，追加設定される根抵当権と甲土地の１番根抵当権の極度額，債権の範囲，債務者及び根抵当権者の全てが同一となっており，また，甲土地１番根抵当権の元本が確定している事実は示されていないことから，共同根抵当権の追加設定登記を申請することができる。

したがって，令和２年６月10日に，乙建物について，「令和２年６月10日設定」を原因として「共同根抵当権設定（追加）」登記を申請する。

申請情報に関する事項

《共同根抵当権設定（追加）》乙建物

⑴　**登記の目的**

「共同根抵当権設定（追加）」とする。

⑵　**登記原因及びその日付**

「令和２年６月10日設定」とする。

⑶　**登記事項**

「極度額　金6,000万円
債権の範囲　銀行取引
手形債権
小切手債権
電子記録債権
債務者　千葉市若葉区若森三丁目３番３号
D　」とする。

⑷　**申請人**

「根抵当権者　株式会社Ｅ銀行
（取扱店　若森支店）
（会社法人等番号　××××－××－××××××）
代表取締役　○○
設定者　D　」
とする。

⑸　**申請情報と併せて提供することが必要な情報（添付情報）**

ア　**登記原因証明情報（不登61条，不登令７条１項５号ロ）**

本問では，令和２年６月10日付けの追加根抵当権設定契約証書を添付する。

イ　**登記識別情報（不登22条，不登令８条）**

本問では，令和２年６月10日付け申請によりＤに通知される乙建物甲区１番の登記識別情報を提供する。

ウ　**印鑑に関する証明書（不登令18条２項，不登規49条）**

本問では，令和２年６月10日発行のＤの印鑑に関する証明書を添付する。

エ　**代理人の権限を証する情報（不登令７条１項２号）**

本問では，株式会社Ｅ銀行の代表取締役及びＤの委任状を添付する。

なお，委任状については，解答が要求されていない。

オ　**会社法人等番号（不登令７条１項１号イ）**
本問では，株式会社Ｅ銀行の会社法人等番号を提供する。
※　本問では，甲土地と乙建物の管轄が同一であるため，前登記証明書の添付を省略することができる（不登令別表56ロ参照）。

⑹　**登録免許税**
不動産１個につき，金1,500円である（登録税13Ⅱ）。
本問では，金1,500円となる。
この場合，登録免許税法の適用条項を掲げる必要があるが，本問においては，（答案作成に当たっての注意事項）７より，「金1,500円（登録免許税法第13条第２項）」と記載することとなる。

8 事業用債務の保証

8－1　問題の所在

本問では，Ｄが株式会社Ｇの連帯保証人となる場合において，保証債務を履行する意思を表示した公正証書を作成する義務があるかについて，民法の条文内容を踏まえ検討する。

8－2　問題点　事業用債務の保証に関する検討

前提の知識

事業に係る債務についての保証
事業のために負担した貸金等債務を主たる債務とする保証契約又は主たる債務の範囲に事業のために負担する貸金等債務が含まれる根保証契約は，その契約の締結に先立ち，その締結の日前１か月以内に作成された公正証書で保証人になろうとする者が保証債務を履行する意思を表示していなければ，その効力を生じない（民465の６Ⅰ）。
ただし，保証人になろうとする者が法人である場合又は主たる債務者が法人である場合のその理事，取締役，執行役又はこれらに準ずる者である等のいわゆる経営者保証がされる場合は，この限りではない（民465の６Ⅲ・465の９）。

8−3 本問へのあてはめ

問6において，Dが株式会社Gの連帯保証人となる場合において，保証債務を履行する意思を表示した公正証書を作成する義務があるかについて問われている。

この点，事業のために負担した貸金等債務を主たる債務とする保証契約であっても，主たる債務者が法人であり，保証人になろうとする者が当該法人の取締役等である場合，保証契約について公正証書の作成を要しないところ，**【事実関係】**14より，Dは株式会社Gの取締役となる者であることから，Dにおいて保証債務を履行する意思を表示した公正証書を作成する義務はない。

したがって，答案用紙第6欄にそのように記載する（解答例参照）。

MEMO

解答例

第１欄

見解を述べた理由 相続による権利の承継は，遺産の分割によるものかどうかにかかわらず，法定相続分を超える部分については，登記を備えなければ第三者に対抗することができないところ，甲土地甲区３番でＣ持分として登記されている部分については，Ｄが遺言により法定相続分を超えて取得したものであり，登記を備えなければＣの債権者等の第三者に対抗することができないため。

第２欄

		(1)	(2)
登記の目的		３番所有権更正	登記不要
申請事項等	登記原因及びその日付	令和１年９月１日特定財産承継遺言	
	上記以外の申請事項等	更正後の事項　※ 　所有者　千葉市緑区おゆみ野西一丁目５番地１ 　　　　　Ｄ 権利者（申請人）　Ｄ 義務者　Ｃ	
添付情報		ア	
登録免許税		金1,000円	

※「更正後の事項」は記載しなくともよいと解される。

第３欄

	(1)	(2)
登記の目的	根抵当権設定	登記不要
登記原因 及びその日付	令和１年11月29日設定	
申請人	根抵当権者　株式会社E銀行 （取扱店　若森支店） 設定者　D 登記識別情報を提供することができない理由　不通知	
登録免許税	金24万円	

第４欄

		(1)	(2)
登記の目的		３番所有権登記名義人住所変更　※1	１番根抵当権変更
申請事項等	登記原因及びその日付	令和２年５月25日住所移転 令和２年６月１日住居表示実施	令和２年５月25日住所移転 令和２年６月１日住居表示実施
	上記以外の申請事項等	変更後の事項　※2 　住所　千葉市若葉区若森三丁目3番3号 申請人　D	変更後の事項　※2 　債務者　千葉市若葉区若森三丁目３番３号 　D 権利者　株式会社E銀行 義務者　D 登記識別情報を提供することができない理由　不通知
添付情報		ツ	キ，コ，セ，ツ，ニ
登録免許税		非課税（登録免許税法第５条第４号）	非課税（登録免許税法第５条第４号）

※１　「３番登記名義人住所変更」と記載してもよいと解される。
※２　「変更後の事項」は記載しなくともよいと解される。

第５欄

		(1)	(2)
登記の目的		所有権保存	共同根抵当権設定（追加）
申請事項等	登記原因及びその日付	なし	令和２年６月10日設定
	上記以外の申請事項等	所有者　D 不動産登記法74条１項１号	極度額　金6,000万円 債権の範囲　銀行取引 手形債権 小切手債権 電子記録債権 債務者　千葉市若葉区若森三丁目３番３号 D 根抵当権者　株式会社E銀行 （取扱店　若森支店） 設定者　D
添付情報		ツ	オ，ケ，セ，ニ
登録免許税		金３万5,600円	金1,500円（登録免許税法第13条第２項）

第６欄

有無	無し
理由	事業のために負担した貸金等債務を主たる債務とする保証契約は，その契約の締結に先立ち，その締結の日前１か月以内に作成された公正証書で保証人になろうとする者が保証債務を履行する意思を表示していなければ，その効力を生じない。ただし，主たる債務者が法人であり，保証人になろうとする者が当該法人の取締役等である場合，保証契約については，公正証書の作成を要しない。したがって，株式会社Gの取締役であるDにおいて保証債務を履行する意思を表示した公正証書を作成する義務はない。

令和２年

問題　平成31年

本問題の日付は、出題当時の本試験問題に合わせておりますが、法令等については、令和７年４月１日時点において施行されているもの（本書作成時点において施行予定のものを含む。）を適用した上で、解答を作成してください。

別紙１－１の登記がされている敷地権付き区分建物（以下「甲区分建物」という。）並びにその敷地権の登記がされている別紙１－２の土地（以下「乙土地」という。）及び別紙１－３の土地（以下「丙土地」という。）について，司法書士法務律子は，平成31年１月18日，甲山大介から別紙１－１及び別紙２の提示を受けて登記に関する相談を受け，後記〔**平成31年１月18日甲山大介から聴取した内容**〕の事実関係を聴取した。同月25日，司法書士法務律子は，関係当事者全員から，甲山大介から聴取した事実関係に相違がないことの確認を得たのち，今回の登記の申請手続に必要な全ての書類を受領し，登記の申請手続について代理することの依頼を受けたので，同日，登記の申請を行った。

同年３月22日，上記の登記が完了した甲区分建物について，司法書士法務律子は，再度，甲山大介から別紙３から別紙６までの提示を受けて登記に関する相談を受け，後記〔**平成31年３月22日甲山大介から聴取した内容**〕の事実関係を聴取した。同年４月５日，司法書士法務律子は，関係当事者全員から，甲山大介から聴取した事実関係に相違がないことの確認を得たのち，今回の登記の申請手続に必要な全ての書類を受領し，登記の申請手続について代理することの依頼を受けたので，同日，登記の申請を行った。

以上に基づき，後記の問１から問４までに答えなさい。

〔平成31年１月18日甲山大介から聴取した内容〕

1　甲区分建物は，生前に父・甲山一郎が購入し，両親が住んでいましたが，今は誰も住んでおらず空き家の状態です。今後，使う見込みもないので売却に向けた準備をしています。

2　父は，平成24年７月21日に他界しました。父の相続人は，母・甲山友子と私の２人でしたが，平成30年２月12日，母も他界しました。母の相続人は私１人でした。父も母も遺言書は残しておらず，遺産の分割の協議を行ったこともありません。

3　乙区１番で登記されている抵当権は，父の死後に解除されましたが，その登記をせずに放置していました。今回，甲区分建物の売却に向けて，この抵当権についても必要な登記の申請をお願いしたいと思います。

4　乙区１番で登記されている抵当権について，株式会社ひだまり銀行から抵当権の登記を抹消するために必要な書類をもらいましたが，紛失してしまいました。株式会社ひだまり銀行に再発行を依頼し，別紙２の解除証書を含む幾つかの書類を受領しましたが，書類の一部は再発行することができないので，司法書士さんに「事前通知の方法で登記の申請をしてほしい」と伝えるよう言われました。この事前通知とはどのような方法でしょうか。また,それ以外の方法もあるのでしょうか。

〔平成31年３月22日甲山大介から聴取した内容〕

5　甲区分建物について，方針を変更して，リフォームをして賃貸することとしました。そこで，リフォームの費用として別紙３の株式会社つぼみ銀行から融資を受けることとしました。これに伴い，平成31年3月18日，別紙４のとおり契約を締結しました。

6　株式会社つぼみ銀行は，株式会社エール銀行と経営統合することとなり，平成30年９月３日，株式会社さくらホールディングスを株式移転完全親会社とする株式移転の手続を実施したそうですが，私の方は特に影響はなく今までと変わらない取引を続けています。

7　甲区分建物を賃貸していくに当たり，私が役員をしている別紙５の有限会社ＫＭ設計に甲区分建物の名義を移すことになり，平成31年３月21日，別紙６のとおり契約を締結し，手付金60万円を受け取りました。残代金の受取りは同年４月５日を予定しています。

8　ところで，甲区分建物の登記事項証明書を見たところ，敷地権というものがあることを知りました。甲区分建物の名義を移すに当たっては，建物の権利に関する登記の申請とは別に，敷地についても権利に関する登記を申請する必要があるのでしょうか。

〔事実関係に関する補足〕

1　司法書士法務律子が，平成31年１月25日に行った登記の申請は，同年２月７日に完了している。

2　平成31年４月５日，別紙６の契約に基づき，甲区分建物の売買代金の全額の支払及び受領が完了した。

3　登記申請に当たって法律上必要な手続は，各申請日までに全てされている。なお，登記原因につき第三者の許可，同意又は承諾を要する場合には，各申請日までに，それぞれ当該第三者の許可，同意又は承諾を得ている。また，登記上の利害関係を有する第三者の承諾を要する場合には，各申請日までに，当該第三者の承諾を得ている。

4 〔**平成31年１月18日甲山大介から聴取した内容**〕及び〔**平成31年３月22日甲山大介から聴取した内容**〕は全て真実に合致しており，また，これらに基づく行為や司法書士法務律子の説明内容は，全て適法である。

5 〔**平成31年１月18日甲山大介から聴取した内容**〕の３及び４の依頼に基づき，司法書士法務律子が平成31年１月25日に行った登記の申請は，事前通知の方法により行ったものとする。

6 司法書士法務律子は，複数の登記を申請する場合には，申請件数及び登録免許税額が最も少なくなるように登記を申請するものとする。

7 司法書士法務律子が平成31年１月25日に行った登記の申請において，複数の登記の申請があり，かつ，申請の前後を問わないものがあるときには，権利部（甲区）に関する登記を申請し，その後に権利部（乙区）に関する登記を申請するものとする。

8 司法書士法務律子が平成31年４月５日に行った登記の申請において，複数の登記の申請があり，かつ，申請の前後を問わないものがあるときには，登記原因の日付の古い順に登記を申請するものとする。

9 本件の関係当事者間には，〔**平成31年１月18日甲山大介から聴取した内容**〕，〔**平成31年３月22日甲山大介から聴取した内容**〕及び各別紙に記載されている権利義務以外には，実体上の権利義務関係は存在しない。

10 甲区分建物，乙土地及び丙土地はいずれも名古屋法務局の管轄に属している。また，司法書士法務律子は，いずれの登記の申請も，管轄登記所に書面を提出する方法により行ったものとする。

11 平成30年12月31日及び平成31年１月１日現在の甲区分建物の専有部分に係る課税標準の額は450万円とする。また，平成30年12月31日及び平成31年１月１日現在の乙土地に係る課税標準の額は3200万円とし，丙土地に係る課税標準の額は1500万円とする。

問１ 司法書士法務律子が平成31年１月18日に甲山大介から質問を受けた事前通知の方法について，この方法により登記の申請を行った場合に登記官から申請人その他の関係当事者に対して実施される手続を，本件の事実関係に即して，答案用紙の第１欄(1)に具体的に記載しなさい。

また，事前通知の方法に代わる方法として不動産登記法が定めるものを全て，答案用紙の第１欄(2)に簡潔に記載しなさい。ただし，判決による登記については考慮しないものとする。

問２　司法書士法務律子が平成31年１月25日に甲区分建物について申請した各登記の申請情報の内容のうち，登記の目的，登記記録の「権利者その他の事項」欄に記録される事項及び当該記録される事項に含まれない申請人（以下「申請事項等」という。問４において同じ。），添付情報並びに登録免許税額を，司法書士法務律子が申請した登記の順に従って，答案用紙の第２欄⑴から⑶までの各欄に記載しなさい。

問３　**〔平成31年３月22日甲山大介から聴取した内容〕**の８において司法書士法務律子が甲山大介から受けた質問に対して，司法書士法務律子として回答すべき内容について，申請の要否及びその理由に分けて，答案用紙の第３欄に記載しなさい。

問４　司法書士法務律子が平成31年４月５日に甲区分建物について申請した各登記の申請情報の内容のうち，登記の目的，申請事項等，添付情報及び登録免許税額を，司法書士法務律子が申請した登記の順に従って，答案用紙の第４欄⑴から⑷までの各欄に記載しなさい。

（答案作成に当たっての注意事項）

１　答案用紙の第２欄及び第４欄の申請事項等欄の「上記以外の申請事項等」欄に解答を記載するに当たっては，次の要領で行うこと。

⑴　申請人について，「権利者」，「義務者」，「申請人」，「（被承継会社）」等の表示も記載する。

⑵　申請人について，住所又は本店所在地，代表機関の資格及び氏名並びに会社法人等番号は，記載することを要しない。

⑶　登記権利者及び登記義務者が共同して権利に関する登記の申請をする場合その他の法令の規定により登記識別情報又は登記済証の提供を要する登記の申請をする場合において，申請人が当該登記識別情報又は登記済証を提供することができないときは，当該登記識別情報又は登記済証を提供することができない理由を記載する。

２　答案用紙の第２欄及び第４欄の添付情報欄に解答を記載するに当たっては，次の要領で行うこと。

⑴　添付情報の解答は，その登記の申請に必要な添付情報を後記**【添付情報一覧】**から選択し，その記号（アからナまで）を記載する。

(2)　法令の規定により添付を省略することができる情報及び提供されたものとみなされる情報についても，後記**【添付情報一覧】**から選択し，その記号（アからナまで）を記載する。

(3)　後記**【添付情報一賢】**のアからナまでに掲げられた情報以外の情報（登記の申請に関する委任状等）は，記載することを要しない。

(4)　後記**【添付情報一覧】**のクからサまでに掲げられた印鑑に関する証明書は，登記名義人となる者の住所を証する情報としては使用しないものとする。

(5)　後記**【添付情報一覧】**のソを記載するときは，記号の後に続けて，ソの括弧書きの「(何の事実を証するもの)」に当該事実を補い，「ソ（売買の事実を証するもの)」の要領で記載する。なお，ソに代えて登記原因証明情報の要件を満たす添付情報が**【添付情報一覧】**にある場合には，ソを添付しないで当該添付情報を添付するものとする。

(6)　後記**【添付情報一覧】**のタ又はチの一方又は双方を記載するときは，それぞれの記号の後に続けて，タ又はチの括弧書きの「(何某のもの)」に当該情報の作成者の氏名又は名称を補い，「タ（株式会社いろは銀行のもの)」の要領で記載する。当該情報の作成者が会社法人等である場合は，当該情報に会社法人等番号の記載がされているものとする。

(7)　会社法人等番号を提供する方法により登記の申請手続をすることができる登記については，後記**【添付情報一覧】**ツからナまでに掲げられた情報から選択し，その記号（ツからナまで）を記載する。

(8)　添付情報のうち，登記の申請に際して有効期限の定めがあるものは，登記の申請時において，全て有効期限内であるものとする。

3　答案用紙の第２欄及び第４欄の登録免許税額欄に解答を記載するに当たっては，当該解答欄に記載の区分に従い登録免許税額の内訳も記載すること。なお，登録免許税額の内訳のうち敷地権に係る税額については，全ての敷地権に係る税額を合計した額を当該解答欄の敷地権の欄に記載すれば足りるものとする。

ただし，不動産の価額が課税標準とならない場合には，当該答案用紙の登録免許税額欄内にある合計の欄に当該申請に係る登録免許税額を記載し，建物及び敷地権の欄には「なし」と記載するものとする。

4　答案用紙の第２欄及び第４欄の各項目の欄に申請すべき登記の申請情報等の内容を記載するに当たり，記載すべき情報等がない場合には，その欄に「なし」と記載すること。

5　申請すべき登記がない場合には，答案用紙の第２欄及び第４欄の登記の目的欄に「登記不要」と記載すること。

6　別紙は，いずれも，実際の様式と異なる。また，別紙には記載内容の一部が省略されているものがあり，別紙を含め登記の申請に必要な添付情報は，いずれも，**〔平成31年１月18日甲山大介から聴取した内容〕**及び**〔平成31年３月22日甲山大介から聴取した内容〕**に沿う形で，法律上適式に作成されているものとする。

7　数字を記載する場合には，算用数字を使用すること。

8　登録免許税額の算出について，登録免許税法以外の法令による税の減免の規定の適用はないものとする。

9　訂正，加入又は削除をするときは，訂正は訂正すべき字句に線を引き，近接箇所に訂正後の字句を記載し，加入は加入する部分を明示して行い，削除は削除すべき字句に線を引いて，訂正，加入又は削除をしたことが明確に分かるように記載すること。ただし，押印や字数を記載することは要しない。

【添付情報一覧】

ア　甲山一郎の法定相続人を特定することができる戸籍の全部事項証明書，戸籍謄本，除籍謄本及び改製原戸籍謄本
イ　甲山友子の法定相続人を特定することができる戸籍の全部事項証明書，戸籍謄本，除籍謄本及び改製原戸籍謄本
ウ　甲山一郎の住民票の除票（本籍及び死亡時の住所の記載あり）
エ　甲山友子の住民票の除票（本籍及び死亡時の住所の記載あり）
オ　甲山大介の住民票の写し（本籍の記載あり）
カ　甲区分建物の甲区１番の登記済証
キ　甲区分建物について平成31年１月25日付け申請により通知される登記識別情報
ク　甲山大介の印鑑に関する証明書
ケ　株式会社ひだまり銀行の印鑑に関する証明書
コ　株式会社つぼみ銀行の印鑑に関する証明書
サ　有限会社ＫＭ設計の印鑑に関する証明書
シ　解除証書（別紙２）
ス　根抵当権変更契約証書（別紙４）
セ　売買契約書（別紙６）
ソ　登記原因証明情報（何の事実を証するもの）
タ　登記原因につき第三者の許可，同意又は承諾を証する情報及び当該情報の作成者の印鑑に関する証明書（何某のもの）
チ　登記上の利害関係を有する第三者の承諾を証する情報及び当該情報の作成者の印鑑に関する証明書（何某のもの）
ツ　株式会社ひだまり銀行の会社法人等番号
テ　株式会社つぼみ銀行の会社法人等番号
ト　株式会社さくらホールディングスの会社法人等番号
ナ　有限会社ＫＭ設計の会社法人等番号

別紙1－1　甲区分建物の登記事項証明書（抜粋）

専有部分の家屋番号	1935－1～1935－7				
表題部（一棟の建物の表示）		調製	平成10年8月6日	所在図番号	余白
所　在	名古屋市北区桜島二丁目　1935番地			余白	
建物の名称	アライズ桜島			余白	
① 構 造	② 床 面 積　㎡			原因及びその日付〔登記の日付〕	
鉄骨鉄筋コンクリート造 ルーフィングぶき4階建	1階　163 33 2階　163 33 3階　163 33 4階　110 01			余白	
余白	余白			昭和63年法務省令第37号附則第2条第2項の規定により移記 平成10年8月6日	

表題部（敷地権の目的である土地の表示）				
①土地の符号	② 所 在 及 び 地 番	③ 地 目	④ 地 積　㎡	登 記 の 日 付
1	名古屋市北区桜島二丁目1935番	宅地	339 45	平成5年5月25日
2	名古屋市北区桜島二丁目1936番	宅地	160 10	平成5年5月25日

表題部（専有部分の建物の表示）			不動産番号	【省略】
家屋番号	桜島二丁目　1935番の5		余白	
建物の名称	301		余白	
① 種 類	② 構 造	③ 床 面 積　㎡	原因及びその日付〔登記の日付〕	
居宅	鉄骨鉄筋コンクリート造 1階建	3階部分　72 00	平成5年5月6日新築	
余白	余白	余白	昭和63年法務省令第37号附則第2条第2項の規定により移記 平成10年8月6日	

表題部（敷地権の表示）			
①土地の符号	②敷地権の種類	③敷地権の割合	原因及びその日付〔登記の日付〕
1	所有権	600分の72	平成5年5月6日敷地権 〔平成5年5月25日〕
2	賃借権	600分の72	平成5年5月6日敷地権 〔平成5年5月25日〕

権利部（甲区）（所有権に関する事項）			
順位番号	登記の目的	受付年月日・受付番号	権利者その他の事項
1	所有権保存	平成５年６月10日 第27566号	原因　平成５年６月10日売買 所有者　名古屋市北区桜島二丁目７番12号 　甲山一郎 順位１番の登記を移記
	余白	余白	【省略】

権利部（乙区）（所有権以外の権利に関する事項）			
順位番号	登記の目的	受付年月日・受付番号	権利者その他の事項
1	抵当権設定	平成５年６月10日 第27567号	原因　平成5年6月10日金銭消費貸借同日設定 債権額　金2,000万円 利息　年４・５％（年365日日割計算） 損害金　年14・５％（年365日日割計算） 債務者　名古屋市北区桜島二丁目７番12号 　甲山一郎 抵当権者　東京都豊島区池田二丁目１番７号 　株式会社ひだまり銀行 順位１番の登記を移記
2	根抵当権設定	平成８年７月10日 第31564号	原因　平成８年７月10日設定 極度額　金1,500万円 債権の範囲　銀行取引　手形債権　小切手債権 債務者　春日井市糸田二丁目４番地１ 　有限会社ＫＭ設計 根抵当権者　名古屋市緑区藤山一丁目３番３号 　株式会社つぼみ銀行 順位２番の登記を移記
	余白	余白	【省略】

これは登記記録に記録されている事項の全部を証明した書面である。

平成31年１月18日
名古屋法務局　　　　登記官　○　○　○　○　印

別紙１－２　乙土地の登記事項証明書（抜粋）

表題部（土地の表示）		調製	平成10年８月６日	不動産番号	【省略】
地図番号	余白	筆界特定	余白		
所　在	名古屋市北区桜島二丁目			余白	
① 地 番	② 地 目	③ 地 積 ㎡		原因及びその日付〔登記の日付〕	
1935番	宅地	339 45		余白	
余白	余白	余白		昭和63年法務省令第37号附則第２条第２項の規定により移記 平成10年８月６日	

権利部（甲区）（所有権に関する事項）			
順位番号	登記の目的	受付年月日・受付番号	権利者その他の事項
1	所有権移転	平成４年４月７日 第15251号	原因　平成４年４月７日売買 所有者　名古屋市東区夢が丘一丁目１番５号 黒岩地所株式会社 順位２番の登記を移記
2	所有権敷地権	余白	建物の表示　名古屋市北区桜島二丁目1935番地 一棟の建物の名称　アライズ桜島 平成５年５月25日登記 順位３番の登記を移記
	余白	余白	【省略】

これは登記記録に記録されている事項の全部を証明した書面である。

平成31年１月18日
名古屋法務局　　　　　　　　　　　登記官　○　○　○　○　印

別紙1－3　丙土地の登記事項証明書（抜粋）

表 題 部（土地の表示）		調製	平成10年８月６日	不動産番号	【省略】
地図番号	余白	筆界特定	余白		
所　在	名古屋市北区桜島二丁目			余白	
① 地 番	② 地 目	③ 地 積　㎡		原因及びその日付〔登記の日付〕	
1936番	宅地	160 10		余白	
余白	余白	余白		昭和63年法務省令第37号附則第２条第２項の規定により移記 平成10年８月６日	

権 利 部 （甲 区）（所 有 権 に 関 す る 事 項）			
順位番号	登記の目的	受付年月日・受付番号	権 利 者 そ の 他 の 事 項
1	所有権移転	昭和63年６月10日 第28521号	原因　昭和58年７月18日相続 所有者　名古屋市北区桜島二丁目６番６号 　小田一子 順位２番の登記を移記
	余白	余白	【省略】

権 利 部 （乙 区）（所 有 権 以 外 の 権 利 に 関 す る 事 項）			
順位番号	登記の目的	受付年月日・受付番号	権 利 者 そ の 他 の 事 項
1	賃借権設定	平成４年10月１日 第39401号	原因　平成４年10月１日設定 目的　建物所有 賃料　１月金30万円 支払時期　毎月末日 存続期間　50年 特約　譲渡、転貸ができる 　借地借家法第22条の特約 賃借権者　名古屋市東区夢が丘一丁目1番5号 　黒岩地所株式会社 順位２番の登記を移記
2	1番賃借権敷地権	余白	建物の表示　名古屋市北区桜島二丁目1935番地 　一棟の建物の名称　アライズ桜島 平成５年５月25日登記 順位３番の登記を移記
	余白	余白	【省略】

これは登記記録に記録されている事項の全部を証明した書面である。

平成31年１月18日
名古屋法務局　　　　　　　　　　　　登記官　○　○　○　○　印

別紙２　解除証書

解　除　証　書

当欄には，抵当権設定者の住所及び氏名又は名称が記されているものとする。

殿

平成５年６月10日付け抵当権設定契約により，後記の不動産に設定した抵当権（平成５年６月10日名古屋法務局受付第27567号登記済）は弁済により解除します。

登記原因及びその日付　　平成24年８月13日弁済

平成31年１月17日

東京都豊島区池田二丁目１番７号
株式会社ひだまり銀行
代表取締役　【省略】　㊞

不動産の表示

当欄には，甲区分建物が記載されているものとする。

以上

別紙３　株式会社つぼみ銀行の履歴事項一部証明書（抜粋）

<table>
<tr><td>会社法人等番号</td><td colspan="2">1800-01-098760</td></tr>
<tr><td>商号</td><td colspan="2">株式会社つぼみ銀行</td></tr>
<tr><td rowspan="2">本店</td><td colspan="2"><u>名古屋市緑区藤山一丁目３番３号</u></td></tr>
<tr><td>名古屋市中区神戸三丁目１番地</td><td>平成30年９月３日移転
平成30年９月３日登記</td></tr>
<tr><td>公告をする方法</td><td colspan="2">官報に掲載してする</td></tr>
<tr><td>会社成立の年月日</td><td colspan="2">昭和11年７月１日</td></tr>
<tr><td>役員に関する事項</td><td>名古屋市中区遠山二丁目３番５号
代表取締役　　　A</td><td>平成30年６月30日重任
平成30年７月11日登記</td></tr>
<tr><td>取締役会設置会社に関する事項</td><td colspan="2">取締役会設置会社
平成17年法律第87号第136条の規定により平成18年５月８日登記</td></tr>
<tr><td>監査役設置会社に関する事項</td><td colspan="2">監査役設置会社
平成17年法律第87号第136条の規定により平成18年５月８日登記</td></tr>
<tr><td>監査役会設置会社に関する事項</td><td colspan="2">監査役会設置会社
平成18年５月11日登記</td></tr>
<tr><td>会計監査人設置会社に関する事項</td><td colspan="2">会計監査人設置会社
平成18年５月11日登記</td></tr>
</table>

これは登記記録に記録されている閉鎖されていない事項の一部であることを証明した書面である。

平成31年３月18日
名古屋法務局　　　　　　　　　　　　　　　　登記官　○　○　○　○　印

別紙4　根抵当権変更契約証書

根抵当権変更契約証書

【印紙省略】

平成31年３月18日

名古屋市中区神戸三丁目１番地
根抵当権者　株式会社つぼみ銀行　殿

住　　　所 根抵当権設定者	当欄には，根抵当権設定者の住所及び氏名又は名称が記され，押印がされているものとする。
住　　　所 債　務　者	当欄には，債務者の住所及び氏名又は名称が記され，押印がされているものとする。

第１条　根抵当権設定者は，平成８年７月10日付け根抵当権設定契約により，後記の不動産に設定した根抵当権（平成８年７月10日名古屋法務局受付第31564号登記済）の極度額を，次のとおり変更することを約定しました。

極度額	変更前	金1,500万円
	変更後	金2,000万円

不動産の表示

当欄には，甲区分建物が記載されているものとする。

以上

別紙５　有限会社ＫＭ設計の履歴事項一部証明書（抜粋）

会社法人等番号	1800-02-012345	
商号	有限会社ＫＭ設計	
本店	愛知県春日井市糸田二丁目４番地１	
公告をする方法	官報に掲載してする	
会社成立の年月日	昭和52年９月１日	
役員に関する事項	名古屋市北区桜島二丁目７番12号 取締役　　　　甲　山　一　郎	平成24年７月21日死亡 平成24年７月31日登記
	愛知県春日井市糸田三丁目５番地６ 取締役　　　　甲　山　哲　二	
	愛知県碧南市音江町須田３番地５ 取締役　　　　斎　原　恵　子	
	名古屋市西区野田一丁目５番３号 取締役　　　　甲　山　大　介	平成４年10月22日就任
	代表取締役　　甲　山　一　郎	平成24年７月21日死亡 平成24年７月31日登記
	代表取締役　　甲　山　哲　二	平成24年７月31日就任 平成24年７月31日登記

これは登記記録に記録されている閉鎖されていない事項の一部であることを証明した書面である。

平成31年３月22日

名古屋法務局　　　　　　　　　　　　　　登記官　○　○　○　○　印

別紙6　売買契約書

売買契約書

【印紙省略】

平成31年３月21日

買主　愛知県春日井市糸田二丁目４番地１
有限会社ＫＭ設計
代表取締役　甲山哲二　㊞

売主　当欄には，関係当事者全員の住所及び氏名又は名称が記され，押印がされているものとする。

上記買主及び上記売主は,売主所有に係る後記物件目録記載の不動産（以下「本件不動産」という。）について，本日，次のとおり，売買契約（以下「本契約」という。）を締結した。

（売買）

第１条　売主は，買主に対し，本件不動産を代金660万円にて売り渡し，買主はこれを買い受けた。

（代金の支払）

第２条　買主は，売主に対し，本契約と同時に手付金として金60万円を支払う。本手付金は，本条第２項の残代金支払のときに前条の売買代金に充当する。

２　買主は，売主に対し，平成31年４月５日限り，残代金600万円を支払う。

（所有権移転の時期）

第３条　本件不動産の所有権は，買主が第１条の売買代金の全額を支払い，売主がこれを受領したときに，売主から買主に移転する。

（所有権移転登記）

第４条　本契約による本件不動産に係る所有権の移転の登記の手続は，第１条の売買代金の全額の支払後，直ちに行う。

【中略】

物　件　目　録

当欄には，甲区分建物が記載されているものとする。

平成31年●答案用紙

第１欄

(1)

(2)

第２欄

(1)

登記の目的						
申請事項等	登記原因及びその日付					
	上記以外の申請事項等					
添付情報						
登録免許税額	建物		敷地権		合計	

(2)

登記の目的						
申請事項等	登記原因及びその日付					
	上記以外の申請事項等					
添付情報						
登録免許税額	建物		敷地権		合計	

(3)

登記の目的						
申請事項等	登記原因及びその日付					
	上記以外の申請事項等					
添付情報						
登録免許税額	建物		敷地権		合計	

第３欄

<table>
<tr><td>（要否）</td><td>（理由）</td></tr>
</table>

第４欄

⑴

<table>
<tr><td colspan="2">登記の目的</td><td colspan="6"></td></tr>
<tr><td rowspan="2">申請事項等</td><td>登記原因
及びその日付</td><td colspan="6"></td></tr>
<tr><td>上記以外の
申請事項等</td><td colspan="6"></td></tr>
<tr><td colspan="2">添付情報</td><td colspan="6"></td></tr>
<tr><td colspan="2">登録免許税額</td><td>建物</td><td></td><td>敷地権</td><td></td><td>合計</td><td></td></tr>
</table>

⑵

<table>
<tr><td colspan="2">登記の目的</td><td colspan="6"></td></tr>
<tr><td rowspan="2">申請事項等</td><td>登記原因
及びその日付</td><td colspan="6"></td></tr>
<tr><td>上記以外の
申請事項等</td><td colspan="6"></td></tr>
<tr><td colspan="2">添付情報</td><td colspan="6"></td></tr>
<tr><td colspan="2">登録免許税額</td><td>建物</td><td></td><td>敷地権</td><td></td><td>合計</td><td></td></tr>
</table>

(3)

<table>
<tr><td colspan="2">登記の目的</td><td colspan="6"></td></tr>
<tr><td rowspan="2">申請事項等</td><td>登記原因及びその日付</td><td colspan="6"></td></tr>
<tr><td>上記以外の申請事項等</td><td colspan="6"></td></tr>
<tr><td colspan="2">添付情報</td><td colspan="6"></td></tr>
<tr><td colspan="2">登録免許税額</td><td>建物</td><td></td><td>敷地権</td><td></td><td>合計</td><td></td></tr>
</table>

(4)

<table>
<tr><td colspan="2">登記の目的</td><td colspan="6"></td></tr>
<tr><td rowspan="2">申請事項等</td><td>登記原因及びその日付</td><td colspan="6"></td></tr>
<tr><td>上記以外の申請事項等</td><td colspan="6"></td></tr>
<tr><td colspan="2">添付情報</td><td colspan="6"></td></tr>
<tr><td colspan="2">登録免許税額</td><td>建物</td><td></td><td>敷地権</td><td></td><td>合計</td><td></td></tr>
</table>

[本問の重要論点一覧表]

出題範囲	重要論点	解説箇所
相続による所有権移転	Aの死亡により，Aの配偶者BとABの子Cが共同相続人となったが，相続登記未了の間にBが死亡した場合において，AからCに相続を原因とする所有権移転の登記をするためには，Cを相続人とする遺産分割協議書等を添付する必要があり，その添付がない場合には，まず，BCへの相続を原因とする所有権移転の登記をした上で，Bの持分についてCへの相続を原因とする持分全部移転の登記をすべきである。	P281参照
抵当権抹消と事前通知制度	登記官は，申請人が登記識別情報の提供をすべき登記の申請をする場合において，登記識別情報を提供することができないときは，原則として，登記義務者に対し，当該申請があった旨及び当該申請の内容が真実であると思料するときは法務省令で定める期間内に法務省令で定めるところによりその旨の申出をすべき旨を通知しなければならない。	P287参照
	資格者代理人による本人確認情報を提供する方法（不登23Ⅳ①）又は公証人による本人確認の認証による方法（不登23Ⅳ②）を経た場合，登記官は事前通知の手続を省略することができる。	P287参照
根抵当権登記名義人住所変更及び根抵当権の極度額増額変更	所有権その他の権利の移転又は変更等の登記を申請する場合において，登記義務者の表示が登記記録上の表示と一致しないときは，その登記の前提として，登記義務者の住所等の変更(更正)登記をしなければならない。	P291参照
	根抵当権の極度額の変更は，増額，減額変更ともに元本確定の前後を問わず行うことができる。	P292参照
売買による所有権移転及び会社の利益相反取引	取締役が自己又は第三者のために特例有限会社と取引をしようとするとき，又は，特例有限会社が取締役の債務を保証することその他取締役以外の者との間において特例有限会社と当該取締役との利益が相反する取引をしようとするときには，取締役は，株主総会において，当該取引につき重要な事実を開示し，その承認を受けなければならない。	P295参照
	敷地権付き区分建物についての所有権又は担保権に係る権利に関する登記は，原則として，敷地権である旨の登記をした土地の敷地権についてされた登記としての効力を有する。	P296参照

1 事件の概要

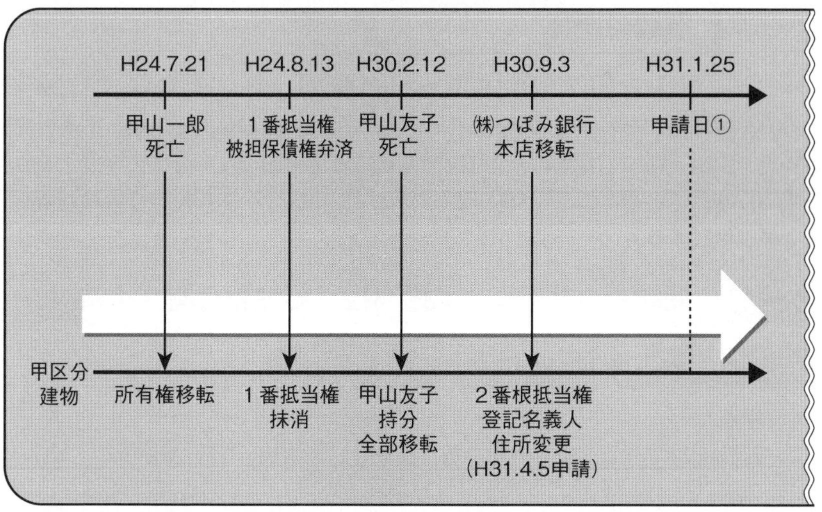
H24.7.21
H24.8.13
H30.2.12
H30.9.3
H31.1.25
甲山一郎
死亡
１番抵当権
被担保債権弁済
甲山友子
死亡
㈱つぼみ銀行
本店移転
申請日①
甲区分
建物
所有権移転
１番抵当権
抹消
甲山友子
持分
全部移転
２番根抵当権
登記名義人
住所変更
(H31.4.5申請)

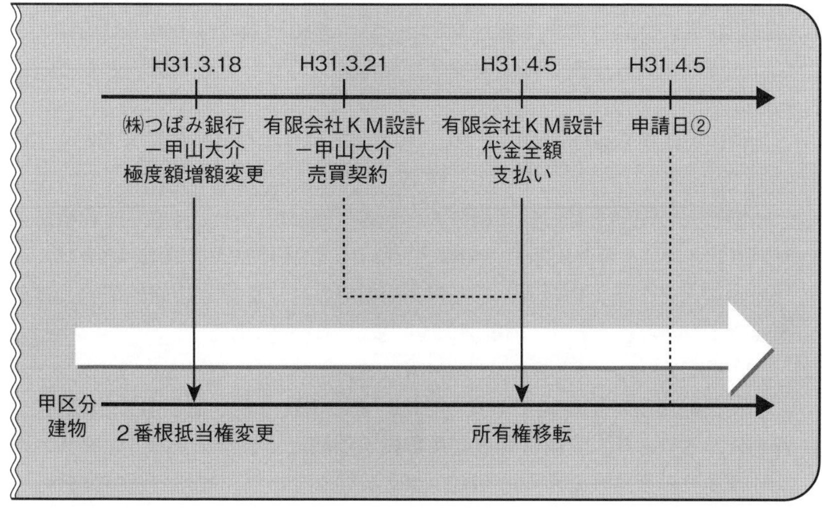
H31.3.18
H31.3.21
H31.4.5
H31.4.5
㈱つぼみ銀行
－甲山大介
極度額増額変更
有限会社ＫＭ設計
－甲山大介
売買契約
有限会社ＫＭ設計
代金全額
支払い
申請日②
甲区分
建物
２番根抵当権変更
所有権移転

2 相続による所有権移転

2−1 問題の所在

本問では，〔**平成31年1月18日甲山大介から聴取した内容**〕2より，平成24年7月21日，甲区分建物の所有者である甲山一郎が死亡しており，その後，平成31年2月12日，甲山一郎の相続人の一人である甲山友子も死亡していることから，これらの事実に基づき必要となる登記の手続について，申請すべき登記の件数の判断を踏まえつつ検討する。

2−2 問題点　相続による所有権移転登記に関する検討

前提の知識

(1) **相続人**

被相続人の子は，相続人となる（民887Ⅰ）。なお，実子か養子か，嫡出子か非嫡出子かを問わず，子はすべて相続人となり，子が数人いる場合には，共同して相続人となる。

被相続人に子及び直系卑属がないときは，被相続人の直系尊属が相続人となる。親等の異なる直系尊属間では，被相続人に近い者が相続人となる（民889Ⅰ①）。

被相続人に直系血族がないときは，被相続人の兄弟姉妹が相続人となる（民889Ⅰ②）。

被相続人の配偶者は，常に相続人となる（民890）。すなわち，血族相続人がいるときは，それと同順位で相続人となり，血族相続人がいないときは，単独で相続人となる。相続人としての「配偶者」は，法律上の婚姻関係にある夫婦の一方のことであり，内縁関係を含まない。

(2) **法定相続分**

子及び配偶者が相続人であるときは，子の相続分及び配偶者の相続分は，各2分の1であり，配偶者及び直系尊属が相続人であるときは，配偶者の相続分は3分の2，直系尊属の相続分は3分の1であり，配偶者及び兄弟姉妹が相続人であるときは，配偶者の相続分は4分の3，兄弟姉妹の相続分は4分の1である（民900）。

子，直系尊属又は兄弟姉妹が数人あるときは，原則として，各自の相続分は等しいものとされる（民900）。ただし，父母の一方のみを同じくする兄弟姉妹の相続分は，父母の双方を同じくする兄弟姉妹の相続分の２分の１となる。

⑶　**父母が順次死亡した場合における登記手続**

Ａの死亡により，Ａの配偶者ＢとＡＢの子Ｃが共同相続人となったが，相続登記未了の間にＢが死亡した場合において，ＡからＣに相続を原因とする所有権移転の登記をするためには，Ｃを相続人とする遺産分割協議書等を添付する必要があり，その添付がない場合には，まず，ＢＣへの相続を原因とする所有権移転の登記をした上で，Ｂの持分についてＣへの相続を原因とする持分全部移転の登記をすべきである（登研758-171）。

⑷　**数次相続が発生した場合の所有権移転登記**

既に開始した相続について，相続登記未了の間に，相続人の死亡により，更に相続が開始した場合のことを数次相続という。

⒤　**中間の相続が単独相続であるときの相続登記**

数次相続において，単独で相続した者がその登記をしないうちに死亡し，更に相続が開始した場合のように，中間の相続が単独相続であるときは，現在の相続人は，直接自己のために所有権移転登記を申請することができる（明33.3.7民刑260号）。この「中間の相続が単独相続である場合」は，相続放棄，遺産分割，特別受益，相続分の譲渡等の結果，中間の相続が単独相続となる場合も含む（昭30.12.16民甲2670号）。なお，最終の相続は，単独又は共同相続のいずれであってもよい。

(ロ)　**中間の相続が単独相続でないときの相続登記**

中間の相続が単独相続でない場合には，中間者の相続登記を省略することはできず，まず，中間者名義に相続登記を申請した後に，現在の相続人名義に相続登記を申請する必要がある（昭30.12.16民甲2670号）。

2－3　本問へのあてはめ

【相続人の検討について】

本問では，〔**平成31年１月18日甲山大介から聴取した内容**〕２より，平成24年７月21日，甲区分建物の所有者である甲山一郎が死亡し，その相続人は，妻の甲山友子及び子の甲山大介であることが分かる。この点，子及び配偶者が相続人であるときは，子の相続分及び配偶者の相続分は各２分の１であるため，甲山友子及び甲山大介の相続分は各２分の１ずつとなる。したがって，甲山一郎の相続により，甲山友子及び甲山大介が各２分の１ずつ甲区分建物を承継することとなる。

その後，〔**平成31年１月18日甲山大介から聴取した内容**〕２より，平成30年２月12日，甲山一郎の相続人の一人である甲山友子が死亡し，その相続人は甲山大介であることが分かる。よって，甲山友子の相続により，甲山大介は甲山友子が甲区分建物について承継した持分２分の１を承継することとなる。

【登記手続について】

上述のとおり，甲区分建物の所有権登記名義人である甲山一郎の相続開始後，相続登記未了の間に相続人である甲山友子が死亡している。この点，甲山一郎から甲山大介に直接相続を原因とする所有権の移転登記を申請するためには，甲山大介を相続人とする遺産分割協議書等を添付する必要があるが，**〔平成31年１月18日甲山大介から聴取した内容〕**２より，遺産分割等の事実がないことが分かるため，中間者である亡甲山友子への相続登記を省略することはできない。よって，中間者名義に相続登記を申請した後に，現在の相続人名義に相続登記を申請することとなる。

したがって，平成31年１月25日に，まず「平成24年７月21日相続」を原因として「所有権移転」登記を申請し，次いで「平成30年２月12日相続」を原因として「甲山友子持分全部移転」登記を申請する。

申請情報に関する事項

⑴ **登記の目的**

「所有権移転」とする。

⑵ **登記原因及びその日付**

「平成24年７月21日相続」とする。

⑶ **申請人**

「相続人（被相続人　甲山一郎）
　　　　持分２分の１　亡甲山友子
　　　　　　　　　　　上記相続人甲山大介
　　　　　　２分の１　甲山大介　　　　　」とする。

＊　申請人の記載について

亡甲山友子の相続人である甲山大介が，不動産登記法62条の規定により甲山友子の地位を承継して申請したとして模範解答を作成しているが，甲山大介の保存行為（民252）として登記を申請していると考えることもできる。

この場合，申請人の記載は

「相続人（被相続人　甲山一郎）
　　　　　　　持分２分の１　甲山友子
　　　（申請人）２分の１　甲山大介」

となり，この場合，添付情報として「イ」の記載が不要となる。

(4) 申請情報と併せて提供することが必要な情報（添付情報）

ア　登記原因証明情報（不登61条，不登令７条１項５号ロ）

登記原因証明情報とは，権利に関する登記における登記の原因となる事実又は法律行為を証する情報をいう。

権利に関する登記を申請する場合には，申請人は，法令に別段の定めがある場合を除き，その申請情報と併せて登記原因を証する情報を提供しなければならない（不登61）。登記の正確性をより向上させるためには，登記原因があったことを確認して登記する必要があるからである。

相続又は法人の合併による権利の移転の登記（不登63Ⅱ）における登記原因証明情報は，相続又は法人の合併を証する市町村長，登記官その他の公務員が職務上作成した情報（公務員が職務上作成した情報がない場合にあっては，これに代わるべき情報）及びその他の登記原因を証する情報である（不登令別表22添）。

本問では，甲山一郎の法定相続人を特定することができる戸籍の全部事項証明書，戸籍謄本，除籍謄本及び改製原戸籍謄本並びに甲山一郎の住民票の除票を添付する。

＊　被相続人甲山一郎の住民票の除票について

相続による所有権移転登記の申請において，被相続人の登記記録上の住所が戸籍に記載された本籍と異なる場合には，被相続人の同一性を証する情報として，住民票の写し，戸籍の附票の写し等を提出することを要する。

この点，問題上甲山一郎の本籍は明らかにされておらず，被相続人の登記記録上の住所と本籍が同一であるかは不明であることから，本問において，甲山一郎の住民票の除票については記載の有無を問わないものと考えられる。

イ　住所を証する情報（不登令７条１項６号，不登令別表28添付情報欄ニ，不登令別表29添付情報欄ハ，不登令別表30添付情報欄ハ）

所有権の保存又は移転の登記を申請する場合に，所有権の登記名義人となる者についての，市町村長，登記官その他の公務員が職務上作成した住所を証する情報（公務員が職務上作成した情報がない場合にあっては，これに代わるべき情報）を提供しなければならない。登記記録上に架空の所有者が現れることを防ぐためである。

なお，オンライン庁における申請では，住民基本台帳法７条13号に規定する住民票コードを提供すれば，当該住所を証する情報を提供することを要しない（不登令９，不登規36Ⅳ）。

本問では，甲山友子の住民票の除票及び甲山大介の住民票の写しを添付する。

ウ　代理人の権限を証する情報（不登令７条１項２号）

登記の申請を代理人により行う場合には，一定の場合を除き，代理人の権限を証する情報を提供しなければならない。登記の申請が申請人の意図しているとおりのものであるか否かを登記官が確認する必要があるためである。

本問では，甲山大介の委任状を添付する。

なお，委任状については，解答が要求されていない。

エ　相続その他の一般承継があったことを証する情報（不登令７条１項５号イ）

一般承継人が権利に関する登記を申請するとき（不登62）は，相続その他の一般承継があったことを証する市町村長，登記官，その他の公務員が職務上作成した情報（公務員が職務上作成した情報がない場合にあっては，これに代わるべき情報）が添付情報となる。申請人が登記権利者又は登記義務者等の承継人である場合において，当該承継人に申請適格があることを証するためである。

本問では，甲山友子の法定相続人を特定することができる戸籍の全部事項証明書，戸籍謄本，除籍謄本及び改製原戸籍謄本を添付する。

⑸　課税価格

建物については，「甲区分建物の価額」となる。

敷地権については，「敷地権の目的である土地の価額」に敷地権の割合を乗じた額となる。

以上から，次のように算定する。

建物　金450万円
敷地権（所有権）　金3,200万円×600分の72＝金384万円
敷地権（賃借権）　金1,500万円×600分の72＝金180万円

⑹　登録免許税

建物及び敷地権（所有権）については，課税価格に「1,000分の４」（登録税別表1.1.⑵イ）を乗じた額である。

敷地権（賃借権）については，課税価格に「1,000分の２」（登録税別表1.1.⑶

ロ）を乗じた額である。

以上から，次のように算定する。

建物	金450万円×1,000分の４＝金１万8,000円
敷地権（所有権）	金384万円×1,000分の４＝金１万5,360円
敷地権（賃借権）	金180万円×1,000分の２＝金3,600円
合計	金１万8,000円＋金１万5,360円＋金3,600円 ＝金３万6,960円

なお，登録免許税の金額に100円未満の端数があるときは，その端数は切り捨てる（国税通則119Ⅰ）。

したがって，登録免許税は，金３万6,900円となる。

※　本問においては「建物の登録免許税額」,「敷地権の登録免許税額」及び「合計の登録免許税額」が問われていることから，建物の欄には「金１万8,000円」，敷地権の欄には「金１万8,960円（＝金１万5,360円＋金3,600円）」，合計の欄には「金３万6,900円」と記載する。

《甲山友子持分全部移転》

(1)　登記の目的

「甲山友子持分全部移転」とする。

(2)　登記原因及びその日付

「平成30年２月12日相続」とする。

(3)　申請人

「相続人（被相続人　甲山友子）
　　　　持分２分の１　甲山大介」とする。

(4)　申請情報と併せて提供することが必要な情報（添付情報）

ア　登記原因証明情報（不登61条，不登令７条１項５号ロ）

本問では，甲山友子の法定相続人を特定することができる戸籍の全部事項証明書，戸籍謄本，除籍謄本及び改製原戸籍謄本並びに甲山友子の住民票の除票を添付する。

＊　被相続人甲山友子の住民票の除票について

相続による所有権移転登記の申請において，被相続人の登記記録上の住所が戸籍に記載された本籍と異なる場合には，被相続人の同一性を証する情報として，住民票の写し，戸籍の附票の写し等を提出することを要する。

平成31年

この点，問題上甲山友子の本籍は明らかにされておらず，被相続人の登記記録上の住所と本籍が同一であるかは不明であることから，本問において，甲山友子の住民票の除票については記載の有無を問わないものと考えられる。

イ　住所を証する情報（不登令７条１項６号，不登令別表28添付情報欄ニ，不登令別表29添付情報欄ハ，不登令別表30添付情報欄ハ）

本問では，甲山大介の住民票の写しを添付する。

ウ　代理人の権限を証する情報（不登令７条１項２号）

本問では，甲山大介の委任状を添付する。

なお，委任状については，解答が要求されていない。

(5)　課税価格

建物については，「甲区分建物の価額」に移転する持分の割合を乗じた額となる（登録税10Ⅱ）。

敷地権については，「敷地権の目的である土地の価額」に敷地権の割合及び移転する持分の割合を乗じた額となる（登録税10Ⅱ）。

以上から，次のように算定する。

建物　　　　　　　金450万円×２分の１＝金225万円
敷地権（所有権）　金3,200万円×600分の72×２分の１＝金192万円
敷地権（賃借権）　金1,500万円×600分の72×２分の１＝金90万円

※　登記の申請書には，「移転した持分の価格」と記載するのが通例である。

(6)　登録免許税

建物及び敷地権（所有権）については，課税価格に「1,000分の４」（登録税別表1.1.(2)イ）を乗じた額である。

敷地権（賃借権）については，課税価格に「1,000分の２」（登録税別表1.1.(3)ロ）を乗じた額である。

以上から，次のように算定する。

建物　　　　　　　金225万円×1,000分の４＝金9,000円
敷地権（所有権）　金192万円×1,000分の４＝金7,680円
敷地権（賃借権）　金90万円×1,000分の２＝金1,800円
合計　　　　　　　金9,000円＋金7,680円＋金1,800円＝金１万8,480円

なお，登録免許税の金額に100円未満の端数があるときは，その端数は切り捨てる（国税通則119Ⅰ）。

したがって，登録免許税は，金１万8,400円となる。

※　本問においては「建物の登録免許税額」,「敷地権の登録免許税額」及び「合計の登録免許税額」が問われていることから，建物の欄には「金9,000円」，敷地権の欄には「金9,480円（＝金7,680円＋金1,800円）」，合計の欄には「金1万8,400円」と記載する。

3 抵当権抹消と事前通知制度

3－1 問題の所在

本問では，〔**平成31年1月18日甲山大介から聴取した内容**〕3及び4並びに別紙2より，平成24年8月13日，甲区分建物1番抵当権の被担保債権が弁済されているため，当該事実に基づき必要となる登記の手続について，事前通知の方法による手続の流れを踏まえつつ検討する。

3－2 問題点　抵当権抹消と事前通知制度に関する検討

前提の知識

(1)　**抵当権の消滅原因**

抵当権が消滅する場合としては，目的不動産の滅失の場合等，権利一般の消滅原因のほか，解除・放棄・混同・第三者の目的不動産の時効取得・債務者による被担保債権の全額弁済・抵当権消滅請求等の事由がある。

(2)　**事前通知**

登記官は，申請人が登記識別情報の提供をすべき登記の申請をする場合において，登記識別情報を提供することができないときは，原則として，登記義務者に対し，当該申請があった旨及び当該申請の内容が真実であると思料するときは法務省令で定める期間内に法務省令で定めるところによりその旨の申出をすべき旨を通知しなければならない（不登23Ⅰ前段）。当該通知は，登記義務者が自然人である場合においては，申請情報の内容とされている申請人の住所に対して本人限定受取郵便等により，登記義務者が法人である場合においては，原則として，法人の主たる事務所に対して書留郵便により行われる（不登規70①・②）。この場合において，登記官は，当該期間内にあっては，当該申出がない限り，当該申請に係る登記をすることができない（不登23Ⅰ後段）。

なお，資格者代理人による本人確認情報を提供する方法（不登23Ⅳ①）又は公証人による本人確認の認証による方法（不登23Ⅳ②）を経た場合，登記官は事前通知の手続を省略することができる。

3－3 本問へのあてはめ

本問では，**〔平成31年１月18日甲山大介から聴取した内容〕**３及び別紙２より，平成24年８月13日，甲区分建物１番抵当権の被担保債権が弁済されていることが分かる。しかし，**〔平成31年１月18日甲山大介から聴取した内容〕**４より，株式会社ひだまり銀行から受領した抵当権の登記を抹消するために必要な書類を紛失したため，再発行を依頼しているが，登記済証については再発行することができない。そこで，本問においては事前通知の方法により登記の申請手続をすることとなる。

この点，本問における事前通知の手続は，登記義務者である株式会社ひだまり銀行に対し，当該申請があった旨及び当該申請の内容が真実であると思料するときは法務省令で定める期間内に法務省令で定めるところによりその旨の申出をすべき旨を書留郵便で通知し，株式会社ひだまり銀行が当該書面に記名し，かつ，委任状に押印したものと同一の印を用いて押印した上，通知を発送した日から２週間以内に登記所に提出する方法による。したがって，答案用紙第１欄⑴には，事前通知のうち登記官から申請人その他の関係当事者に対して実施される手続の内容として，「登記義務者である株式会社ひだまり銀行に対し，当該申請があった旨及び当該申請の内容が真実であると思料するときは法務省令で定める期間内に法務省令で定めるところによりその旨の申出をすべき旨を書留郵便等で通知する」などと記載する。

また，事前通知の方法に代わる方法として不動産登記法が定める方法として，資格者代理人による本人確認情報を提供する方法，公証人による本人確認の認証による方法があることから，当該事項を答案用紙第１欄⑵に記載する。

したがって，平成31年１月25日に，「平成24年８月13日弁済」を原因として「１番抵当権抹消」登記を申請する。

＊　問１の解答について

本問の出題の趣旨が事前通知の手続全体を解答させるものと捉えることもできることから，模範解答に加えて「株式会社ひだまり銀行が当該書面に記名し，かつ，委任状に押印したものと同一の印を用いて押印した上，通知を発送した日から２週間以内に登記所に提出する方法による。」旨の記載がされていても誤りではないものと解される。

申請情報に関する事項

《１番抵当権抹消》

⑴　**登記の目的**

「１番抵当権抹消」とする。

⑵　**登記原因及びその日付**

「平成24年８月13日弁済」とする。

⑶　**申請人**

「権利者　甲山大介
義務者　株式会社ひだまり銀行
（会社法人等番号　××××－××－××××××）
代表取締役　××××　」とする。

⑷　**申請情報と併せて提供することが必要な情報（添付情報）**

ア　**登記原因証明情報（不登61条，不登令７条１項５号ロ）**

本問では，解除証書（別紙２）を添付する。

イ　**印鑑に関する証明書（不登規48条１項５号，47条３号ハ）**

所有権以外の権利の登記名義人であって，不動産登記法22条ただし書の規定により登記識別情報を提供することなく当該登記名義人が登記義務者となる権利に関する登記を申請する場合，同人の印鑑証明書の添付を要する（不登規48Ⅰ⑤・47③ハ参照）。

本問では，株式会社ひだまり銀行の会社法人等番号の提供により，当該書面の添付を省略することができるが，（答案作成に当たっての注意事項）２⑵より【添付情報一覧】から株式会社ひだまり銀行の印鑑に関する証明書を選択し，その記号を記載する。

ウ　**代理人の権限を証する情報（不登令７条１項２号）**

本問では，甲山大介及び株式会社ひだまり銀行の代表取締役の委任状を添付する。

なお，委任状については，解答が要求されていない。

エ　**会社法人等番号（不登令７条１項１号イ）**

申請人が会社法人等番号を有する法人であるときは，原則として，当該法人の会社法人等番号を提供することを要する。

また，申請情報と併せて会社法人等番号を提供したときは，印鑑証明書，住所証明情報，住所変更証明情報は提供不要となる。さらに，申請情報と併せて会社法人等番号を提供したときは，法人の合併による承継を証する情報又は法人の名称変更等を証する情報の提供に代えることができるものとされ，加えて，登記原因証明情報の一部として登記事項証明書の提供が必要とされている場合に，申請情報と併せて会社法人等番号を提供したときは，登記事項証明書の提供に代えることができる。

なお，住所の変更事項等が閉鎖登記記録に記録されている場合であっても，会社法人等番号を提供すれば，原則として，法人の住所変更等を証する情報の提供を省略することができる。ただし，平成24年５月20日（外国会社にあっては平成27年３月１日）以前の法人の登記においては，組織変更や他の登記所の管轄区域内への本店の移転の登記等をする場合に会社法人等番号が変更されていたため，平成24年５月20日（外国会社にあっては平成27年３月１日）以前の会社法人等番号が記録された登記記録に住所の移転の事項が記録されているときは，現在の会社法人等番号の提供に加えて，住所の移転の事項を確認することができる閉鎖事項証明書又は閉鎖登記簿謄本を提供する必要がある。

本問では，株式会社ひだまり銀行の会社法人等番号を提供する。

(5)　登記済証を提供することができない理由

「紛失」とする。

(6)　登録免許税

不動産１個につき，金1,000円である（登録税別表1.1.(15)）。

この点，別紙１－１及び１－３より，敷地権が賃借権である丙土地については，抵当権は設定されていない。

したがって，本問では，不動産が甲区分建物及びその敷地権の目的である乙土地の２個であるため，金2,000円となる。

4 根抵当権登記名義人住所変更及び根抵当権の極度額増額変更

4－1 問題の所在

本問では，**〔平成31年３月22日甲山大介から聴取した内容〕**５及び別紙４より，平成31年３月18日，甲区分建物に設定されている２番根抵当権につき，極度額の増額変更契約が締結されていることが分かる。そこで，当該事実に基づき必要となる登記の手続について，根抵当権の登記名義人である株式会社つぼみ銀行の本店が移転している事実を踏まえつつ，検討する必要がある。

4－2 問題点①　前提としての登記名義人住所変更登記に関する検討

前提の知識

⑴　**登記名義人住所（氏名）変更・更正登記**

登記名義人住所（氏名）（法人であれば，本店・商号）変更登記は，現在の登記名義人につき，その住所，氏名等が登記記録上の記録と一致しない場合に，これを一致させるためにされる登記をいう。当該登記は，主たる登記と一体として公示する必要があるため，付記登記で実行される（不登規３①）。

登記名義人住所（氏名）変更登記を申請することができる場合は，その権利の主体には何ら変更がなく，ただその表示（自然人であれば住所・氏名，法人であれば本店・商号）に後発的に変更が生じたときに限られ，原始的に表示の誤りがあるときは，登記名義人住所（氏名）更正登記を申請する。そして，この登記名義人住所（氏名）変更・更正登記は，登記名義人が単独で申請することができる（不登64Ⅰ）。

なお，自然人がその住所を移転した場合の原因日付は，住民票の写しに記載された住所移転の日であり，住所移転の届出日ではない。また，法人の本店に変更が生じた場合の原因日付は，その変更についての商業・法人登記に記録された現実の移転の日である。

⑵　**前提としての登記名義人表示変更登記の要否**

所有権その他の権利の移転又は変更等の登記を申請する場合において，申請情報の申請人の表示が登記記録上の表示と一致しないときは，その登記の前提として，住所等の変更（更正）登記をしなければ，申請情報の内容である登記申請人の氏名若しくは名称又は住所が登記記録と合致しないこととなり，不動産登記法25条７号の却下事由に該当する。

4－3 本問へのあてはめ

本問では，別紙３より，平成30年９月３日，甲区分建物２番根抵当権登記名義人である株式会社つぼみ銀行が，本店を名古屋市中区神戸三丁目１番地に移転したことが分かる。そこで，後述する２番根抵当権の極度額増額変更登記の前提として，根抵当権登記名義人住所変更登記を申請する必要がある。

したがって，平成31年４月５日に，「平成30年９月３日本店移転」を原因として「２番根抵当権登記名義人住所変更」登記を申請する。

4－4 問題点② 根抵当権の極度額増額変更に関する検討

前提の知識

極度額の変更

根抵当権の極度額の変更は，増額，減額変更ともに元本確定の前後を問わず行うことができる。なお，共同根抵当権についての極度額の変更は，すべての不動産について登記をしなければ，その効力を生じない（民398の17 Ⅰ）。

極度額の変更登記をする場合に，利害関係を有する第三者があるときは，その者の承諾を得なければ，することができない（民398の５）。よって，利害関係を有する第三者の承諾を証する情報は不動産登記令７条１項５号ハの情報ということとなり，この利害関係を有する第三者の承諾を証する情報が提供された上で，必ず付記により極度額の変更登記がされる。

4－5 本問へのあてはめ

本問では，〔**平成31年３月22日甲山大介から聴取した内容**〕５及び別紙４より，平成31年３月18日，株式会社つぼみ銀行及び甲山大介の間で，株式会社つぼみ銀行が有する甲区分建物の２番根抵当権の極度額を金1,500万円から金2,000万円に増額変更する旨の契約が締結されていることが分かる。

したがって，平成31年４月５日に，「平成31年３月18日変更」を原因として「２番根抵当権変更」登記を申請する。

なお，〔**平成31年３月22日甲山大介から聴取した内容**〕６より，株式会社つぼみ銀行を株式移転完全子会社，株式会社さくらホールディングスを株式移転完全親会社とする株式移転に関する記載があるが，当該事実に基づき甲区分建物について申請することとなる登記はない。

申請情報に関する事項

《２番根抵当権登記名義人住所変更》

⑴ **登記の目的**

「２番根抵当権登記名義人住所変更」とする。

⑵ **登記原因及びその日付**

「平成30年９月３日本店移転」とする。

⑶ **登記事項**

「変更後の事項

本店　名古屋市中区神戸三丁目１番地」とする。

⑷　**申請人**

「申請人　株式会社つぼみ銀行
（会社法人等番号　1800-01-098760）
代表取締役　A　」とする。

⑸　**申請情報と併せて提供することが必要な情報（添付情報）**

ア　登記原因証明情報（不登61条，不登令７条１項５号ロ）

本問では，株式会社つぼみ銀行の会社法人等番号の提供により，当該書面の添付を省略することができる。

イ　代理人の権限を証する情報（不登令７条１項２号）

本問では，株式会社つぼみ銀行の代表取締役Aの委任状を添付する。

なお，委任状については，解答が要求されていない。

ウ　会社法人等番号（不登令７条１項１号イ）

本問では，株式会社つぼみ銀行の会社法人等番号を提供する。

⑹　**登録免許税**

不動産１個につき，金1,000円である（登録税別表1.1.⒁）。

この点，別紙１－１及び１－３より，敷地権が賃借権である丙土地については，根抵当権は設定されていない。

したがって，本問では，不動産が甲区分建物及びその敷地権の目的である乙土地の２個であるため，金2,000円となる。

《２番根抵当権変更》

⑴　**登記の目的**

「２番根抵当権変更」とする。

⑵　**登記原因及びその日付**

「平成31年３月18日変更」とする。

⑶　**登記事項**

「変更後の事項
極度額　金2,000万円」とする。

⑷　**申請人**

「権利者　株式会社つぼみ銀行
（会社法人等番号　1800-01-098760）
代表取締役　A
義務者　甲山大介　」とする。

(5) 申請情報と併せて提供することが必要な情報（添付情報）

ア　登記原因証明情報（不登61条，不登令7条1項5号ロ）

本問では，根抵当権変更契約証書（別紙4）を添付する。

イ　登記識別情報（不登22条，不登令8条）

登記識別情報とは，不動産登記法22条本文の規定により登記名義人が登記を申請する場合において，当該登記名義人自らが当該登記を申請していることを確認するために用いられるものであり，アラビア数字その他の符号の組合せにより不動産及び登記名義人となった申請人ごとに定める情報で，登記名義人を識別することができるものをいう（不登2⑭，不登規61）。

登記権利者及び登記義務者が共同して権利に関する登記の申請をする場合その他登記名義人が政令で定める登記の申請をする場合には，申請人は，その申請情報と併せて登記義務者等の登記識別情報を提供しなければならない（不登22）。登記義務者等の本人性の確認をするためである。

なお，いわゆるオンライン庁では，オンライン指定後も，従前の登記済証は，書面による申請における添付書面として利用することができ，登記済証を提出すれば，登記識別情報の提供とみなされる（不登附則7）。

本問では，甲山大介の甲区分建物甲区2番及び甲区3番の登記識別情報を提供する。

ウ　印鑑に関する証明書（不登令18条2項，不登規49条）

委任による代理人によって登記を申請する場合，法務省令で定める場合を除き，申請人又はその代表者が，当該代理人の権限を証する情報を記載した書面（委任状）に記名押印しなければならず，当該書面には，法務省令で定める場合を除き，記名押印した者（委任による代理人を除く。）の印鑑に関する証明書（原則として，市町村長又は登記官が作成するもの）を添付しなければならない。登記義務者の登記申請意思を登記官が形式的に確認し，真正な登記の実現を図る必要があるからである。

本問では，甲山大介の市町村長作成の印鑑証明書を添付する。

エ　代理人の権限を証する情報（不登令7条1項2号）

本問では，株式会社つぼみ銀行の代表取締役A及び甲山大介の委任状を添付する。

なお，委任状については，解答が要求されていない。

オ　会社法人等番号（不登令7条1項1号イ）

本問では，株式会社つぼみ銀行の会社法人等番号を提供する。

(6)　**課税価格及び登録免許税**

「極度額の増加分」を課税価格として（登録税12Ⅰ），それに「1,000分の４」（登録税別表1.1.(5)）を乗じた額である。

以上から，次のように算定する。

金2,000万円－金1,500万円＝金500万円

金500万円×1,000分の４＝金２万円

5　売買による所有権移転及び会社の利益相反取引

5－1　問題の所在

本問では，**〔平成31年３月22日甲山大介から聴取した内容〕**７及び別紙６より，平成31年３月21日，有限会社ＫＭ設計と甲山大介との間で，売買代金全額を支払ったときに所有権が移転する旨の特約のもと，甲区分建物の売買契約が締結されたことが分かるため，必要となる登記の手続について，利益相反の論点を踏まえつつ検討する。また，上記売買契約に基づく登記申請に当たって，甲区分建物の敷地である乙土地及び丙土地につき，別個独立の申請を要するかについても併せて検討する。

5－2　問題点　売買による所有権移転登記に関する検討

前提の知識

(1)　**売買契約における所有権移転時期**

特定物売買においては，契約締結時に所有権が移転するのが原則である。その上で，判例は，当事者間で所有権移転時期の特約（「移転時期特約」Ex.「所有権は令和○○年○○月○○日に移転するものとする」，「所有権は売買代金の支払と同時に移転するものとする」）がされているときは，その特約に従って所有権が移転する（最判昭38.5.31）としている。

(2)　**取締役の利益相反取引**

取締役が自己又は第三者のために特例有限会社と取引をしようとするとき，又は，特例有限会社が取締役の債務を保証することその他取締役以外の者との間において特例有限会社と当該取締役との利益が相反する取引をしようとするときには，取締役は，株主総会において，当該取引につき重要な事実を開示し，その承認を受けなければならない（会社356Ⅰ②・③・365Ⅰ）。

これに違反して取引をした場合の効力については，会社は，取締役及び悪意の第三者に無効を主張できるが，善意の第三者には無効を主張できない（相対的無効：最判昭43.12.25参照)。したがって，承認決議は，厳密な意味で効力発生要件とはいえず，登記原因の日付にも影響を与えないが，登記実務は，取引の安全の要請から，特例有限会社の株主総会議事録の添付を要求している（不登令７Ⅰ⑤ハ)。

⑶　**賃貸人の承諾**

敷地権付き区分建物について，売買を原因とする所有権移転登記を申請するに当たって，敷地権が賃借権である場合に，当該賃借権の登記に「賃借権を譲渡できる」旨の特約が登記されていないときは，賃貸人（所有権登記名義人等）の承諾書等を添付しなければならない（民612Ⅰ，不登81③，不登令別表40添ロ)。

⑷　**敷地権付き区分建物の登記の効力**

敷地権付き区分建物についての所有権又は担保権に係る権利に関する登記は，原則として，敷地権である旨の登記をした土地の敷地権についてされた登記としての効力を有する（不登73Ⅰ本文)。

5－3　本問へのあてはめ

【登記手続について】

本問では，〔**平成31年３月22日甲山大介から聴取した内容**〕７及び別紙６より，平成31年３月21日，有限会社ＫＭ設計と甲山大介との間で，甲区分建物の売買契約が締結されていることが分かる。この点，当該売買契約には，買主が売主に対して売買代金全額を支払ったときに所有権が移転する旨の特約が定められており，〔**事実関係に関する補足**〕２より，平成31年４月５日，有限会社ＫＭ設計は売買代金の全額を支払ったことが分かる。

ここで，別紙５より，甲山大介は有限会社ＫＭ設計の取締役であることが分かるため，当該売買契約につき，有限会社ＫＭ設計の株主総会において承認を受けなければならないが，〔**事実関係に関する補足**〕３より，その承認は申請日までに得られていることが分かる。なお，当該承認決議の日付は，登記原因の日付に影響を与えない。

したがって，平成31年４月５日に，「平成31年４月５日売買」を原因として，「所有権移転」登記を申請する。

【問３について】

〔平成31年３月22日甲山大介から聴取した内容〕８及び問３より，甲区分建物の敷地である乙土地及び丙土地についても，別個独立に売買を原因とする所有権移転登記及び賃借権移転登記を申請する必要があるか否かについて問われている。この点，敷地権付き区分建物についての所有権又は担保権に係る権利に関する登記は，原則として，敷地権である旨の登記をした土地の敷地権についてされた登記としての効力を有することから，乙土地及び丙土地について，別個独立に売買を原因とする所有権移転登記を申請する必要はない。よって，当該事項を答案用紙第３欄に記載する。

申請情報に関する事項

《所有権移転》

⑴　**登記の目的**

「所有権移転」とする。

⑵　**登記原因及びその日付**

「平成31年４月５日売買」とする。

⑶　**申請人**

「権利者　有限会社ＫＭ設計
（会社法人等番号　1800-02-012345）
代表取締役　甲山哲二
義務者　甲山大介　」とする。

⑷　**申請情報と併せて提供することが必要な情報（添付情報）**

ア　**登記原因証明情報（不登61条，不登令７条１項５号ロ）**

本問では，有限会社ＫＭ設計及び甲山大介が，登記申請用に作成した登記原因証明情報を添付する。

＊売買契約書の添付について

本問においては，別紙６の売買契約書だけでは残代金支払いの事実が明らかとならないことから，登記原因証明情報として「残代金の支払いがあったことを証する書面」も添付する必要がある。

ここで，（答案作成に当たっての注意事項）２⑸において，「ソに代えて登記原因証明情報の要件を満たす添付情報が**【添付情報一覧】**にある場合には，ソを添付しないで当該添付情報を添付するものとする。」とある。上述のとおり，別紙６の売買契約書のみでは，本問において提供を要する登記原因証明情報としての要件を満たさないため，本問におい

平成31年

ては登記原因証明情報の要件を満たす添付情報が**【添付情報一覧】**になく，売買及び代金支払の事実を証する報告形式の登記原因証明情報を作成したと考え，登記原因証明情報として「ソ（売買の事実を証するもの）」と記載することを解答とした。

なお，別紙6の売買契約書は登記原因証明情報の内容の一部となることを重視し，登記原因証明情報として，セのほかに「ソ（売買代金の受領の事実を証する領収書）」等と記載しても誤りではないと考えられる。

イ　登記識別情報（不登22条，不登令８条）

本問では，甲山大介の甲区分建物甲区２番及び甲区３番の登記識別情報を提供する。

ウ　印鑑に関する証明書（不登令18条２項，不登規49条）

本問では，甲山大介の市町村長作成の印鑑証明書を添付する。

エ　住所を証する情報（不登令７条１項６号，不登令別表28添付情報欄ニ，不登令別表29添付情報欄ハ，不登令別表30添付情報欄ハ）

本問では，有限会社ＫＭ設計の会社法人等番号の提供により，当該書面の添付を省略することができる。

オ　代理人の権限を証する情報（不登令７条１項２号）

本問では，有限会社ＫＭ設計の代表取締役甲山哲二及び甲山大介の委任状を添付する。

なお，委任状については，解答が要求されていない。

カ　登記原因についての第三者の許可，同意又は承諾を証する情報（不登令７条１項５号ハ）

登記原因について第三者の許可，同意又は承諾を要するときは，当該第三者が許可し，同意し，又は承諾したことを証する情報を提供しなければならない。

登記官が登記原因の発生に実体法上必要な第三者の許可等がされたことを手続の上で確認することで，無効な権利変動による登記がされることを防ぐためである。

本問では，有限会社ＫＭ設計の株主総会議事録を添付する。

キ　会社法人等番号（不登令７条１項１号イ）

本問では，有限会社ＫＭ設計の会社法人等番号を提供する。

※　本問においては，別紙１－３より，敷地権の目的である丙土地の賃借権につき，譲渡・転貸ができる旨の特約があることから，小田一子の承諾書を添付することを要しない。

⑸　**課税価格**

建物については，「甲区分建物の価額」となる。

敷地権については，「敷地権の目的である土地の価額」に敷地権の割合を乗じた額となる。

以上から，次のように算定する。

建物　　　　　　　金450万円
敷地権（所有権）　金3,200万円×600分の72＝金384万円
敷地権（賃借権）　金1,500万円×600分の72＝金180万円

⑹　**登録免許税**

建物及び敷地権（所有権）については，課税価格に「1,000分の20」（登録税別表1.1.⑵ハ）を乗じた額である。

敷地権（賃借権）については，課税価格に「1,000分の10」（登録税別表1.1.⑶ニ）を乗じた額である。

以上から，次のように算定する。

建物　　　　　　　金450万円×1,000分の20＝金９万円
敷地権（所有権）　金384万円×1,000分の20＝金７万6,800円
敷地権（賃借権）　金180万円×1,000分の10＝金１万8,000円
合計　　　　　　　金９万円＋金７万6,800円＋金１万8,000円
　　　　　　　　＝金18万4,800円

※　本問においては「建物の登録免許税額」,「敷地権の登録免許税額」及び「合計の登録免許税額」が問われていることから，建物の欄には「金９万円」，敷地権の欄には「金９万4,800円（＝金７万6,800円＋金１万8,000円)」，合計の欄には「金18万4,800円」と記載する。

6 解答順序の検討

6－1　申請可能な登記の検討

本問において，各申請日における申請すべき登記は以下のとおりである。

平成31年

平成31年１月25日申請分

登記の目的	登記原因及びその日付	
所有権移転	平成24年７月21日相続	…①
１番抵当権抹消	平成24年８月13日弁済	…②
甲山友子持分全部移転	平成30年２月12日相続	…③

平成31年４月５日申請分

登記の目的	登記原因及びその日付	
２番根抵当権登記名義人住所変更	平成30年９月３日本店移転	…④
２番根抵当権変更	平成31年３月18日変更	…⑤
所有権移転	平成31年４月５日売買	…⑥

6－2 解答順序の検討

【第２欄について】

〔事実関係に関する補足〕７より，司法書士法務律子は，複数の登記の申請があり，かつ，申請の前後を問わないものがあるときには，権利部（甲区）に関する登記を申請し，その後に権利部（乙区）に関する登記を申請するものとする，とある。

この点，登記権利者の相続人を申請人とすることで，上記③の登記を申請することなく上記②の登記を申請することができる（不登62）。一方で，上記③の登記を申請してから上記②の登記を申請する方法によることもできる。すなわち，上記②の登記と上記③の登記は「複数の登記の申請があり，かつ，申請の前後を問わないものがあるとき」の関係に立つものと考えられ，問題文の指示から，上記③の登記を申請してから上記②の登記を申請すると判断することとなる。

したがって，各解答欄に記載する登記の順序としては，以下のとおりとなる。

各解答欄	申請すべき登記
第２欄(1)	所有権移転（上記①）
第２欄(2)	甲山友子持分全部移転（上記③）
第２欄(3)	１番抵当権抹消（上記②）

【第４欄について】

〔事実関係に関する補足〕 ８より，司法書士法務律子は，複数の登記の申請があり，かつ，申請の前後を問わないものがあるときには，登記原因の日付の古い順に登記を申請するものとする，とある。

したがって，第４欄に記載する登記の順序としては，以下のとおりとなる。

各解答欄	申請すべき登記
第４欄(1)	２番根抵当権登記名義人住所変更（上記④）
第４欄(2)	２番根抵当権変更（上記⑤）
第４欄(3)	所有権移転（上記⑥）
第４欄(4)	登記不要

解答例

第１欄

(1)

登記義務者である株式会社ひだまり銀行に対し，当該申請があった旨及び当該申請の内容が真実であると思料するときは法務省令で定める期間内に法務省令で定めるところによりその旨の申出をすべき旨が書留郵便等により通知される。

(2)

・資格者代理人による本人確認情報を提供する方法
・公証人による本人確認の認証による方法

第２欄

(1)

<table>
<tr><td colspan="2">登記の目的</td><td colspan="6">所有権移転</td></tr>
<tr><td rowspan="2">申請事項等</td><td>登記原因
及びその日付</td><td colspan="6">平成24年７月21日相続</td></tr>
<tr><td>上記以外の
申請事項等</td><td colspan="6">相続人（被相続人　甲山一郎）
　持分２分の１　亡甲山友子
　　　　　　　　上記相続人甲山大介
　　　２分の１　甲山大介</td></tr>
<tr><td colspan="2">添付情報　※</td><td colspan="6">ア，イ，ウ，エ，オ</td></tr>
<tr><td colspan="2">登録免許税額</td><td>建物</td><td>金１万
8,000円</td><td>敷地権</td><td>金１万
8,960円</td><td>合計</td><td>金３万
6,900円</td></tr>
</table>

※　「ウ」は記載しなくともよいと解される。

(2)

<table>
<tr><td colspan="2">登記の目的</td><td colspan="6">甲山友子持分全部移転</td></tr>
<tr><td rowspan="2">申請事項等</td><td>登記原因
及びその日付</td><td colspan="6">平成30年２月12日相続</td></tr>
<tr><td>上記以外の
申請事項等</td><td colspan="6">相続人（被相続人　甲山友子）
　持分２分の１　甲山大介</td></tr>
<tr><td colspan="2">添付情報　※</td><td colspan="6">イ，エ，オ</td></tr>
<tr><td colspan="2">登録免許税額</td><td>建物</td><td>金9,000円</td><td>敷地権</td><td>金9,480円</td><td>合計</td><td>金１万
8,400円</td></tr>
</table>

※　「エ」は記載しなくともよいと解される。

(3)

<table>
<tr><td colspan="2">登記の目的</td><td colspan="6">１番抵当権抹消</td></tr>
<tr><td rowspan="2">申請事項等</td><td>登記原因
及びその日付</td><td colspan="6">平成24年８月13日弁済</td></tr>
<tr><td>上記以外の
申請事項等</td><td colspan="6">権利者　甲山大介
義務者　株式会社ひだまり銀行
登記済証を提供することができない理由　紛失</td></tr>
<tr><td colspan="2">添付情報</td><td colspan="6">ケ，シ，ツ</td></tr>
<tr><td colspan="2">登録免許税額</td><td>建物</td><td>なし</td><td>敷地権</td><td>なし</td><td>合計</td><td>金2,000円</td></tr>
</table>

第３欄

（要否）	（理由）
不要	敷地権付き区分建物についての所有権又は担保権に係る権利に関する登記は，敷地権である旨の登記をした土地の敷地権についてされた登記としての効力も有するため。

第４欄

(1)

<table>
<tr><td colspan="2">登記の目的</td><td colspan="6">２番根抵当権登記名義人住所変更</td></tr>
<tr><td rowspan="2">申
請
事
項
等</td><td>登記原因
及びその日付</td><td colspan="6">平成30年９月３日本店移転</td></tr>
<tr><td>上記以外の
申請事項等</td><td colspan="6">変更後の事項　※
　本店　名古屋市中区神戸三丁目１番地
申請人　株式会社つぼみ銀行</td></tr>
<tr><td colspan="2">添付情報</td><td colspan="6">テ</td></tr>
<tr><td colspan="2">登録免許税額</td><td>建
物</td><td>なし</td><td>敷
地
権</td><td>なし</td><td>合
計</td><td>金2,000円</td></tr>
</table>

※　「変更後の事項」は記載しなくともよいと解される。

(2)

<table>
<tr><td colspan="2">登記の目的</td><td colspan="6">２番根抵当権変更</td></tr>
<tr><td rowspan="2">申
請
事
項
等</td><td>登記原因
及びその日付</td><td colspan="6">平成31年３月18日変更</td></tr>
<tr><td>上記以外の
申請事項等</td><td colspan="6">変更後の事項　※
　極度額　金2,000万円
権利者　株式会社つぼみ銀行
義務者　甲山大介</td></tr>
<tr><td colspan="2">添付情報</td><td colspan="6">キ，ク，ス，テ</td></tr>
<tr><td colspan="2">登録免許税額</td><td>建
物</td><td>なし</td><td>敷
地
権</td><td>なし</td><td>合
計</td><td>金２万円</td></tr>
</table>

※　「変更後の事項」は記載しなくともよいと解される。

(3)

<table>
<tr><td colspan="2">登記の目的</td><td colspan="6">所有権移転</td></tr>
<tr><td rowspan="2">申請事項等</td><td>登記原因及びその日付</td><td colspan="6">平成31年４月５日売買</td></tr>
<tr><td>上記以外の申請事項等</td><td colspan="6">権利者　有限会社ＫＭ設計
義務者　甲山大介</td></tr>
<tr><td colspan="2">添付情報</td><td colspan="6">キ，ク，ソ（売買の事実を証するもの），タ（有限会社ＫＭ設計のもの），ナ</td></tr>
<tr><td colspan="2">登録免許税額</td><td>建物</td><td>金９万円</td><td>敷地権</td><td>金９万4,800円</td><td>合計</td><td>金18万4,800円</td></tr>
</table>

(4)

<table>
<tr><td colspan="2">登記の目的</td><td colspan="6">登記不要</td></tr>
<tr><td rowspan="2">申請事項等</td><td>登記原因及びその日付</td><td colspan="6"></td></tr>
<tr><td>上記以外の申請事項等</td><td colspan="6"></td></tr>
<tr><td colspan="2">添付情報</td><td colspan="6"></td></tr>
<tr><td colspan="2">登録免許税額</td><td>建物</td><td></td><td>敷地権</td><td></td><td>合計</td><td></td></tr>
</table>

問題　平成30年

本問題の日付は、出題当時の本試験問題に合わせておりますが、法令等については、令和７年４月１日時点において施行されているもの（本書作成時点において施行予定のものを含む。）を適用した上で、解答を作成してください。

別紙１の登記がされている不動産（以下「甲土地」という。）について，次の**【事実関係】**に記載された事実に基づき，司法書士法務直子が依頼を受けて申請した登記の手続について，後記の問１から問３までに答えなさい。

【事実関係】

1　甲山司は，甲土地の所有者であったが，平成７年４月10日に死亡した。

2　亡甲山司の子である甲山昭子は平成15年７月15日に死亡し，亡甲山司の前妻である甲山正子は平成18年10月５日に死亡した。

3　亡甲山司，亡甲山昭子及び亡甲山正子の各親族関係は別紙３のとおりである。

4　甲山治子は，認知症のため，別紙４のとおり，乙川平太が甲山治子の成年後見人，民事大介が成年後見監督人に就任している。

5　甲山治子は，亡甲山司と婚姻した当初から神戸市北区天神五丁目10番10号に居住している。

6　甲土地は，香川県の山沿いにある土地で，甲土地上に建物は建っておらず，誰も甲土地に居住したことはない。

7　甲土地の上には送電線路が設置されており，乙区１番で香川市銀座2119番の土地（以下「乙土地」という。）を要役地とする地役権の設定の登記がされている。乙土地の全部事項証明書は別紙２のとおりである。

8　平成30年２月頃，株式会社カガワソーラーは，甲土地の所有権を相続により取得した者及びその関係者に対し，太陽光発電の事業を行うための用地として，甲土地を買い取りたいという申出をした。

9　甲土地の所有権を相続により取得した者及びその関係者は，上記８の申出を受けて，甲土地について，法定相続分のとおりの相続による所有権の移転の登記をした後に，株式会社カガワソーラーとの間で売買契約を締結することを決めた。

10　亡甲山司，亡甲山昭子及び亡甲山正子のいずれも遺言書は作成しておらず，また，相続人間で成立した遺産分割協議もない。

11　平成30年４月５日，司法書士法務直子は，上記１から10までの事実を聴取し，同月16日，当該聴取に係る関係当事者全員からこれらの事実に基づいて行うべき登記の申請手続に必要な全ての書類を受領し，登記の申請手続について代理することの依頼を受け，同日，当該依頼に係る登記の申請を行った。

12　平成30年４月25日，上記11の登記が完了したことから，株式会社カガワソーラーは，甲土地の売却に関する関係当事者全員（以下「売主」という。）との間で，別紙５の売買契約書記載のとおり，甲土地の売買契約を締結した。

13　乙川平太は，平成30年４月25日までに，甲山治子の成年後見人として，必要な関係機関及び関係当事者の許可又は同意を得た。

14　平成30年５月10日，株式会社カガワソーラーは，別紙５の売買契約書記載の売買代金600万円全額を売主に支払い，売主はこれを受領した。

15　売主及び買主は，甲土地の所有権に関する登記の申請情報と併せて提供すべき，登記原因を証する情報（以下「登記原因証明情報」という。）を作成して提供することとし，平成30年５月10日，その起案を司法書士法務直子に依頼した。

16　平成30年５月10日，司法書士法務直子は，上記15の依頼に基づき，別紙６の登記原因証明情報を起案し，当該登記原因証明情報に，売主及び買主が記名押印した。

17　平成30年５月10日，司法書士法務直子は，上記12から14までの事実を聴取し，上記16のとおり登記原因証明情報の起案をしたほか，当該聴取に係る関係当事者全員からこれらの事実に基づいて行うべき登記の申請手続に必要な全ての書類を受領し，登記の申請手続について代理することの依頼を受け，同日，当該依頼に係る登記の申請を行った。

18　上記17の登記が完了したことから，株式会社サンエネルギーと株式会社カガワソーラーは，甲土地の乙区１番で登記されている地役権の地役権者の承諾を得て，平成30年５月25日，甲土地に太陽光発電施設を設置し，その所有を目的として，別紙７の地上権設定契約書記載のとおり，地上権設定契約を締結した。

19　株式会社Ｂ銀行（取扱店　香川支店）は，平成30年５月25日，別紙８の根抵当権設定契約書記載のとおり，上記18において設定した地上権を目的として根抵当権設定契約を締結した。

20　平成30年５月25日，司法書士法務直子は，上記18及び19の事実を聴取し，当該聴取に係る関係当事者全員から，これらの事実に基づいて行うべき登記の申請手続に必要な全ての書類を受領し，登記の申請手続について代理することの依頼を受け，同日，当該依頼に係る登記の申請を行った。

〔事実関係に関する補足〕

1　登記申請に当たって法律上必要な手続は，各申請日までに全てされている。

なお，登記原因につき第三者の許可，同意又は承諾を要する場合には，各申請日までに，それぞれ当該第三者の許可，同意又は承諾を得ている。

また，登記上の利害関係を有する第三者の承諾を要する場合には，各申請日までに，当該第三者の承諾を得ている。

2　**【事実関係】**は全て真実に合致しており，また，これらに基づく行為や司法書士法務直子の説明内容は，全て適法である。

3　司法書士法務直子は，複数の登記の申請をする場合には，権利部（甲区）に関する登記を申請し，その後に権利部（乙区）に関する登記を申請する。また，司法書士法務直子は，複数の登記を申請する場合には，申請件数及び登録免許税の額が最も少なくなるように登記を申請するものとする。

4　司法書士法務直子は，権利部（甲区）又は権利部（乙区）の各区において，複数の登記の申請をする場合には，登記原因の日付の古い順に登記を申請し，当該複数の登記の申請のうち登記原因の日付の先後が不明であり，かつ，申請の前後を問わないものがあるときには，申請人の数が少ないものから順に申請するものとする。

5　本件の関係当事者間には，**【事実関係】**及び各別紙に記載されている権利義務以外には，実体上の権利義務関係は，存在しない。

6　香川市は香川県に属しており，甲土地及び乙土地は高松法務局の管轄に属している。また，司法書士法務直子は，いずれの登記の申請も，管轄登記所に書面を提出する方法により行ったものとする。

7　平成30年1月1日現在の甲土地に係る課税標準の額は，37万5600円とする。

問1　司法書士法務直子が平成30年4月16日に甲土地について申請した各登記の申請情報の内容のうち，登記の目的，登記記録の「権利者その他の事項」欄に記録される事項及び当該記録される事項に含まれない申請人（以下「申請事項等」という。問2及び問3において同じ。）並びに添付情報を，司法書士法務直子が申請した登記の順に従って，答案用紙の第1欄(1)及び(2)の各欄に記載しなさい。

問2　司法書士法務直子が平成30年5月10日に甲土地について申請した登記の申請情報の内容のうち，登記の目的，申請事項等及び添付情報を，答案用紙の第2欄(1)の各欄に記載しなさい。

また，**【事実関係】**の16の登記原因証明情報（別紙6）における「登記の原因となる事実又は法律行為」欄の（X）の欄に記載すべき事実や法律行為について，事実又は法律行為ごとに箇条書きで，答案用紙の第2欄(2)に記載しなさい。

問３　司法書士法務直子が平成30年５月25日に甲土地について申請した各登記の申請情報の内容のうち，登記の目的，申請事項等，添付情報及び登録免許税額を，司法書士法務直子が申請した登記の順に従って，答案用紙の第３欄⑴及び⑵の各欄に記載しなさい。

（答案作成に当たっての注意事項）

1　答案用紙の第１欄から第３欄までの申請事項等欄の「上記以外の申請事項等」欄に解答を記載するに当たっては，次の要領で行うこと。

⑴　申請人について，「権利者」，「義務者」，「申請人」，「（被承継会社）」等の表示も記載する。

⑵　申請人について，住所又は本店所在地，代表機関の資格及び氏名並びに会社法人等番号は，記載することを要しない。

⑶　民法第423条その他の法令の規定により他人に代わって登記を申請するときは，申請人が代位者である旨，当該他人の氏名又は名称及び代位原因をも記載する。

2　答案用紙の第１欄から第３欄までの添付情報欄に解答を記載するに当たっては，次の要領で行うこと。

⑴　添付情報の解答は，その登記の申請に必要な添付情報を後記**【添付情報一覧】**から選択し，その記号（アからムまで）を記載する。

⑵　法令の規定により添付を省略することができる情報及び提供されたものとみなされる情報についても，後記**【添付情報一覧】**から選択し，その記号（アからムまで）を記載する。

⑶　後記**【添付情報一覧】**のアからムまでに掲げられた情報以外の情報（登記の申請に関する委任状等）は，記載することを要しない。

⑷　後記**【添付情報一覧】**のタからナまでに掲げられた印鑑に関する証明書は，登記名義人となる者の住所を証する情報としては使用しないものとする。

⑸　後記**【添付情報一覧】**のハを記載するときは，記号の後に続けて，ハの括弧書きの「（何の事実を証するもの）」に当該事実を補い，「ハ（売買の事実を証するもの）」の要領で記載する。なお，ハのほかに添付をすることができる添付情報が**【添付情報一覧】**にある場合には，ハを添付しないで当該添付情報を添付するものとする。

⑹　後記**【添付情報一覧】**のヒ又はフの一方又は双方を記載するときは，それぞれの記号の後に続けて，ヒ又はフの括弧書きの「（何某のもの）」に当該情報の作成者の氏名又は名称を補い，「ヒ（株式会社ＸＹＺ銀行のもの）」の要領で記載する。当該情報の作成者が会社法人等である場合は，当該情報に会社法人

等番号の記載がされているものとする。

(7) 会社法人等番号を提供する方法により登記の申請手続をすることができる登記については，後記**【添付情報一覧】**のへからムまでに掲げられた情報から選択し，その記号（へからムまで）を記載する。

(8) 添付情報のうち，登記の申請に際して有効期限の定めがあるものは，登記の申請時において，全て有効期限内であるものとする。

3 答案用紙の第1欄から第3欄までの各項目の欄に申請すべき登記の申請情報等の内容を記載するに当たり，記載すべき情報等がない場合には，その欄に「なし」と記載すること。

4 申請すべき登記がない場合には，答案用紙の第1欄から第3欄まで（第2欄(2)は除く。）の登記の目的欄に「登記不要」と記載すること。

5 別紙は，いずれも，実際の様式と異なる。また，別紙には，記載内容の一部が省略されているものがあり，別紙を含め，登記の申請に必要な添付情報は，いずれも，**【事実関係】**に沿う形で，法律上適式に作成されているものとする。

6 数字を記載する場合には，算用数字を使用すること。

7 登録免許税額の算出について，登録免許税法以外の法令による税の減免の規定の適用はないものとする。

8 訂正，加入又は削除をするときは，訂正は訂正すべき字句に線を引き，近接箇所に訂正後の字句を記載し，加入は加入する部分を明示して行い，削除は削除すべき字句に線を引いて，訂正，加入又は削除をしたことが明確に分かるように記載すること。ただし，押印や字数を記載することは要しない。

【添付情報一覧】

ア　甲山司の法定相続人を特定することができる戸籍の全部事項証明書，戸籍謄本，除籍謄本及び改製原戸籍謄本
イ　甲山正子の法定相続人を特定することができる戸籍の全部事項証明書，戸籍謄本，除籍謄本及び改製原戸籍謄本
ウ　甲山昭子の法定相続人を特定することができる戸籍の全部事項証明書，戸籍謄本，除籍謄本及び改製原戸籍謄本
エ　成年被後見人甲山治子に係る登記事項証明書（別紙4）
オ　甲山司の住民票の除票（本籍及び死亡時の住所の記載あり）
カ　甲山正子の住民票の除票（本籍及び死亡時の住所の記載あり）
キ　甲山昭子の住民票の除票（本籍及び死亡時の住所の記載あり）
ク　甲山治子の住民票の写し（本籍の記載あり）
ケ　甲山一郎の住民票の写し（本籍の記載あり）
コ　乙川和子の住民票の写し（本籍の記載あり）
サ　乙川平太の住民票の写し（本籍の記載あり）
シ　甲土地甲区１番の登記済証
ス　甲土地について平成30年４月16日付け申請により通知される登記識別情報
セ　甲土地について平成30年５月10日付け申請により通知される登記識別情報
ソ　甲土地について平成30年５月25日付け申請により通知される登記識別情報
タ　甲山治子の印鑑に関する証明書
チ　甲山一郎の印鑑に関する証明書
ツ　乙川和子の印鑑に関する証明書
テ　乙川平太の印鑑に関する証明書
ト　株式会社カガワソーラーの印鑑に関する証明書
ナ　株式会社サンエネルギーの印鑑に関する証明書
ニ　売買契約書（別紙５）
ヌ　登記原因証明情報（別紙６）
ネ　地上権設定契約書（別紙７）
ノ　根抵当権設定契約書（別紙８）
ハ　登記原因証明情報（何の事実を証するもの）
ヒ　登記原因につき第三者の許可，同意又は承諾を証する情報及び当該情報の作成者の印鑑に関する証明書（何某のもの）
フ　登記上の利害関係を有する第三者の承諾を証する情報及び当該情報の作成者の印鑑に関する証明書（何某のもの）
ヘ　株式会社カガワソーラーの会社法人等番号
ホ　株式会社サンエネルギーの会社法人等番号
マ　株式会社Ａ電力ＨＤの会社法人等番号
ミ　株式会社Ａ電力開発の会社法人等番号
ム　株式会社Ｂ銀行の会社法人等番号

別紙1　甲土地の全部事項証明書

表　題　部（土地の表示）	調製	平成11年7月22日	不動産番号	【省略】
地図番号	余白	筆界特定	余白	
所在	香川市銀座			余白

①　地　番	②　地　目	③　地　積　㎡	原因及びその日付〔登記の日付〕
2001番1	雑種地	10325	余白
余白	余白	余白	昭和63年法務省令第37号附則第2条第2項の規定により移記 平成11年7月22日

権　利　部（甲　区）（所　有　権　に　関　す　る　事　項）			
順位番号	登記の目的	受付年月日・受付番号	権　利　者　そ　の　他　の　事　項
1	所有権移転	昭和35年5月6日 第462号	原因　昭和35年5月6日贈与 所有者　香川市銀座88番地 甲山司 順位2番の登記を移記
	余白	余白	【省略】

権　利　部（乙　区）（所　有　権　以　外　の　権　利　に　関　す　る　事　項）			
順位番号	登記の目的	受付年月日・受付番号	権　利　者　そ　の　他　の　事　項
1	地役権設定	平成2年5月14日 第4580号	原因　平成2年3月3日設定 目的　一、送電線路の最下垂時における電線から3・6メートルの範囲内における建造物の築造、送電線路の支障となる工作物の設置、竹木の植栽その他送電線路に支障となる一切の行為の禁止 二、送電線路の設置及びその保全のための土地立入 三、可燃性を有する危険物の製造、取扱及び貯蔵の禁止 範囲　全部 要役地　香川市銀座2119番 順位1番の登記を移記
	余白	余白	【省略】

これは登記記録に記録されている事項の全部を証明した書面である。

平成30年4月2日
高松法務局　　　　　　　　　　　　　　登記官　○　○　○　○　印

別紙２　乙土地の全部事項証明書

表　題　部（土地の表示）	調製	平成11年７月22日	不動産番号	【省略】
地図番号	余白	筆界特定	余白	
所在	香川市銀座		余白	
①　地　番	②　地　目	③　地　積　㎡	原因及びその日付〔登記の日付〕	
2119番	雑種地	2400	余白	
余白	余白	余白	昭和63年法務省令第37号附則第２条第２項の規定により移記 平成11年７月22日	

権　利　部（　甲　区　）（　所　有　権　に　関　す　る　事　項　）			
順位番号	登記の目的	受付年月日・受付番号	権利者その他の事項
1	所有権移転	昭和61年３月19日 第3355号	原因　昭和61年３月10日売買 所有者　香川市新橋55番地 　株式会社Ａ電力 順位２番の登記を移記
付記１号	1番登記名義人名称変更	平成28年５月16日 第9999号	原因　平成28年５月１日商号変更 商号　株式会社Ａ電力ＨＤ
	余白	余白	【省略】
2	所有権移転	平成28年５月16日 第10000号	原因　平成28年５月１日売買 所有者　香川市新橋56番地 　株式会社Ａ電力開発

権　利　部（　乙　区　）（　所　有　権　以　外　の　権　利　に　関　す　る　事　項　）			
順位番号	登記の目的	受付年月日・受付番号	権利者その他の事項
1	要役地地役権	余白	承役地　香川市銀座2001番１ 目的　一、送電線路の最下垂時における電線から３・６メートルの範囲内における建造物の築造、送電線路の支障となる工作物の設置、竹木の植栽その他送電線路に支障となる一切の行為の禁止 二、送電線路の設置及びその保全のための土地立入 三、可燃性を有する危険物の製造、取扱及び貯蔵の禁止 範囲　全部 平成２年５月14日登記 順位１番の登記を移記
	余白	余白	【省略】

これは登記記録に記録されている事項の全部を証明した書面である。

平成30年４月２日
高松法務局　　　　　　　　　　登記官　○　○　○　○　印

別紙3　亡甲山司・亡甲山昭子・亡甲山正子の親族関係

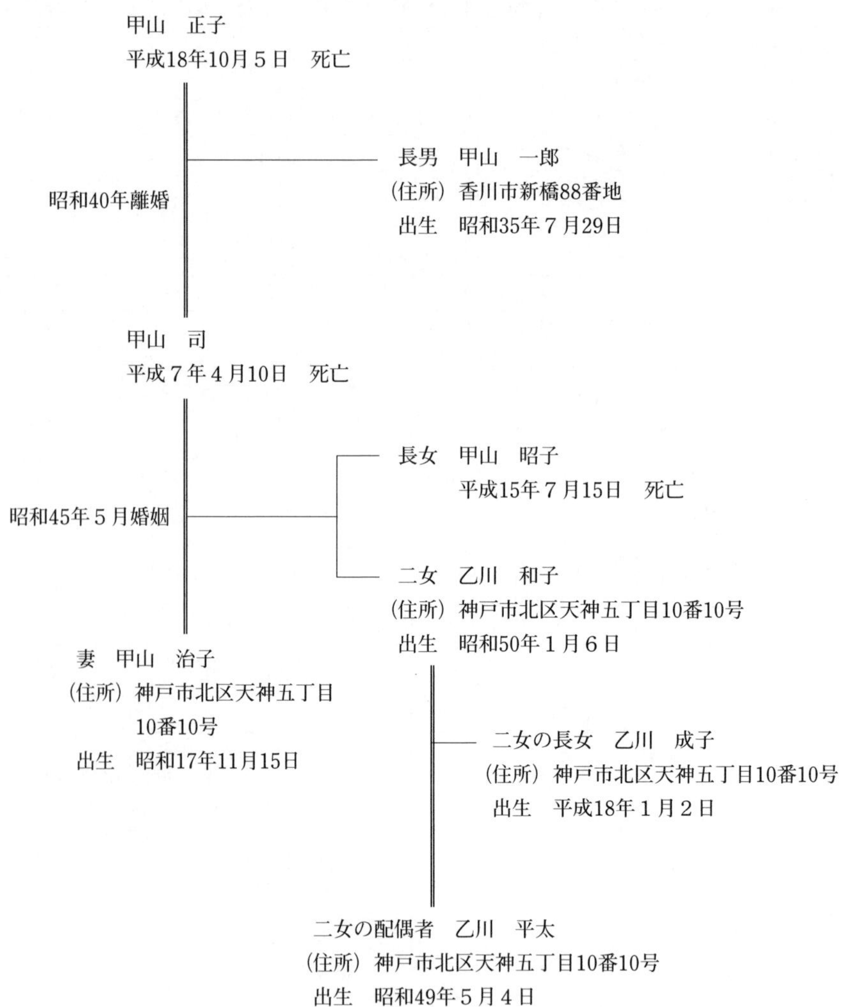

別紙4　登記事項証明書

登記事項証明書

後見

後見開始の裁判
【裁 判 所】 神戸家庭裁判所
【事件の表示】 平成26年（家）第1234567号
【裁判の確定日】 平成26年９月19日
【登記年月日】 平成26年９月24日
【登記番号】 第2016－88888号

成年被後見人
【氏　　名】 甲山治子
【生年月日】 昭和17年11月15日
【住　　所】 神戸市北区天神五丁目10番10号
【本　　籍】 神戸市北区天神五丁目10番

成年後見人
【氏　　名】 乙川平太
【住　　所】 神戸市北区天神五丁目10番10号
【選任の裁判確定日】 平成26年９月19日
【登記年月日】 平成26年９月24日

成年後見監督人
【氏　　名】 民事大介
【住　　所】 神戸市東区博多三丁目１番１号
【選任の裁判確定日】 平成26年９月19日
【登記年月日】 平成26年９月24日

上記のとおり後見登記等ファイルに記録されていることを証明する。
平成30年４月２日
東京法務局　　登記官 ○ ○ ○ ○ 印

別紙5　売買契約書

売買契約書

【印紙省略】

平成30年４月25日

売主　当欄には，関係当事者全員の住所及び氏名又は名称が記され，押印がされているものとする。

買主　香川市赤坂29番地
株式会社カガワソーラー　㊞
代表取締役　西野次郎

上記売主及び上記買主は，売主所有に係る後記物件目録記載の土地（以下「本件土地」という。）について，本日，次のとおり，売買契約（以下「本契約」という。）を締結した。

（売買）

第１条　売主は，買主に対し，本件土地を代金600万円にて売り渡し，買主は，これを買い受けた。

（代金の支払）

第２条　買主は，売主に対し，平成30年５月25日限り，上記売買代金を支払う。

２　本件土地の所有権は，買主が上記売買代金の全額を支払い，売主がこれを受領した時に，売主から買主に移転する。

（所有権移転登記）

第３条　本契約による本件土地の所有権の移転の登記の手続は，上記売買代金の支払後，直ちに行う。

（担保権等の抹消）

第４条　売主は，前条に定める所有権の移転の登記の手続を行うまでに，本件土地について抵当権，質権，先取特権及び賃借権等の買主の完全な所有権の行使を妨げる一切の負担を除去しなければならない。ただし，平成２年５月14日高松法務局受付第4580号で登記されている地役権は買主の負担とし，その登記は抹消しない。

【中略】

物　件　目　録

所　在	香川市銀座
地　番	2001番１
地　目	雑種地
地　積	10325平方メートル

別紙６　登記原因証明情報

登記原因証明情報

1　登記申請情報の要項

(1)　登記の目的　【省略】

(2)　登記の原因　【省略】

(3)　当　事　者　登記権利者【省略】

登記義務者【省略】

(4)　不　動　産

所　　在　　香川市銀座

地　　番　　2001番１

地　　目　　雑種地

地　　積　　10325平方メートル

2　登記の原因となる事実又は法律行為

（X）

上記のとおり相違ない。

高松法務局　御中

平成30年５月10日

当欄には，関係当事者全員の住所及び氏名が記され，押印がされているものとする。

別紙7　地上権設定契約書

地上権設定契約書

【印紙省略】

平成30年５月25日

土地所有者　香川市赤坂29番地
株式会社カガワソーラー　㊞
代表取締役　丙野次郎

地上権者　香川市四谷229番地
株式会社サンエネルギー　㊞
代表取締役　丁野五郎

株式会社カガワソーラー（以下「甲」という。）及び株式会社サンエネルギー（以下「乙」という。）は，本日，後記物件目録記載の土地（以下「本件土地」という。）について，次のとおり，地上権設定契約を締結した。

（目的）

第１条　甲は，本件土地について，乙に対し，太陽光発電施設所有を目的とする地上権を設定した。

（範囲）

第２条　本件土地には［ここには甲土地の乙区１番で登記されている地役権につき，当該地役権者の氏名又は名称が記載されているものとする。］を権利者とする地役権が設定されているため，前条の地上権は，範囲を東京湾平均海面の上25・50メートルから上３・50メートルの間とする区分地上権とする。

（期間）

第３条　存続期間は，本日から252か月とする。

（地代及び支払時期）

第４条　地代は１平方メートル当たり年120円とし，乙は，毎年12月末日までに翌年分を前払にて支払うものとする。

（地代の改定）

第５条　甲及び乙は，経済情勢の変動，公租公課等の増加又は近隣地代との比較等によって地代が著しく不相当となったときは，協議の上，地代を改定することができる。

（登記）
第６条　甲及び乙は，本契約締結後速やかに，本件地上権設定を原因とする地上権の設定の登記手続を行う。ただし，登記手続費用は，乙の負担とする。

【中略】

物 件 目 録

所　　在	香川市銀座
地　　番	2001番１
地　　目	雑種地
地　　積	10325平方メートル

別紙８　根抵当権設定契約書

根抵当権設定契約書

【印紙省略】

平成30年５月25日

根抵当権設定者　当欄には，関係当事者全員の住所及び氏名又は名称が記され，押印がされているものとする。

根抵当権者　東京都渋谷区春日一丁目２番３号
株式会社Ｂ銀行（取扱店　香川支店）㊞
代表取締役　【省略】

ここには根抵当権設定者の氏名又は名称が記載されているものとする。(以下「甲」という。)及び株式会社Ｂ銀行(取扱店　香川支店)(以下「乙」という。)は，次のとおり，根抵当権設定契約を締結した。

（根抵当権の設定）

第１条　甲は．別に約定した銀行取引約定書【省略】の各条項を承認の上，甲の有する後記物件目録記載の土地に設定された後記地上権の表示記載の地上権について，次の要領による根抵当権を設定した。

⑴　極　度　額　　金5,000万円

⑵　被担保債権の範囲　①　銀行取引による一切の債権
②　乙が第三者から取得する手形上，小切手上の債権

⑶　債　務　者　　香川市四谷229番地　株式会社サンエネルギー
香川市赤坂29番地　株式会社カガワソーラー

⑷　元本確定期日　　定めない

（登記義務）

第２条　甲は，前条による根抵当権の設定の登記手続を直ちに行う。今後，本契約による根抵当権について各種の変更等の合意がされたときも，同様とする

【中略】

物　件　目　録

所　　在　　香川市銀座
地　　番　　2001番１
地　　目　　雑種地
地　　積　　10325平方メートル

地上権の表示　当欄には，上記物件目録記載の土地について，別紙７地上権設定契約書に基づき設定された地上権が記載されているものとする。

MEMO

平成30年●答案用紙

第1欄

(1)

登記の目的		
申請事項等	登記原因及びその日付	
	上記以外の申請事項等	
添付情報		

(2)

登記の目的		
申請事項等	登記原因及びその日付	
	上記以外の申請事項等	
添付情報		

第２欄

(1)

<table>
<tr><td colspan="2">登記の目的</td><td></td></tr>
<tr><td rowspan="2">申請事項等</td><td>登記原因
及びその日付</td><td></td></tr>
<tr><td>上記以外の
申請事項等</td><td></td></tr>
<tr><td colspan="2">添付情報</td><td></td></tr>
</table>

(2) （X）の欄に記載すべき事実・法律行為

第３欄

(1)

登記の目的		
申請事項等	登記原因及びその日付	
	上記以外の申請事項等	
添付情報		
登録免許税額		

(2)

登記の目的		
申請事項等	登記原因及びその日付	
	上記以外の申請事項等	
添付情報		
登録免許税額		

MEMO

[本問の重要論点一覧表]

出題範囲	重要論点	解説箇所
相続による所有権移転	被相続人に子及び直系卑属がないときは，被相続人の直系尊属が相続人となる。	P328参照
	子が数人あるときは，原則として，各自の相続分は等しいものとされる。これは先妻の子と後妻の子がいる場合であっても変わることはない。	P328参照
	数次相続において，中間の相続が単独相続でない場合には，中間者の相続登記を省略することはできず，まず，中間者名義に相続登記を申請した後に，現在の相続人名義に相続登記を申請する必要がある。	P329参照
売買による所有権移転	成年後見人が成年被後見人所有の不動産につき売買による所有権移転登記を申請する場合において，成年後見監督人があるときは，申請書にその同意書の添付を要する。	P334参照
	登記原因証明情報とは，登記の原因となる事実又は法律行為の存在を証明する情報であって，当該原因に基づいて権利変動等が生じたことを確認することができるものをいう。	P335参照
区分地上権設定	区分地上権の設定登記においては，地上権の目的となる地下又は空間の上下の「範囲」を記載しなければならない。しかし，この範囲を具体的に示すための図面の添付は要しない。	P340参照
	区分地上権は，第三者がその土地の使用又は収益をする権利を有する場合においても，その権利又はこれを目的とする権利を有する全ての者の承諾があるときは，設定することができる。	P340参照
地上権を目的とする根抵当権設定	地上権を目的とする根抵当権設定契約は有効であり，登記の目的としては，その地上権の設定登記の順位番号を掲げ，「○番地上権根抵当権設定」と記載する。	P343参照
	地上権を目的として根抵当権を設定する場合，登記義務者となる地上権者の印鑑証明書については添付することを要しない。	P345参照

1 事件の概要

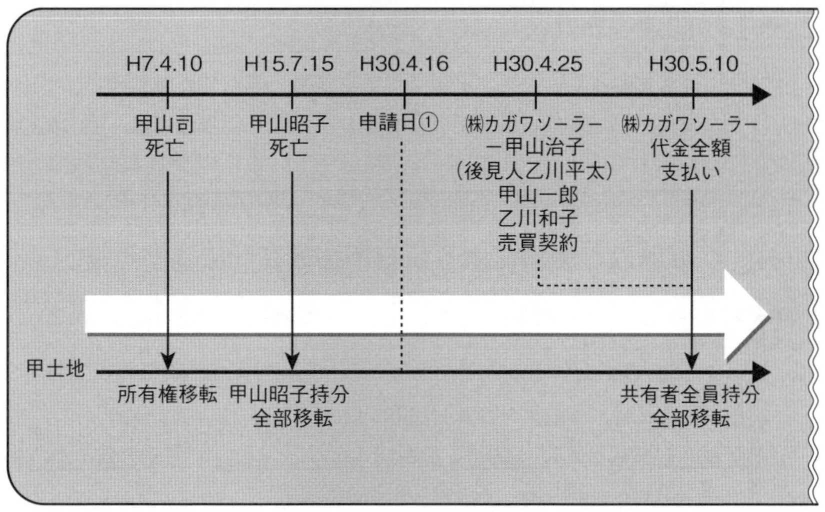
H7.4.10
H15.7.15
H30.4.16
H30.4.25
H30.5.10
甲山司
死亡
甲山昭子
死亡
申請日①
㈱カガワソーラー
ー甲山治子
（後見人乙川平太）
甲山一郎
乙川和子
売買契約
㈱カガワソーラー
代金全額
支払い
甲土地
所有権移転
甲山昭子持分
全部移転
共有者全員持分
全部移転

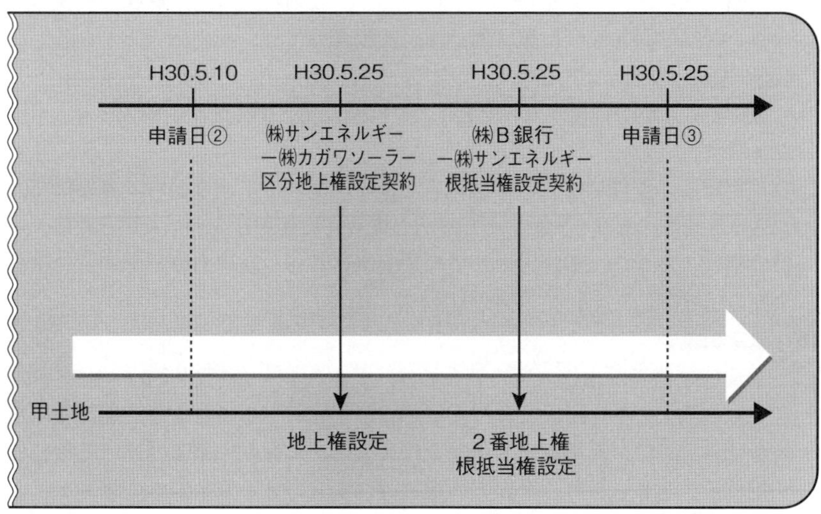
H30.5.10
H30.5.25
H30.5.25
H30.5.25
申請日②
㈱サンエネルギー
ー㈱カガワソーラー
区分地上権設定契約
㈱B銀行
ー㈱サンエネルギー
根抵当権設定契約
申請日③
甲土地
地上権設定
２番地上権
根抵当権設定

2 相続による所有権移転

2－1 問題の所在

本問では，【事実関係】１より，平成７年４月10日，甲土地の所有者である甲山司が死亡しており，その後，【事実関係】２より，平成15年７月15日，甲山司の相続人の一人である甲山昭子が死亡していることから，これらの事実に基づき必要となる登記の手続について，申請すべき登記の件数の判断を踏まえつつ検討する。

2－2 問題点　相続による所有権移転登記に関する検討

前提の知識

⑴　**相続人**

被相続人の子は，相続人となる（民887Ⅰ）。

子が数人いる場合には，共同して相続人となる。なお，実子か養子か，嫡出子か非嫡出子かを問わず，子は全て相続人となる。

被相続人に子及び直系卑属がないときは，被相続人の直系尊属が相続人となる。親等の異なる直系尊属間では，被相続人に近い者が相続人となる（民889Ⅰ①）。

被相続人に直系血族がないときは，被相続人の兄弟姉妹が相続人となる（民889Ⅰ②）。

被相続人の配偶者は，常に相続人となる（民890）。すなわち，血族相続人がいるときは，それと同順位で相続人となり，血族相続人がいないときは，単独で相続人となる。相続人としての「配偶者」は，法律上の婚姻関係にある夫婦の一方のことであり，内縁関係を含まない。

⑵　**法定相続分**

子及び配偶者が相続人であるときは，子の相続分及び配偶者の相続分は，各２分の１であり，配偶者及び直系尊属が相続人であるときは，配偶者の相続分は３分の２，直系尊属の相続分は３分の１であり，配偶者及び兄弟姉妹が相続人であるときは，配偶者の相続分は４分の３，兄弟姉妹の相続分は４分の１である（民900）。

子，直系尊属又は兄弟姉妹が数人あるときは，原則として，各自の相続分は等しいものとされる（民900）。ただし，父母の一方のみを同じくする兄弟姉妹の相続分は，父母の双方を同じくする兄弟姉妹の相続分の２分の１となる

（民900④但書）。

⑶　**数次相続が発生した場合の所有権移転登記**

既に開始した相続について，相続登記未了の間に，相続人の死亡により，更に相続が開始した場合のことを数次相続という。

(イ)　**中間の相続が単独相続であるときの相続登記**

数次相続において，単独で相続した者がその登記をしないうちに死亡し，更に相続が開始した場合のように，中間の相続が単独相続であるときは，現在の相続人は，直接自己のために所有権移転登記を申請することができる（明33.3.7民刑260号）。この「中間の相続が単独相続である場合」は，相続放棄，遺産分割，特別受益，相続分の譲渡等の結果，中間の相続が単独相続となる場合も含む（昭30.12.16民甲2670号）。なお，最終の相続は，単独又は共同相続のいずれであってもよい。

(ロ)　**中間の相続が単独相続でないときの相続登記**

中間の相続が単独相続でない場合には，中間者の相続登記を省略することはできず，まず，中間者名義に相続登記を申請した後に，現在の相続人名義に相続登記を申請する必要がある（昭30.12.16民甲2670号）。

2－3　本問へのあてはめ

【相続人の検討について】

本問では，**【事実関係】**１より，平成７年４月10日，甲土地の所有者である甲山司が死亡しており，**【事実関係】**３及び別紙３より，甲山司には，妻の甲山治子，甲山治子との間の子である甲山昭子及び乙川和子並びに先妻の甲山正子との間の子である甲山一郎がいることが分かる。この点，前妻である甲山正子は配偶者ではないため，相続人とならない。

よって，甲山司の相続人は甲山治子，甲山昭子，乙川和子及び甲山一郎となる。この点，子及び配偶者が相続人であるときは，子の相続分及び配偶者の相続分は各２分の１であり，子が数人あるときは，先妻の子と後妻の子がいる場合であっても，各自の相続分は等しいものとされるため，甲山治子の相続分は６分の３，甲山昭子，乙川和子及び甲山一郎の相続分は６分の１ずつとなる。したがって，甲山司の相続により，甲山治子が６分の３，甲山昭子，乙川和子及び甲山一郎が６分の１ずつ甲土地を承継することとなる。

その後，**【事実関係】**２より，平成15年７月15日，甲山司の相続人の一人である甲山昭子が死亡しており，別紙３より，甲山昭子には配偶者及び子はいないことが分かる。

よって，甲山昭子の相続人は母の甲山治子となり，甲山昭子の相続により，甲山治子は甲山昭子が甲土地について承継した持分６分の１を承継することとなる。

【登記手続について】

上述のとおり，甲土地の所有権登記名義人である甲山司の相続開始後，相続登記未了の間に，相続人である甲山昭子が死亡しているが，中間の相続が単独相続ではないため，中間者の相続登記を省略することはできない。よって，中間者名義に相続登記を申請した後に，現在の相続人名義に相続登記を申請することとなる。

したがって，平成30年４月16日に，まず「平成７年４月10日相続」を原因として「所有権移転」登記を申請し，次いで「平成15年７月15日相続」を原因として「甲山昭子持分全部移転」登記を申請する。

なお，**【事実関係】**４及び別紙４より，甲山治子は成年被後見人であるため，その後見人である乙川平太が登記申請手続につき甲山治子を代理することとなる。

申請情報に関する事項

《所有権移転》

(1)　登記の目的

「所有権移転」とする。

(2)　登記原因及びその日付

「平成７年４月10日相続」とする。

(3)　申請人

「相続人（被相続人　甲山司）
　持分６分の３　甲山治子
　　　６分の１　甲山一郎
　　　６分の１　亡甲山昭子
　　　　　　　　上記相続人甲山治子
　　　６分の１　乙川和子　　　　　」とする。

(4)　添付情報

ア　登記原因証明情報（不登61条，不登令７条１項５号ロ）

相続又は法人の合併による権利の移転の登記（不登63Ⅱ）における登記原因証明情報は，相続又は法人の合併を証する市町村長，登記官その他の公務員が職務上作成した情報（公務員が職務上作成した情報がない場合にあっては，これに代わるべき情報）及びその他の登記原因を証する情報である（不登令別表22添）。

本問では，甲山司の法定相続人を特定することができる戸籍の全部事項証明書，戸籍謄本，除籍謄本及び改製原戸籍謄本並びに甲山司の住民票の除票を添付する。

＊　被相続人甲山司の住民票の除票について

相続による所有権移転登記の申請において，被相続人の登記記録上の住所が戸籍に記載された本籍と異なる場合には，被相続人の同一性を証する情報として，住民票の写し，戸籍の附票の写し等を提出することを要する。

この点，問題上甲山司の本籍は明らかにされておらず，被相続人の登記記録上の住所と本籍が同一であるかは不明であることから，本問において，甲山司の住民票の除票については記載の有無を問わないものと考えられる。

なお，**【事実関係】**５より，甲山司の妻の甲山治子につき，婚姻当初から「神戸市北区天神…」に居住していることが明らかにされている。このことから，甲山司について，甲山治子との婚姻時に本籍を「神戸市北区天神…」として新戸籍を編纂したものと考えられなくもないことを考慮し，解答例の作成に当たっては，被相続人甲山司の住民票の除票を添付するものとした。

イ　住所を証する情報（不登令７条１項６号，不登令別表28添付情報欄ニ，不登令別表29添付情報欄ハ，不登令別表30添付情報欄ハ）

所有権の保存又は移転の登記を申請する場合に，所有権の登記名義人となる者についての，市町村長，登記官その他の公務員が職務上作成した住所を証する情報（公務員が職務上作成した情報がない場合にあっては，これに代わるべき情報）を提供しなければならない。登記記録上に架空の所有者が現れることを防ぐためである。

なお，オンライン庁における申請では，住民基本台帳法７条13号に規定する住民票コードを提供すれば，当該住所を証する情報を提供することを要しない（不登令９，不登規36Ⅳ）。

本問では，甲山治子，甲山一郎及び乙川和子の住民票の写し及び甲山昭子の住民票の除票を添付する。

ウ　代理人の権限を証する情報（不登令７条１項２号）

登記の申請を代理人により行う場合には，一定の場合を除き，代理人の権限を証する情報を提供しなければならない。登記の申請が申請人の意図しているとおりのものであるか否かを登記官が確認する必要があるためである。

本問では，成年被後見人甲山治子に係る登記事項証明書（別紙４）並びに乙川平太，甲山一郎及び乙川和子の委任状を添付する。

なお，委任状については，解答が要求されていない。

エ　相続その他の一般承継があったことを証する情報（不登令７条１項５号イ）

一般承継人が権利に関する登記を申請するとき（不登62）は，相続その他の一般承継があったことを証する市町村長，登記官，その他の公務員が職務上作成した情報（公務員が職務上作成した情報がない場合にあっては，これに代わるべき情報）が添付情報となる。申請人が登記権利者又は登記義務者等の承継人である場合において，当該承継人に申請適格があることを証するためである。

本問では，甲山昭子の法定相続人を特定することができる戸籍の全部事項証明書，戸籍謄本，除籍謄本及び改製原戸籍謄本を添付する。

⑸　課税価格

課税標準となる金額に1,000円未満の端数があるときは，その端数は切り捨てる（国税通則118Ⅰ）。

したがって，課税価格は，金37万5,000円となる。

⑹　登録免許税

課税価格に「1,000分の４」（登録税別表1.1.⑵イ）を乗じた額である。

以上から，次のように算定する。

金37万5,000円×1,000分の４＝金1,500円

《甲山昭子持分全部移転》

⑴　登記の目的

「甲山昭子持分全部移転」とする。

⑵　登記原因及びその日付

「平成15年７月15日相続」とする。

⑶　申請人

「相続人（被相続人　甲山昭子）
　　持分６分の１　甲山治子　　」とする。

⑷　添付情報

ア　登記原因証明情報（不登61条，不登令７条１項５号ロ）

本問では，甲山昭子の法定相続人を特定することができる戸籍の全部事項証明書，戸籍謄本，除籍謄本及び改製原戸籍謄本並びに甲山昭子の住民票の除票を添付する。

＊　被相続人甲山昭子の住民票の除票について

相続による所有権移転登記の申請において，被相続人の登記記録上の住所が戸籍に記載された本籍と異なる場合には，被相続人の同一性を証する情報として，住民票の写し，戸籍の附票の写し等を提出することを要する。

この点，問題上甲山昭子の本籍は明らかにされておらず，被相続人の登記記録上の住所と本籍が同一であるかは不明であることから，本問において，甲山昭子の住民票の除票については記載の有無を問わないものと考えられる。

イ　住所を証する情報（不登令7条1項6号，不登令別表28添付情報欄ニ，不登令別表29添付情報欄ハ，不登令別表30添付情報欄ハ）

本問では，甲山治子の住民票の写しを添付する。

ウ　代理人の権限を証する情報（不登令7条1項2号）

本問では，成年被後見人甲山治子に係る登記事項証明書（別紙4）及び乙川平太の委任状を添付する。

なお，委任状については，解答が要求されていない。

(5)　課税価格

不動産の持分の移転登記であるため，不動産の価額に移転する持分の割合を乗じて計算した金額となる（登録税10Ⅱ）。

以上から，次のように算定する。

金37万5,600円×6分の1＝金6万2,600円

なお，課税標準となる金額に1,000円未満の端数があるときは，その端数は切り捨てる（国税通則118Ⅰ）。

したがって，課税価格は，金6万2,000円となる。

※　登記の申請書には，「移転した持分の価格」と記載するのが通例である。

(6)　登録免許税

課税価格に「1,000分の4」（登録税別表1.1.(2)イ）を乗じた額である。

以上から，次のように算定する。

金6万2,000円×1,000分の4＝金248円

ここで，登記につき登録免許税法上の税率を適用して計算した金額が金1,000円に満たない場合には，当該登記に係る登録免許税の額は，金1,000円となる（登録税19）。

したがって，本問では，金1,000円となる。

3 売買による所有権移転

3－1 問題の所在

本問では,【事実関係】12及び別紙5より,平成30年4月25日,株式会社カガワソーラーと甲山治子の成年後見人乙川平太,甲山一郎,乙川和子との間で,売買代金全額を支払ったときに所有権が移転する旨の特約のもと,甲土地の売買契約が締結されたことが分かるため,必要となる登記の手続について,成年後見監督人の同意権を踏まえつつ検討する。また,上記売買契約に基づく登記申請に当たって使用する登記原因証明情報の記載事項の一部が問われているため,この点も併せて検討する。

3－2 問題点①　売買による所有権移転登記に関する検討

前提の知識

(1)　売買契約における所有権移転時期

特定物売買においては,契約締結時に所有権が移転するのが原則である。その上で,判例は,当事者間で所有権移転時期の特約(「移転時期特約」Ex.「所有権は令和〇〇年〇〇月〇〇日に移転するものとする」,「所有権は売買代金の支払と同時に移転するものとする」)がされているときは,その特約に従って所有権が移転する(最判昭38.5.31)としている。

(2)　成年後見監督人が選任されている場合における不動産の処分

後見人が,被後見人に代わって不動産その他重要な財産に関する権利の得喪を目的とする行為をする場合において,後見監督人があるときは,その同意を得なければならない(民864・13Ⅰ③)。そして,成年後見人が成年被後見人所有の不動産につき売買による所有権移転登記を申請する場合において,成年後見監督人があるときは,申請書にその同意書の添付を要する(登研815-119)。

3－3 本問へのあてはめ

本問では,【事実関係】12及び別紙5より,平成30年4月25日,株式会社カガワソーラーと甲山治子の成年後見人乙川平太,甲山一郎,乙川和子との間で,甲土地の売買契約が締結されていることが分かる。この点,当該売買契約には,買主が売主に対して売買代金全額を支払ったときに所有権が移転する旨の特約が定められており，【事実関係】14より，平成30年５月10日，株式会社カガワソーラーは売買代金の全額を支払ったことが分かる。

また，別紙４より，成年後見人乙川平太の成年後見監督人として民事大介が選任されていることが分かる。この点，成年後見人が成年被後見人に代わって成年被後見人所有の不動産を売却する場合において，成年後見監督人がいるときは，その同意を得なければならないところ，【事実関係】13より，その同意は事前に得られていることが分かる。なお，【事実関係】６より，甲土地は成年被後見人の居住用不動産ではないことが明らかであるため，その処分につき家庭裁判所の許可を得る必要はない。

以上より，平成30年５月10日，甲土地の所有権が株式会社カガワソーラーに移転する。

したがって，平成30年５月10日に，甲土地について，「平成30年５月10日売買」を原因として，「共有者全員持分全部移転」登記を申請する。

なお，前述のとおり，甲山治子は成年被後見人であるため，その後見人である乙川平太が登記申請手続につき甲山治子を代理することとなる。

3－4　問題点②　登記原因証明情報に関する検討

前提の知識

⑴　**登記原因証明情報の意義**

登記原因証明情報とは，登記の原因となる事実又は法律行為の存在を証明する情報であって，当該原因に基づいて権利変動等が生じたことを確認することができるものをいう。具体的には，以下の二つを内容とするものである。

(イ)　法律行為による物権変動であれば，「物権変動の原因行為（債権行為）に基づいて物権が現に変動したこと」を証明する情報。法律行為によらない物権変動であれば，「要件事実」を証明する情報

(ロ)　「登記義務者」がその内容を自認したことを確認できるもの

⑵　**登記原因証明情報の特定性**

登記原因証明情報は原則として，前述した内容を証明することができるものであれば，特に形式的な契約書等である必要はなく，例えば，報告形式のものであっても登記原因証明情報とすることができる。また，単一の情報に限られず，複数の情報の組合せであっても，登記原因証明情報とすることができる。

ただし，単独申請による登記や，実体法上，特定の書面等を作成して行うことを要求されている権利変動に係る登記については，登記原因証明情報の内容が特定の情報に限定され，又は，登記原因証明情報の一部として特定の情報を含むものとされている。以下に代表的な登記を挙げる。

(イ) **特定の情報に限定されているもの**

・ 確定判決による登記（不登63Ⅰ）
・ 仮登記を命ずる処分による仮登記（不登107Ⅰ・108）
・ 法人の合併による権利の移転の登記（不登63Ⅱ）

(ロ) **特定の情報を含まなければならないもの**

・ 相続による権利の移転（不登63Ⅱ）
・ 借地借家法22条前段の定めがある地上権（一般定期借地権），賃借権（一般定期賃借権）の設定の登記
・ 不動産の収用による所有権の移転の登記

3－5 本問へのあてはめ

別紙6の売買による所有権移転登記の登記原因証明情報における「登記の原因となる事実又は法律行為」欄の（X）の欄に記載すべき事実につき，①平成30年4月25日に株式会社カガワソーラー及び甲山治子の成年後見人乙川平太，甲山一郎，乙川和子が甲土地につき売買契約を締結した事実，②①の売買契約につき，成年後見監督人民事大介の承諾が得られている事実，③①の売買契約につき，売買代金全額の支払いをもって所有権が移転する旨の特約がある事実，④平成30年5月10日に株式会社カガワソーラーが甲山治子の成年後見人乙川平太，甲山一郎，乙川和子に売買代金全額を支払った事実，⑤結論として，平成30年5月10日に甲土地の所有権が移転した事実を記載することとなる（解答例参照)。

申請情報に関する事項

《共有者全員持分全部移転》

(1) **登記の目的**

「共有者全員持分全部移転」とする。

(2) **登記原因及びその日付**

「平成30年5月10日売買」とする。

(3) **申請人**

「権利者　株式会社カガワソーラー
　　　　（会社法人等番号　××××-××-××××××）
　　　　　代表取締役　丙野次郎
　義務者　甲山治子
　　　　　甲山一郎
　　　　　乙川和子　　　　　　　　　　　」とする。

(4)　添付情報

ア　登記原因証明情報（不登61条，不登令７条１項５号ロ）

本問では，株式会社カガワソーラー，甲山治子の成年後見人である乙川平太，甲山一郎及び乙川和子が，登記申請用に作成した書面（別紙６）を添付する。

イ　登記識別情報（不登22条，不登令８条）

登記識別情報とは，不動産登記法22条本文の規定により登記名義人が登記を申請する場合において，当該登記名義人自らが当該登記を申請していることを確認するために用いられるものであり，アラビア数字その他の符号の組合せにより不動産及び登記名義人となった申請人ごとに定める情報で，登記名義人を識別することができるものをいう（不登２⑭，不登規61）。

登記権利者及び登記義務者が共同して権利に関する登記の申請をする場合その他登記名義人が政令で定める登記の申請をする場合には，申請人は，その申請情報と併せて登記義務者等の登記識別情報を提供しなければならない（不登22）。登記義務者等の本人性の確認をするためである。

なお，いわゆるオンライン庁では，オンライン指定後も，従前の登記済証は，書面による申請における添付書面として利用することができ，登記済証を提出すれば，登記識別情報の提供とみなされる（不登附則７）。

本問では，平成30年４月16日付け申請により甲山治子，甲山一郎及び乙川和子に通知されることとなる甲土地甲区２番の登記識別情報並びに平成30年４月16日付け申請により甲山治子に通知されることとなる甲土地甲区３番の登記識別情報を提供する。

ウ　印鑑に関する証明書（不登令18条２項，不登規49条）

委任による代理人によって登記を申請する場合，法務省令で定める場合を除き，申請人又はその代表者が，当該代理人の権限を証する情報を記載した書面（委任状）に記名押印しなければならず，当該書面には，法務省令で定める場合を除き，記名押印した者（委任による代理人を除く。）の印鑑に関する証明書（原則として，市町村長又は登記官が作成するもの）を添付しなければならない。登記義務者の登記申請意思を登記官が形式的に確認し，真正な登記の実現を図る必要があるからである。

本問では，乙川平太，甲山一郎及び乙川和子の印鑑に関する証明書を添付する。

エ　住所を証する情報（不登令７条１項６号，不登令別表28添付情報欄ニ，不登令別表29添付情報欄ハ，不登令別表30添付情報欄ハ）

本問では，株式会社カガワソーラーの会社法人等番号の提供により，当該書面の添付を省略することができる。

オ　代理人の権限を証する情報（不登令7条1項2号）

本問では，成年被後見人甲山治子に係る登記事項証明書（別紙4）並びに株式会社カガワソーラーの代表取締役丙野次郎，乙川平太，甲山一郎及び乙川和子の委任状を添付する。

なお，委任状については，解答が要求されていない。

カ　登記原因についての第三者の許可，同意又は承諾を証する情報（不登令7条1項5号ハ）

登記原因について第三者の許可，同意又は承諾を要するときは，当該第三者が許可し，同意し，又は承諾したことを証する情報を提供しなければならない。

登記官が登記原因の発生に実体法上必要な第三者の許可等がされたことを手続の上で確認することで，無効な権利変動による登記がされることを防ぐためである。

本問では，民事大介の同意を証する情報を添付する。

キ　会社法人等番号（不登令7条1項1号イ）

申請人が会社法人等番号を有する法人であるときは，原則として，当該法人の会社法人等番号を提供することを要する。

また，申請情報と併せて会社法人等番号を提供したときは，印鑑証明書，住所証明情報，住所変更証明情報は提供不要となる。さらに，申請情報と併せて会社法人等番号を提供したときは，法人の合併による承継を証する情報又は法人の名称変更等を証する情報の提供に代えることができるものとされ，加えて，登記原因証明情報の一部として登記事項証明書の提供が必要とされている場合に，申請情報と併せて会社法人等番号を提供したときは，登記事項証明書の提供に代えることができる。

なお，住所の変更事項等が閉鎖登記記録に記録されている場合であっても，会社法人等番号を提供すれば，原則として，法人の住所変更等を証する情報の提供を省略することができる。ただし，平成24年5月20日（外国会社にあっては平成27年3月1日）以前の法人の登記においては，組織変更や他の登記所の管轄区域内への本店の移転の登記等をする場合に会社法人等番号が変更されていたため，平成24年5月20日（外国会社にあっては平成27年3月1日）以前の会社法人等番号が記録された登記記録に住所の移転の事項が記録されているときは，現在の会社法人等番号の提供に加えて，住所の移転の事項を確認することができる閉鎖事項証明書又は閉鎖登記簿謄本を提供する必要がある。

本問では，株式会社カガワソーラーの会社法人等番号を提供する。

(5) **課税価格**

課税標準となる金額に1,000円未満の端数があるときは，その端数は切り捨てる（国税通則118Ⅰ）。

したがって，課税価格は，金37万5,000円となる。

(6) **登録免許税**

課税価額に「1,000分の20」（登録税別表1.1.(2)ハ）を乗じた額である。

以上から，次のように算定する。

金37万5,000円×1,000分の20＝金7,500円

4 区分地上権設定

4－1 問題の所在

本問では，**【事実関係】**18及び別紙7より，平成30年5月25日，株式会社サンエネルギーと株式会社カガワソーラーとの間で，甲土地につき区分地上権設定契約を締結していることが分かるため，必要となる登記の手続について，利害関係人の有無を踏まえつつ検討する。

4－2 問題点 区分地上権設定に関する検討

前提の知識

(1) **区分地上権の意義**

地上権とは，他人の所有の土地において，工作物又は竹木を所有するために，その土地を使用する権利であり（民265），その使用権は土地の上下全面に及ぶ。したがって，例えば地下鉄敷設のために地上権が設定された場合，その地上権の使用権は土地の上下全面に排他性を有するので，実際には使用されない土地の地表部分を別個に使用収益することもできなくなってしまう。

そこで，土地の立体的な使用効率の向上を図るために，地下又は空間の上下の範囲を定め，かつ目的を工作物の所有に限る地上権（区分地上権）を設定することができる（民269の2）。

(2) **区分地上権の登記事項**

(イ) **目的（絶対的記載事項）**

区分地上権設定における目的は，工作物の所有に限定されている。また，地上権の設定の目的に応じて，例えば，「目的　地下鉄道敷設」のように具体的に記載する。普通地上権と異なり，竹木を所有するために区分地上権を設定することはできない。

(ロ)　**範囲（絶対的記載事項）**

区分地上権においては,地上権の目的となる地下又は空間の上下の「範囲」を記載しなければならない。この土地の上下の範囲は，平均海面又は地上権を設定しようとする土地の地表の特定の地点を基準として定めるので,「標高何メートルから上何メートルの間」あるいは「土地東南隅の地点の下何メートルから何メートルの間」のように記載する。しかし，地役権と異なり，この範囲を具体的に示すための図面の添付は要しない（昭41.11.14民甲1907号）。

(ハ)　**存続期間（任意的記載事項）**

存続期間については，民法上，特に制限はなく，「永久」の地上権の設定も可能である（大判大14.4.14）。ただし，建物所有を目的とする（区分）地上権については，借地借家法の存続期間に関する規定の適用を受け，30年を下回る存続期間を定めることはできない（借地借家３）。

(ニ)　**地代・支払時期（任意的記載事項）**

地代や，支払時期の定めがある場合には，それを記載する。

(ホ)　**特約（任意的記載事項）**

民法269条の２第１項後段の定めを登記することができる。例えば，「５トン以上の建物を建ててはいけない」と特約する場合などである。

(3)　**区分地上権設定の承諾権者**

区分地上権は，第三者がその土地の使用又は収益をする権利を有する場合においても，その権利又はこれを目的とする権利を有するすべての者の承諾があるときは，設定することができる（民269の２Ⅱ）。区分地上権を設定しようとする土地の使用又は収益をする権利を有する第三者としては，地上権者，地役権者，賃借権者などが該当する。一方，抵当権者は土地の使用又は収益をする権利を有しないため，区分地上権設定に当たり，その者の承諾を得る必要はない。

一方，地上権等の権利を目的として抵当権が設定されている場合においては，区分地上権設定に当たり，当該抵当権者の承諾を得ることを要する。

4－3 本問へのあてはめ

本問では，**【事実関係】**18及び別紙７より，平成30年５月25日，株式会社サンエネルギーと株式会社カガワソーラーとの間で，甲土地につき，区分地上権設定契約が締結されていることが分かる。この点，太陽光発電施設所有を目的としており，株式会社サンエネルギーの甲土地に対する地上権の範囲は，「東京湾平均海面の上25・50メートルから上３・50メートルの間」と定められているため，有効である。

また，区分地上権を設定するに当たり，甲土地１番地役権者である株式会社Ａ電力開発の承諾を得ることを要するが，**【事実関係】**18より，その承諾は事前に得られていると判断することができる。

したがって，平成30年５月25日に，甲土地について，「平成30年５月25日設定」を原因として「地上権設定」登記を申請する。

申請情報に関する事項

《地上権設定》

(1) 登記の目的

「地上権設定」とする。

(2) 登記原因及びその日付

「平成30年５月25日設定」とする。

(3) 登記事項

「目的　　太陽光発電施設所有
範囲　　東京湾平均海面の上25・50メートルから上３・50メートルの間
存続期間　252か月
地代　　１平方メートル当たり年120円
支払期　　毎年12月末日までに翌年分を前払にて支払う」
とする。

(4) 申請人

「権利者　株式会社サンエネルギー
(会社法人等番号　××××-××-××××××)
代表取締役　丁野五郎
義務者　株式会社カガワソーラー
(会社法人等番号　××××-××-××××××)
代表取締役　丙野次郎」とする。

平成30年

＊　申請人の記載について

地上権設定登記を申請する場合，登記の申請書には，登記権利者として地上権者の氏名又は名称及び住所又は本店を記載する。

しかし，登記記録上は「地上権者　株式会社サンエネルギー」と表記され，本問においては，「登記記録の「権利者その他の事項欄」に記録される事項」について解答が求められていることから，

「地上権者　株式会社サンエネルギー」

と記載しても良いものと考えられる。

(5)　添付情報

ア　登記原因証明情報（不登61条，不登令７条１項５号ロ）

本問では，地上権設定契約書（別紙７）を添付する。

イ　登記識別情報（不登22条，不登令８条）

本問では，平成30年５月10日付け申請により株式会社カガワソーラーに通知されることとなる甲土地甲区４番の登記識別情報を添付する。

ウ　印鑑に関する証明書（不登令18条２項，不登規49条）

本問では，株式会社カガワソーラーの会社法人等番号の提供により，当該書面の添付を省略することができるが，（答案作成に当たっての注意事項）2(2)より**【添付情報一覧】**から株式会社カガワソーラーの印鑑に関する証明書を選択し，その記号を記載する。

エ　代理人の権限を証する情報（不登令７条１項２号）

本問では，株式会社サンエネルギーの代表取締役丁野五郎及び株式会社カガワソーラーの代表取締役丙野次郎の委任状を添付する。

なお，委任状については，解答が要求されていない。

オ　登記原因についての第三者の許可，同意又は承諾を証する情報（不登令７条１項５号ハ）

本問では，株式会社Ａ電力開発の承諾を証する情報を添付する。

カ　会社法人等番号（不登令７条１項１号イ）

本問では，株式会社サンエネルギー及び株式会社カガワソーラーの会社法人等番号を提供する。

(6)　課税価格

課税標準となる金額に1,000円未満の端数があるときは，その端数は切り捨てる（国税通則118Ⅰ）。

したがって，課税価格は，金37万5,000円となる。

⑺　**登録免許税**

課税価格に「1,000分の10」（登録税別表1.1.⑶イ）を乗じた額である。

以上から，次のように算定する。

金37万5,000円×1,000分の10＝金3,750円

また，登録免許税の金額に100円未満の端数があるときは，その端数は切り捨てる（国税通則119Ⅰ）。

よって，登録免許税は，金3,700円となる。

5 地上権を目的とする根抵当権設定

5－1 問題の所在

本問では，**【事実関係】**19及び別紙8より，平成30年5月25日，株式会社B銀行及び株式会社サンエネルギーの間で，甲土地の地上権を目的として根抵当権設定契約が締結されていることが分かるため，必要となる登記の手続について検討する。

5－2 問題点　地上権を目的とする根抵当権設定登記に関する検討

前提の知識

⑴　**地上権を目的とする担保権の設定**

抵当権は，その目的物の占有を移さずに，使用・収益権を設定者に残しながら，被担保債権が弁済されないときに，その目的物の交換価値から優先弁済を受けることができる権利であるため，登記・登録という公示制度の備わったものが抵当権の目的となりうる。民法上は，不動産，地上権及び永小作権が，抵当権の目的として規定されている（民369）。なお，根抵当権についても地上権及び永小作権を対象として設定することができる。

地上権を目的とする（根）抵当権の設定契約が行われた場合，登記の目的としては，（根）抵当権が地上権を目的として設定されたものであることを明らかにするため，「○番地上権（根）抵当権設定」のように，その地上権の設定登記の順位番号を掲げ，地上権についての（根）抵当権である旨を記載する。

⑵　**取扱店の表示**

支店において取引をした場合には，登記権利者の表示の次に，取扱店として当該支店名をかっこ書きして，その登記を受けることができる（昭36.5.17

平成30年

民甲1134号）。

5－3 本問へのあてはめ

本問では，**【事実関係】**19及び別紙８より，平成30年５月25日，株式会社Ｂ銀行及び甲土地の地上権者である株式会社サンエネルギーの間で，甲土地の地上権を目的として根抵当権設定契約が締結されたことが分かる。この点，地上権は根抵当権の目的とすることができるため，当該契約は有効である。

したがって，平成30年５月25日に，甲土地について，「平成30年５月25日設定」を原因として「２番地上権根抵当権設定」登記を申請する。

申請情報に関する事項

《２番地上権根抵当権設定》

(1) **登記の目的**

「２番地上権根抵当権設定」とする。

(2) **登記原因及びその日付**

「平成30年５月25日設定」とする。

(3) **登記事項**

「極度額　金5,000万円
債権の範囲　銀行取引
手形債権
小切手債権
債務者　香川市四谷229番地
株式会社サンエネルギー
香川市赤坂29番地
株式会社カガワソーラー」とする。

(4) **申請人**

「根抵当権者　株式会社Ｂ銀行
（取扱店　香川支店）
（会社法人等番号　××××－××－××××××）
代表取締役　○○○○
設定者　株式会社サンエネルギー
（会社法人等番号　××××－××－××××××）
代表取締役　丁野五郎」とする

⑸　**添付情報**

ア　**登記原因証明情報（不登61条，不登令７条１項５号ロ）**

本問では，根抵当権設定契約書（別紙８）を添付する。

イ　**登記識別情報（不登22条，不登令８条）**

本問では，平成30年５月25日付け申請により株式会社サンエネルギーに通知されることとなる甲土地乙区２番の登記識別情報を提供する。

ウ　**代理人の権限を証する情報（不登令７条１項２号）**

本問では，株式会社Ｂ銀行の代表取締役及び株式会社サンエネルギーの代表取締役丁野五郎の委任状を添付する。

なお，委任状については，解答が要求されていない。

エ　**会社法人等番号（不登令７条１項１号イ）**

本問では，株式会社Ｂ銀行及び株式会社サンエネルギーの会社法人等番号を提供する。

※　株式会社サンエネルギーは所有権登記名義人ではないため，根抵当権設定登記の申請に際し，株式会社サンエネルギーの印鑑証明書を添付する必要はない。

⑹　**登録免許税**

「極度額」を課税価額として，それに「1,000分の４」（登録税別表1.1.(5)）を乗じた額である。

以上から，次のように算定する。

金5,000万円×1,000分の４＝金20万円

解答例

第１欄

(1)

登記の目的		所有権移転
申請事項等	登記原因及びその日付	平成７年４月10日相続
	上記以外の申請事項等	相続人（被相続人　甲山司） 　持分６分の３　甲山治子 　　　６分の１　甲山一郎 　　　６分の１　亡甲山昭子 　　　　　　　　上記相続人甲山治子 　　　６分の１　乙川和子
添付情報　※		ア，ウ，エ，オ，キ，ク，ケ，コ

※　「オ」は記載しなくともよいと解される。

(2)

登記の目的		甲山昭子持分全部移転
申請事項等	登記原因及びその日付	平成15年７月15日相続
	上記以外の申請事項等	相続人（被相続人　甲山昭子） 　持分６分の１　甲山治子
添付情報　※		ウ，エ，キ，ク

※　「キ」は記載しなくともよいと解される。

第２欄

(1)

<table>
<tr><td colspan="2">登記の目的</td><td>共有者全員持分全部移転</td></tr>
<tr><td rowspan="2">申請事項等</td><td>登記原因
及びその日付</td><td>平成30年５月10日売買</td></tr>
<tr><td>上記以外の
申請事項等</td><td>権利者　株式会社カガワソーラー
義務者　甲山治子
　　　　甲山一郎
　　　　乙川和子</td></tr>
<tr><td colspan="2">添付情報</td><td>エ，ス，チ，ツ，テ，ヌ，ヘ，ヒ（民事大介のもの）</td></tr>
</table>

(2)　（X）の欄に記載すべき事実・法律行為

- ・平成30年４月25日，株式会社カガワソーラー，甲山治子の成年後見人乙川平太，甲山一郎及び乙川和子は上記不動産につき売買契約を締結した。
- ・上記売買契約について，成年後見監督人民事大介の承諾は得られている。
- ・上記売買契約には，売買代金全額の支払いをもって所有権が移転する旨の特約がある。
- ・平成30年５月10日，株式会社カガワソーラーは，甲山治子の成年後見人乙川平太，甲山一郎及び乙川和子に売買代金全額を支払った。
- ・よって，同日，上記不動産の所有権が移転した。

解答例

第３欄

(1)

登記の目的		地上権設定
申請事項等	登記原因及びその日付	平成30年５月25日設定
	上記以外の申請事項等	目的　太陽光発電施設所有 範囲　東京湾平均海面の上25・50メートルから上３・50メートルの間 存続期間　252か月 地代　１平方メートル当たり年120円 支払期　毎年12月末日までに翌年分を前払にて支払う 権利者　株式会社サンエネルギー 義務者　株式会社カガワソーラー
添付情報		セ，ト，ネ，ヒ（株式会社Ａ電力開発のもの），ヘ，ホ
登録免許税額		金3,700円

(2)

登記の目的		２番地上権根抵当権設定
申請事項等	登記原因及びその日付	平成30年５月25日設定
	上記以外の申請事項等	極度額　金5,000万円 債権の範囲　銀行取引 手形債権 小切手債権 債務者　香川市四谷229番地 株式会社サンエネルギー 香川市赤坂29番地 株式会社カガワソーラー 根抵当権者　株式会社Ｂ銀行 （取扱店　香川支店） 設定者　株式会社サンエネルギー
添付情報		ソ，ノ，ホ，ム
登録免許税額		金20万円

MEMO

問題　平成29年

本問題の日付は、出題当時の本試験問題に合わせておりますが、法令等については、令和７年４月１日時点において施行されているもの（本書作成時点において施行予定のものを含む。）を適用した上で、解答を作成してください。

別紙１の登記がされている不動産（以下「甲建物」という。）について，司法書士法務直子は，平成29年６月15日，後記**【事実関係】**１から８までの事実を聴取し，（当該部分については法改正により削除）当該聴取に係る関係当事者全員から今回の登記の申請手続に必要な全ての書類を受領し，登記の申請手続等について代理することの依頼を受けた。また，司法書士法務直子は，申請情報と併せて提供すべき登記識別情報を提供することができない者から，資格者代理人による本人確認情報を作成，提供することの依頼を受けた。同日，司法書士法務直子は，当該依頼に係る登記の申請を行った。

同月30日，甲建物について，司法書士法務直子は，後記**【事実関係】**11から15までの事実を聴取したほか，同日，当該聴取に係る関係当事者全員から今回の登記の申請手続に必要な全ての書類を受領し，登記の申請手続等について代理することの依頼を受けた。同日，司法書士法務直子は，当該依頼に係る登記の申請を行った。

以上に基づき，後記の問１から問３までに答えなさい。

【事実関係】

1　甲野太郎は，甲建物の所有者であったが，平成28年10月２日，死亡した。

2　甲野太郎の相続関係は，別紙２記載のとおりである。ただし，甲野次郎は，甲野太郎から，生前，生計の資本として自らの法定相続分に相当する金額を超える贈与を受けていた。甲野三郎は，東京家庭裁判所に亡甲野太郎に係る相続の放棄をする旨の申述をし，平成28年12月19日，同申述を受理する審判がされた。

3　甲野太郎の相続人全員（以下「相続人ら」という。）は，平成29年５月５日，別紙３「遺産分割協議書」記載のとおり，甲野一郎が甲建物を取得する旨の遺産分割協議をした。なお，当該遺産分割協議のほかに相続人らの間で成立した遺産分割協議はない。

4　麻布税務署は，甲野次郎に対する租税債権を保全するため，平成29年５月23日，同人に代位して，平成28年10月２日相続を登記原因とする所有権の移転の登記を嘱託した。併せて，麻布税務署は，甲野次郎の持分について，差押えの登記を嘱託した。株式会社すみれ銀行及び株式会社わかば銀行は，その旨を平成29年5月24日，了知した。

5　麻布税務署は，平成29年6月12日，甲野次郎から，同人が滞納している租税債権の全額の納付を受け，甲野次郎の持分の差押えを解除し，その旨の登記を嘱託した。

　株式会社すみれ銀行及び株式会社わかば銀行は，その旨を同月13日，了知した。

6　甲野一郎は，平成29年6月14日，東京都港区六本木八丁目1番1号から東京都港区六本木八丁目10番10号に住所を移転した。

7　株式会社すみれ銀行と甲野太郎及び甲野一郎は，別紙1権利部（乙区）1番のとおり金銭消費貸借契約に基づく取引関係があった。平成29年6月14日，株式会社すみれ銀行銀座支店の担当者は，相続人らに対し，連帯債務者甲野太郎について，相続による抵当権の変更の登記を申請してほしい旨の申出をした。なお，株式会社すみれ銀行は上記3の遺産分割協議の内容を把握していない。

8　上記7の相続による抵当権の変更の登記がされることを前提として，株式会社すみれ銀行と相続人らは，平成29年6月15日，別紙5「債務引受契約書」記載のとおりの契約を締結した。この際，株式会社すみれ銀行銀座支店の担当者は，当該契約による登記のほか申請することができる登記があれば，その全ての登記を申請してほしい旨の申出をした。

9　（当該部分については法改正により削除）

10　（当該部分については法改正により削除）

11　平成29年6月17日，横浜で人気のパスタ料理店を経営する株式会社ベイパスタは，甲野一郎に対し，甲建物を賃借したい旨の申出をした。

12　また，平成29年6月17日，株式会社ベイパスタは，甲野一郎に対して，甲建物の賃貸借契約を締結する場合には，当該契約に基づく賃借権が，先に登記されている抵当権及び根抵当権を有する者に対抗することができるようにしたい旨の申出をした。

13　平成29年6月19日，甲野一郎は，上記12の申出を受けて，関与が必要な関係当事者に対して，株式会社ベイパスタの上記11及び12の申出を伝えた。その後，各関係当事者は，それぞれ，甲野一郎に対し，当該申出に応じる意向がある旨の連絡をした。

14　これを受けて，平成29年6月26日，甲野一郎と株式会社ベイパスタは，別紙6「賃貸借契約書」記載のとおりの契約を締結した。

15　株式会社すみれ銀行は平成29年6月28日に，株式会社わかば銀行はもみじファイナンス株式会社の承諾を得て同月30日に，それぞれ株式会社ベイパスタに対し，甲野一郎を通じてされた上記12の申出の内容に同意した。

〔事実関係に関する補足〕

1　登記申請に当たって法律上必要な手続は，各申請日までに全てされている。

なお，登記原因につき第三者の許可，同意又は承諾を要する場合には，各申請日までにそれぞれ当該第三者の許可，同意又は承諾を得ている。

また，登記上の利害関係を有する第三者の承諾を要する場合には，各申請日までに，当該第三者の承諾を得ている。

2　**【事実関係】**は全て真実に合致しており，また，これらに基づく行為や司法書士法務直子の説明内容は，全て適法である。

3　司法書士法務直子は，複数の登記の申請をする場合には，権利部（甲区）に関する登記を申請し，その後に権利部（乙区）に関する登記を申請する。また，司法書士法務直子は，複数の登記を申請する場合には，申請件数及び登録免許税の額が最も少なくなるように登記を申請するものとする。

4　司法書士法務直子は，権利部（甲区）又は権利部（乙区）の各区において，複数の登記の申請をする場合には，登記原因の日付の古い順に登記を申請し，当該複数の登記の申請のうち登記原因の日付の先後が不明であり，かつ，申請の前後を問わないものがあるときには，申請人の数が少ないものから順に申請するものとする。

5　本件の関係当事者間には，**【事実関係】**及び各別紙に記載されている権利義務以外には，実体上の権利義務関係は，存在しない。

6　甲建物は東京法務局の管轄に属している。また，司法書士法務直子は，いずれの登記の申請も，管轄登記所に書面を提出する方法により行ったものとする。

7　平成29年1月1日現在の甲建物に係る課税標準の額は8,378万5,923円とする。

8　登記権利者又は登記義務者の一方のみが登記を申請することができる場合は，そのように申請しているものとする。

問1　司法書士法務直子が甲建物について平成29年6月15日に申請した所有権に関する各登記の申請情報の内容のうち，登記の目的，登記記録の「権利者その他の事項」欄に記録される事項及び当該記録される事項に含まれない申請人（以下「申請事項等」という。問2及び問3において同じ。）並びに添付情報を，司法書士法務直子が申請した登記の順に従って，答案用紙の第1欄(1)及び(2)の各欄に記載しなさい。

（答案用紙の第1欄(3)に記載すべきとされていた事項については，法改正により削除）

問2　司法書士法務直子が甲建物について平成29年6月15日に申請した抵当権に関する各登記の申請情報の内容のうち，登記の目的，申請事項等及び添付情報を，司法書士法務直子が申請した登記の順に従って，答案用紙の第２欄(1)から(3)までの各欄に記載しなさい。

問３　司法書士法務直子が甲建物について平成29年６月30日に申請した登記の申請情報の内容のうち，登記の目的，申請事項等，添付情報及び登録免許税額を，司法書士法務直子が申請した登記の順に従って，答案用紙の第３欄(1)及び(2)の各欄に記載しなさい。

(答案作成に当たっての注意事項)

1　答案用紙の第１欄から第３欄までの申請事項等欄の「上記以外の申請事項等」欄に解答を記載するに当たっては，次の要領で行うこと。

(1)　申請人について「権利者」，「義務者」，「申請人」，「(被承継会社)」等の表示も記載する。

(2)　申請人について住所，本店又は代表機関の資格及び氏名は，記載することを要しない。

(3)　民法第423条その他の法令の規定により他人に代わって登記を申請するときは，申請人が代位者である旨，当該他人の氏名又は名称及び代位原因をも記載する。

(4)　登記権利者及び登記義務者が共同して権利に関する登記の申請をする場合その他の法令の規定により登記の申請をする場合において，申請人が登記識別情報を提供することができないときは，当該登記識別情報を提供することができない理由を記載する。

2　会社法人等番号を提供する方法により登記の申請手続をすることができる登記については，会社法人等番号を提供する申請人等の記載の後に続けて，当該申請人等の会社法人等番号を括弧書きで「(会社法人等番号0000 - 00 - 000000)」の要領で記載する。会社法人等番号は，次の〔表〕のとおりとする。

〔表〕

商　号	会社法人等番号
株式会社すみれ銀行	0100 - 01 - 123456
株式会社わかば銀行	0100 - 01 - 654321
株式会社ベイパスタ	0200 - 01 - 567890
もみじファイナンス株式会社	0104 - 01 - 345678

3　答案用紙の第１欄から第３欄までの添付情報欄に解答を記載するに当たっては，次の要領で行うこと。

⑴　添付情報の解答は，その登記の申請に必要な添付情報を後記**【添付情報一覧】**から選択し，その記号（アからヌまで）を記載する。

⑵　法令の規定により添付を省略することができる情報及び提供されたものとみなされる情報についても，後記**【添付情報一覧】**から選択し，その記号（アからヌまで）を記載する。

⑶　後記**【添付情報一覧】**のアからヌまでに掲げられた情報以外の情報（登記の申請に関する委任状等）は，記載することを要しない。

⑷　後記**【添付情報一覧】**のツからナまでに掲げられた印鑑に関する証明書は，登記名義人の住所を証する情報としては使用しないものとする。

⑸　後記**【添付情報一覧】**のキを記載するときは，記号の後に続けて，キの括弧書きの「(何の事実を証するもの)」に当該事実を補い，「キ（売買の事実を証するもの)」の要領で記載する。なお，キのほかに添付をすることができる添付情報が**【添付情報一覧】**にある場合には，キを添付しないで当該添付情報を添付するものとする。

⑹　後記**【添付情報一覧】**のニ又はヌの一方又は双方を記載するときは，それぞれの記号の後に続けて，ニ又はヌの括弧書きの「(何某のもの)」に当該情報の作成者の氏名又は名称を補い，「ニ（株式会社ＸＹＺ銀行のもの)」の要領で記載する。

⑺　添付情報のうち，登記の申請に際して有効期限の定めがあるものは，登記の申請時において，全て有効期限内であるものとする。

4　答案用紙の第１欄から第３欄までの各項目の欄に申請すべき登記の申請情報等の内容を記載するに当たり，記載すべき情報等がない場合には，その欄に「なし」と記載すること。

5　申請すべき登記がない場合には，答案用紙の第１欄から第３欄までの登記の目的欄に「登記不要」と記載すること。

6　別紙は，いずれも，実際の様式と異なる。また，別紙には，記載内容の一部が省略されているものがあり，別紙を含め，登記の申請に必要な添付情報は，いずれも，**【事実関係】**に沿う形で，法律上適式に作成されているものとする。

7　数字を記載する場合には算用数字を使用すること。

8　登録免許税額の算出について，登録免許税法以外の法令による税の減免の規定の適用はないものとする。

9　訂正，加入又は削除をするときは，訂正は訂正すべき字句に線を引き，近接箇所に訂正後の字句を記載し，加入は加入する部分を明示して行い，削除は削除すべき字句に線を引いて，訂正，加入又は削除をしたことが明確に分かるように記載すること。ただし，押印や字数を記載することは要しない。

【添付情報一覧】

ア 遺産分割協議書（別紙3）及び当該情報の作成者全員の印鑑に関する証明書
イ （当該情報については法改正により削除）
ウ 債務引受契約書（別紙5）
エ 賃貸借契約書（別紙6）
オ 甲野太郎の法定相続人を特定することができる戸籍の全部事項証明書，戸籍謄本，除籍謄本及び改製原戸籍謄本
カ 甲野三郎の相続の放棄の申述の受理証明書
キ 登記原因証明情報（何の事実を証するもの）
ク 甲野太郎の住民票の除票（本籍の記載あり）
ケ 甲野花子の住民票の写し（本籍及び従前の住所の記載あり）
コ 甲野一郎の住民票の写し（本籍及び従前の住所の記載あり）
サ 甲野次郎の住民票の写し（本籍及び従前の住所の記載あり）
シ 甲野三郎の住民票の写し（本籍及び従前の住所の記載あり）
ス 甲建物について平成29年6月29日以前に通知された所有権に関する登記識別情報
セ 甲建物乙区1番の登記識別情報
ソ 甲建物乙区2番の登記識別情報
タ 甲建物乙区2番付記1号の登記識別情報
チ 司法書士法務直子が作成した本人確認情報
ツ 甲野花子の印鑑に関する証明書
テ 甲野一郎の印鑑に関する証明書
ト 甲野次郎の印鑑に関する証明書
ナ 甲野三郎の印鑑に関する証明書
ニ 登記原因につき第三者の許可，同意又は承諾を証する情報及び当該情報の作成者の印鑑に関する証明書（何某のもの）
ヌ 登記上の利害関係を有する第三者の承諾を証する情報及び当該情報の作成者の印鑑に関する証明書（何某のもの）

別紙1

表 題 部（主である建物の表示）		調製	【省略】	不動産番号	【省略】
所在図番号	【省略】				
所　在	中央区銀座九丁目１番地			余白	
家屋番号	１番			余白	
①　種　類	②　構　造	③　床　面　積　㎡		原因及びその日付〔登記の日付〕	
店舗	鉄骨造亜鉛メッキ鋼板ぶき２階建	１階　165 : 10 ２階　165 : 10		平成18年５月３日新築 〔平成18年５月10日〕	

権 利 部（甲 区）（所 有 権 に 関 す る 事 項）			
順位番号	登 記 の 目 的	受付年月日・受付番号	権 利 者 そ の 他 の 事 項
1	所有権保存	平成18年５月15日 第25877号	所有者　東京都港区六本木八丁目１番１号 甲野太郎
2	所有権移転	平成29年５月23日 第26555号	原因　平成28年10月２日相続 共有者 東京都港区六本木八丁目１番１号 持分６分の３ 甲野花子 東京都港区六本木八丁目１番１号 ６分の１ 甲野一郎 東京都港区六本木八丁目２番２号 ６分の１ 甲野次郎 東京都港区六本木八丁目３番３号 ６分の１ 甲野三郎 代位者　財務省 代位原因　平成29年５月22日甲野次郎持分滞納処分の差押
3	甲野次郎持分差押	平成29年５月23日 第26556号	原因　平成29年５月22日麻布税務署差押 債権者　財務省

権利部（乙区）（所有権以外の権利に関する事項）			
順位番号	登記の目的	受付年月日・受付番号	権利者その他の事項
1	抵当権設定	平成18年５月15日 第25878号	原因　平成18年5月15日金銭消費貸借同日設定 債権額　金２億2,100万円 利息　年２・15％ 損害金　年14・50％ 連帯債務者 　東京都港区六本木八丁目１番１号 　甲野太郎 　東京都港区六本木八丁目１番１号 　甲野一郎 抵当権者　東京都千代田区丸の内四丁目1番1号 　株式会社すみれ銀行 　（取扱店　銀座支店）
2	根抵当権設定	平成26年10月15日 第52788号	原因　平成26年10月15日設定 極度額　金２億円 債権の範囲　銀行取引　手形債権　小切手　債権 債務者　東京都港区六本木八丁目１番１号 　甲野一郎 根抵当権者　東京都千代田区丸の内四丁目10番 　10号 　株式会社わかば銀行 　（取扱店　銀座支店）
付記１号	2番根抵当権の転根抵当	平成26年10月15日 第52789号	原因　平成26年10月15日設定 極度額　金２億円 債権の範囲　金銭消費貸借取引 債務者　東京都千代田区丸の内四丁目10番10号 　株式会社わかば銀行 転根抵当権者　東京都港区南青山八丁目1番1号 　もみじファイナンス株式会社

これは登記記録に記録されている事項の全部を証明した書面である。

平成29年６月９日
東京法務局　　　　　　　　　　　　登記官　○　○　○　○　印

別紙2

最後の住所　東京都港区六本木八丁目１番１号

被 甲野太郎

平成28年10月２日死亡

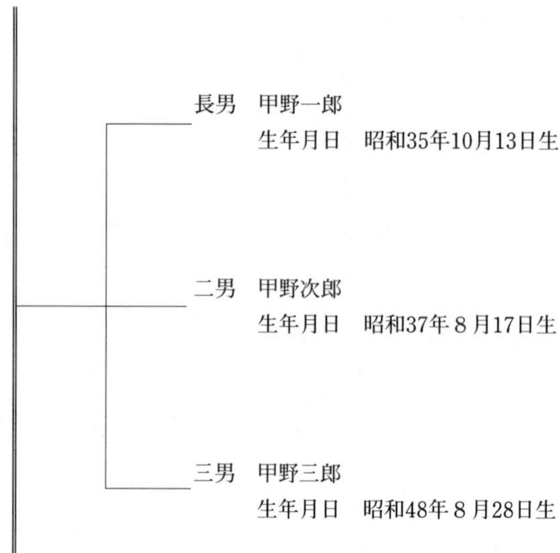

妻　甲野花子

生年月日　昭和12年７月12日生

別紙３

遺産分割協議書

平成28年10月２日甲野太郎の死亡により開始した相続に関し，相続人全員において次のとおり遺産分割の協議をした。

１．相続人甲野一郎は次の遺産を取得する。
　東京都中央区銀座九丁目１番地　家屋番号１番　店舗
　鉄骨造亜鉛メッキ鋼板ぶき２階建
　１階　165.10 ㎡　２階　165.10 ㎡

この遺産分割の協議を証するためこの証書を作成し，各署名押印して各人１通を所持するものである。

平成29年５月５日

当欄には，関係当事者全員の住所及び氏名が記され，押印がされているものとする。

別紙４

（別紙４については法改正により削除）

別紙５

債務引受契約書

後記債権者（以下「甲」という。），後記引受人（以下「乙」という。）及び乙を除く後記債務者全員（以下「丙」という。）は，以下のとおり債務引受契約を締結する。

第１条　被相続人甲野太郎は，平成18年５月15日付金銭消費貸借契約（以下「原契約」という。）により，甲から金２億2,100万円を借り受けていたが，平成28年10月２日死亡した。

ついては，その相続人たる乙及び丙は，被相続人が甲に対して負担していた債務を承継し，別紙【省略】記載のとおり負担していることを確認する。

第２条　乙は，丙が甲に対して負担する第１条記載の各債務の全部を丙に代わって免責的に引き受ける。

丙は，乙の債務引受により，以後その責めを免れ，上記債務関係から離脱する。

第３条　乙は，甲に対し，原契約の条項に従って本件債務を履行する。

【中略】

本契約の成立を証するため，本証書を作成する。

平成29年６月15日

住　所　　東京都千代田区丸の内四丁目１番１号
債権者（甲）　株式会社すみれ銀行　代表取締役　【省略】㊞

住　所　　【省略】
引受人（乙）　甲野一郎　㊞

住　所
債務者（丙）　当欄には，乙を除く債務者全員の住所及び氏名が記され，押印がされているものとする。

別紙6

賃貸借契約書

後記賃貸人（以下「甲」という。）及び後記賃借人（以下「乙」という。）は，次のとおり建物賃貸借契約（以下「本契約」という。）を締結する。

第1条　甲は，乙に対し，次の建物（以下「本件建物」という。）を賃貸し，乙はこれを賃借する。

所　　在　東京都中央区銀座九丁目1番地
家屋番号　1番
種　　類　店舗
構　　造　鉄骨造亜鉛メッキ鋼板ぶき2階建
床 面 積　1階　165.10 ㎡　　2階　165.10 ㎡

第2条　乙は，本件建物を乙の事業の用にのみ使用し，その他の目的には使用しないものとする。

第3条　本契約の期間は，平成29年6月30日から20年とする。

第4条　賃料は，月額665万円とする。

2　乙は，前項に定める賃料を，毎月末日限り翌月分を，甲が指定する下記金融機関口座に振り込む方法によって支払う（振込手数料は乙負担）。【口座の特定事項は省略】

第5条　乙は，電気，ガス，水道料金等本件建物の使用に必要な費用を負担し，それぞれの供給会社へ直接支払う。

第6条　乙は，甲に対し，本契約の成立と同時に，本契約に基づく一切の債務の担保として敷金3,125万円を差し入れる。

2　敷金には利息を付さないこととし，本契約の終了後に乙が甲に対し本件建物を明け渡した場合，甲は，敷金から乙の未払賃料等本契約に基づく乙の債務のうち未払のものを控除した上で，その残額について乙に返還する。

第7条　甲は，乙が以下の各号のいずれかに該当したときは，乙に対する通知，催告をすることなく，直ちに本契約を解除することができる。

①　賃料を2か月分以上滞納したとき。

②　賃料の支払をしばしば遅延し，本契約における甲乙間の信頼関係が破壊されたと認められるに至ったとき。

第８条　本契約の終了と同時に，乙は，本件建物を原状に復した上で甲に明け渡さなければならない。

第９条　甲又は乙は，解除，解約又は本契約に違反することにより，相手方に損害を与えたときは，その損害の全てを賠償しなければならない。

第10条　甲及び乙は，本契約に基づき，本件建物の賃貸借につき賃借権の設定の登記をする。

第11条　乙が本契約に基づく賃料等金銭債務の支払を遅延したときは，乙は，甲に対し，支払期日の翌日から支払済みに至るまで，年14.6％（年365日日割計算）の割合による遅延損害金を支払うものとする。

第12条　本契約に定めのない事項又は本契約の解釈について疑義が生じたときは，甲及び乙は誠意をもって協議の上解決する。

第13条　甲及び乙は，本契約に関し裁判上の紛争が生じたときは，東京地方裁判所を専属的合意管轄裁判所とすることに合意する。

本契約締結の証として，本契約書２通を作成し，甲乙相互に署名又は記名・押印の上，各１通を保有することとする。

平成29年６月26日

住　所　　　　【省略】
賃貸人（甲）　甲野一郎　㊞

住　所　　　　横浜市中区山下町888番地
賃借人（乙）　株式会社ベイパスタ　代表取締役　【省略】㊞

MEMO

平成29年●答案用紙

第１欄

⑴　甲建物について１番目に申請した登記

登記の目的		
申請事項等	登記原因及びその日付	
	上記以外の申請事項等	
添付情報		

⑵　甲建物について２番目に申請した登記

登記の目的		
申請事項等	登記原因及びその日付	
	上記以外の申請事項等	
添付情報		

(3) （法改正により削除）

第２欄

(1) 甲建物について１番目に申請した登記

登記の目的		
申請事項等	登記原因及びその日付	
	上記以外の申請事項等	
添付情報		

(2) 甲建物について２番目に申請した登記

登記の目的		
申請事項等	登記原因及びその日付	
	上記以外の申請事項等	

平成29年

添付情報	

(3)　甲建物について３番目に申請した登記

登記の目的		
申請事項等	登記原因及びその日付	
	上記以外の申請事項等	
添付情報		

第３欄

(1)　甲建物について１番目に申請した登記

登記の目的		
申請事項等	登記原因及びその日付	
	上記以外の申請事項等	

添付情報	
登録免許税額	

(2) 甲建物について２番目に申請した登記

登記の目的		
申請事項等	登記原因及びその日付	
	上記以外の申請事項等	
添付情報		
登録免許税額		

[本問の重要論点一覧表]

出題範囲	重要論点	解説箇所
相続登記の更正	債権者代位により相続の登記を行うとともに，債務者である当該一人の持分につき差押えの登記を行った場合，当該相続の登記の前に遺産分割協議が成立し，登記された持分と実体が相違していたことが判明したときは，所有権更正登記を申請することができる。	P371参照
	上記の場合において，既に差押えの登記が抹消されている場合は，当該代位者は，更正の登記に当たり登記上の利害関係を有する第三者には該当しない。	P372参照
相続による債務者の変更及び相続人間の債務引受	遺産分割によらず共同相続人が承継した債務について，共同相続人の一人が債務を引き受ける旨の債務引受契約が成立したときは，まず，共同相続人全員を債務者とする「相続」による変更登記を申請し，次いで「何某の債務引受」を原因として債務者を共同相続人の一人とする変更登記をする。	P377参照
賃借権設定	賃借権設定の登記の登記事項は，不動産登記法59条各号に掲げるもののほか，賃料，支払時期，存続期間，敷金，譲渡転貸を許す旨の定め等である。	P386参照
賃借権の先順位担保権に優先する同意	賃借権につき登記がされ，かつ，その登記前に登記をした担保権を有する全ての者がこれに対抗力を与えることに同意し，その同意につき登記がされたときは，その賃借権は，同意をした総先順位担保権者に対抗することができる。	P390参照
	先順位担保権者が上記の同意をするには，当該先順位担保権を目的とする権利を有する者（転抵当権者，順位の譲渡を受けた後順位担保権者等）など，同意により不利益を受けるべき者がある場合には，その者の承諾を得ることを要する。	P390参照

1 事件の概要

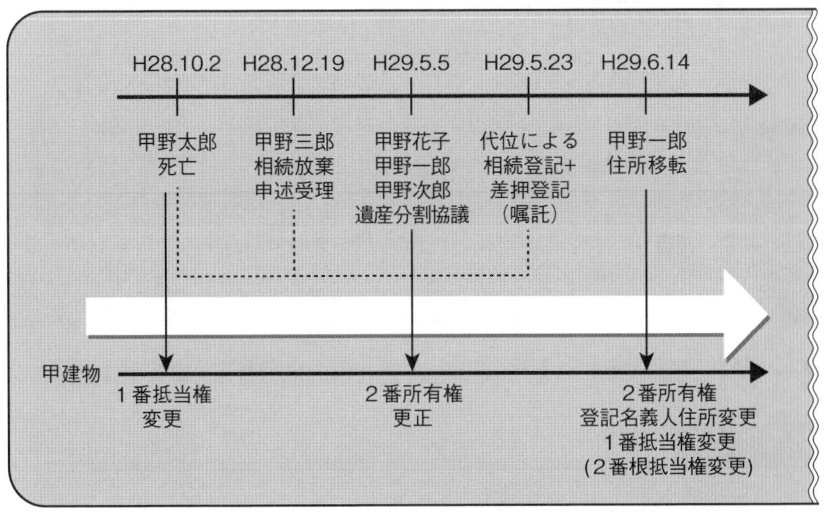

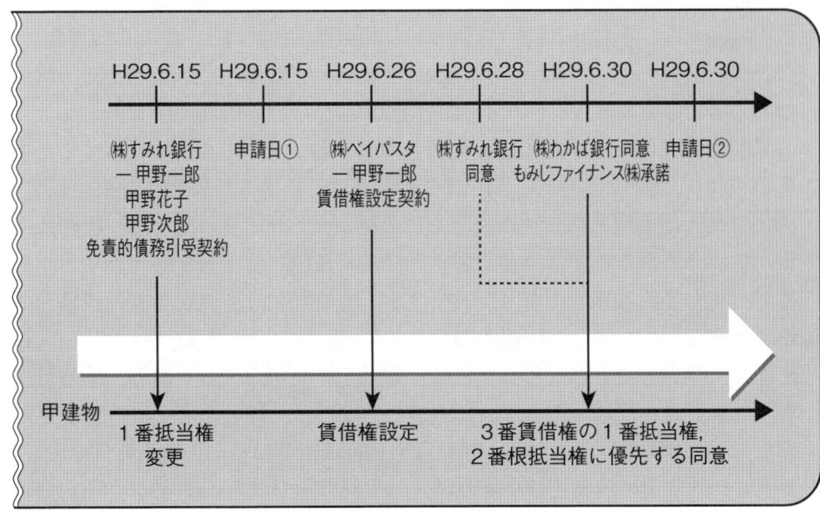

平成29年

2 登記名義人住所変更登記，所有権更正登記，資格者代理人による本人確認情報の提供

2－1 問題の所在

本問では，事実関係３及び別紙３より，平成29年５月５日，甲野太郎の相続人全員により，甲野一郎が甲建物を取得する旨の遺産分割協議がされているが，別紙１より，当該遺産分割協議成立後の平成29年５月23日付けで，財務省の代位により，相続による所有権移転登記が嘱託されているため，当該所有権移転登記を是正する必要がある。併せて，事実関係６より，平成29年６月14日，甲野一郎が住所を東京都港区六本木八丁目10番10号に移転しているため，これに基づく登記申請についても検討する。

2－2 問題点① 登記名義人住所変更登記に関する検討

前提の知識

(1) 登記名義人住所（氏名）変更・更正登記

登記名義人住所（氏名）（法人であれば，本店・商号）変更登記は，現在の登記名義人につき，その住所，氏名等が登記記録上の記録と一致しない場合に，これを一致させるためにされる登記をいう。当該登記は，主たる登記と一体として公示する必要があるため，付記登記で実行される（不登規３①）。

登記名義人住所（氏名）変更登記を申請することができる場合は，その権利の主体には何ら変更がなく，ただその表示（自然人であれば住所・氏名，法人であれば本店・商号）に後発的に変更が生じたときに限られ，原始的に表示の誤りがあるときは，登記名義人住所（氏名）更正登記を申請する。そして，この登記名義人住所（氏名）変更・更正登記は，登記名義人が単独で申請することができる（不登64Ⅰ）。

なお，登記名義人の氏名の変更による登記の登記原因は，婚姻，離婚及び養子縁組等その原因を問わず「氏名変更」であり，氏名の変更は戸籍法上の届出により効力を生ずるため，登記原因日付は市町村長への届出の日である。ただし，裁判上の離婚及び離縁の場合，裁判の確定により効力を生ずるため，登記原因日付はその確定の日となる。

自然人がその住所を移転した場合の原因日付は，住民票の写しに記載された住所移転の日であり，住所移転の届出日ではない。また，法人の本店に変

更が生じた場合の原因日付は，その変更についての商業・法人登記に記録された現実の移転の日である。

⑵　**他の登記を申請する前提として登記名義人住所（氏名）変更・更正登記の要否**

所有権その他の権利の移転又は変更等の登記を申請する場合において，登記名義人の住所等に変更が生じている場合，その登記の前提として，登記名義人の住所等の変更登記をしなければ，申請情報の内容である登記申請人の氏名若しくは名称又は住所が登記記録と合致しないこととなり，不動産登記法25条７号により当該登記の申請は却下される（昭43.5.7民甲1260号参照）。

2－3　本問へのあてはめ

本問では，**【事実関係】**６より，平成29年６月14日，甲建物の共有者の一人である甲野一郎が住所を東京都港区六本木八丁目１番１号から東京都港区六本木八丁目10番10号に移転したことが分かる。よって，後述する所有権更正登記を申請する前提として，所有権登記名義人住所変更登記を申請する必要がある。

したがって，平成29年６月15日に，「平成29年６月14日住所移転」を原因として「２番所有権登記名義人住所変更」登記を申請する。

2－4　問題点②　所有権更正登記に関する検討

前提の知識

⑴　**是正登記の方法**

登記と実体が異なる場合には，これを是正する必要があるが，是正する方法として，「抹消」登記による場合と「変更」又は「更正」登記による場合が考えられる。

登記が誤っている場合，原則として，誤っている登記を抹消し，正しい登記をやり直すべきである。しかし，誤りが登記事項の一部であり，かつ，是正前後の登記との間に同一性がある場合には，変更登記又は更正登記によることができる。この場合，登記の誤りが原始的に生じたものであるときは「更正」登記をし，後発的に生じたものであるときは「変更」登記をすることとなる。

⑵　**遺産分割協議がされた場合における相続登記の更正**

法定相続分での相続登記がされている不動産について、遺産の分割の協議又は審判若しくは調停をした場合においては、所有権の更正登記を申請することができる。当該登記は持分が増加する相続人が単独で申請することができ、その登記原因日付については、遺産分割の協議若しくは調停の成立した年月日又はその審判の確定した年月日をもって「年月日遺産分割」と記載することとなる（令5.3.28民二第538号）。なお、相続人の一部に相続放棄があったのち遺産分割の協議がされた場合には、それぞれの原因日付をもって「年月日相続放棄　年月日遺産分割」の要領で原因を併記することで１件で申請できるものと解される。

(3)　相続放棄者

相続放棄をした者は，その相続に関しては，初めから相続人とならなかったものとみなされる（民939）。

相続放棄の効力は絶対的であり，何人に対しても登記なくしてその効力を主張できる。また，遺産分割と異なり，第三者保護規定がない（遡及効の貫徹）。

(4)　特別受益者

特別受益者とは，共同相続人の中で被相続人から遺贈を受け，又は婚姻，養子縁組のため，若しくは生計の資本として贈与を受けた者をいう。特別受益者については，本来の相続分から受益分を控除して，他の共同相続人との調整が図られる（民903Ⅰ）。

(5)　登記上の利害関係人の判断

所有権の更正登記については，その登記申請において登記上の利害関係人がある場合には，その者の承諾を証する情報又はこれに対抗することができる裁判があったことを証する情報の提供が必要となる（不登66，不登令別表25添ロ）。

そして，例えば，甲名義の登記を甲乙名義に更正する場合には，当該更正の対象となる登記以後に登記された所有権全体を目的とする（根）抵当権の登記名義人，及びその権利に依存する転抵当権者等又は（仮）差押え等の登記名義人や，賃借権者等が登記上の利害関係人に該当する。担保権及び処分の制限の登記については，甲の権利が一部消滅することにより，甲持分を対象としたものに縮減され，用益権については，甲の権利が一部消滅することにより，消滅するからである。

また，甲乙共有名義の登記を甲名義に更正する場合には，当該更正対象登記以後に登記された所有権全体を目的とする抵当権等の登記名義人，乙持分を目的とする抵当権等の登記名義人及びそれらの権利に依存する転抵当権者等が登記上の利害関係人に該当する。乙持分が消滅することにより，所有権全体を目的とする抵当権等は所有権の一部を目的とするものに縮減され，また，乙持分を目的とする抵当権等はそのよりどころを失ってしまうからである。これに対し，甲持分を目的とする抵当権等の登記名義人は，登記上の利害関係人に該当しない。

⑹ 資格者代理人による本人確認情報の提供の趣旨

資格者代理人による本人確認情報の提供の制度は，登記識別情報の提供をすることができない正当な理由がある場合において，資格者代理人による本人確認情報の提供があり，かつ，登記官が，その内容を相当であると認めたときには，事前通知手続（不登23Ⅰ）を省略することができるというものである（不登23Ⅳ①）。

この資格者代理人による本人確認情報の提供が認められる場合は，資格者が現に申請人を代理して申請する場合に限られ，単に資格者であるというだけで代理人でない者には認められない。

2－5 本問へのあてはめ

本問では，**【事実関係】** 1及び別紙2より，甲建物の所有者である甲野太郎が平成28年10月2日に死亡し，甲野太郎には配偶者である甲野花子並びに子である甲野一郎，甲野次郎及び甲野三郎が存在していることが分かる。この点，**【事実関係】** 2より，甲野三郎は，東京家庭裁判所に亡甲野太郎に係る相続放棄の申述をし，平成28年12月19日，当該申述を受理する審判がされていることから，甲野三郎は相続人とならない。よって，甲野太郎の相続人は，甲野花子，甲野一郎及び甲野次郎であるところ，別紙3より，平成29年5月5日，甲野花子，甲野一郎及び甲野次郎により，甲野一郎が甲建物を取得する旨の遺産分割協議がされていることが分かる。

しかし，別紙1より，甲建物甲区2番において，平成29年5月23日付けで，財務省の代位により，甲野花子持分を6分の3，甲野一郎持分を6分の1，甲野次郎持分を6分の1，甲野三郎持分を6分の1とする，相続による所有権移転登記が嘱託されていることが分かる。したがって，当該所有権移転登記を是正しなければならないが，甲野一郎につき，是正の前後において同一性が認められることから，所有権更正登記により申請することとなる。

次に，所有権更正登記を申請するに当たり，登記上の利害関係人の有無について検討する。この点，甲建物乙区1番抵当権，乙区2番根抵当権並びに乙区2番付記1号転根抵当権は，いずれも更正の対象となる甲区2番の所有権移転登記以前にされたものであり，登記上の利害関係を有する第三者に該当しない。また，甲区3番の甲野次郎持分の差押登記は，更正の対象となる甲区2番の所有権移転登記以降にされたものであるが，**【事実関係】** 5より，登記申請日より前の平成29年6月12日，差押えを解除し，その旨の登記が嘱託されていることから，登記上の利害関係を有する第三者には該当しない。

したがって，本問において，登記上の利害関係を有する第三者は存在しないこととなる。

以上より，平成29年６月15日に，「平成28年12月19日相続放棄平成29年５月５日遺産分割」を原因として「２番所有権更正」登記を申請する。

なお、〔**事実関係に関する補足**〕８より、登記権利者又は登記義務者の一方のみが登記を申請することができる場合は，そのように申請しているとあることから、甲野一郎が単独で申請することとなる。

申請情報に関する事項

《２番所有権登記名義人住所変更》

(1)　登記の目的

「２番所有権登記名義人住所変更」とする。

(2)　登記原因及びその日付

「平成29年６月14日住所移転」とする。

(3)　登記事項

「変更後の事項
　　共有者甲野一郎の住所
　　　東京都港区六本木八丁目10番10号」とする。

(4)　申請人

「申請人　甲野一郎」とする。

(5)　添付情報

ア　登記原因証明情報（不登61条，不登令７条１項５号ロ）

登記原因証明情報とは，権利に関する登記における登記の原因となる事実又は法律行為を証する情報をいう。

権利に関する登記を申請する場合には，申請人は，法令に別段の定めがある場合を除き，その申請情報と併せて登記原因を証する情報を提供しなければならない（不登61）。登記の正確性をより向上させるためには，登記原因があったことを確認して登記する必要があるからである。

登記名義人の氏名等についての変更又は更正の登記を申請するときは，登記名義人の氏名若しくは名称又は住所について変更又は錯誤若しくは遺漏があったことを証する市町村長，登記官，その他の公務員が職務上作成した情報（公務員が職務上作成した情報がない場合にあっては，これに代わるべき情報）が添付情報となる（不登令別表23）。

本問では，甲野一郎の住民票の写しを添付する。

イ　代理人の権限を証する情報（不登令７条１項２号）

登記の申請を代理人により行う場合には，一定の場合を除き，代理人の権限を証する情報を提供しなければならない。登記の申請が，申請人の意図しているとおりのものであるか否かを登記官が確認する必要があるためである。

本問では，甲野一郎の委任状を添付する。

なお，委任状については，解答上要求されていない。

(6)　登録免許税

不動産１個につき，金1,000円である（登録税別表1.1.(14)）。

本問では，金1,000円となる。

《２番所有権更正》

(1)　登記の目的

「２番所有権更正」とする。

(2)　登記原因及びその日付

「平成28年12月19日相続放棄
　平成29年５月５日遺産分割」とする。

(3)　登記事項

「更正後の事項
　　所有者　東京都港区六本木八丁目10番10号
　　　　　　甲野一郎　　　　　　　　　　　　」とする。

(4)　申請人

「権利者（申請人）　甲野一郎
　義務者　甲野花子
　　　　　甲野次郎
　　　　　甲野三郎」とする。

平成29年

(5) **添付情報**

ア **登記原因証明情報（不登61条，不登令7条1項5号ロ）**

本問では，別紙3の遺産分割協議書，甲野三郎の相続の放棄の申述の受理証明書を添付する。

イ **代理人の権限を証する情報（不登令7条1項2号）**

本問では，甲野一郎の委任状を添付する。

なお，委任状については，解答上要求されていない。

(6) **登録免許税**

不動産1個につき，金1,000円である（登録税別表1.1.(14)）。

本問では，金1,000円となる。

3 抵当権の連帯債務者の一人の相続 連帯債務者の一人の住所移転　相続人間の債務引受

3－1 問題の所在

本問では，**【事実関係】** 1及び別紙1より，平成28年10月2日，甲建物の1番抵当権の連帯債務者の一人である甲野太郎が死亡しており，その後，**【事実関係】** 8及び別紙5より，平成29年6月15日，甲建物の1番抵当権者である株式会社すみれ銀行及び甲野太郎の相続人甲野花子，甲野一郎及び甲野次郎との間で，甲野花子及び甲野次郎が甲野太郎から承継した債務を，甲野一郎が免責的に引き受ける旨の契約が締結されていることから，遺産分割協議により債務者を定めた場合と異なり，債務引受契約では遡及効がないことを踏まえた上で，必要となる登記手続について検討する。併せて，甲建物1番抵当権の連帯債務者の一人である甲野一郎が，住所を東京都港区六本木八丁目10番10号に移転していることから，これに基づく登記申請についても検討する。

3－2 問題点　抵当権の連帯債務者の一人の相続，連帯債務者の一人の住所移転及び相続人間の債務引受に関する検討

前提の知識

(1) **債務者の相続による抵当権変更**

抵当権の債務者について相続が生じたとき，その相続人は被相続人の債務を承継するため（民896），その債務者の変更登記を申請することとなる。

先例は，共同相続人のうち一人が抵当権付債務を遺産分割により引き受けた場合，その引受けにつき債権者の承諾があれば，共同相続人全員を債務者とする抵当権の変更登記を経ることなく，直接当該共同相続人の一人を債務者とする相続による抵当権の変更登記をすることができるとしている（昭33.5.10民甲964号）。なお，共同相続人全員を債務者とする相続による変更登記が既にされている場合に，遺産分割の協議により，債権者の承諾を得て相続人の一人に債務を負わせるときは，「年月日遺産分割」を原因とする変更登記を申請することができると解される。

一方，遺産分割によらずに，共同相続人が承継した債務について共同相続人の一人が引き受ける旨の債務引受契約が成立した場合は，まず，共同相続人全員を債務者とする「相続」による変更登記を申請し，次いで「何某の債務引受」を原因として債務者を共同相続人の一人とする変更登記をする（昭33.5.10民甲964号）。債務引受契約成立の前に，共同相続人全員を債務者とする相続による変更登記が既にされているときは，「何某の債務引受」を原因として債務者を共同相続人の一人とする変更登記をすることとなる。

なお，物上保証の場合，設定者の承諾がなければ抵当権は引受債務を担保しないが，物上保証人が登記義務者となるため物上保証人の承諾を証する情報の提供は要しない（昭27.9.29民甲362号参照）。

○　債務者の共同相続登記がされていない場合

	遺産分割協議の際に Aを債務者と定めた場合 （債権者の承諾得ている）	債権者の承諾を得て AがBの債務を引き受けた場合	
		申請書１件目	申請書２件目
原因	年月日相続	年月日相続	年月日Bの債務引受
変更後の事項	債務者　住所　A	債務者　住所　A 住所　B	債務者　住所　A

○　債務者の共同相続登記がされている場合

	遺産分割協議の際に Aを債務者と定めた場合 （債権者の承諾得ている）	債権者の承諾を得て AがBの債務を引き受けた場合
原因	年月日遺産分割 （争いあり）	年月日Bの債務引受
変更後の事項	債務者　住所　A	債務者　住所　A

(2)　**特別受益者の相続分**

遺贈又は贈与の価額が相続分の価額に等しく，又はこれを超えるときは，受遺者又は受贈者は，その相続分を受けることができない（民903Ⅱ）。なお，相続分を超える場合であっても，特別受益者は，超過額を返還することを要しない。

また，民法903条の規定は権利（積極財産）の承継に関する相続分を定めたものであって，義務（消極財産）に関しては特別の規定を欠くので，共同相続人間における相続債務の分担の仕方は，特別の規定がなければ，全て本来の相続分によることとなる。

(3)　**免責的債務引受**

免責的債務引受とは，債務者が債権者に対して負担する債務と同一の内容の債務を引受人が負担し，債務者をその債務から免れさせるものをいう（民472Ⅰ）。

免責的債務引受は，債権者，債務者及び引受人の三面契約のほか，二者間の契約によってもすることができ，その要件は以下のとおりである。

①　債権者と引受人となる者との間で，債務引受及び債務者を債務から免れさせる旨の契約をすること

② 債権者から債務者に対し，当該契約をした旨の通知をすること
(ロ) **債務者と引受人との契約による場合**
① 債務者と引受人となる者との間で，債務引受及び債務者を債務から免れさせる旨の契約をすること
② 債権者が引受人に対し，当該契約を承諾すること

3－3 本問へのあてはめ

本問では，**【事実関係】** 1，2及び別紙2より，平成28年10月2日，甲建物の1番抵当権の連帯債務者の一人である甲野太郎が死亡しており，甲野太郎には配偶者である甲野花子並びに子である甲野一郎，甲野次郎及び甲野三郎が存在していることが分かる。この点，**【事実関係】** 2より，甲野三郎は，東京家庭裁判所に相続放棄の申述をし，平成28年12月19日，当該申述を受理する審判がされているため，甲野三郎は相続人とはならず，債務を承継しない。一方，甲野次郎は，甲野太郎の生前，生計の資本として自らの法定相続分に相当する金額を超える贈与を受けているが，特別受益者であっても，相続人であることに変わりはなく，債務を承継する。よって，甲野太郎の債務は，甲野花子，甲野一郎及び甲野次郎がその相続分に応じてこれを承継することとなる。

そして，**【事実関係】** 8及び別紙5より，平成29年6月15日，甲建物の1番抵当権者である株式会社すみれ銀行並びに甲野花子，甲野一郎及び甲野次郎との間で，甲野花子及び甲野次郎が甲野太郎から承継した債務を，甲野一郎が免責的に引き受ける旨の契約が締結されていることが分かる。

したがって，連帯債務者の一人である甲野太郎の債務を引き受けたことによる登記を申請する必要があるところ，遺産分割協議により債務者を定めた場合と異なり，債務引受契約には遡及効がないことから，連帯債務者を甲野花子，甲野一郎及び甲野次郎とする相続による抵当権変更登記を申請した後，甲野花子及び甲野次郎の債務引受による抵当権変更登記を申請することとなる。

また，前述のとおり，甲建物の1番抵当権の連帯債務者の一人である甲野一郎が，住所を東京都港区六本木八丁目1番1号から東京都港区六本木八丁目10番10号に移転しているところ，**【事実関係】** 8より，株式会社すみれ銀行銀座支店の担当者が，申請することができる登記があれば，その全ての登記を申請してほしい旨の申出をしているため，当該住所移転による抵当権変更登記も併せて申請することとなる。

以上より，平成29年6月15日に上記3件の登記を申請することとなるが，問題文**〔事実関係に関する補足〕** 4より，司法書士法務直子は，複数の登記の申請をする場合には，登記原因の日付の古い順に登記を申請していることから，当該順序に従

い，まず，「平成28年10月２日連帯債務者甲野太郎の相続」を原因として「１番抵当権変更」登記を申請し，次に「平成29年６月14日甲野一郎の住所移転」を原因として「１番抵当権変更」登記を申請し，最後に「平成29年６月15日連帯債務者甲野花子，甲野次郎の免責的債務引受」を原因として「１番抵当権変更」登記を申請する。

なお，前述のとおり，甲区２番の相続登記は，財務省が甲野花子，甲野一郎，甲野次郎及び甲野三郎に代位して嘱託した登記であるため，自ら申請人とならなかった甲野花子，甲野一郎，甲野次郎及び甲野三郎は，登記識別情報の通知を受けていない。よって，問題文より，本件登記における登記義務者である甲野一郎について，甲区２番で登記を受けた持分についてのみ，司法書士法務直子が作成した本人確認情報を添付して申請することとなる。この際，問題文（答案作成に当たっての注意事項）より，登記申請書に，登記識別情報を提供することができない理由として，「不通知」と記載する。

申請情報に関する事項

《１番抵当権変更（債務者相続）》

⑴　登記の目的

「１番抵当権変更」とする。

⑵　登記原因及びその日付

「平成28年10月２日連帯債務者甲野太郎の相続」とする。

⑶　登記事項

「変更後の事項
　　連帯債務者　東京都港区六本木八丁目10番10号
　　　　　　　　甲野一郎
　　　　　　　　東京都港区六本木八丁目１番１号
　　　　　　　　甲野花子
　　　　　　　　東京都港区六本木八丁目２番２号
　　　　　　　　甲野次郎　　　　　　　　　　」とする。

⑷　申請人

「権利者　株式会社すみれ銀行
　　　　　（会社法人等番号　0100 - 01 - 123456）
　義務者　甲野一郎　　　　　　　　　　　　」とする。

⑸　登記識別情報を提供することができない理由

「不通知」とする。

(6) 添付情報

ア　登記原因証明情報（不登61条，不登令7条1項5号ロ）

本問では，甲野太郎の法定相続人を特定することができる戸籍の全部事項証明書，戸籍謄本，除籍謄本及び改製原戸籍謄本並びに甲野三郎の相続の放棄の申述の受理証明書を添付する。

イ　登記識別情報（不登22条，不登令8条）

登記識別情報とは，不動産登記法22条本文の規定により登記名義人が登記を申請する場合において，当該登記名義人自らが当該登記を申請していることを確認するために用いられるものであり，アラビア数字その他の符号の組合せにより不動産及び登記名義人となった申請人ごとに定める情報で，登記名義人を識別することができるものをいう（不登2⑭，不登規61）。

登記権利者及び登記義務者が共同して権利に関する登記の申請をする場合その他登記名義人が政令で定める登記の申請をする場合には，申請人は，その申請情報と併せて登記義務者等の登記識別情報を提供しなければならない（不登22）。登記義務者等の本人性の確認をするためである。

なお，いわゆるオンライン庁では，オンライン指定後も，従前の登記済証は，書面による申請における添付書面として利用することができ，登記済証を提出すれば，登記識別情報の提供とみなされる（不登附則7）。

本問では，甲野一郎の甲区2番付記2号の登記識別情報を添付する。

ウ　本人確認情報（不登23条4項1号）

申請人が登記識別情報（登記済証）を提供することができないことにつき正当な理由がある場合において，当該申請が登記の申請の代理を業とすることができる代理人によってされた場合であれば，当該登記識別情報（登記済証）の提供に代えて，当該申請人が不動産登記法23条1項の登記義務者であることを確認するために必要な情報（以下「本人確認情報」という。）の提供をすることができる（不登23Ⅳ①）。ただし，登記官が，本人確認情報の内容を相当と認めることができない場合には，事前通知の手続が採られることになる（不登準則49Ⅳ）。

なお，不動産登記規則72条1項においては，本人確認情報の中で明らかにしなければならない事項が挙げられている。

本問では，司法書士法務直子が作成した甲野一郎が登記義務者であることを確認する本人確認情報を添付する。

エ　印鑑に関する証明書（不登規48条１項５号，47条３号ロ）

委任による代理人によって登記を申請する場合，法務省令で定める場合を除き，申請人又はその代表者が，当該代理人の権限を証する情報を記載した書面（委任状）に記名押印しなければならず，当該書面には，法務省令で定める場合を除き，記名押印した者（委任による代理人を除く。）の印鑑に関する証明書（原則として，市町村長又は登記官が作成するもの）を添付しなければならない。登記義務者の登記申請意思を登記官が形式的に確認し，真正な登記の実現を図る必要があるからである。

所有権の登記名義人であって，不動産登記法22条ただし書の規定により登記識別情報を提供することなく，担保権（根抵当権及び根質権を除く。）の債務者に関する変更の登記又は更正の登記を申請する場合，同人の印鑑証明書の添付を要する（不登規48Ⅰ⑤・47③ロ参照）。

本問では，甲野一郎の印鑑証明書を添付する。

オ　代理人の権限を証する情報（不登令７条１項２号）

本問では，株式会社すみれ銀行の代表取締役及び甲野一郎の委任状を添付する。

なお，委任状については，解答上要求されていない。

カ　会社法人等番号（不登令７条１項１号イ）

申請人が会社法人等番号を有する法人であるときは，原則として，当該法人の会社法人等番号を提供することを要する。

また，申請情報と併せて会社法人等番号を提供したときは，印鑑証明書，住所証明情報，住所変更証明情報は提供不要となる。さらに，申請情報と併せて会社法人等番号を提供したときは，法人の合併による承継を証する情報又は法人の名称変更等を証する情報の提供に代えることができるものとされ，加えて，登記原因証明情報の一部として登記事項証明書の提供が必要とされている場合に，申請情報と併せて会社法人等番号を提供したときは，登記事項証明書の提供に代えることができる。

なお，住所の変更事項等が閉鎖登記記録に記録されている場合であっても，会社法人等番号を提供すれば，原則として，法人の住所変更等を証する情報の提供を省略することができる。ただし，平成24年５月20日（外国会社にあっては平成27年３月１日）以前の法人の登記においては，組織変更や他の登記所の管轄区域内への本店の移転の登記等をする場合に会社法人等番号が変更されていたため，平成24年５月20日（外国会社にあっては平成27年３月１日）以前の会社法人等番号が記録された登記記録に住所の移転の事項が記録されているときは，現在の会社法人等番号の提供に加えて，住所の移転の事項を確認することができる閉鎖事項証明書又は閉鎖登記簿謄本を提供する必要がある。

なお，会社法人等番号については，解答上要求されていない。

⑺ **登録免許税**

不動産１個につき，金1,000円である（登録税別表1.1.⒁）。

本問では，金1,000円となる。

《１番抵当権変更（連帯債務者の住所変更）》

⑴ **登記の目的**

「１番抵当権変更」とする。

⑵ **登記原因及びその日付**

「平成29年６月14日甲野一郎の住所移転」とする。

なお，「平成29年６月14日連帯債務者甲野一郎の住所移転」と記載してもよいものと考えられる。

⑶ **登記事項**

「変更後の事項
　連帯債務者甲野一郎の住所
　　東京都港区六本木八丁目10番10号」とする。

⑷ **申請人**

「権利者　株式会社すみれ銀行
　　　　（会社法人等番号　0100 - 01 - 123456）
　義務者　甲野一郎　　　　　　　　　　　　」とする。

⑸ **登記識別情報を提供することができない理由**

「不通知」とする。

⑹ **添付情報**

ア　**登記原因証明情報（不登61条，不登令７条１項５号ロ）**

本問では，甲野一郎の住民票の写しを添付する。

イ　**登記識別情報（不登22条，不登令８条）**

本問では，甲野一郎の甲区２番付記２号の登記識別情報を添付する。

ウ　**本人確認情報（不登23条４項１号）**

本問では，司法書士法務直子が作成した甲野一郎が登記義務者であることを確認する本人確認情報を添付する。

エ　**印鑑に関する証明書（不登規48条１項５号，47条３号ロ）**

本問では，甲野一郎の印鑑証明書を添付する。

オ　代理人の権限を証する情報（不登令７条１項２号）

本問では，株式会社すみれ銀行の代表取締役及び甲野一郎の委任状を添付する。

なお，委任状については，解答上要求されていない。

カ　会社法人等番号（不登令７条１項１号イ）

会社法人等番号については，解答上要求されていない。

⑺　**登録免許税**

不動産１個につき，金1,000円である（登録税別表1.1.⒁）。

本問では，金1,000円となる。

《１番抵当権変更（連帯債務者の債務引受）》

⑴　**登記の目的**

「１番抵当権変更」とする。

⑵　**登記原因及びその日付**

「平成29年６月15日連帯債務者甲野花子，甲野次郎の免責的債務引受」とする。

＊　抵当権の債務者が死亡し，相続人の間で債務引受契約が締結された場合，抵当権変更登記の登記原因は「年月日何某の債務引受」によるのが原則であるが，本問のように，連帯債務者のうちの一人が死亡し，その相続人の間で債務引受契約が締結された場合，抵当権変更登記の登記原因は「年月日何某の免責的債務引受」によるのが通例である。

しかし，相続人の一人が他の相続人の債務を引き受けるという点で，両者を異にすることはないため，本問において，「平成29年６月15日連帯債務者甲野花子，甲野次郎の債務引受」と記載してもよいものと考えられる。

⑶　**登記事項**

「変更後の事項
　連帯債務者　東京都港区六本木八丁目10番10号
　　　　　　　甲野一郎　　　　　　　　　　」とする。

⑷　**申請人**

「権利者　株式会社すみれ銀行
　　　　　（会社法人等番号　0100 - 01 - 123456）
　義務者　甲野一郎　　　　　　　　　　」とする。

(5) **登記識別情報を提供することができない理由**
「不通知」とする。

(6) **添付情報**

ア　**登記原因証明情報（不登61条，不登令７条１項５号ロ）**
本問では，債務引受契約書を添付する。

イ　**登記識別情報（不登22条，不登令８条）**
本問では，甲野一郎の甲区２番付記２号の登記識別情報を添付する。

ウ　**本人確認情報（不登23条４項１号）**
本問では，司法書士法務直子が作成した甲野一郎が登記義務者であることを確認する本人確認情報を添付する。

エ　**印鑑に関する証明書（不登規48条１項５号，47条３号ロ）**
本問では，甲野一郎の印鑑証明書を添付する。

オ　**代理人の権限を証する情報（不登令７条１項２号）**
本問では，株式会社すみれ銀行の代表取締役及び甲野一郎の委任状を添付する。
なお，委任状については，解答上要求されていない。

カ　**会社法人等番号（不登令７条１項１号イ）**
会社法人等番号については，解答上要求されていない。

(7) **登録免許税**
不動産１個につき，金1,000円である（登録税別表1.1.(14)）。
本問では，金1,000円となる。

4 賃借権設定

4－1 問題の所在

本問では，**【事実関係】**14及び別紙６より，平成29年６月26日，株式会社ベイパスタ及び甲野一郎との間で，甲建物につき賃借権設定契約を締結していることが分かるため，これについて検討する。

4－2　問題点　賃借権設定に関する検討

前提の知識

(1)　**賃貸借**

賃貸借は，当事者の一方がある物の使用及び収益を相手方にさせることを約し，相手方がこれに対してその賃料を支払うこと及び引渡しを受けた物を契約が終了したときに返還することを約することによって，その効力を生ずる（民601）。

民法上，賃借権の存続期間は50年を超えることができないとされ，契約でこれより長い期間が定められた場合，存続期間は50年となる（民604Ⅰ）。

しかし，建物所有目的の土地の賃貸借の場合，民法の特別法に当たる借地借家法の適用があり，存続期間は，特約のない限り30年となり，契約でこれより長い期間を定めたときは，その期間とする（借地借家３）。

(2)　**賃借権の登記**

不動産の賃貸借は，これを登記したときは，その不動産について物権を取得した者その他の第三者に対抗することができる（民605，不登３）。不動産賃借権の特殊性を考慮し，賃借人の保護を図るためである。しかし，賃借権は，債権であるので，賃貸人がその登記をすることを承諾する特約のない限り，賃借人には登記請求権はない（大判大10.7.11）。

(3)　**賃借権の登記等の登記事項（不登81条）**

賃借権の登記又は賃借物の転貸の登記の登記事項は，不動産登記法59条各号に掲げるもののほか，次のとおりである。

①　賃料
②　存続期間又は賃料の支払時期の定めがあるときは，その定め
③　賃借権の譲渡又は賃借物の転貸を許す旨の定めがあるときは，その定め
④　敷金があるときは，その旨
⑤　賃貸人が財産の処分につき行為能力の制限を受けた者又は財産の処分の権限を有しない者であるときは，その旨
⑥　土地の賃借権設定の目的が建物の所有であるときは，その旨
⑦　前号に規定する場合において建物が借地借家法23条１項又は２項に規定する建物であるときは，その旨
⑧　借地借家法22条前段，23条１項，38条１項前段若しくは39条１項又は高齢者の居住の安定確保に関する法律52条等の定めがあるときは，その定め

《賃借権の登記における賃料の定め方》　（○＝可　×＝不可）

① 借賃を金銭以外のもので払うとすること Ex.「甲地を使用収益する」（昭41.4.15民三193号）	○
② 「契約時から５年間は金○円，６年目からは金△円」 （昭41.9.29民三1010号）	○
③ 「10年以後の分については双方協議のうえ定める」旨の定め （昭41.9.29民三1010号）	×
④ 「月額は固定資産税評価額に何分の何を乗じた額」とする定め （昭31.7.13民甲1597号）	○
⑤ 数筆を合わせて借賃を定めた場合（昭54.4.4民三課長電信回答）	×

4－3　本問へのあてはめ

本問では，**【事実関係】**14及び別紙６より，平成29年６月26日，株式会社ベイパスタ及び甲野一郎との間で，甲建物につき，賃借権の登記をする旨の特約のある賃借権設定契約を締結していることが分かる。

よって，甲建物につき，賃借権設定登記を申請することとなる。この点，別紙６の賃貸借契約書第３条に，「本契約の期間は，平成29年６月30日から20年とする。」とあることから，平成29年６月30日に賃借権設定の効力が生ずることとなる。

したがって，平成29年６月30日に，「平成29年６月30日設定」を原因として「賃借権設定」登記を申請する。

＊　なお，別紙６の賃貸借契約書の契約締結日は「平成29年６月26日」であることから，原因日付を「平成29年６月26日」，存続期間を「平成29年６月30日から20年」とする登記申請によることも考えられる。

申請情報に関する事項

《賃借権設定》

⑴　**登記の目的**

「賃借権設定」とする。

⑵　**登記原因及びその日付**

「平成29年６月30日設定」とする。

⑶　**登記事項**

支払時期　　毎月末日限り翌月分を支払う
存続期間　　20年
敷金　　　　金3,125万円　　　　　」とする。

(4) **申請人**

「権利者　株式会社ベイパスタ
　　　　　（会社法人等番号　0200-01-567890）
義務者　甲野一郎　　　　　　　　　　　」とする。

＊　賃借権設定登記を申請する場合，登記の申請書には，登記権利者として賃借権者の氏名又は名称及び住所を記載する。
　しかし，登記記録上は「賃借権者　株式会社ベイパスタ」と表記され，本問においては，「登記記録の「権利者その他の事項欄」に記録される事項」について解答が求められていることから，
「賃借権者　株式会社ベイパスタ
　　　　　（会社法人等番号　0200-01-567890）」
と記載してもよいものと考えられる。

(5) **登記識別情報を提供することができない理由**

「不通知」とする。

(6) **添付情報**

ア　**登記原因証明情報（不登61条，不登令７条１項５号ロ）**
　本問では，賃貸借契約書を添付する。

イ　**登記識別情報（不登22条，不登令８条）**
　本問では，甲野一郎の甲区２番付記２号の登記識別情報を添付する。

ウ　**本人確認情報（不登23条４項１号）**
　本問では，司法書士法務直子が作成した甲野一郎が登記義務者であることを確認する本人確認情報を添付する。

＊　前述のとおり，甲建物甲区２番の相続登記は財務省が甲野花子，甲野一郎，甲野次郎及び甲野三郎に代位して嘱託した登記であるため，甲野一郎は，当該登記に係る登記識別情報の通知を受けておらず，賃借権設定登記を申請するに際し，登記識別情報を一部提供することができない。
　この点，問題文より，司法書士法務直子は，平成29年６月15日に申請した登記については，甲野一郎から資格者代理人による本人確認情報の作成の依頼を受けているが，平成29年６月30日に申請した登記につ

いては，甲野一郎から資格者代理人による本人確認情報の作成の依頼を受けた事実は記載されていない。

したがって，本件賃借権設定登記に際し，事前通知制度により登記の申請をしているという考えも成り立ち得ることから，疑義が残るところではあるが，添付情報欄に当該書面を記載しなくても誤りではないと考えられる。

エ　印鑑に関する証明書（不登令18条２項，不登規49条）

本問では，甲野一郎の印鑑証明書を添付する。

オ　代理人の権限を証する情報（不登令７条１項２号）

本問では，株式会社ベイパスタの代表取締役及び甲野一郎の委任状を添付する。

なお，委任状については，解答上要求されていない。

カ　会社法人等番号（不登令７条１項１号イ）

会社法人等番号については，解答上要求されていない。

⑹　**課税価格**

課税標準となる金額に1,000円未満の端数があるときは，その端数は切り捨てる（国税通則118Ⅰ）。

したがって，課税価格は，金8,378万5,000円となる。

⑺　**登録免許税**

課税価格に「1,000分の10」（登録税別表1.1.⑶イ）を乗じた額である。

以上から，次のように算定する。

金8,378万5,000円×1,000分の10＝金83万7,850円

また，登録免許税の金額に100円未満の端数があるときは，その端数は切り捨てる（国税通則119Ⅰ）。

よって，登録免許税は，金83万7,800円となる。

5　賃借権の先順位担保権に優先する同意の登記

5－1　問題の所在

本問では，**【事実関係】**15より，株式会社すみれ銀行は平成29年６月28日に，株式会社わかば銀行はもみじファイナンス株式会社の承諾を得て平成29年６月30日

平成29年

に，株式会社ベイパスタに対し，賃借権の先順位担保権に優先する同意をしているため，これについて検討する。

5－2 問題点　賃借権の先順位担保権に優先する同意の登記に関する検討

前提の知識

(1)　賃借権の先順位担保権に優先する同意の登記

賃借権につき登記がされ，かつ，その登記前に登記をした担保権を有するすべての者がこれに対抗力を与えることに同意し，その同意につき登記がされたときは，その賃借権は，同意をした総先順位担保権者に対抗することができる（民387Ⅰ）。ただし，ここでいう賃借権には，建物の登記により対抗力を有する土地賃借権（借地借家10Ⅰ）及び建物の引渡により対抗力を有する建物賃借権（借地借家31Ⅰ）は含まれない。この同意の登記は，賃借権者を登記権利者，総先順位担保権者を登記義務者とする共同申請により行う（平15.12.25民二3817号）。

(2)　利害関係人

先順位担保権者が上記(1)の同意をするには，当該先順位担保権を目的とする権利を有する者（転抵当権者,順位の譲渡を受けた後順位抵当権者等）など，同意により不利益を受けるべき者がある場合には，その者の承諾を得ることを要する（民387Ⅱ）。

5－3 本問へのあてはめ

本問では，**【事実関係】**12及び15より，平成29年６月17日，甲建物の賃借権者である株式会社ベイパスタは，甲野一郎に対して，賃借権が先に登記されている抵当権及び根抵当権を有する者に対抗することができるようにしたい旨の申出をし，当該申出を受け，株式会社すみれ銀行は平成29年６月28日に，株式会社わかば銀行はもみじファイナンス株式会社の承諾を得て平成29年６月30日に，株式会社ベイパスタに対し，賃借権の先順位担保権に優先する同意をしていることが分かる。

したがって，平成29年６月30日に，「平成29年６月30日同意」を原因として「３番賃借権の１番抵当権，２番根抵当権に優先する同意」の登記を申請する。

申請情報に関する事項

《３番賃借権の１番抵当権，２番根抵当権に優先する同意》

⑴　登記の目的

「３番賃借権の１番抵当権，２番根抵当権に優先する同意」とする。

⑵　登記原因及びその日付

「平成29年６月30日同意」とする。

⑶　申請人

「権利者　株式会社ベイパスタ
　　　　　（会社法人等番号　0200－01－567890）
　義務者　株式会社すみれ銀行
　　　　　（会社法人等番号　0100－01－123456）
　　　　　株式会社わかば銀行
　　　　　（会社法人等番号　0100－01－654321）」とする。

⑷　添付情報

ア　登記原因証明情報（不登61条，不登令７条１項５号ロ）

本問では，賃借権が先順位担保権に優先する旨の同意をした事実を証する登記原因証明情報を添付する。

イ　登記識別情報（不登22条，不登令８条）

本問では，株式会社すみれ銀行の乙区１番の登記識別情報，株式会社わかば銀行の乙区２番の登記識別情報を添付する。

ウ　代理人の権限を証する情報（不登令７条１項２号）

本問では，株式会社ベイパスタの代表取締役，株式会社すみれ銀行の代表取締役及び株式会社わかば銀行の代表取締役の委任状を添付する。

なお，委任状については，解答上要求されていない。

エ　登記原因についての第三者の許可，同意又は承諾を証する情報（不登令７条１項５号ハ）

登記原因について第三者の許可，同意又は承諾を要するときは，当該第三者が許可し，同意し，又は承諾したことを証する情報を提供しなければならない。

登記官が登記原因の発生に実体法上必要な第三者の許可等がされたことを手続の上で確認することで，無効な権利変動による登記がされることを防ぐためである。

本問では，もみじファイナンス株式会社の承諾書を添付する。

オ　会社法人等番号（不登令7条1項1号イ）

会社法人等番号については，解答上要求されていない。

(5) **登録免許税**

賃借権及び抵当権1件につき，金1,000円である（登録税別表1.1.(9)）。

以上から，次のように算定する。

金1,000円×3件＝金3,000円

＊　債務者甲野一郎の住所移転による2番根抵当権変更の要否について

前述のとおり，甲野一郎が，住所を東京都港区六本木八丁目1番1号から東京都港区六本木八丁目10番10号に移転しているため，債務者甲野一郎の住所移転による2番根抵当権変更登記の申請の要否が問題となる。

しかし，**【事実関係】**8より，株式会社すみれ銀行銀座支店の担当者は，申請することのできる登記全てについて登記をしてほしいとの申出をしているが，株式会社わかば銀行の担当者からは，問題文上，そのような申出がされている旨の記載がなく，また，仮に，当該登記を申請するのであれば，問題文〔**事実関係に関する補足**〕4より，登記原因の古い順に登記を申請することから，賃借権の先順位担保権に優先する同意の登記の申請書を記載させる余地がなくなるため，当該登記については考慮しないことが，出題者の意図を汲んだ解答であると考えられる。

MEMO

第１欄

⑴　甲建物について１番目に申請した登記

<table>
<tr><td colspan="2">登記の目的</td><td>２番所有権登記名義人住所変更</td></tr>
<tr><td rowspan="2">申請事項等</td><td>登記原因
及びその日付</td><td>平成29年６月14日住所移転</td></tr>
<tr><td>上記以外の
申請事項等</td><td>変更後の事項　※
共有者甲野一郎の住所
東京都港区六本木八丁目10番10号
申請人　甲野一郎</td></tr>
<tr><td colspan="2">添付情報</td><td>コ</td></tr>
</table>

※「変更後の事項」は記載しなくともよいと解される。

⑵　甲建物について２番目に申請した登記

<table>
<tr><td colspan="2">登記の目的</td><td>２番所有権更正</td></tr>
<tr><td rowspan="2">申請事項等</td><td>登記原因
及びその日付</td><td>平成28年12月19日相続放棄
平成29年５月５日遺産分割</td></tr>
<tr><td>上記以外の
申請事項等</td><td>更正後の事項　※
所有者　東京都港区六本木八丁目10番10号
甲野一郎
権利者（申請人）　甲野一郎
義務者　甲野花子
甲野次郎
甲野三郎</td></tr>
<tr><td colspan="2">添付情報</td><td>ア，カ</td></tr>
</table>

※「更正後の事項」は記載しなくともよいと解される。

解答例

⑶ （法改正により削除）

第２欄

⑴ **甲建物について１番目に申請した登記**

<table>
<tr><td colspan="2">登記の目的</td><td>１番抵当権変更</td></tr>
<tr><td rowspan="2">申請事項等</td><td>登記原因
及びその日付</td><td>平成28年10月２日連帯債務者甲野太郎の相続</td></tr>
<tr><td>上記以外の
申請事項等</td><td>変更後の事項　※
　連帯債務者　東京都港区六本木八丁目10番10号
　　　　　　　甲野一郎
　　　　　　　東京都港区六本木八丁目１番１号
　　　　　　　甲野花子
　　　　　　　東京都港区六本木八丁目２番２号
　　　　　　　甲野次郎
権利者　株式会社すみれ銀行
　　　　（会社法人等番号　0100－01－123456）
義務者　甲野一郎
登記識別情報を提供することができない理由　不通知</td></tr>
<tr><td colspan="2">添付情報</td><td>オ，カ，ス，チ，テ</td></tr>
</table>

※「変更後の事項」は記載しなくともよいと解される。

(2) 甲建物について２番目に申請した登記

登記の目的		１番抵当権変更
申請事項等	登記原因及びその日付	平成29年６月14日甲野一郎の住所移転
	上記以外の申請事項等	変更後の事項　※ 　連帯債務者甲野一郎の住所 　　東京都港区六本木八丁目10番10号 権利者　株式会社すみれ銀行 　　　　(会社法人等番号　0100－01－123456) 義務者　甲野一郎 登記識別情報を提供することができない理由　不通知
添付情報		コ，ス，チ，テ

※「変更後の事項」は記載しなくともよいと解される。

(3) 甲建物について３番目に申請した登記

登記の目的		１番抵当権変更
申請事項等	登記原因及びその日付	平成29年６月15日連帯債務者甲野花子，甲野次郎の免責的債務引受
	上記以外の申請事項等	変更後の事項　※ 　連帯債務者　東京都港区六本木八丁目10番10号 　　　　　　　甲野一郎 権利者　株式会社すみれ銀行 　　　　(会社法人等番号　0100－01－123456) 義務者　甲野一郎 登記識別情報を提供することができない理由　不通知
添付情報		ウ，ス，チ，テ

※「変更後の事項」は記載しなくともよいと解される。

第3欄

(1) **甲建物について1番目に申請した登記**

登記の目的		賃借権設定
申請事項等	登記原因 及びその日付	平成29年6月30日設定
	上記以外の 申請事項等	賃料　　　1月665万円 支払時期　毎月末日限り翌月分を支払う 存続期間　20年 敷金　　　金3,125万円 権利者　株式会社ベイパスタ 　　　　（会社法人等番号　0200－01－567890） 義務者　甲野一郎 登記識別情報を提供することができない理由　不通知
添付情報		エ，ス，チ，テ
登録免許税額		金83万7,800円

(2) **甲建物について2番目に申請した登記**

登記の目的		3番賃借権の1番抵当権，2番根抵当権に優先する同意
申請事項等	登記原因 及びその日付	平成29年6月30日同意
	上記以外の 申請事項等	権利者　株式会社ベイパスタ 　　　　（会社法人等番号　0200－01－567890） 義務者　株式会社すみれ銀行 　　　　（会社法人等番号　0100－01－123456） 　　　　株式会社わかば銀行 　　　　（会社法人等番号　0100－01－654321）
添付情報		キ（賃借権が先順位抵当権及び根抵当権に優先する旨の同意をした事実を証するもの），セ，ソ，ニ（もみじファイナンス株式会社のもの）
登録免許税額		金3,000円

本問題の日付は、出題当時の本試験問題に合わせておりますが、法令等については、令和７年４月１日時点において施行されているもの（本書作成時点において施行予定のものを含む。）を適用した上で、解答を作成してください。

別紙１の登記がされている不動産（以下「甲土地」という。）について，司法書士法務直子は，平成28年４月11日，甲野花子から登記に関する相談を受け，後記〔平成28年４月11日甲野花子から聴取した内容〕の事実関係を聴取するとともに，甲野花子に対して，今回の登記の申請に先立ってするべき手続があることを助言し，登記に必要な書類の準備をするよう告げた。同月20日，司法書士法務直子は，甲野花子から必要な手続を終えたとの報告を受けるとともに，甲野花子から今回の登記の申請手続に必要な全ての書類を受領し，登記の申請手続等について代理することの依頼を受けた。同日，司法書士法務直子は，登記の申請を行った。

同年５月25日，甲土地及び別紙２の登記がされている不動産（以下「乙建物」という。）について，司法書士法務直子は，後記〔平成28年５月25日関係当事者から聴取した内容等〕の事実関係を聴取するとともに，当該聴取に係る関係当事者全員から今回の登記の申請手続に必要な全ての書類を受領し，登記の申請手続等について代理することの依頼を受けた。同日，司法書士法務直子は，登記の申請を行った。

同年６月24日，甲土地及び乙建物について，司法書士法務直子は，後記〔平成28年６月24日関係当事者から聴取した内容等〕の事実関係を聴取するとともに，当該聴取に係る関係当事者全員から今回の登記の申請手続に必要な全ての書類を受領し，登記の申請手続等について代理することの依頼を受けた。同日，司法書士法務直子は，登記の申請を行った。

なお，その他の事実関係については，後記**〔事実関係に関する補足〕**に記載したとおりである。

以上に基づき，後記の問１から問３までに答えなさい。

〔平成28年４月11日甲野花子から聴取した内容〕

１　（甲野花子は別紙１の現在事項証明書を提出した。）

私の元夫である甲野一郎は，平成27年９月１日に東京都文京区の自宅を出て，別紙４のとおりの住所に移転しました。その後間もなくして，私は，甲野一郎から夫婦関係調整調停を申し立てられ，平成28年４月５日に調停が成立し，同日，私と甲野一郎ともに調停調書の正本の交付を受けました。成立した調停の内容は別紙３のとおりです。同月６日に役所に離婚の届出をしました。届出の際，離婚後に称する氏について悩んだ挙句，婚姻前の氏である乙野でなく，離婚の際の氏である甲野を称する届出をしました。

なお，別紙３の調停調書第４項所定の義務については，同月８日に，当該調停調書第５項所定の方法により，滞りなく履行してあります。当該履行に係る金員については，甲野一郎の株式会社Ｈ銀行に対する借入金に係る債務を弁済するための原資とする予定である旨聞いています。

同年４月末までは，私の住所は現在の東京都文京区大塚七丁目７番７―201号のままの予定です。

〔平成28年５月25日関係当事者から聴取した内容等〕

2　【甲野花子から聴取】

私は，平成28年５月３日に住所を東京都豊島区池袋五丁目５番５号に移転しました。

甲土地に登記されている３番抵当権については，本日，株式会社Ｈ銀行の担当者から「甲野花子様から事前に聞いていたとおり，今朝方，当行の債権管理部門の口座宛てに，甲野一郎様から200万1,087円の振込がありましたので，甲土地に登記されている３番抵当権を抹消したいと思います。すぐに，当該抹消の登記を申請するために必要な書類をお渡ししますので，当該書類の記載のとおり登記の申請をお願いします。」との連絡がありました。ですので，私としてもそのとおりに登記の申請をお願いします。

また，甲土地に登記されている４番根抵当権も，解除してもらいました。

3　【株式会社Ａレストランの代表者乙野太郎から聴取】

私は，甲野花子の父です。別紙２の乙建物に登記されている２番根抵当権は，乙建物及び甲土地に共同担保として設定されたものです。乙建物は，私が経営する株式会社Ａレストランの店舗として利用しており，弊社の債務を担保するために当該根抵当権が設定されました。しかし，弊社と株式会社Ｈ銀行とはしばらく取引がなく，担保されている債権も存在せず，今後も取引の予定がないので，共同担保として設定された根抵当権全部を解除してもらいました。

4　【株式会社Ｈ銀行担当者から聴取】

甲土地に登記されている３番抵当権及び４番根抵当権は，それぞれ別紙５及び別紙６のとおり解除しました。

なお，ご存知のとおり，当行は，かつての株式会社Ｅ銀行から変遷し現在に至ります。

5　司法書士法務直子は，株式会社Ｈ銀行担当者から提出された株式会社Ｆ銀行の閉鎖事項一部証明書及び株式会社Ｈ銀行の現在事項一部証明書の内容を確認した。当該各証明書には次の〔表１〕及び〔表２〕のとおりの事実が記載されている。

〔表１〕株式会社Ｆ銀行の閉鎖事項一部証明書

日　付	事　実
昭和30年４月１日	株式会社Ｅ銀行設立
平成15年４月１日	商号を，株式会社Ｅ銀行から株式会社Ｆ銀行へ変更
同日	本店を東京都千代田区大手町三丁目３番３号から東京都千代田区大手町六丁目１番１号へ移転
平成18年７月１日	東京都港区新橋八丁目８番８号株式会社Ｇ銀行に合併し解散

〔表２〕株式会社Ｈ銀行の現在事項一部証明書

日　付	事　実
平成18年７月１日	東京都千代田区大手町六丁目１番１号株式会社Ｆ銀行を合併
平成20年10月１日	商号を，株式会社Ｇ銀行から株式会社Ｈ銀行へ変更

〔平成28年６月24日関係当事者から聴取した内容等〕

６　【甲野花子から聴取】

私は，私の父乙野太郎が代表取締役を務める株式会社Ａレストランの取締役を務めながら，同社の承認を得て，３年前から個人でＳショップという食品のセレクトショップを経営しており，少しずつですが軌道に乗り始めています。平成28年６月20日，株式会社Ｐ商事及びＳショップ開業以来取引のあるＱ食品有限会社から別紙７のとおり契約を締結したい旨連絡を受け，本日関係当事者全員が会し，別紙７の契約について承諾し，契約を締結しました。

さらに，別紙７の契約の後，同じ日付で，別紙８のとおり株式会社Ａレストランが所有する乙建物に根抵当権を追加して設定することについて合意され，本日関係当事者全員の間で契約を締結しました。

７　【株式会社Ａレストランの代表者乙野太郎から聴取】

弊社は，平成28年６月１日に横浜地方裁判所において民事再生手続開始の決定がされ，監督委員が選任されました。管財人は選任されていません。また，弊社は，別紙８のとおり契約を締結しました。

8　司法書士法務直子は，株式会社Ｐ商事担当者及びＱ食品有限会社担当者から，株式会社Ｐ商事及びＱ食品有限会社が，別紙７の契約及び別紙８の契約を締結したことを確認した。

〔事実関係に関する補足〕

1　〔平成28年４月11日甲野花子から聴取した内容〕，〔平成28年５月25日関係当事者から聴取した内容等〕及び〔平成28年６月24日関係当事者から聴取した内容等〕は全て真実に合致しており，また，これらに基づく行為や司法書士法務直子の説明内容は，全て適法である。

2　本件の関係当事者間には，〔平成28年４月11日甲野花子から聴取した内容〕，〔平成28年５月25日関係当事者から聴取した内容等〕，〔平成28年６月24日関係当事者から聴取した内容等〕及び各別紙に記載されている権利義務以外には，実体上の権利義務関係は，存在しない。

3　司法書士法務直子は，いずれの登記の申請も，管轄法務局に書面を提出する方法により行ったものとする。

4　登記原因につき第三者の許可，同意又は承諾を要する場合には，各申請日までに第三者の許可，同意又は承諾を得ており，このほか登記の申請に当たって法律上必要な手続は，各申請日までに全てされている。

5　司法書士法務直子は，複数の登記の申請をする場合には，申請件数及び登録免許税の額が最も少なくなるように登記を申請したものとする。

6　司法書士法務直子は，複数の登記の申請をする場合であり，かつ，登記を申請する順序を問わない場合において，登記記録中甲区に関する登記及び乙区に関する登記の双方を申請するときは，先に甲区に関する登記を申請し，登記記録中同一の区に関する登記を申請するときは，登記原因の日付の古い順に登記を申請し，当該複数の登記の申請のうち登記原因の日付が同一であり，かつ，申請の前後を問わないものがあるときは，登録免許税が高額となるものから順に申請したものとする。

7　司法書士法務直子は，同一の事実に基づき複数の登記所に登記の申請をする場合は，先に甲土地を管轄する登記所に対して登記の申請をしたものとする。

8　甲土地は東京法務局渋谷出張所の管轄に属し，乙建物は横浜地方法務局港北出張所の管轄に属している。東京法務局渋谷出張所においては平成19年10月29日にオンラインによる登記の申請が開始され，横浜地方法務局港北出張所においては同年11月５日にオンラインによる登記の申請が開始されたものとする。

9　平成28年1月1日現在の甲土地に係る課税標準の額は6,259万2,323円とする。

問1　司法書士法務直子が甲土地について平成28年4月20日に申請した登記の申請情報の内容のうち，登記の目的，登記記録の「権利者その他の事項」欄に記録される事項及び当該記録される事項に含まれない申請人（以下「申請事項等」という。問2及び問3において同じ。），添付情報並びに登録免許税額を，司法書士法務直子が申請した登記の順に従って，答案用紙の第1欄(1)及び(2)の各欄に記載しなさい。

また，司法書士法務直子が平成28年4月11日に甲野花子に対して，上記登記の申請に先立って終えるように助言した手続の内容及びその理由について，答案用紙の第1欄(3)の欄に具体的に記載しなさい。

問2　司法書士法務直子が甲土地について平成28年5月25日に申請した登記の申請情報の内容のうち，登記の目的，申請事項等，添付情報及び登録免許税額を，司法書士法務直子が申請した登記の順に従って，答案用紙の第2欄(1)から(4)までの各欄に記載しなさい。

問3　司法書士法務直子が甲土地について平成28年6月24日に申請した登記の申請情報の内容のうち，登記の目的，申請事項等，添付情報及び登録免許税額を，答案用紙の第3欄(1)の欄に記載しなさい。申請した登記が2件以上となる場合は，1番目に申請した登記を記載しなさい。

また，司法書士法務直子が平成28年6月24日に申請した登記が完了した後に乙建物について申請すべき登記があるときは，その登記の申請情報の内容のうち，登記の目的，申請事項等，添付情報及び登録免許税額を，答案用紙の第3欄(2)の欄に記載しなさい。

（答案作成に当たっての注意事項）

1　答案用紙の第1欄から第3欄までの申請事項等欄の「上記以外の申請事項等」欄に申請人についての解答を記載するに当たっては，次の要領で行うこと。

(1)　「義務者」，「申請人」，「(被承継会社)」等の表示も記載する。

(2)　住所，本店又は代表機関の資格及び氏名は，記載することを要しない。

2　民法第423条その他の法令の規定により他人に代わって登記を申請するときは，申請人が代位者である旨，当該他人の氏名又は名称及び代位原因をも，答案用紙の第1欄から第3欄までの申請事項等欄の「上記以外の申請事項等」欄に記載する。

3　会社法人等番号を提供する方法により登記の申請手続をすることができる登記については，会社法人等番号を提供する申請人等の記載の後に続けて，当該申請人等の会社法人等番号を括弧書きで「(会社法人等番号0000－00－000000)」の要領で記載する。会社法人等番号は次の〔表３〕のとおりとする。

〔表３〕

商　号	会社法人等番号
株式会社Ａレストラン	0200-01-987654
株式会社Ｈ銀行	0104-01-654321
Ｍ信用金庫	0200-05-567890
株式会社Ｐ商事	0104-01-345678
Ｑ食品有限会社	0110-02-876543
Ｔ商事株式会社	0111-01-123456

4　答案用紙の第１欄から第３欄までの添付情報欄に解答を記載するに当たっては，次の要領で行うこと。

⑴　添付情報の解答は，その登記の申請に必要な添付情報を後記**【添付情報一覧】**から選択し，その記号（アからハまで）を記載する。

⑵　法令の規定により添付を省略することができる情報及び提供されたものとみなされる情報についても，後記**【添付情報一覧】**から選択し，その記号（アからハまで）を記載する。

⑶　後記**【添付情報一覧】**のアからハまでに掲げられた情報以外の情報（登記の申請に関する委任状等）は，記載することを要しない。

⑷　後記**【添付情報一覧】**のツからヌまでに掲げられた印鑑に関する証明書は，登記名義人の住所を証する情報としては使用しないものとする。

⑸　後記**【添付情報一覧】**のネ又はノの一方又は双方を記載するときは，それぞれの記号の後に続けて，当該添付情報の作成者の氏名又は名称を括弧書きで「(何某のもの)」の要領で記載する。

⑹　添付情報のうち，登記の申請に際して有効期限の定めがあるものは，登記の申請時において，全て有効期限内であるものとする。

5　答案用紙の第１欄から第３欄までの各項目の欄に申請すべき登記の申請情報等の内容を記載するに当たり，記載すべき情報等がない場合には，その欄には「なし」と記載すること。

6　申請すべき登記がない場合には，答案用紙の第１欄から第３欄までの登記の目的欄に「登記不要」と記載すること。

7　別紙は，いずれも，実際の様式と異なる。また，別紙には，記載内容の一部が省略されているものがあり，別紙を含め，登記の申請に必要な添付情報は，いずれも，〔平成28年４月11日甲野花子から聴取した内容〕，〔平成28年５月25日関係当事者から聴取した内容等〕及び〔平成28年６月24日関係当事者から聴取した内容等〕に沿う形で，法律上適式に作成されているものとする。

8　数字を記載する場合には算用数字を使用すること。

9　登録免許税が免除され，又は軽減される場合には，その根拠となる法令の条項を登録免許税額欄に登録免許税額とともに記載する。

なお，登録免許税額の算出について，登録免許税法以外の法令による税の減免の規定の適用はないものとする。

10　訂正，加入又は削除をしたときは，押印や字数を記載することは要しない。ただし，訂正は，訂正すべき字句に横線を引き，近接箇所に訂正後の字句を記載し，加入は，加入する部分を明示して行い，削除は，削除すべき字句に線を引いて，訂正，加入又は削除をしたことが明確に分かるように記載すること。

【添付情報一覧】

ア　東京家庭裁判所平成27年（家イ）第1234号の調停調書
イ　甲野花子の平成28年４月８日付けの戸籍全部事項証明書
ウ　甲野一郎の住民票の写し（別紙４）
エ　文京区の発行に係る甲野花子の住民票の写し
オ　豊島区の発行に係る甲野花子の住民票の写し
カ　株式会社Ｆ銀行の閉鎖事項一部証明書
キ　抵当権解除証書（別紙５）
ク　根抵当権解除証書（別紙６）
ケ　根抵当権一部譲渡契約証書（別紙7）
コ　根抵当権追加設定契約証書（別紙8）
サ　甲土地甲区１番の登記済証
シ　甲土地乙区２番の登記済証
ス　甲土地乙区３番の登記識別情報
セ　甲土地乙区４番の登記識別情報
ソ　乙建物甲区１番の登記済証
タ　平成28年４月20日付け申請により通知される登記識別情報
チ　平成28年５月25日付け申請により通知される登記識別情報
ツ　甲野一郎の印鑑に関する証明書
テ　甲野花子の印鑑に関する証明書
ト　株式会社Ａレストランの印鑑に関する証明書
ナ　株式会社Ｈ銀行の印鑑に関する証明書
ニ　株式会社Ｐ商事の印鑑に関する証明書
ヌ　Ｑ食品有限会社の印鑑に関する証明書
ネ　登記原因につき第三者の許可，同意又は承諾を証する情報及び当該情報の作成者の印鑑に関する証明書
ノ　登記上の利害関係を有する第三者の承諾を証する情報及び当該情報の作成者の印鑑に関する証明書
ハ　甲土地の登記事項証明書

別紙1　甲土地の現在事項証明書

表　題　部(土地の表示)	調製	平成４年10月22日	不動産番号	【省略】
地図番号	【省略】	筆界特定	余白	
所　在	渋谷区広尾六丁目		余白	
① 地　番	② 地　目	③ 地　積　㎡	原因及びその日付〔登記の日付〕	
100番1	雑種地	157	余白	
余白	余白	余白	昭和63年法務省令第37号附則第2条第2項の規定により移記 平成４年10月22日	

権　利　部（甲　区）（所　有　権　に　関　す　る　事　項）			
順位番号	登記の目的	受付年月日・受付番号	権利者その他の事項
1	所有権移転	平成３年12月16日 第20814号	原因　平成３年12月16日売買 共有者　東京都文京区大塚七丁目７番７－201号 持分２分の１ 甲野一郎 東京都文京区大塚七丁目７番７－201号 ２分の１ 甲野花子 順位３番の登記を移記
	余白	余白	昭和63年法務省令第37号附則第２条第２項の規定により移記 平成12年10月22日

権　利　部（乙　区）（所　有　権　以　外　の　権　利　に　関　す　る　事　項）			
順位番号	登記の目的	受付年月日・受付番号	権利者その他の事項
1	根抵当権設定	平成４年12月８日 第22222号	原因　平成４年12月１日設定 極度額　金１億円 債権の範囲　信用金庫取引　手形債権　小切手債権 債務者　横浜市港北区日吉八丁目１番１号 株式会社Ａレストラン 根抵当権者　横浜市中区桜木町五丁目５番５号 Ｍ信用金庫 共同担保　目録(は)第1111号
2	根抵当権設定	平成５年６月23日 第8888号	原因　平成５年６月23日設定 極度額　金１億円 債権の範囲　売買取引　買付委託取引　販売委託取引 債務者　横浜市港北区日吉八丁目１番１号 株式会社Ａレストラン 根抵当権者　東京都港区海岸八丁目８番８号 株式会社Ｐ商事

付記１号	2番根抵当権転抵当	平成８年８月８日 第11000号	原因　平成８年８月８日金銭消費貸借同日設定 債権額　金1,500万円 利息　年2.8％ 損害金　年14.5％(年365日日割計算) 債務者　東京都港区海岸八丁目８番８号 　株式会社Ｐ商事 転抵当権者　東京都新宿区西新宿九丁目9番9号 　Ｔ商事株式会社
3	抵当権設定	平成12年６月20日 第7777号	原因　平成12年６月20日金銭消費貸借同日設定 債権額　金2,500万円 利息　年2.5％ 損害金　年14.5％（年365日日割計算） 債務者　東京都文京区大塚七丁目７番７－201号 　甲野一郎 抵当権者　東京都千代田区大手町三丁目3番3号 　株式会社Ｅ銀行
4	根抵当権設定	平成20年12月19日 第15555号	原因　平成20年12月12日設定 極度額　金5,000万円 債権の範囲　銀行取引　手形債権　小切手債権 債務者　横浜市港北区日吉八丁目１番１号 　株式会社Ａレストラン 根抵当権者　東京都港区新橋八丁目８番８号 株式会社Ｈ銀行 　共同担保　目録(ふ)第3333号

共　同　担　保　目　録			
記号及び番号	(は)第1111号	調製	【省略】
番　号	担保の目的である権利の表示	順位番号	予　備
1	渋谷区広尾六丁目　100番1の土地	1	余白
2	横浜地方法務局港北出張所 横浜市港北区日吉八丁目　10番地２ 家屋番号　10番２の建物	余白	余白

共　同　担　保　目　録			
記号及び番号	(ふ)第3333号	調製	【省略】
番　号	担保目的である権利の表示	順位番号	予　備
1	渋谷区広尾六丁目　100番1の土地	4	余白
2	横浜地方法務局港北出張所 横浜市港北区日吉八丁目　10番地２ 家屋番号　10番２の建物	余白	余白

これは登記記録に記録されている事項の全部を証明した書面である。

平成28年４月８日
東京法務局渋谷出張所　　　　　　　　　　　　登記官　〇〇〇〇　印

別紙2　乙建物の全部事項証明書

表題部（主である建物の表示）	調製	平成4年5月7日	不動産番号	【省略】
地図番号	【省略】			
所　在	横浜市港北区日吉八丁目10番地2		余白	
家屋番号	10番2		余白	
① 種　類	② 構　造	③ 床　面　積　㎡	原因及びその日付〔登記の日付〕	
店舗・事務所	鉄筋コンクリート造鋼板葺3階建	1階　351 10 2階　351 10 3階　351 10	平成3年6月9日新築	
余白	余白	余白	昭和63年法務省令第37号附則第2条第2項の規定により移記 平成4年5月7日	

権利部（甲区）（所有権に関する事項）			
順位番号	登記の目的	受付年月日・受付番号	権利者その他の事項
1	所有権保存	平成3年6月25日 第18877号	所有者　横浜市港北区日吉八丁目1番1号 株式会社Aレストラン 順位1番の登記を移記
	余白	余白	昭和63年法務省令第37号附則第2条第2項の規定により移記 平成4年5月7日

権利部（乙区）（所有権以外の権利に関する事項）			
順位番号	登記の目的	受付年月日・受付番号	権利者その他の事項
1	根抵当権設定	平成4年12月1日 第15000号	原因　平成4年12月1日設定 極度額　金1億円 債権の範囲　信用金庫取引　手形債権　小切手債権 債務者　横浜市港北区日吉八丁目1番1号 株式会社Aレストラン 根抵当権者　横浜市中区桜木町五丁目5番5号 M信用金庫
付記1号	1番根抵当権担保追加	平成4年12月8日 第15700号	共同担保　目録(ひ)第2222号
2	根抵当権設定	平成20年12月12日 第12000号	原因　平成20年12月12日設定 極度額　金5,000万円 債権の範囲　銀行取引　手形債権　小切手債権 債務者　横浜市港北区日吉八丁目1番1号 株式会社Aレストラン 根抵当権者　東京都港区新橋八丁目8番8号 株式会社H銀行
付記1号	2番根抵当権担保追加	平成20年12月19日 第12500号	共同担保　目録(へ)第4444号

共　同　担　保　目　録				
記号及び番号	(ひ)第2222号		調製	【省略】
番　号	担保目的である権利の表示	順位番号	予　備	
1	横浜市港北区日吉八丁目　10番地2 家屋番号　10番２の建物	1	余白	
2	東京法務局渋谷出張所 渋谷区広尾六丁目　100番１の土地	余白	平成４年12月８日受付第15700号追加	

共　同　担　保　目　録				
記号及び番号	(へ)第4444号		調製	【省略】
番　号	担保目的である権利の表示	順位番号	予　備	
1	横浜市港北区日吉八丁目　10番地２ 家屋番号　10番２の建物	2	余白	
2	東京法務局渋谷出張所 渋谷区広尾六丁目　100番１の土地	余白	平成20年12月19日受付第12500号追加	

これは登記記録に記録されている現に効力を有する事項の全部を証明した書面である。

（横浜地方法務局港北出張所管轄）
平成28年５月25日
東京法務局豊島出張所　　　　　　　　　　　登記官　○　○　○　○　印

別紙３　調停調書（正本，公印省略）

調　　書（成立）

事件の表示　平成27年（家イ）第1234号　夫婦関係調整調停事件

期　　　日　平成28年４月５日　午前10時00分

場　　　所　東京家庭裁判所家事部調停室

【省略】

当事者等及びその出頭状況

　本籍　　東京都文京区大塚七丁目７番地

　住所　　千葉市中央区富士見九丁目８番７号

　（登記簿上の住所　東京都文京区大塚七丁目７番７―201号）

　　　　　申　立　人　　甲　野　一　郎（出頭）

　本籍　　申立人と同じ

　住所　　東京都文京区大塚七丁目７番７―201号

　　　　　相　手　方　　甲　野　花　子（出頭）

下記調停条項のとおり調停が成立した。

東京家庭裁判所

裁判所書記官　西野法子

調停条項

1　申立人と相手方とは，相手方の申出により本日調停離婚する。

2　当事者間の長女さくら（平成10年２月２日生）の親権者を母である相手方とする。

3　申立人は，相手方に対し，前項の子の養育費として，平成28年５月から当該子が満22歳に達した後最初に迎える３月まで，１か月５万円を，毎月末日限り，甲野さくら名義のＹ銀行大塚支店の普通預金口座（口座番号 123456）に振り込む方法により支払う。

4　相手方は，申立人に対し，離婚に伴う財産分与として，金200万円の支払義務があることを認める。

5　相手方は，申立人に対し，前項の金員を平成28年４月末日限り，申立人名義のＺ銀行千葉支店の普通預金口座（口座番号 789012）に振り込む方法により支払う。振込手数料は，相手方の負担とする。

6　相手方が前項の金員を支払ったときは，申立人は，相手方に対し，離婚に伴う財産分与として，別紙物件目録記載の不動産（以下「本件不動産」という。）を分与する。

7　相手方が第５項の金員を支払ったときは，申立人は，相手方に対し，本件不動産につき，当該支払日付け財産分与を原因とする共有持分全部移転登記手続をする。登記手続費用は，相手方の負担とする。

【以下省略】

以上

（別紙）　物件目録

1　不動産

(1)　所　　在　　渋谷区広尾六丁目
　　地　　番　　100番１
　　地　　目　　雑種地
　　地　　積　　157平方メートル
　　　　　　　　（甲野一郎　持分２分の１）

別紙4　甲野一郎の住民票の写し

住　民　票

<table>
<tr><td>千葉市</td><td></td></tr>
<tr><td>住所</td><td>中央区富士見九丁目８番７号</td></tr>
<tr><td>世帯主</td><td>甲野一郎</td></tr>
</table>

<table>
<tr><td rowspan="7">1</td><td rowspan="2">氏名</td><td colspan="4" rowspan="2">甲野一郎</td><td>個人番号</td><td>【省略】</td></tr>
<tr><td>住民票コード</td><td>【省略】</td></tr>
<tr><td>生年月日</td><td colspan="2">昭和40.４.１</td><td>性別</td><td>男</td><td>続柄</td><td>世帯主</td></tr>
<tr><td>住所を定めた年月日</td><td colspan="2">平成27.９.１転入</td><td colspan="3">住民となった年月日</td><td>平成27.９.１</td></tr>
<tr><td>住定届出年月日</td><td colspan="2">平成27.９.５届出</td><td colspan="4"></td></tr>
<tr><td>本　籍</td><td colspan="6">東京都文京区大塚七丁目７番地　　　　筆頭者　甲野一郎</td></tr>
<tr><td>前住所</td><td colspan="6">東京都文京区大塚七丁目７番７―201号</td></tr>
</table>

この写しは，世帯全員の住民票の原本と相違ないことを証明する。

平成28年４月４日

千葉市中央区長　○　○　○　○　印

別紙５　抵当権解除証書

抵当権解除証書

平成28年５月25日

甲　野　花　子　　殿

東京都港区新橋八丁目８番８号
株式会社Ｈ銀行
代表取締役　【省略】

当行は，平成12年６月20日東京法務局渋谷出張所受付第7777号をもって登記された下記不動産に対する抵当権を解除します。

物件の表示
【省略】ただし，甲土地が記載されているものとする。

以上

別紙６　根抵当権解除証書

根抵当権解除証書

平成28年５月25日

株式会社Ａレストラン　代表取締役　乙野太郎　殿
甲　野　花　子　　殿

東京都港区新橋八丁目８番８号
株式会社Ｈ銀行
代表取締役　【省略】

当行は，平成20年12月12日横浜地方法務局港北出張所受付第12000号及び平成20年12月19日東京法務局渋谷出張所受付第15555号をもって登記された下記不動産に対する根抵当権を解除します。

物件の表示
【省略】ただし，甲土地及び乙建物が記載されているものとする。

以上

別紙７　根抵当権一部譲渡契約証書

根抵当権一部譲渡契約証書

平成28年６月24日

住　　　　所　　東京都渋谷区渋谷五丁目５番５号
根抵当権譲受人　　Ｑ食品有限会社　代表取締役　【省略】

住　　　　所　　東京都港区海岸八丁目８番８号
根抵当権譲渡人　　株式会社Ｐ商事　代表取締役　【省略】

当欄には，株式会社Ｐ商事及びＱ食品有限会社を除く関係当事者全員の住所及び氏名又は名称が記され，押印がされているものとする。

第１条（一部譲渡）

譲渡人は，平成５年６月23日根抵当権設定契約により後記物件の上に設定された下記の根抵当権（平成５年６月23日東京法務局渋谷出張所受付第8888号登記済）を譲受人に一部譲渡しました。

極　度　額　金１億円
債権の範囲　売買取引　買付委託取引　販売委託取引
債　務　者　横浜市港北区日吉八丁目１番１号　株式会社Ａレストラン

第２条（債務者の変更）

根抵当権設定者は，前条による一部譲渡後の根抵当権譲受人の根抵当権の債務者を，次のとおり変更することを約定しました。

債　務　者　変更前　横浜市港北区日吉八丁目１番１号　株式会社Ａレストラン
　　　　　　変更後　東京都豊島区池袋五丁目５番５号　甲野花子

第３条（被担保債権の範囲の変更）

根抵当権設定者は，第１条による一部譲渡後の根抵当権譲受人の根抵当権の被担保債権の範囲を，次のとおり変更することを約定しました。

被担保債権の範囲　変更前　売買取引　買付委託取引　販売委託取引
　　　　　　　　　変更後　売買取引　平成28年１月８日特約販売契約

物件の表示

【省略】ただし，甲土地が記載されているものとする。

以上

別紙８　根抵当権追加設定契約証書

根抵当権追加設定契約証書（追加的共同担保）

平成28年６月24日

当欄には，株式会社Ａレストランを除く関係当事者全員の住所及び氏名又は名称が記され，押印がされているものとする。

住　　所　横浜市港北区日吉八丁目１番１号
根抵当権設定者
兼債務者　株式会社Ａレストラン　代表取締役　【省略】

第１条（追加設定）
根抵当権設定者は，平成５年６月23日根抵当権設定契約（以下「原契約」といいます。）により後記１の物件の上に設定された根抵当権（平成５年６月23日東京法務局渋谷出張所受付第8888号登記済）の共同担保として，根抵当権設定者の所有する後記２の物件の上に下記のとおり根抵当権を追加設定します。

記

当欄には，極度額，被担保債権の範囲及び債務者が記載されているものとする。

第２条（適用条項）
根抵当権者及び根抵当権設定者は，第１条の根抵当権について，本契約に定めるほか，原契約の各条項を適用するものとします。

物件の表示

１　既存根抵当権物件
【省略】ただし，甲土地が記載されているものとする。
２　追加根抵当権物件
【省略】ただし，乙建物が記載されているものとする。

以上

平成28年●答案用紙

第1欄

(1)　甲土地について1番目に申請した登記

登記の目的		
申請事項等	登記原因及びその日付	
	上記以外の申請事項等	
添付情報		
登録免許税額		

(2)　甲土地について2番目に申請した登記

登記の目的		
申請事項等	登記原因及びその日付	
	上記以外の申請事項等	
添付情報		
登録免許税額		

(3) 司法書士法務直子が助言した手続の内容及びその理由

第２欄

(1) 甲土地について１番目に申請した登記

登記の目的		
申請事項等	登記原因及びその日付	
	上記以外の申請事項等	
添付情報		
登録免許税額		

(2) 甲土地について２番目に申請した登記

登記の目的		
申請事項等	登記原因及びその日付	
	上記以外の申請事項等	
添付情報		
登録免許税額		

(3) 甲土地について３番目に申請した登記

登記の目的		
申請事項等	登記原因及びその日付	
	上記以外の申請事項等	
添付情報		
登録免許税額		

(4) 甲土地について４番目に申請した登記

<table>
<tr><td colspan="2">登記の目的</td><td></td></tr>
<tr><td rowspan="2">申請事項等</td><td>登記原因
及びその日付</td><td></td></tr>
<tr><td>上記以外の
申請事項等</td><td></td></tr>
<tr><td colspan="2">添付情報</td><td></td></tr>
<tr><td colspan="2">登録免許税額</td><td></td></tr>
</table>

第３欄

(1) 甲土地について１番目に申請した登記

<table>
<tr><td colspan="2">登記の目的</td><td></td></tr>
<tr><td rowspan="2">申請事項等</td><td>登記原因
及びその日付</td><td></td></tr>
<tr><td>上記以外の
申請事項等</td><td></td></tr>
<tr><td colspan="2">添付情報</td><td></td></tr>
<tr><td colspan="2">登録免許税額</td><td></td></tr>
</table>

⑵　乙建物について申請すべき登記があるときは，その登記

<table>
<tr><td colspan="2">登記の目的</td><td></td></tr>
<tr><td rowspan="2">申
請
事
項
等</td><td>登記原因
及びその日付</td><td></td></tr>
<tr><td>上記以外の
申請事項等</td><td></td></tr>
<tr><td colspan="2">添付情報</td><td></td></tr>
<tr><td colspan="2">登録免許税額</td><td></td></tr>
</table>

MEMO

[本問の重要論点一覧表]

出題範囲	重要論点	解説箇所
代位による登記名義人表示変更登記	所有権登記名義人が住所を移転したことにより，調停調書に記載された当事者の住所と登記記録上の所有権登記名義人の住所が相違する場合において，当事者の一方がその調停調書に基づいて所有権移転登記を単独で申請するときは，当該所有権移転登記の前提として，債権者代位により所有権登記名義人の住所変更登記をすることができる。	P426参照
調停調書に基づく登記及び執行文	当事者の一方が，共同申請による登記手続に協力しないとき，他方の当事者は，非協力の当事者の登記申請意思を擬制する判決を得て，単独で登記の申請をすることができる（不登63Ⅰ）。不動産登記法63条１項の「確定判決」には，裁判上の和解調書，調停調書など民事訴訟法その他の法令の規定により確定判決と同一の効力を有するもので，当事者の一方の登記申請の意思表示がされているものも含まれる。	P427 P428参照
	相手方による代金の支払いがされたときに登記手続をする旨の調停調書が作成された場合，代金が支払われ，執行文が付与された時に登記義務者が登記申請の意思表示をしたものとみなされる。この場合，登記原因証明情報である調停調書には，執行文の付与が必要となる。	P428参照
合併による抵当権移転及び抵当権抹消	吸収合併存続会社は，効力発生日に，吸収合併消滅会社の権利義務を承継する。したがって，吸収合併消滅会社名義の所有権その他の権利について，合併による権利移転や変更の登記をすることとなる。	P434参照
	（根）抵当権が１個の不動産に数個設定されている場合，解除による（根）抵当権抹消の登記は，一の申請情報によって申請することができる。	P435参照
根抵当権の一部譲渡	元本確定前の根抵当権については，根抵当権者は根抵当権設定者の承諾を得てその根抵当権を一部譲渡することができる。	P441参照

出題範囲	重要論点	解説箇所
共同根抵当権の追加設定	純粋共同根抵当権の設定は，数個の不動産について同時にする必要はなく，既登記根抵当権の追加担保として，共同根抵当権の追加設定をすることもできる。	P448参照
	共有根抵当権の場合において各共有根抵当権者ごとに異なる債権の範囲や債務者を定めた場合でも，１個の根抵当権で担保することが可能であるため，登記の申請も一の申請情報を提供して申請することができる。	P449参照

1 事件の概要

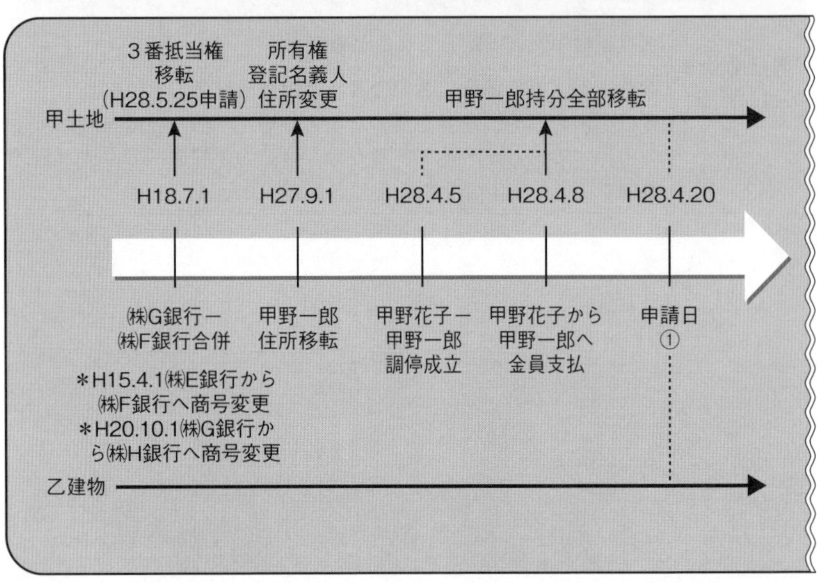

3番抵当権
移転
(H28.5.25申請)
所有権
登記名義人
住所変更
甲野一郎持分全部移転
甲土地
H18.7.1
H27.9.1
H28.4.5
H28.4.8
H28.4.20
㈱G銀行－
㈱F銀行合併
甲野一郎
住所移転
甲野花子－
甲野一郎
調停成立
甲野花子から
甲野一郎へ
金員支払
申請日
①
＊H15.4.1㈱E銀行から
㈱F銀行へ商号変更
＊H20.10.1㈱G銀行か
ら㈱H銀行へ商号変更
乙建物

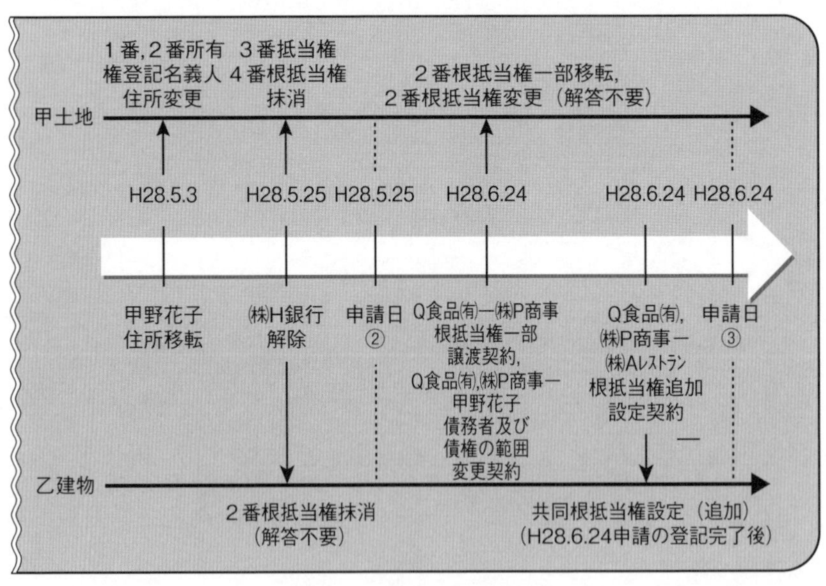

1番,2番所有
権登記名義人
住所変更
3番抵当権
4番根抵当権
抹消
2番根抵当権一部移転,
2番根抵当権変更（解答不要）
甲土地
H28.5.3
H28.5.25
H28.5.25
H28.6.24
H28.6.24
H28.6.24
甲野花子
住所移転
㈱H銀行
解除
申請日
②
Q食品㈲－㈱P商事
根抵当権一部
譲渡契約,
Q食品㈲,㈱P商事－
甲野花子
債務者及び
債権の範囲
変更契約
Q食品㈲,
㈱P商事－
㈱Aレストラン
根抵当権追加
設定契約
申請日
③
乙建物
2番根抵当権抹消
（解答不要）
共同根抵当権設定（追加）
(H28.6.24申請の登記完了後)

2 代位による登記名義人表示変更登記，調停調書に基づく登記及び執行文

2−1 問題の所在

本問では，〔**平成28年４月11日甲野花子から聴取した内容**〕１及び別紙３より，甲野花子及び甲野一郎の間で，離婚調停が成立していることが分かる。そして，当該離婚調停の成立に基づいて作成された調停調書の調停条項において，甲野花子が甲野一郎に金員を支払ったときは，甲野一郎は，甲野花子に対して，財産分与として甲土地の持分全部移転登記手続をする旨が定められている。そこで，当該調停調書に基づいて必要となる登記の手続について検討する必要がある。

また，〔**平成28年４月11日甲野花子から聴取した内容**〕１及び別紙４より，甲野一郎の住所が登記記録上の住所と異なっていることが分かる。そこで，財産分与に基づく登記の前提として必要となる登記について検討する必要がある。

なお，上記の登記の申請日である平成28年４月20日に司法書士法務直子に対して登記手続の依頼をしているのは甲野花子のみであること及び司法書士法務直子が甲野花子に対して告げた登記の申請に先立ってするべき手続の内容とその理由についても併せて検討する必要がある。

2−2 問題点① 代位による登記名義人表示変更登記に関する検討

前提の知識

(1) 登記名義人住所（氏名）変更・更正登記

登記名義人住所（氏名）（法人であれば，本店・商号）変更登記は，現在の登記名義人につき，その住所，氏名等が登記記録上の記録と一致しない場合に，これを一致させるためにされる登記をいう。当該登記は，主たる登記と一体として公示する必要があるため，付記登記で実行される（不登規３①）。

登記名義人住所（氏名）変更登記を申請することができる場合は，その権利の主体には何ら変更がなく，ただその表示（自然人であれば住所・氏名，法人であれば本店・商号）に後発的に変更が生じたときに限られ，原始的に表示の誤りがあるときは，登記名義人住所（氏名）更正登記を申請する。そして，この登記名義人住所（氏名）変更・更正登記は，登記名義人が単独で申請することができる（不登64Ⅰ）。

なお，自然人がその住所を移転した場合の原因日付は，住民票の写しに記載された住所移転の日であり，住所移転の届出日ではない。また，法人の本店に変更が生じた場合の原因日付は，その変更についての商業・法人登記に記録された現実の移転の日である。

⑵ 他の登記を申請する前提としての登記名義人住所（氏名）変更・更正登記の要否

申請情報の内容である登記義務者の氏名若しくは名称又は住所が登記記録と合致しないときは，登記の申請は却下される（不登25⑦）。したがって，登記義務者の氏名や住所について登記記録との不一致が生じた場合，登記申請の前提として，その登記名義人住所（氏名）変更（又は更正）登記をしなければならないのが原則である。

しかし，所有権以外の権利の抹消登記を申請する場合において，登記義務者について住所（氏名）変更事由が存在するときは，その変更証明書を添付すれば，前提としての登記名義人住所（氏名）変更（又は更正）登記を省略できる（昭31.10.17民甲2370号）。この点，所有権に関する仮登記，所有権を目的とする買戻権の登記は，所有権以外の権利に関する登記として取り扱われる（昭32.6.28民甲1249号，登研460-05質疑応答）。

なお，判決による所有権移転登記を申請する場合において，登記義務者の住所の表示が登記記録の表示と相違しているが，申請情報と併せて提供する判決正本に現在の住所と登記記録上の住所が併記されている場合であっても，所有権移転登記の前提として住所変更（更正）登記を省略することはできない（登研429-120）。

⑶ 代位による所有権登記名義人表示変更登記

所有権登記名義人が住所を移転したことにより，判決書に記載された被告（登記義務者）の住所と登記記録上の所有権登記名義人の住所が相違する場合において，その判決により所有権移転登記を原告（登記権利者）が単独で申請するときは，原告は債権者代位により，当該所有権移転登記の前提として所有権登記名義人の住所変更登記をすることができる。

2-3 本問へのあてはめ

本問では，〔**平成28年４月11日甲野花子から聴取した内容**〕１及び別紙４より，甲野一郎が，平成27年９月１日に住所を移転していることが分かる。よって，後述する調停調書による甲野一郎から甲野花子への財産分与を原因とする甲野一郎持分全部移転登記を申請する前提として，甲土地について所有権登記名義人住所変更登記を申請しなければならない。なお，別紙３より，調停調書正本に記載のある「当事者等及びその出頭状況」の申立人として，甲野一郎の現在の住所と登記簿上の住所が併記されていることが分かるが，この場合であっても，登記名義人住所変更登記を省略することはできない。また，問題文より，甲野一郎は登記の申請手続を依頼していないため，甲野花子は，甲土地について自己の債権を保全するために，甲野一郎に代位して，所有権登記名義人住所変更登記を申請することができる。

したがって，平成28年４月20日に，甲土地について，「平成27年９月１日住所移転」を原因として「１番所有権登記名義人住所変更」登記を申請する。

2-4　問題点②　調停調書に基づく登記及び執行文に関する検討

前提の知識

⑴　**判決による登記の要件**

権利に関する登記の申請は，法令に別段の定めがある場合を除き，登記権利者及び登記義務者が共同してしなければならない（不登60）が，当事者の一方（主に登記義務者）が，当該共同申請手続に協力しないときは，他方の当事者（主に登記権利者）は，登記義務者等の登記申請意思を擬制するため，登記義務の履行を裁判上の訴えにより請求し（民414Ⅰ，民執174），その判決により単独で登記を申請することができる（不登63Ⅰ）。これを「判決による登記」という。

ここでいう「判決」とは，以下の要件を満たすものである。

⑴　**判決主文中で，一定内容の登記手続を命ずる判決であること**

判決の効力（既判力）は，原則として，主文に包含するものについて生ずるので（民訴114Ⅰ），登記手続を命ずる内容が主文に示されていなければならない。この判決主文に示される内容は，「被告は，原告に対して所有権移転登記手続をせよ。」というように，直接登記手続を命ずるものでなければならない。

⑵　**給付判決であること**

不動産登記法63条１項の判決による登記申請の本質が，登記申請に協力しない当事者の登記申請意思の擬制にあることから，給付判決でなければならない。

⑶　**確定判決であること**

意思表示をすべきことを命ずる判決は，確定しなければ意思表示をしたものとみなされないことから，確定判決でなければならない（民執174）。

⑵ 「判決」に準ずるもの

不動産登記法63条１項は，共同申請における当事者の一方が単独で申請することができる登記として，「確定判決による登記」と規定している。しかし，当該規定に基づいて当事者の一方が単独で行う登記は「判決」に限定されるわけではなく，判決に準ずるものも含まれる。

離婚調停において当事者間に合意が成立し，これを調書に記載したときは，調停が成立したものとし，その記載は，確定判決と同一の効力を有する（家事事件手続法268Ⅰ）。

⑶ 同時履行の抗弁権（引換給付判決）

不動産の売買契約に基づき所有権移転登記手続を求める訴えが提起された場合に，被告が売買代金の支払いと引換えでなければ登記手続に応じない旨の同時履行の抗弁を提出し，これが認められたときは，代金支払いと登記手続は同時履行の関係にあることから，原告の請求は棄却されず，代金の支払いと引換えに所有権移転登記手続をすべき旨の引換給付判決がされる。この場合の判決主文は，例えば「被告は，原告から金○円の支払いを受けるのと引換えに，原告に対し，別紙物件目録記載の不動産につき，○年○月○日売買を原因とする所有権移転登記手続をせよ。」のようになる。

⑷ 意思表示の擬制のための執行文の要否

㈠ 原則：不要

判決が確定した時に，登記義務者等が登記申請の意思表示をしたものとみなされることから（民執174Ⅰ本文），判決による登記における登記原因証明情報としての判決正本には，原則として，執行文の付与は不要である。

㈺ 例外：必要

例外として，判決による登記における判決正本に執行文の付与が必要な場合がある。この場合，執行文が付与された時に，登記義務者等が登記申請の意思表示をしたものとみなされる（民執174Ⅰ但書）。

執行文の付与を要する例外の場合

(i) 債務者の意思表示が，債権者の証明すべき事実の到来に係るとき
(ii) 債務者の意思表示が，反対給付との引換えに係るとき
(iii) 債務者の意思表示が，債務の履行等債務者の証明すべき事実のないことに係るとき

2−5　本問へのあてはめ

本問では，**〔平成28年４月11日甲野花子から聴取した内容〕**１及び別紙３より，平成28年４月５日，甲土地の所有者である甲野一郎及び甲野花子の間で，離婚調停が成立していることが分かる。そして，甲野花子は，甲野一郎に対して，離婚に伴う財産分与として金200万円を支払うこと（調停条項４及び５），甲野一郎は，甲野花子より金員の支払いを受けたときは，離婚に伴う財産分与として，支払い日付財産分与を原因とする共有持分全部移転登記手続をすること（調停条項６，７及び別紙物件目録）が調停条項の内容とされていることが分かる。すなわち，甲野一郎の甲野花子への甲土地の持分全部移転は，甲野花子の甲野一郎への金員の支払いという反対給付との引換えに係るものであることが分かる。

そこで，甲野花子が，甲野一郎持分全部移転登記手続を当該調停調書に基づいて単独で申請するためには，甲野一郎に対して金員を支払った上，裁判所書記官より，執行文の付与を受けることが必要となる。この点，**〔平成28年４月11日甲野花子から聴取した内容〕**１より，甲野花子は，甲野一郎に対して，平成28年４月８日に，適切に金員を支払っていることが分かる。そのため，司法書士法務直子は，甲野花子に対して，甲野一郎持分全部移転登記の申請に先立って，裁判所書記官より執行文の付与を受けるよう助言したことが分かる。

そして，問題文冒頭より，平成28年４月20日，甲野花子は司法書士法務直子の助言に従って執行文の付与を受けた上で，登記の申請手続等について代理することを依頼していることが分かる。

したがって，平成28年４月20日に，甲土地について，「平成28年４月８日財産分与」を原因として「甲野一郎持分全部移転」登記を申請する。また，第１欄(3)では，執行文付与の申立てが問題となるため，その理由を，当事者の一方の登記申請の意思表示が反対給付との引換えに係ることを踏まえて記載する（解答例参照）。

申請情報に関する事項

《１番所有権登記名義人住所変更》甲土地

(1)　**登記の目的**

「１番所有権登記名義人住所変更」とする。

(2)　**登記原因及びその日付**

「平成27年９月１日住所移転」とする。

(3)　**登記事項**

「変更後の事項

共有者甲野一郎の住所

千葉県千葉市中央区富士見九丁目８番７号」とする。

⑷　**申請人**

「申請人（被代位者）甲野一郎
代位者（申請人）　甲野花子
代位原因　　　　　平成28年４月８日財産分与による甲野一郎持分全部移転登記請求権」とする。

⑸　**添付情報**

ア　**登記原因証明情報（不登61条，不登令７条１項５号ロ）**

登記原因証明情報とは，権利に関する登記における登記の原因となる事実又は法律行為を証する情報をいう。

権利に関する登記を申請する場合には，申請人は，法令に別段の定めがある場合を除き，その申請情報と併せて登記原因を証する情報を提供しなければならない（不登61）。登記の正確性をより向上させるためには，登記原因があったことを確認して登記する必要があるからである。

登記名義人の氏名等についての変更又は更正の登記を申請するときは，登記名義人の氏名若しくは名称又は住所について変更又は錯誤若しくは遺漏があったことを証する市町村長，登記官，その他の公務員が職務上作成した情報（公務員が職務上作成した情報がない場合にあっては，これに代わるべき情報）が添付情報となる（不登令別表23添）。

本問では，甲野一郎の住民票の写し（別紙４）を添付する。

イ　**代位原因を証する情報（不登令７条１項３号）**

民法423条その他の法令により他人に代わって登記を申請するときは，代位原因を証する情報を提供しなければならない。債権者が債務者に対して代位原因の基礎となる債権を有することを証するためである。

本問では，東京家庭裁判所平成27年（家イ）第1234号の調停調書（別紙３）及び執行文を添付する。

ウ　**代理人の権限を証する情報（不登令７条１項２号）**

登記の申請を代理人により行う場合には，一定の場合を除き，代理人の権限を証する情報を提供しなければならない。登記の申請が，申請人の意図しているとおりのものであるか否かを登記官が確認する必要があるためである。

本問では，甲野花子の委任状を添付する。

⑹　**登録免許税**

不動産１個につき，金1,000円である（登録税別表1.1.⒁）。

本問では，金1,000円となる。

《甲野一郎持分全部移転》甲土地

⑴　登記の目的

「甲野一郎持分全部移転」とする。

⑵　登記原因及びその日付

「平成28年４月８日財産分与」とする。

⑶　申請人

「権利者（申請人）　持分２分の１　甲野花子
　義務者　　　　　　　　　　　　　甲野一郎」とする。

⑷　添付情報

ア　登記原因証明情報（不登61条，不登令７条１項５号ロ）

判決による登記（不登63Ⅰ）における登記原因証明情報は，執行力のある確定判決の判決書の正本（執行力のある確定判決と同一効力を有するものの正本を含む。）とされている（不登令７Ⅰ⑤ロ但書⑴）。

判決書等の正本に限られている理由は，登記手続を命ずる判決等が申請人の登記官に対する登記申請という公法上の意思表示に代わるべきものであり，判決による登記が，登記申請の意思表示の擬制の効果を実現するという性格から，広義の「執行」と観念し得るところ，強制執行は，債務名義の正本に基づいて実施するものとされている（民執25）からである。

また，登記手続を命ずる確定判決であっても，債務者の意思表示が債権者の証明すべき事実の到来に係るとき，反対給付との引換えに係るとき，又は債務者の履行その他の債務者の証明すべき事実のないことに係るときに，意思表示したものとみなされるためには，執行文が付されたものであることが必要であるため，「執行力のある」との限定がある。

本問では，東京家庭裁判所平成27年（家イ）第1234号の調停調書（別紙３）及び執行文を添付する。

イ　住所を証する情報（不登令７条１項６号，不登令別表28添付情報欄ニ，不登令別表29添付情報欄ハ，不登令別表30添付情報欄ハ）

所有権の保存又は移転の登記を申請する場合に，所有権の登記名義人となる者についての，市町村長，登記官その他の公務員が職務上作成した住所を証する情報（公務員が職務上作成した情報がない場合にあっては，これに代わるべき情報）を提供しなければならない。登記記録上に架空の所有者が現れることを防ぐためである。

なお，オンライン庁における申請では，住民基本台帳法7条13号に規定する住民票コードを提供すれば，当該住所を証する情報を提供することを要しない（不登令9，不登規36Ⅳ）。

本問では，文京区の発行に係る甲野花子の住民票の写しを添付する。

ウ　代理人の権限を証する情報（不登令7条1項2号）

本問では，甲野花子の委任状を添付する。

(5)　課税価格

不動産の持分の移転登記であるため，不動産の価額に移転する持分の割合を乗じて計算した金額となる（登録税10Ⅱ）。

以上から，次のように算定する。

金6,259万2,323円×2分の1＝金3,129万6,161円

なお，課税標準となる金額に1,000円未満の端数があるときは，その端数は切り捨てる（国税通則118Ⅰ）。

したがって，課税価格は，金3,129万6,000円となる。

※　登記の申請書には，「移転した持分の価格」と記載するのが通例である。

(6)　登録免許税

「甲土地の価額に移転した持分2分の1を乗じた額」に端数処理した額を課税価格として，それに「1,000分の20」（登録税別表1.1.(2)ハ）を乗じた額である。

以上から，次のように算定する。

金3,129万6,000円×1,000分の20＝金62万5,920円

また，登録免許税の金額に100円未満の端数があるときは，その端数は切り捨てる（国税通則119Ⅰ）。

よって，登録免許税は，金62万5,900円となる。

3　所有権登記名義人表示変更，合併による抵当権移転及び抵当権抹消

3－1　問題の所在

本問では，**〔平成28年5月25日関係当事者から聴取した内容等〕**2から4，別紙5及び6より，株式会社H銀行は，甲土地で登記されている抵当権及び甲土地及び乙建物で登記されている根抵当権を解除したことが分かる。

そこで，解除に基づいて必要となる登記や登記の申請件数について検討する必要がある。

なお，〔**平成28年５月25日関係当事者から聴取した内容等**〕２より，甲土地の所有権登記名義人である甲野花子は，住所を移転しているが，〔**平成28年４月11日甲野花子から聴取した内容**〕より，氏については，離婚の際に称していた「甲野」を称する旨の届出をしていることが分かる。また，〔**平成28年５月25日関係当事者から聴取した内容等**〕５〔表１〕及び〔表２〕より，甲土地３番抵当権者である株式会社Ｅ銀行は，設定登記後に，商号変更や吸収合併が行われ，最終的に株式会社Ｈ銀行となっていることが分かる。

そこで，解除による抵当権及び根抵当権抹消登記の前提として必要となる登記についても検討する必要がある。

3−2　問題点①　所有権登記名義人表示変更に関する検討

前提の知識

(1) **離婚による復氏**

婚姻によって氏を改めた夫又は妻は，協議上の離婚によって婚姻前の氏に復する（民767Ⅰ）。なお，前項の規定によって婚姻前の氏に復した夫又は妻は，離婚の日から３か月以内に戸籍法の定めるところにより届け出ることによって，離婚の際に称していた氏を称することができる（民767Ⅱ）。

(2) **一申請情報申請の可否**

登記の申請情報は，登記の目的及び登記原因に応じ，一つの不動産ごとに作成して提供しなければならないのが原則である。ただし，同一の登記所の管轄区域内にある二以上の不動産について申請する登記の目的並びに登記原因及びその日付が同一であるときや，同一の登記所の管轄区域内にある一（又は二以上）の不動産について申請する二以上の登記が，いずれも同一の登記名義人の氏名若しくは名称又は住所についての変更の登記又は更正の登記であるとき，同一の登記所の管轄区域内にある二以上の不動産について申請する登記が，同一の債権を担保する先取特権，質権又は抵当権（根抵当権を含む。）に関する登記であって，登記の目的が同一であるときなどは，一つの申請情報によって申請することができる（不登令４但書，不登規35Ⅷ⑩）。

なお，住所移転による変更と住居表示実施による変更の登記申請は，一つの申請情報によりすることができるものとされている（昭40.10.11民甲2915号参照）。

3−3　本問へのあてはめ

本問では，〔**平成28年５月25日関係当事者から聴取した内容等**〕２より，平成28年５月３日，甲土地の１番及び２番所有権登記名義人である甲野花子が東京都文京区大塚七丁目７番７—201号から東京都豊島区池袋五丁目５番５号に住所を移転したことが分かる。よって，甲土地について，後述する「３番抵当権，４番根抵当権抹消」登記を申請する前提として，住所移転による登記名義人住所変更登記を申請することを要する。なお，本件の住所変更登記は，同一の登記所の管轄区域内にある一つの不動産について申請する二以上の住所変更登記が，いずれも同一の登記名義人の住所についての変更登記であることから，甲土地甲区１番及び甲区２番の甲野花子の住所変更登記は，一件の申請ですることができる。

また，離婚により，婚姻によって氏を改めた甲野花子は，婚姻前の「乙野」の氏に復することとなるが，〔**平成28年４月11日甲野花子から聴取した内容**〕より，甲野花子は，民法767条２項に基づく戸籍法77条の２の届出をしているため，離婚の際に称していた「甲野」の氏を称することとなることが分かる。よって，「甲野」の氏は，甲土地の登記記録上の氏であるため，登記名義人氏名変更登記は要しない。

したがって，平成28年５月25日に，甲土地について，「平成28年５月３日住所移転」を原因として「１番，２番所有権登記名義人住所変更」登記を申請する。

なお，本件登記は，甲区に関する登記であるため，〔**事実関係に関する補足**〕６より，後に検討する「平成18年７月１日合併」を原因とする「３番抵当権移転」登記よりも先に申請する必要がある。

3−4　問題点②　根抵当権一部移転登記に関する検討

前提の知識

⑴　**合併**

合併は，大きく分けて新設合併と吸収合併の二つに分類される。新設合併とは，二以上の会社がする合併であって，合併により消滅する会社の権利義務の全部を合併により設立する会社に承継させるものをいう（会社２㉘）。他方，吸収合併とは，会社が他の会社とする合併であって，合併により消滅する会社の権利義務の全部を合併後存続する会社に承継させるものをいう（会社２㉗）。これらの権利義務の承継は，合併の効力発生時において法律上当然に生ずる包括的な承継の性質を有するものとされている。

⑵　**吸収合併による権利承継**

吸収合併存続株式会社は，効力発生日に，吸収合併消滅会社の権利義務を承継する（会社750Ⅰ）。したがって，吸収合併消滅会社名義の所有権その他の権利について，合併による権利移転・変更の登記を申請することとなる。

なお，抵当権登記名義人が商号変更し，登記名義人商号変更登記をしないうちに抵当権者を消滅会社とする吸収合併の効力が生じた場合，登記名義人商号変更登記をすることなく，直ちに抵当権移転登記を申請することができる。また，吸収合併に当たって，吸収合併存続会社が合併後に商号変更や本店移転をした場合において，合併による移転登記をするときは，直接変更後の表示ですることができる。

⑶　吸収合併の効力が生ずる時期

吸収合併については，商業登記は効力発生要件ではなく，吸収合併契約で定める効力発生日にその効力が生ずる（会社749Ⅰ⑥・750Ⅰ・752Ⅰ）ため，吸収合併による権利移転登記の登記原因の日付は，その契約で定めた効力発生日となる。

⑷　被担保債権の弁済と抵当権者の合併

被担保債権を弁済したときは，抵当権は付従性により当然に消滅する。被担保債権の弁済が，抵当権者の相続又は合併の前にされているときは，抵当権の移転登記を経ずにその相続人又は合併後の存続会社を登記義務者として，抹消登記を申請することができる（昭37.2.22民甲321号）。これに対して，抵当権者の相続又は合併後に，その抵当権の被担保債権が弁済により消滅した場合には，相続又は合併による抵当権移転登記後，抵当権抹消登記を申請する（昭32.12.27民甲2440号）。

⑸　抵当権抹消と根抵当権抹消の一の申請情報による申請の可否

同一の不動産について申請する二以上の権利に関する登記の目的並びに登記原因及びその日付が同一であるとき，一の申請情報によって登記の申請をすることができる（不登令４但書，不登規35⑧）。この点，債権者を同一とする抵当権と根抵当権が同一の日付で解除された場合，一の申請情報によって抹消登記の申請をすることができる（登研564-67）。この場合，抹消登記の「登記の目的」の同一性の有無が問題となるが，根抵当権は抵当権の一種であるため（民398の２Ⅰ・Ⅱ参照），抵当権抹消登記と根抵当権抹消登記の登記の目的は同一と考えて，「○番抵当権抹消，○番根抵当権抹消」登記を一の申請情報によって申請することができる。

3−5　本問へのあてはめ

本問では，**〔平成28年５月25日関係当事者から聴取した内容等〕**４及び５〔表１〕，〔表２〕より，平成18年７月１日，甲土地の３番抵当権者である株式会社Ｆ銀行（旧商号：株式会社Ｅ銀行）を消滅会社，株式会社Ｇ銀行（新商号：株式会社Ｈ銀行）を存続会社とする吸収合併の効力が生じていることが分かる。その後，**〔平成28年５月25日関係当事者から聴取した内容等〕**２から４，別紙５及び６より，平成28年５月25日，株式会社Ｈ銀行が，甲野花子及び株式会社Ａレストランに対して，甲土地３番抵当権，４番根抵当権及び乙建物２番根抵当権を解除していることが分かる。

また，〔表１〕より，平成15年４月１日，株式会社Ｅ銀行が，その商号を「株式会社Ｆ銀行」に変更したこと，〔表２〕より，平成20年10月１日，株式会社Ｆ銀行を吸収合併した株式会社Ｇ銀行が，その商号を「株式会社Ｈ銀行」に変更したことが分かる。株式会社Ｅ銀行を名義人とする抵当権設定登記以降の商号変更及び吸収合併による変動をまとめると以下のとおりとなる。

・平成12年６月20日	株式会社Ｅ銀行　甲土地に３番抵当権設定
・平成15年４月１日	株式会社Ｅ銀行から株式会社Ｆ銀行に商号変更
・平成18年７月１日	株式会社Ｆ銀行を消滅会社，株式会社Ｇ銀行を存続会社とする吸収合併の効力発生
・平成20年10月１日	株式会社Ｇ銀行から株式会社Ｈ銀行に商号変更

以上の事実関係を踏まえて必要となる登記を検討する。

まず，株式会社Ｈ銀行による抵当権及び根抵当権の解除は，吸収合併の効力発生日後にされたものであるところ，甲土地３番抵当権の登記名義人については，株式会社Ｅ銀行のままであるため，まず，株式会社Ｈ銀行への合併による抵当権移転登記をした上で，抵当権抹消登記の申請をすることとなる。この点，株式会社Ｅ銀行は，吸収合併による解散前に商号変更をしているが，登記名義人商号変更登記をすることなく，直ちに抵当権移転登記を申請することができる。また，抵当権者株式会社Ｈ銀行は，吸収合併の効力発生当時の商号は株式会社Ｇ銀行であり，その後，株式会社Ｈ銀行に商号変更をしているが，直接変更後の商号で申請することができる。

そして，合併を原因とする抵当権移転登記を申請した上で，甲土地３番抵当権，４番根抵当権及び乙建物２番根抵当権の抹消登記を申請する。なお，甲土地３番抵当権及び４番根抵当権は，債権者を同一とするものであり，同一日付で解除がされている。また，根抵当権は抵当権の一種であるため，抵当権抹消と根抵当権抹消は登記の目的が同一のものと考えられる。そのため，甲土地の３番抵当権と４番根抵当権は一の申請情報によって抹消登記の申請をすることができるところ,〔**事実関係に関する補足**〕5より,司法書士法務直子は,複数の登記の申請をする場合には,申請件数及び登録免許税の額が最も少なくなるように登記の申請をしているため,3番抵当権及び4番根抵当権の抹消登記は一の申請情報によって申請しなければならない。

したがって,平成28年5月25日に,甲土地(東京法務局渋谷出張所管轄)について,「平成18年7月1日合併」を原因として,「3番抵当権移転」登記を申請し,次いで,「平成28年5月25日解除」を原因として,「3番抵当権,4番根抵当権抹消」登記を申請する。

なお,問題文冒頭の記載によると,司法書士法務直子は,乙建物(横浜地方法務局港北出張所管轄)について,「平成28年5月25日解除」を原因として「2番根抵当権抹消」登記を申請しているが,問2では甲土地について申請した登記の申請情報の内容だけ問われているため,本件登記についての解答は不要である。

申請情報に関する事項

《1番,2番所有権登記名義人住所変更》甲土地

(1) 登記の目的

「1番,2番所有権登記名義人住所変更」とする。

(2) 登記原因及びその日付

「平成28年5月3日住所移転」とする。

(3) 登記事項

「変更後の事項
　住所　東京都豊島区池袋五丁目5番5号」とする。

(4) 申請人

「申請人　甲野花子」とする。

(5) 添付情報

ア　登記原因証明情報(不登61条,不登令7条1項5号ロ)

本問では,豊島区の発行に係る甲野花子の住民票の写しを添付する。

イ　代理人の権限を証する情報(不登令7条1項2号)

本問では,甲野花子の委任状を添付する。

(6) 登録免許税

不動産1個につき,金1,000円である(登録税別表1.1.⒁)。

本問では,金1,000円となる。

《3番抵当権移転》甲土地

(1) 登記の目的

「3番抵当権移転」とする。

(2) 登記原因及びその日付

「平成18年7月1日合併」とする。

(3) 申請人

「抵当権者（被合併会社　株式会社F銀行）
　　　　株式会社H銀行
　　　　（会社法人等番号　0104-01-654321）
　　　　代表取締役　（省略）　　　　　」とする。

(4) 添付情報

ア　登記原因証明情報（不登61条，不登令7条1項5号ロ）

下記ウ参照。

イ　代理人の権限を証する情報（不登令7条1項2号）

本問では，株式会社H銀行の代表取締役の委任状を添付する。

ウ　会社法人等番号（不登令7条1項1号イ）

申請人が会社法人等番号を有する法人であるときは，原則として，当該法人の会社法人等番号を提供することを要する。

また，申請情報と併せて会社法人等番号を提供したときは，印鑑証明書，住所証明情報，住所変更証明情報は提供不要となる。さらに，申請情報と併せて会社法人等番号を提供したときは，法人の合併による承継を証する情報又は法人の名称変更等を証する情報の提供に代えることができるものとされ，加えて，登記原因証明情報の一部として登記事項証明書の提供が必要とされている場合に，申請情報と併せて会社法人等番号を提供したときは，登記事項証明書の提供に代えることができる。

なお，住所の変更事項等が閉鎖登記記録に記録されている場合であっても，会社法人等番号を提供すれば，原則として，法人の住所変更等を証する情報の提供を省略することができる。ただし，平成24年5月20日（外国会社にあっては平成27年3月1日）以前の法人の登記においては，組織変更や他の登記所の管轄区域内への本店の移転の登記等をする場合に会社法人等番号が変更されていたため，平成24年5月20日（外国会社にあっては平成27年3月1日）以前の会社法人等番号が記録された登記記録に住所の移転の事項が記録されているときは，現在の会社法人等番号の提供に加えて，住所の移転の事項を確認することができる閉鎖事項証明書又は閉鎖登記簿謄本を提供する必要がある。

本問では，申請人欄において，株式会社Ｈ銀行の本店，商号，代表者の氏名とともに，会社法人等番号も申請情報の内容とする必要がある。当該会社法人等番号を申請情報の内容とすることにより，株式会社Ｈ銀行（合併時商号：株式会社Ｇ銀行）と株式会社Ｆ銀行の合併を証する登記事項証明書の提供は不要となる。しかし，吸収合併消滅会社である株式会社Ｆ銀行が株式会社Ｅ銀行から商号を変更した事実は，株式会社Ｈ銀行の会社法人等番号の提供のみでは判明しないため，株式会社Ｆ銀行の閉鎖事項一部証明書は提供する必要がある。

(5)　課税価格及び登録免許税

「債権額」を課税価額として，それに「1,000分の１」（登録税別表1.1.(6)イ）を乗じた額である。

以上から，次のように算定する。

金2,500万円×1,000分の１＝金２万5,000円

《３番抵当権，４番根抵当権抹消》甲土地

(1)　登記の目的

「３番抵当権，４番根抵当権抹消」とする。

(2)　登記原因及びその日付

「平成28年５月25日解除」とする。

(3)　申請人

「権利者　甲野花子
義務者　株式会社Ｈ銀行
（会社法人等番号　0104-01-654321）
代表取締役　（省略）」とする。

(4)　添付情報

ア　登記原因証明情報（不登61条，不登令７条１項５号ロ）

本問では，抵当権解除証書（別紙５）及び根抵当権解除証書（別紙６）を添付する。

イ　登記識別情報（不登22条，不登令８条）

本問では，株式会社Ｈ銀行の甲土地乙区３番付記１号の登記識別情報及び甲土地乙区４番の登記識別情報を提供する。

ウ　代理人の権限を証する情報（不登令７条１項２号）

本問では，甲野花子及び株式会社Ｈ銀行の代表取締役の委任状を添付する。

エ　会社法人等番号（不登令７条１項１号イ）

本問では，申請人欄に，株式会社Ｈ銀行の本店，商号，代表者の氏名とともに，会社法人等番号を申請情報の内容とする。

⑸　登録免許税

不動産１個につき，金1,000円である（登録税別表1.1.⒂）。

本問では，金1,000円となる。

《２番根抵当権抹消》乙建物（※解答不要）

⑴　登記の目的

「２番根抵当権抹消」とする。

⑵　登記原因及びその日付

「平成28年５月25日解除」とする。

⑶　申請人

「権利者　株式会社Ａレストラン
（会社法人等番号　0200-01-987654）
代表取締役　乙野太郎
義務者　株式会社Ｈ銀行
（会社法人等番号　0104-01-654321）
代表取締役　（省略）　」とする。

⑷　添付情報

ア　登記原因証明情報（不登61条，不登令７条１項５号ロ）

本問では，株式会社Ａレストラン及び株式会社Ｈ銀行（株式会社Ｈ銀行のみでも可）が登記申請用に作成した書面等を添付する。なお，甲土地を管轄する東京法務局渋谷出張所での登記申請において根抵当権解除証書（別紙６）の原本還付を受けた場合は，後日，乙建物を管轄する横浜地方法務局港北出張所に本件登記を申請する際に，根抵当権解除証書（別紙６）を添付することもできる。

イ　登記識別情報（不登22条，不登令８条）

本問では，株式会社Ｈ銀行の乙建物乙区２番の登記識別情報を提供する。

ウ　代理人の権限を証する情報（不登令７条１項２号）

本問では，株式会社Ａレストランの代表取締役乙野太郎及び株式会社Ｈ銀行の代表取締役の委任状を添付する。

エ　会社法人等番号（不登令７条１項１号イ）

⑸　**登録免許税**

不動産１個につき，金1,000円である（登録税別表1.1.⒂）。

本問では，金1,000円となる。

4 根抵当権の一部譲渡，根抵当権の債務者及び債権の範囲の変更

4−1 問題の所在

本問では，〔**平成28年６月24日関係当事者から聴取した内容等**〕６及び別紙７第１条より，平成28年６月24日，甲土地に設定されている２番根抵当権につき，根抵当権一部譲渡契約が締結されていることが分かる。また，別紙７第２条及び第３条において，債務者及び債権の範囲についても変更する旨の契約が締結されていることが分かる。

そこで，別紙７の契約証書に基づく登記申請について検討する必要がある。

4−2 問題点①　根抵当権の一部譲渡に関する検討

前提の知識

⑴　**根抵当権一部譲渡**

元本確定前の根抵当権については，根抵当権者は根抵当権設定者の承諾を得て，その根抵当権を一部譲渡し，譲受人と共有することができる（民398の13）。設定者の承諾が，一部譲渡契約の後に得られているときは，その承諾の日が効力発生日となる。

⑵　**根抵当権一部譲渡の効果**

根抵当権が一部譲渡されると，根抵当権は譲渡人と譲受人の共有になる。しかし，根抵当権のその他の内容は変更されるわけではなく，極度額，債務者，被担保債権の範囲，確定期日の定めは当然には変更しない。もっとも，一部譲渡後において債務者や被担保債権の範囲を変更することはできる。

4−3 本問へのあてはめ

本問では，〔**平成28年６月24日関係当事者から聴取した内容等**〕６及び別紙７第１条より，平成28年６月24日，甲土地の２番根抵当権者である株式会社Ｐ商事が当該根抵当権の一部をＱ食品有限会社に譲渡する旨の契約を締結していることが分か

る。この２番根抵当権について元本が確定している事実はなく，また，聴取内容より，設定者の承諾は同日得られているため，平成28年６月24日に根抵当権一部譲渡の効力が生じることとなる。

したがって，平成28年６月24日に，甲土地について，「平成28年６月24日一部譲渡」を原因として「２番根抵当権一部移転」登記を申請する。

4-4 問題点②　根抵当権の債権の範囲及び債務者の変更に関する検討

前提の知識

⑴　根抵当権変更登記

元本確定前においては，当事者の合意によって債権の範囲を変更することができる。債務者の変更についても同様である（民398の４Ⅰ）。また，債務者が複数である場合に，債務者ごとに異なる債権の範囲を定めることは差し支えない。しかし，元本確定後には，債権の範囲及び債務者を変更することはできない（民398の４Ⅰ）。

⑵　債務者の変更登記の申請人

原則として，根抵当権者が登記権利者，設定者が登記義務者となって申請する。

なお，債務者が「Ａ及びＢからＡ」と縮減的に変更する場合は，設定者が登記権利者，根抵当権者が登記義務者となって申請する。債務者が「ＡからＡ及びＢ」と追加的に変更する場合は，原則どおり，根抵当権者が登記権利者，設定者が登記義務者となる。債務者が「ＡからＣ，Ａ及びＢからＣ」と交換的に変更する場合は，原則どおり，根抵当権者が登記権利者，設定者が登記義務者となる。

⑶　債権の範囲

被担保債権の定め方は法定されており，具体的には，次の要領で定めることを要する（民398の２）。

㈠　債務者との特定の継続的取引契約から生じた債権

㈺　債務者との一定の種類の取引から生じた債権

〈登記することができる例〉

売買取引，保証委託取引，商品供給取引，銀行取引，手形貸付取引，請負取引，消費貸借取引，保証取引，賃貸借取引，使用貸借取引，信託取引

〈登記することができない例〉

商取引，根抵当取引，商社取引，準消費貸借取引，リース取引，保証債

務取引，商品委託取引，手形・小切手取引

(ハ) **特定の原因に基づいて債務者との間に継続して生ずる債権**

登記することができる例として，「甲工場の排液による損害賠償債権」，「乙工場からの清酒移出による酒税債権」等がある。

(ニ) **手形上若しくは小切手上の請求権**

この場合，「手形債権　小切手債権」と記載する。「手形・小切手債権」と省略して記載することはできない。

(ホ) **電子記録債権**

(ヘ) **特定債権**

ただし，特定債権のみを担保する根抵当権を設定することはできないため，上記(イ)から(ホ)までのいずれかとともに担保することとなる。

《債権の範囲の変更の可否》　　○＝変更可能　×＝変更不可

債権の範囲を全く入れ替える変更契約	○
債権の範囲を追加する変更契約	○
債権の範囲を縮減する変更契約	○
共有根抵当権の各根抵当権者ごとに債権の範囲を変更する契約	○
共用根抵当権の債務者ごとに債権の範囲を変更する契約	○
特定債権のみを被担保債権とする変更契約	○
cf. 特定債権のみを被担保債権とする根抵当権設定契約	×

(4) **共有根抵当権者の一方のみの債務者の変更**

共有根抵当権者の一方のみの債務者又は債権の範囲の変更であっても，根抵当権全体の変更として，根抵当権の共有者全員と設定者が変更契約をしなければならない。したがって，その旨の登記申請も根抵当権の共有者全員と設定者との共同申請によらなければならない。

また，変更後の事項についても，変更されなかった他方のものも含め，全て申請情報の内容としなければならない。

(5) **利害関係人**

債権の範囲を変更する場合も，債務者を変更する場合も，後順位抵当権者や転抵当権者その他の第三者の承諾は一切不要である（民398の４Ⅱ）。

(6) **一申請情報申請の可否**

根抵当権の債務者の変更及び債権の範囲の変更が同一の契約により行われているときは，当該変更登記は一の申請情報によって申請することができる。

4−5 本問へのあてはめ

本問では，〔**平成28年６月24日関係当事者から聴取した内容等**〕6，別紙７第２条及び第３条より，平成28年６月24日，甲土地の２番根抵当権者である株式会社Ｐ商事及びＱ食品有限会社と同土地の所有者である甲野花子との間で，Ｑ食品有限会社の債務者を「株式会社Ａレストラン」から「甲野花子」とし，債権の範囲を「売買取引　買付委託取引　販売委託取引」から「売買取引　平成28年１月８日特約販売契約」とする内容の根抵当権変更契約が締結されたことが分かる。この点，当事者全員で根抵当権者の一部について，債務者及び債権の範囲を変更する契約も有効である。また，当該根抵当権には確定期日の定めはなく，他に根抵当権の元本が確定している事実も示されていないため，根抵当権の債務者及び債権の範囲を変更することは可能である。

そして，根抵当権の債権の範囲及び債務者の変更が同一の契約により行われている場合は，変更登記を一の申請情報により申請することができる。

したがって，平成28年６月24日に，甲土地について，「平成28年６月24日変更」を原因として「２番根抵当権変更」登記を申請する。なお，問３より，平成28年６月24日に甲土地について申請した登記は，１番目の「２番根抵当権一部移転」登記のみ記載すれば足りるため，「２番根抵当権変更」登記についての解答は不要である。

申請情報に関する事項

《２番根抵当権一部移転》甲土地

⑴　**登記の目的**

「２番根抵当権一部移転」とする。

⑵　**登記原因及びその日付**

「平成28年６月24日一部譲渡」とする。

⑶　**申請人**

「権利者　Ｑ食品有限会社
　　　　（会社法人等番号　0110 - 02 - 876543）
　　　　代表取締役　（省略）
　義務者　株式会社Ｐ商事
　　　　（会社法人等番号　0104 - 01 - 345678）
　　　　代表取締役　（省略）　　　　　」とする。

⑷　**添付情報**

ア　登記原因証明情報（不登61条，不登令７条１項５号ロ）

本問では，根抵当権一部譲渡契約証書（別紙７）を添付する。

イ　登記識別情報（登記済証）（不登22条，不登令８条，不登附則７条）

本問では，株式会社Ｐ商事の甲土地乙区２番の登記済証を添付する。

ウ　登記原因についての第三者の許可，同意又は承諾を証する情報（不登令７条１項５号ハ）

登記原因について第三者の許可，同意又は承諾を要するときは，当該第三者が許可し，同意し，又は承諾したことを証する情報を提供しなければならない。

登記官が登記原因の発生に実体法上必要な第三者の許可等がされたことを手続の上で確認することで，無効な権利変動による登記がされることを防ぐためである。

本問では，甲野花子の承諾書を添付する。

エ　代理人の権限を証する情報（不登令７条１項２号）

本問では，Ｑ食品有限会社の代表取締役及び株式会社Ｐ商事の代表取締役の委任状を添付する。

オ　会社法人等番号（不登令７条１項１号イ）

本問では，申請人欄に，Ｑ食品有限会社及び株式会社Ｐ商事の本店，商号，代表者の氏名とともに，会社法人等番号を申請情報の内容とする。

⑸　**課税価格**

根抵当権の一部譲渡であるため，極度額を一部譲渡後の共有者の数で除した額となる。

以上から，次のように算定する。

金１億円÷２＝金5,000万円

⑹　**登録免許税**

「極度額を一部譲渡後の共有者の数で除した額」を課税価額として，それに「1,000分の２」（登録税別表1.1.⑺）を乗じた額である。

以上から，次のように算定する。

金5,000万円×1,000分の２＝金10万円

《２番根抵当権変更》甲土地（※解答不要）

⑴　**登記の目的**

「２番根抵当権変更」とする。

⑵　**登記原因及びその日付**

「平成28年６月24日変更」とする。

⑶　**登記事項**

「変更後の事項
　債権の範囲　根抵当権者株式会社Ｐ商事につき
　　　　　　　　売買取引　買付委託取引　販売委託取引
　　　　　　　根抵当権者Ｑ食品有限会社につき
　　　　　　　　売買取引　平成28年１月８日特約販売契約
　債務者　　　根抵当権者株式会社Ｐ商事につき
　　　　　　　　横浜市港北区日吉八丁目１番１号
　　　　　　　　株式会社Ａレストラン
　　　　　　　根抵当権者Ｑ食品有限会社につき
　　　　　　　　東京都豊島区池袋五丁目５番５号
　　　　　　　　甲野花子　　　　　　　　　　　　」とする。

⑷　申請人

「権利者　株式会社Ｐ商事
　　　　　（会社法人等番号　0104-01-345678）
　　　　　　代表取締役　（省略）
　　　　　Ｑ食品有限会社
　　　　　（会社法人等番号　0110-02-876543）
　　　　　　代表取締役　（省略）
　義務者　甲野花子　　　　　　　　　　　」とする。

＊被担保債権の範囲の変更登記は，原則として，根抵当権者が登記権利者，設定者が登記義務者となって申請する。ただし，被担保債権の範囲が縮減されることが形式的に明らかな変更登記については，設定者が登記権利者，根抵当権者が登記義務者となって申請する（昭46.10.4民甲3230第三）。

　本問では，新たに根抵当権者となったＱ食品有限会社の債権の範囲について「売買取引　買付委託取引　販売委託取引」から「売買取引　平成28年１月８日特約販売契約」に変更している。このような債権の範囲の変更が，形式上明らかに縮減されるものとは考えられないため，株式会社Ｐ商事及びＱ食品有限会社を権利者としたが，仮に，縮減的な変更と判断される場合，Ｑ食品有限会社を含む根抵当権者は，債権の範囲の変更については登記義務者として申請する必要がある。この場合，債務者変更については，株式会社Ａレストランから甲野花子に交替的に変更するにすぎず，根抵当権者が登記権利者となることは明らかであるため，債権の範囲の変更と債務者変更を一の申請情報によって申請する場合，

「権利者兼義務者　株式会社Ｐ商事
Ｑ食品有限会社
権利者兼義務者　甲野花子　　　」（会社法人等番号等の記載は省略）
として，登記申請をすることが考えられる。

⑸　**添付情報**

ア　**登記原因証明情報（不登61条，不登令７条１項５号ロ）**

本問では，根抵当権一部譲渡契約証書（別紙７）を添付する。

イ　**登記識別情報（登記済証）（不登22条，不登令８条，不登附則７条）**

本問では，甲野花子の甲土地甲区１番の登記済証及び甲区２番の登記識別情報を添付する。

ウ　**印鑑に関する証明書（不登令18条２項，不登規49条）**

本問では，甲野花子の市町村長作成の印鑑証明書を添付する。

エ　**代理人の権限を証する情報（不登令７条１項２号）**

本問では，株式会社Ｐ商事の代表取締役，Ｑ食品有限会社の代表取締役及び甲野花子の委任状を添付する。

オ　**会社法人等番号（不登令７条１項１号イ）**

本問では，申請人欄に，株式会社Ｐ商事及びＱ食品有限会社の本店，商号，代表者の氏名とともに，会社法人等番号を申請情報の内容とする。

⑹　**登録免許税**

不動産１個につき，金1,000円である（登録税別表1.1.⒁）。

本問では，金1,000円となる。

5 共同根抵当権の追加設定及び会社の利益相反取引

5−1 問題の所在

本問では，〔**平成28年６月24日関係当事者から聴取した内容等**〕６，７及び別紙８より，平成28年６月24日，甲土地に設定されている２番根抵当権の共同担保として，乙建物を目的として根抵当権追加設定契約が締結されていることが分かる。

また，乙建物の所有権登記名義人は株式会社Ａレストランであるが，甲土地に設定されている２番根抵当権の債務者には，株式会社Ａレストランの取締役である甲野花子が含まれている。

これらの事実関係より，申請すべき登記や登記申請に先立って必要となる手続について検討する必要がある。

5-2 問題点　共同根抵当権の追加設定及び会社の利益相反取引に関する検討

前提の知識

(1)　共同根抵当権

同一の債権を担保するために，数個の不動産を目的として根抵当権を設定した場合，原則として設定された不動産ごとに根抵当権は成立し，民法392条・393条の適用はない。これを累積式根抵当権という（民398の18）。

これに対し，設定登記と同時に共同担保である旨を登記すれば，民法392条・393条の適用がある共同根抵当権とすることができる（民398の16）。これを純粋共同根抵当権という。

純粋共同根抵当権の設定は，数個の不動産について同時にする必要はなく，既登記根抵当権に追加担保として共同根抵当権の追加設定をすることもできる。共同根抵当権の追加設定の要件は以下のとおりである。

(イ)　同一債権を担保すること

具体的には，極度額，債権の範囲，債務者（不登88Ⅱ・83）及び根抵当権者は既設定根抵当権と必ず同一であることを要する（民398の16・17）。

なお，上記以外の確定期日，優先の定め等は各不動産につき，各別の定めをすることができる。

(ロ)　片面的共同担保とならないこと

a．純粋共同根抵当権が設定されている甲乙物件に丙物件を追加設定

甲乙丙を共同根抵当権とする設定→可

甲丙又は乙丙を共同根抵当権とする設定→不可

b．累積式根抵当権が設定されている甲乙物件に丙物件を追加設定

甲乙丙を共同根抵当権とする設定→不可

甲丙又は乙丙を共同根抵当権とする設定→可

(ハ)　既登記根抵当権が元本確定前であること

元本確定後に共同根抵当権の追加設定をすることはできない（平1.9.5民三3486号）。

(2)　前登記証明書

前の登記に他の登記所の管轄区域内にある不動産に関するものがある場合の追加担保設定のときは，当該前の登記に関する登記事項証明書が添付情報となる（不登令７Ⅰ⑥，不登令別表56添ロ）。根抵当権の内容が同一であるか，既登記根抵当権の全ての目的不動産を共同担保として申請しているかを確認するために提供を要し，また当該書面は，登録免許税法13条２項の適用を受けるための書面も兼ねることになる。

なお，不動産登記事務取扱手続準則112条では，他の登記所の管轄区域内にある不動産が２以上あるときであっても，他の登記所ごとに登記事項証明書（共同担保目録に記録された事項の記載があるものに限る。）を１通提供すれば足りるとされている。

(3)　共有根抵当権者ごとに債権の範囲等が異なる場合の根抵当権設定登記

共有根抵当権の場合において各共有根抵当権者ごとに異なる債権の範囲や債務者を定めた場合でも，１個の根抵当権で担保することが可能である。この場合，登記の申請も一の申請情報を提供して申請することができる（昭46.12.24 民甲3630 号）。

(4)　会社の利益相反取引

取締役が，自己又は第三者のために株式会社と取引をする行為は，利益相反取引となるため，取締役は，株主総会において，当該取引につき重要な事実を開示し，その承認を受けなければならない（会社356Ⅰ）。なお，取締役会設置会社においては，取締役会の承認を要する（会社365Ⅰ）。

これに違反して取引をした場合の効力については，会社は，取締役及び悪意の第三者に無効を主張できるが，善意の第三者には無効を主張できない（相対的無効説：最判昭43.12.25参照）。したがって，承認決議は，厳密な意味で効力発生要件とはいえず，登記原因の日付にも影響を与えないが，登記実務は取引の安全の要請から，株式会社の株主総会議事録又は取締役会議事録の添付を要求している（不登令７Ⅰ⑤ハ）。

5−3　本問へのあてはめ

本問では，〔**平成28年６月24日関係当事者から聴取した内容等**〕６，７及び別紙８より，平成28年６月24日，株式会社Ｐ商事，Ｑ食品有限会社及び株式会社Ａレストランの間で，甲土地の２番根抵当権の追加担保として，乙建物を目的とする根抵当権追加設定契約が締結されたことが分かる。この点，追加設定される根抵当権と甲土地の２番根抵当権とは，極度額，債権の範囲，債務者及び根抵当権者の全てが同一であり，甲土地の２番根抵当権の元本は確定していないため，共同根抵当権の追加設定登記を申請することができる。なお，前述した，一部譲渡による２番根抵当権一部移転や債権の範囲及び債務者の変更により，共有根抵当権者ごとに債権の範囲や債務者が異なるが，この場合でも，１個の根抵当権で担保することが可能であり，登記の申請も一の申請情報を提供して申請することができる。また，追加設定する乙建物は甲土地と管轄が異なるため，前登記証明書として甲土地の登記事項証明書が必要となる。

なお，株式会社Ａレストランが所有する乙建物に，株式会社Ａレストランの取締役である甲野花子を債務者の一部とする根抵当権を設定することは利益相反取引に該当するため，株式会社Ａレストランの株主総会（取締役会設置会社であれば，取締役会）の承認を要する。この点，**〔事実関係に関する補足〕**４より，その承認は登記の申請日までに得られていることから，当該登記は株式会社Ａレストランの株主総会議事録（取締役会設置会社であれば，取締役会議事録）を添付して申請することとなる（問題上，株式会社Ａレストランが取締役会設置会社であるか否かは判然としないが，添付情報の解答としては「ネ」（登記原因につき第三者の許可，同意又は承諾を証する情報及び当該情報の作成者の印鑑に関する証明書）と解答すればよい）。

したがって，司法書士法務直子が，平成28年６月24日に甲土地を管轄する東京法務局渋谷出張所に申請した登記が完了した後に，乙建物を管轄する横浜地方法務局港北出張所に，「平成28年６月24日設定」を原因として「共同根抵当権設定（追加）」登記を申請する。

＊本問では，〔平成28年６月24日関係当事者から聴取した内容等〕７より，乙建物の所有者であり，根抵当権の設定者となる株式会社Ａレストランが，平成28年６月１日に，横浜地方裁判所において民事再生手続開始の決定がされ，監督委員が選任されていることが分かる。民事再生法によると，再生手続が開始された会社が財産の処分をする場合，裁判所の許可を要するものとすることができる(民事再生法41Ⅰ①)。また，再生手続の開始があった場合，裁判所は，監督委員による監督を命ずる処分をすることができ（同法54Ⅰ），当該処分がされた場合，監督委員の同意を得なければ再生債務者がすることができない行為が指定される（同法54Ⅱ）。そして，裁判所の許可を要する行為として指定された財産の処分や監督委員の同意を得なければならない行為を再生債務者が許可や同意なく行った場合，当該行為は無効とされる（同法41Ⅱ本文・54Ⅳ本文）。

そのため，再生債務者である株式会社Ａレストランを設定者とする根抵当権設定契約が，裁判所の許可を要する財産の処分や監督委員の同意を要する行為に該当するか明らかでない本問においては，根抵当権設定契約の有効性が問題となる。しかし，問題上，根抵当権設定契約が，裁判所の許可等を要する行為であると積極的に明示がされていない以上，当該根抵当権設定契約は特段裁判所の許可等について検討する必要はないものと解される。したがって，株式会社Aレストランを設定者とする根抵当権設定契約は，有効に契約が成立しているものとして，乙建物を目的として共同根抵当権設定（追加）登記を申請するのが，出題者の意図を酌んだ答案と解される。

申請情報に関する事項

《共同根抵当権設定（追加）》乙建物

(1) **登記の目的**

「共同根抵当権設定（追加）」とする。

(2) **登記原因及びその日付**

「平成28年６月24日設定」とする。

(3) **登記事項**

「極度額　金１億円
債権の範囲　根抵当権者株式会社Ｐ商事につき
売買取引　買付委託取引　販売委託取引
根抵当権者Ｑ食品有限会社につき
売買取引　平成28年１月８日特約販売契約
債務者　根抵当権者株式会社Ｐ商事につき
横浜市港北区日吉八丁目１番１号
株式会社Ａレストラン
根抵当権者Ｑ食品有限会社につき
東京都豊島区池袋五丁目５番５号
甲野花子」とする。

(4) **申請人**

「根抵当権者　株式会社Ｐ商事
（会社法人等番号　0104-01-345678）
代表取締役　（省略）
Ｑ食品有限会社
（会社法人等番号　0110-02-876543）
代表取締役　（省略）
設定者　株式会社Ａレストラン
（会社法人等番号　0200-01-987654）
代表取締役　乙野太郎」とする。

(5) **添付情報**

ア　**登記原因証明情報（不登61条，不登令7条1項5号ロ）**

本問では，根抵当権追加設定契約証書（別紙8）を添付する。

イ　**登記識別情報（登記済証）（不登22条，不登令8条，不登附則7条）**

本問では，株式会社Ａレストランの乙建物甲区1番の登記済証を添付する。

ウ　**印鑑に関する証明書（不登令18条2項，不登規49条）**

本問では，株式会社Ａレストランの会社法人等番号の提供により，当該書面の添付を省略することができるが，（答案作成に当たっての注意事項）4(2)より**【添付情報一覧】**から株式会社Ａレストランの印鑑に関する証明書を選択し，その記号を記載する。

エ　**登記原因についての第三者の許可，同意又は承諾を証する情報（不登令7条1項5号ハ）**

本問では，株式会社Ａレストランの株主総会議事録（取締役会設置会社であれば，取締役会議事録）を添付する。

オ　**代理人の権限を証する情報（不登令7条1項2号）**

本問では，株式会社Ｐ商事の代表取締役，Ｑ食品有限会社の代表取締役及び株式会社Ａレストランの代表取締役乙野太郎の委任状を添付する。

カ　**前登記証明書（不登令7条1項6号，不登令別表56添付情報欄ロ）**

前の登記に他の登記所の管轄区域内にある不動産に関するものがある場合の追加担保のときは，当該前の登記に関する登記事項証明書が添付情報となる。根抵当権の内容が同一であるか，既登記根抵当権の全ての目的不動産を共同担保として申請しているかを確認するために提供を要し，また当該書面は登録免許税法13条2項の適用を受けるための書面も兼ねることとなる。

なお，不動産登記事務取扱手続準則112条では，他の登記所の管轄区域内にある不動産が2以上あるときであっても，他の登記所ごとに登記事項証明書（共同担保目録に記録された事項の記載があるものに限る。）を1通提供すれば足りるとされている。

本問では，甲土地の登記事項証明書を添付する。

キ　**会社法人等番号（不登令7条1項1号イ）**

本問では，申請人欄に，株式会社Ｐ商事，Ｑ食品有限会社及び株式会社Ａレストランの本店，商号，代表者の氏名とともに，会社法人等番号を申請情報の内容とする。

(6) **登録免許税**

不動産１個につき，金1,500円である（登録税13Ⅱ）。

本問では，金1,500円となる。

この場合，登録免許税額の横に「登録免許税法第13条第２項」と記載する（不登規189Ⅲ）。

第１欄

(1)　甲土地について１番目に申請した登記

登記の目的		１番所有権登記名義人住所変更
申請事項等	登記原因及びその日付	平成27年９月１日住所移転
	上記以外の申請事項等	変更後の事項　※ 　共有者甲野一郎の住所 　　千葉県千葉市中央区富士見九丁目８番７号 申請人（被代位者）甲野一郎 代位者（申請人）　甲野花子 代位原因　平成28年４月８日財産分与による甲野一郎持分全部移転登記請求権
添付情報		ア，ウ
登録免許税額		金1,000円

※「変更後の事項」は記載しなくともよいと解される。

(2)　甲土地について２番目に申請した登記

登記の目的		甲野一郎持分全部移転
申請事項等	登記原因及びその日付	平成28年４月８日財産分与
	上記以外の申請事項等	権利者（申請人）　持分２分の１　甲野花子 義務者　甲野一郎
添付情報		ア，エ
登録免許税額		金62万5,900円

(3) **司法書士法務直子が助言した手続の内容及びその理由**

調停調書への執行文の付与の申し立てをすること。
なぜなら，判決による登記における「判決」には，原則として執行文の
付与は不要であるが，債務者の登記申請の意思表示が反対給付との引換
えにかかるときは，執行文が付与された時に登記義務者等が登記申請の
意思表示をしたものとみなされるからである。

第２欄

(1) **甲土地について１番目に申請した登記**

<table>
<tr><td colspan="2">登記の目的</td><td>１番，２番所有権登記名義人住所変更</td></tr>
<tr><td rowspan="2">申請事項等</td><td>登記原因
及びその日付</td><td>平成28年５月３日住所移転</td></tr>
<tr><td>上記以外の
申請事項等</td><td>変更後の事項　※
　住所　東京都豊島区池袋五丁目５番５号
申請人　甲野花子</td></tr>
<tr><td colspan="2">添付情報</td><td>オ</td></tr>
<tr><td colspan="2">登録免許税額</td><td>金1,000円</td></tr>
</table>

※「変更後の事項」は記載しなくともよいと解される。

⑵ 甲土地について２番目に申請した登記

<table>
<tr><td colspan="2">登記の目的</td><td>３番抵当権移転</td></tr>
<tr><td rowspan="2">申請事項等</td><td>登記原因
及びその日付</td><td>平成18年７月１日合併</td></tr>
<tr><td>上記以外の
申請事項等</td><td>抵当権者（被合併会社　株式会社Ｆ銀行）
株式会社Ｈ銀行
（会社法人等番号　0104－01－654321）</td></tr>
<tr><td colspan="2">添付情報</td><td>カ</td></tr>
<tr><td colspan="2">登録免許税額</td><td>金２万5,000円</td></tr>
</table>

⑶ 甲土地について３番目に申請した登記

<table>
<tr><td colspan="2">登記の目的</td><td>３番抵当権，４番根抵当権抹消</td></tr>
<tr><td rowspan="2">申請事項等</td><td>登記原因
及びその日付</td><td>平成28年５月25日解除</td></tr>
<tr><td>上記以外の
申請事項等</td><td>権利者　甲野花子
義務者　株式会社Ｈ銀行
（会社法人等番号　0104－01－654321）</td></tr>
<tr><td colspan="2">添付情報</td><td>キ，ク，セ，チ</td></tr>
<tr><td colspan="2">登録免許税額</td><td>金1,000円</td></tr>
</table>

(4)　甲土地について４番目に申請した登記

登記の目的		登記不要
申請事項等	登記原因及びその日付	
	上記以外の申請事項等	
添付情報		
登録免許税額		

第３欄

(1)　甲土地について１番目に申請した登記

登記の目的		２番根抵当権一部移転
申請事項等	登記原因及びその日付	平成28年６月24日一部譲渡
	上記以外の申請事項等	権利者　Ｑ食品有限会社 （会社法人等番号　0110－02－876543） 義務者　株式会社Ｐ商事 （会社法人等番号　0104－01－345678）
添付情報		ケ，シ，ネ（甲野花子のもの）
登録免許税額		金10万円

(2) 乙建物について申請すべき登記があるときは，その登記

<table>
<tr><td colspan="2">登記の目的</td><td>共同根抵当権設定（追加）</td></tr>
<tr><td rowspan="2">申
請
事
項
等</td><td>登記原因
及びその日付</td><td>平成28年６月24日設定</td></tr>
<tr><td>上記以外の
申請事項等</td><td>極度額　金１億円
債権の範囲　根抵当権者株式会社Ｐ商事につき
売買取引　買付委託取引　販売委託取引
根抵当権者Ｑ食品有限会社につき
売買取引　平成28年１月８日特約販売契約
債務者　根抵当権者株式会社Ｐ商事につき
横浜市港北区日吉八丁目１番１号
株式会社Ａレストラン
根抵当権者Ｑ食品有限会社につき
東京都豊島区池袋五丁目５番５号
甲野花子
根抵当権者　株式会社Ｐ商事
（会社法人等番号　0104 - 01 - 345678）
Ｑ食品有限会社
（会社法人等番号　0110 - 02 - 876543）
設定者　株式会社Ａレストラン
（会社法人等番号　0200 - 01 - 987654）</td></tr>
<tr><td colspan="2">添付情報</td><td>コ，ソ，ト，ネ（株式会社Ａレストランのもの），ハ</td></tr>
<tr><td colspan="2">登録免許税額</td><td>金1,500円（登録免許税法第13条第２項）</td></tr>
</table>

MEMO

問題 平成27年

本問題の日付は、出題当時の本試験問題に合わせておりますが、法令等については、令和７年４月１日時点において施行されているもの（本書作成時点において施行予定のものを含む。）を適用した上で、解答を作成してください。

別紙１及び２の登記がされている不動産について，司法書士法務花子は，平成27年４月16日，民事三郎から登記に関する相談を受け，後記〔平成27年４月16日民事三郎から聴取した内容〕の事実関係を聴取するとともに，民事次郎の相続人の全員から今回の登記の申請手続に必要な書類を受領し，登記の申請手続等について代理することの依頼を受けた。同月17日，司法書士法務花子は，管轄法務局に書面を提出する方法により，登記の申請を行った。

同年６月４日，司法書士法務花子は，〔平成27年６月４日関係当事者から聴取した内容〕の事実関係を聴取するとともに，当該聴取に係る関係当事者全員から今回の登記の申請手続に必要な全ての書類を受領し，登記の申請手続等について代理することの依頼を受けた。同月６日，司法書士法務花子は，管轄法務局に書面を提出する方法により，登記の申請を行った。

同年７月３日，司法書士法務花子は，〔平成27年７月３日関係当事者から聴取した内容〕の事実関係を聴取するとともに，当該聴取に係る関係当事者全員から今回の登記の申請手続に必要な全ての書類を受領し，登記の申請手続等について代理することの依頼を受けた。同日，司法書士法務花子は，管轄法務局に書面を提出する方法により，登記の申請を行った。

なお，その他の事実関係については，後記〔**事実関係に関する補足事項**〕に記載したとおりである。

以上に基づき，後記の問１から問３までに答えなさい。

〔平成27年４月16日民事三郎から聴取した内容〕

１　（民事三郎は別紙１及び２の全部事項証明書並びに別紙３の履歴事項一部証明書を提出した。）

私の父である民事次郎は，平成26年11月７日に死亡しました。亡民事次郎の親族関係は別紙４のとおりです。父の相続人が誰になるのか，私にはよく分かりません。

民事次郎が死亡時に所有していた積極財産は，甲土地のみです。

平成27年１月１日現在の甲土地に係る課税標準の額は１億7,493万3,900円です。

〔平成27年６月４日関係当事者から聴取した内容〕

２　【民事三郎から聴取】

民事次郎が死亡した後，ＸＹＺ信用金庫と，同金庫が甲土地及び乙建物に対して有している根抵当権について初めて話合いをしたのは，平成27年５月15日です。株式会社東京ホテルの業績も芳しくなかったものですから，今後については担当者と詳細に打合せをしました。

同年６月４日，ＸＹＺ信用金庫から，この根抵当権の被担保債権8,632万3,694円の一部である6,534万5,566円を一般社団法人ＸＹＺ保証基金が代位弁済する予定であるとの連絡を受けました。

３　【ＸＹＺ信用金庫担当者から聴取】

ＸＹＺ信用金庫が一般社団法人ＸＹＺ保証基金から前項の被担保債権の一部について代位弁済を受ける予定であることは事実であり，その内容は別紙５記載のとおりです。

なお，平成24年４月18日，同保証基金は，民事次郎から委託を受け，前項の被担保債権についてＸＹＺ信用金庫との間で保証契約を締結しています。

〔平成27年７月３日関係当事者から聴取した内容〕

４　【民事三郎から聴取】

民事次郎が死亡した後，株式会社ＡＢＣ銀行と，同銀行が甲土地及び乙建物に対して有している根抵当権について初めて話合いをしたのは，平成27年６月24日です。今後については担当者と詳細に打合せをしました。その結果を反映するために，私が代表者を務める株式会社東京ホテル内の必要な手続を全て行い，同年７月３日，別紙６及び７の契約をしました。

５　【株式会社ＡＢＣ銀行担当者から聴取】

弊社と根抵当権設定者は，平成27年７月３日，別紙６記載のとおり根抵当権の極度額を３億円から４億円へと増額することについて合意しました。また，弊社の根抵当権を株式会社ＣＤＥ銀行に引き継ぎ，同銀行と弊社は，別紙７記載のとおり根抵当権譲渡契約を締結しました。

６　【株式会社ＣＤＥ銀行担当者から聴取】

弊社は，平成27年７月３日，株式会社ＡＢＣ銀行が甲土地及び乙建物に対して有している根抵当権を引き継ぎ，同銀行と，別紙７記載のとおり根抵当権譲渡契約を締結しました。あわせて，根抵当権設定者との間で債務者と被担保債権の範囲についても変更する契約をしています。

被担保債権の範囲の変更に先立ち，弊社は，どのような債権であれば，根抵当権の被担保債権の範囲として登記をすることができるかについて，検討を行いました。その際に用いた検討メモは，別紙８のとおりです。別紙８の(1)から(4)までの債権のうち，根抵当権の被担保債権の範囲に含むことができるものだけを，別紙７の第３条（※）の欄に盛り込みました。

〔事実関係に関する補足〕

1　〔平成27年４月16日民事三郎から聴取した内容〕，〔平成27年６月４日関係当事者から聴取した内容〕及び〔平成27年７月３日関係当事者から聴取した内容〕は全て真実に合致しており，また，これらに基づく行為や司法書士法務花子の説明内容は，全て適法である。

2　株式会社東京ホテルは，民事次郎の死亡の前後を通じて甲土地の使用権原を有しており，このほか，本件の関係当事者間には，〔平成27年４月16日民事三郎から聴取した内容〕，〔平成27年６月４日関係当事者から聴取した内容〕，〔平成27年７月３日関係当事者から聴取した内容〕及び各別紙に記載されている権利義務以外には，実体上の権利義務関係は，存在しない。

3　登記原因につき第三者の許可，同意又は承諾を要する場合には，各申請日までに第三者の許可，同意又は承諾を得ており，このほか登記申請に当たって法律上必要な手続は，各申請日までに全てされている。

4　司法書士法務花子は，複数の登記の申請をする場合には，申請件数及び登録免許税額が最も少なくなるように登記を申請するものとする。

5　司法書士法務花子は，複数の登記の申請をする場合には，登記原因の日付の古い順に登記を申請し，当該複数の登記の申請のうち登記原因の日付が同一であり，かつ，申請の前後を問わないものがあるときには，登録免許税額が高額となるものから順に申請するものとする。

6　司法書士法務花子は，申請人が複数いて，そのうちの一部の者が申請人全員のために登記を申請することができる場合であっても，申請人全員から委任を受け登記を申請するものとする。

問１　司法書士法務花子が甲土地について平成27年４月17日に申請した登記の申請情報の内容のうち，登記の目的，登記原因及びその日付，申請人の氏名又は名称，添付情報並びに登録免許税額について，答案用紙の第１欄に記載しなさい。

問２　司法書士法務花子が甲土地及び乙建物について平成27年６月６日に申請した登記の申請情報の内容のうち，登記の目的，登記原因及びその日付，変更後の事項，申請人の氏名又は名称，添付情報並びに登録免許税額について，司法書士法務花子が申請した登記の順に従って，答案用紙の第２欄(1)から(3)までの各欄に記載しなさい。

問３　司法書士法務花子が甲土地及び乙建物について平成27年７月３日に申請した登記の申請情報の内容のうち，登記の目的，登記原因及びその日付，変更後の事項，申請人の氏名又は名称，添付情報並びに登録免許税額について，司法書士法務花子が申請した登記の順に従って，答案用紙の第３欄⑴から⑷までの各欄に記載しなさい。

また，別紙８の⑴から⑷までの債権のうち，被担保債権の範囲として登記することができないものがあるときは，その全てを番号で特定した上で，その理由をそれぞれ答案用紙の第３欄⑸の欄に簡潔に記載しなさい。

（答案作成に当たっての注意事項）

１　答案用紙の第１欄から第３欄までの申請人の氏名又は名称の欄に解答を記載するに当たっては，次の要領で行うこと。

⑴　「権利者」，「申請人」，「（被承継会社）」等の表示も記載するほか，持分の表示が必要な場合は，持分の表示も，記載する。

⑵　住所，本店又は代表機関の資格及び氏名は，記載することを要しない。

⑶　会社法人等番号を提供する方法により登記の申請手続をすることができる登記については，会社法人等番号を提供する申請人等の記載の後に続けて，当該申請人等の会社法人等番号を括弧書きで「（会社法人等番号0000‐00‐000000）」の要領で記載する。株式会社ABC銀行，XYZ信用金庫，一般社団法人XYZ保証基金及び株式会社CDE銀行の会社法人等番号は次の表のとおりとする。

商　号	会社法人等番号
株式会社ABC銀行	0100‐01‐222003
XYZ信用金庫	0100‐05‐333004
一般社団法人XYZ保証基金	0100‐05‐444005
株式会社CDE銀行	0100‐01‐555006

２　答案用紙の第１欄から第３欄までの添付情報の欄に解答を記載するに当たっては，次の要領で行うこと。

⑴　添付情報の解答は，その登記の申請に必要な添付情報を後記**【添付情報一覧】**から選択し，その記号（アからヒまで）を記載する。

⑵　法令の規定により添付を省略することができる情報及び提供されたものとみ

なされる情報についても，後記**【添付情報一覧】**から選択し，その記号（アからヒまで）を記載する。

(3) 後記**【添付情報一覧】**のアからヒまでに掲げられた情報以外の情報（登記申請に関する委任状等）は，記載することを要しない。

(4) 後記**【添付情報一覧】**のツからトまでに掲げられた印鑑に関する証明書は，登記名義人の住所を証する情報としては使用しないものとする。

(5) 添付情報のうち，登記申請に際して有効期限の定めがあるものは，登記の申請時において，全て有効期限内のものであるものとする。

3 答案用紙の第１欄から第３欄までの各項目の欄に申請すべき登記の申請情報等の内容を記載するに当たり，記載すべき情報等がない場合には，その欄に「なし」と記載すること。

4 申請すべき登記がない場合には，答案用紙の第１欄から第３欄までの登記の目的欄に「登記不要」と記載すること。

5 別紙は，いずれも，実際の様式と異なる。また，別紙には，記載内容の一部が省略されているものがあり，別紙を含め，登記の申請に必要な添付情報は，いずれも，〔平成27年４月16日民事三郎から聴取した内容〕，〔平成27年６月４日関係当事者から聴取した内容〕及び〔平成27年７月３日関係当事者から聴取した内容〕に沿う形で，法律上適式に作成されているものとする。

6 数字を記載する場合には算用数字を使用すること。

7 登録免許税額の算出について，租税特別措置法等の特別法による税の減免の規定の適用はないものとする。

8 訂正，加入又は削除をしたときは，押印や字数を記載することは要しない。ただし，訂正は訂正すべき字句に横線を引き，近接箇所に訂正後の字句を記載し，加入は加入する部分を明示して行い，削除は削除すべき字句に線を引いて，訂正，加入又は削除をしたことが明確に分かるように記載すること。

【添付情報一覧】

ア　株式会社東京ホテルの履歴事項一部証明書（別紙3）
イ　代位弁済証書（別紙５）
ウ　根抵当権変更契約証書（別紙６）
エ　根抵当権譲渡契約証書（別紙７）
オ　民事三郎の戸籍の一部事項証明書
カ　民事光太郎の戸籍の一部事項証明書
キ　民事三郎の住民票の写し（本籍の記載あり）
ク　民事光太郎の住民票の写し（本籍の記載あり）
ケ　民事次郎の法定相続人を特定することができる戸籍の全部事項証明書，戸籍謄本，除籍謄本及び改製原戸籍謄本（オとカを除く）
コ　甲土地甲区１番の登記済証
サ　甲土地甲区２番の登記識別情報
シ　甲土地乙区１番の登記済証
ス　甲土地乙区２番の登記識別情報
セ　乙建物甲区１番の登記済証
ソ　乙建物乙区１番の登記済証
タ　乙建物乙区２番の登記識別情報
チ　乙建物乙区２番付記1号の登記識別情報
ツ　民事三郎の印鑑に関する証明書
テ　民事光太郎の印鑑に関する証明書
ト　株式会社東京ホテルの印鑑に関する証明書
ナ　登記上の利害関係人としてのＸＹＺ信用金庫の承諾を証する情報
ニ　登記上の利害関係人としての一般社団法人ＸＹＺ保証基金の承諾を証する情報
ヌ　登記上の利害関係人としての株式会社ＡＢＣ銀行の承諾を証する情報
ネ　登記上の利害関係人としての株式会社ＣＤＥ銀行の承諾を証する情報
ノ　民事三郎の登記原因に関する同意又は承諾を証する情報
ハ　民事光太郎の登記原因に関する同意又は承諾を証する情報
ヒ　株式会社東京ホテルの登記原因に関する同意又は承諾を証する情報

別紙1　甲土地の全部事項証明書

表 題 部（土地の表示）		調製	平成９年２月６日	不動産番号	【略】
地図番号	【略】	筆界特定	余白		
所　在	中央区日本橋人形町五丁目			余白	
① 地 番	② 地 目	③ 地 積 ㎡		原因及びその日付〔登記の日付〕	
400番２	宅地	2489	00	余白	
余白	余白	余白		昭和63年法務省令第37号附則第２条第２項の規定により移記 平成９年２月６日	

権 利 部（甲 区）（所 有 権 に 関 す る 事 項）			
順位番号	登記の目的	受付年月日・受付番号	権利者その他の事項
1	所有権移転	昭和51年６月16日 第53155号	原因　昭和51年６月16日売買 所有者　東京都中央区日本橋人形町五丁目５番５号 民事次郎 順位３番の登記を移記
	余白	余白	昭和63年法務省令第37号附則第２条第２項の規定により移記 平成９年２月６日

権 利 部（乙 区）（所 有 権 以 外 の 権 利 に 関 す る 事 項）			
順位番号	登記の目的	受付年月日・受付番号	権利者その他の事項
1	根抵当権設定	昭和51年６月16日 第53156号	原因　昭和51年６月16日設定 極度額　金３億円 債務者　東京都中央区日本橋人形町五丁目5番5号 株式会社東京ホテル 債権の範囲　銀行取引　手形債権　小切手債権 根抵当権者　東京都千代田区大手町七丁目7番7号 株式会社ＡＢＣ銀行 共同担保　目録（る）第6868号 順位１番の登記を移記
	余白	余白	昭和63年法務省令第37号附則第２条第２項の規定により移記 平成９年２月６日

2	根抵当権設定	平成24年５月11日 第43925号	原因　平成24年５月11日設定 債務者　東京都中央区日本橋人形町五丁目５番５号 民事次郎 極度額　金5,000万円 債権の範囲　信用金庫取引　手形債権　小切手債権 根抵当権者　東京都文京区本郷八丁目８番８号 ＸＹＺ信用金庫 共同担保　目録（を）第1860号

共　同　担　保　目　録			
記号及び番号	（る）第6868号	調製	平成９年２月６日
番　号	担保目的である権利の表示	順位番号	予　備
1	中央区日本橋人形町五丁目　400番２の土地	1	余白
2	中央区日本橋人形町五丁目　400番地２ 家屋番号　400番２の建物	1	余白
			昭和63年法務省令第37号附則第２条第２項の規定により移記 平成９年２月６日

共　同　担　保　目　録			
記号及び番号	（を）第1860号	調製	平成24年５月11日
番　号	担保目的である権利の表示	順位番号	予　備
1	中央区日本橋人形町五丁目　400番２の土地	2	余白
2	中央区日本橋人形町五丁目　400番地２ 家屋番号　400番２の建物	2	余白

これは登記記録に記録されている事項の全部を証明した書面である。

平成27年４月16日
東京法務局　　　　　　　　　　　　登記官　○　○　○　○　印

別紙２　乙建物の全部事項証明書

表 題 部（主である建物の表示）	調製	平成９年２月６日	不動産番号	【略】
地図番号	【略】	筆界特定	余白	
所　在	中央区日本橋人形町五丁目400番地２		余白	
家屋番号	400番２		余白	
① 種 類	② 構 造	③ 床 面 積 ㎡	原因及びその日付〔登記の日付〕	
ホテル	鉄筋コンクリート造鋼板葺９階建	１階 174 28 ２階 801 47 ３階 933 48 ４階 1573 93 ５階 1877 46 ６階 1514 73 ７階 1514 73 ８階 1514 73 ９階 391 82	昭和52年11月４日新築	
余白	余白	余白	昭和63年法務省令第37号附則第２条第２項の規定により移記 平成９年２月６日	

権 利 部（甲 区）（所 有 権 に 関 す る 事 項）			
順位番号	登記の目的	受付年月日・受付番号	権 利 者 そ の 他 の 事 項
1	所有権保存	昭和52年11月21日 第101352号	所有者　東京都中央区日本橋人形町五丁目５番５号 株式会社東京ホテル 順位１番の登記を移記
	余白	余白	昭和63年法務省令第37号附則第２条第２項の規定により移記 平成９年２月６日

権 利 部（乙 区）（所 有 権 以 外 の 権 利 に 関 す る 事 項）			
順位番号	登記の目的	受付年月日・受付番号	権 利 者 そ の 他 の 事 項
1	根抵当権設定	昭和52年11月21日 第101353号	原因　昭和52年11月21日設定 極度額　金３億円 債務者　東京都中央区日本橋人形町五丁目５番５号 株式会社東京ホテル 債権の範囲　銀行取引　手形債権　小切手債権 根抵当権者　東京都千代田区大手町七丁目７番７号 株式会社ＡＢＣ銀行 共同担保　目録（る）第6868号 順位１番の登記を移記

	余白	余白	昭和63年法務省令第37号附則第２条第２項の規定により移記 平成９年２月６日
2	根抵当権設定	平成24年５月11日 第43925号	原因　平成24年５月11日設定 債務者　東京都中央区日本橋人形町五丁目５番５号 民事次郎 極度額　金5,000万円 債権の範囲　信用金庫取引　手形債権　小切手債権 根抵当権者　東京都文京区本郷八丁目８番８号 ＸＹＺ信用金庫 共同担保　目録（を）第1860号

共　同　担　保　目　録			
記号及び番号	（る）第6868号	調製	平成９年２月６日
番　号	担保目的である権利の表示	順位番号	予　備
1	中央区日本橋人形町五丁目　400番2の土地	1	余白
2	中央区日本橋人形町五丁目　400番地2 家屋番号　400番2の建物	1	余白
			昭和63年法務省令第37号附則第2条第2項の規定により移記 平成９年２月６日

共　同　担　保　目　録			
記号及び番号	（を）第1860号	調製	平成24年５月11日
番　号	担保目的である権利の表示	順位番号	予　備
1	中央区日本橋人形町五丁目　400番2の土地	2	余白
2	中央区日本橋人形町五丁目　400番地2 家屋番号　400番2の建物	2	余白

これは登記記録に記録されている事項の全部を証明した書面である。

平成27年４月16日
東京法務局　　　　　　　　　　　　登記官　○　○　○　○　印

別紙３　株式会社東京ホテルの履歴事項一部証明書

<table>
<tr><td>会社法人等番号</td><td colspan="2">0100 - 01 - 111002</td></tr>
<tr><td>商号</td><td colspan="2">株式会社東京ホテル</td></tr>
<tr><td>本店</td><td colspan="2">東京都中央区日本橋人形町五丁目５番５号</td></tr>
<tr><td>公告をする方法</td><td colspan="2">官報に掲載してする</td></tr>
<tr><td>会社成立の年月日</td><td colspan="2">昭和51年５月６日</td></tr>
<tr><td rowspan="7">役員に関する事項</td><td>取締役　民　事　次　郎</td><td>平成25年10月30日重任
平成25年11月２日登記
平成26年11月７日死亡
平成26年11月19日登記</td></tr>
<tr><td>取締役　民　事　三　郎</td><td>平成25年10月30日重任
平成25年11月２日登記</td></tr>
<tr><td>取締役　民　事　四　郎</td><td>平成25年10月30日重任
平成25年11月２日登記</td></tr>
<tr><td>取締役　民　事　五　郎</td><td>平成26年11月19日就任
平成26年11月19日登記</td></tr>
<tr><td>東京都中央区日本橋人形町五丁目５番５号
代表取締役　民　事　次　郎</td><td>平成25年10月30日重任
平成25年11月２日登記
平成26年11月７日死亡
平成26年11月19日登記</td></tr>
<tr><td>東京都中央区日本橋人形町六丁目６番６号
代表取締役　民　事　三　郎</td><td>平成26年11月19日就任
平成26年11月19日登記</td></tr>
<tr><td>監査役　民　事　六　郎</td><td>平成25年10月30日重任
平成25年11月２日登記</td></tr>
<tr><td>取締役会設置会社に関する事項</td><td colspan="2">取締役会設置会社
平成17年法律第87号第136条の規定により平成18年５月１日登記</td></tr>
<tr><td>監査役設置会社に関する事項</td><td colspan="2">監査役設置会社
平成17年法律第87号第136条の規定により平成18年５月１日登記</td></tr>
</table>

これは登記記録に記録されている閉鎖されていない事項の一部であることを証明した書面である。

平成27年４月16日
東京法務局　　　　　　　　　　　　登記官　○　○　○　○　印

別紙4　亡民事次郎の親族関係

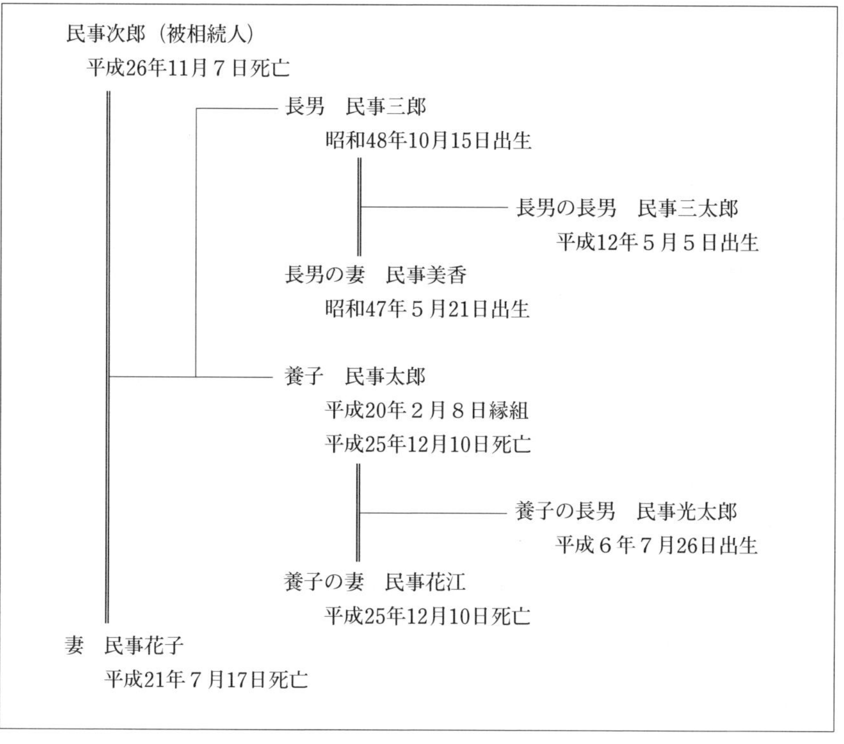

別紙５　代位弁済証書

代位弁済証書

東京都文京区本郷八丁目８番８号
　　一般社団法人ＸＹＺ保証基金
　　代表取締役【省略】殿

平成27年６月５日

東京都文京区本郷八丁目８番８号
ＸＹＺ信用金庫
代表取締役【省略】

1．後記不動産に設定されている極度額金50,000,000円也の根抵当権（平成24年５月11日東京法務局受付第43925号登記済）の被担保債権について，当金庫が債務者に対して有する金銭債権の一部である金65,345,566円を本日貴殿より弁済を受け，確かに受領しました。
2．前項の弁済金受領により，上記根抵当権につき貴殿が当金庫に一部代位することを異議なく承諾しました。

物件の表示
【省略】ただし，別紙１，別紙２の不動産が記載されているものとする。

以上

別紙６　根抵当権変更契約証書

根抵当権変更契約証書

平成27年７月３日

住　　　　所　　東京都千代田区大手町七丁目７番７号
根 抵 当 権 者　　株式会社ＡＢＣ銀行　代表取締役　【省略】

住　　　　所　　【省略】
根抵当権設定者　　【省略】

根抵当権設定者は，昭和51年６月16日，昭和52年11月21日根抵当権設定により後記物件に設定した根抵当権（昭和51年６月16日東京法務局受付第53156号，昭和52年11月21日東京法務局受付第101353号登記済）の極度額を，次のとおり変更することを約定しました。

極度額
　変更前　金300,000,000円
　変更後　金400,000,000円
物件の表示
【省略】ただし，別紙１，別紙２の不動産が記載されているものとする。

以上

別紙７　根抵当権譲渡契約証書

根抵当権譲渡契約証書

平成27年７月３日

住　　　　所　東京都千代田区大手町八丁目８番８号
根抵当権譲受人　株式会社ＣＤＥ銀行　代表取締役　【省略】

住　　　　所　東京都千代田区大手町七丁目７番７号
根抵当権譲渡人　株式会社ＡＢＣ銀行　代表取締役　【省略】

住　　　　所　【省略】
根抵当権設定者　【省略】

第１条（全部譲渡）
譲渡人は，昭和51年６月16日，昭和52年11月21日根抵当権設定により後記物件に設定された次の内容の確定前根抵当権（昭和51年６月16日東京法務局受付第53156号，昭和52年11月21日東京法務局受付第101353号登記済）を譲受人に全部譲渡いたしました。

極　度　額　金400,000,000円
債権の範囲　銀行取引　手形債権　小切手債権
債　務　者　東京都中央区日本橋人形町五丁目５番５号
　　　　　　株式会社東京ホテル

第２条（債務者の変更）
根抵当権設定者は，前条による譲渡後の根抵当権の債務者を，次の通り変更することを約定しました。

債務者
変更前　東京都中央区日本橋人形町五丁目５番５号　株式会社東京ホテル
変更後　東京都中央区日本橋人形町五丁目５番５号　株式会社東京ホテル
　　　　東京都中央区日本橋人形町六丁目６番６号　民事三郎

第３条（被担保債権の範囲の変更）
根抵当権設定者は，前条による譲渡後の根抵当権の被担保債権の範囲を，次の通り変更することを約定しました。

被担保債権の範囲

変更前　銀行取引による一切の債権

銀行が第三者から取得する手形上，小切手上の債権

変更後　銀行取引による一切の債権　保証取引

銀行が第三者から取得する手形上，小切手上の債権

（※）

物件の表示

【省略】ただし，別紙１，別紙２の不動産が記載されているものとする。

以上

注）上記（※）には，別紙８の⑴から⑷までの債権のうち，根抵当権の被担保債権の範囲として登記をすることができるもののみが記載されているものとする。

別紙８　株式会社ＣＤＥ銀行の検討メモ

検討メモ

⑴　株式会社ＡＢＣ銀行は，株式会社東京ホテルに対し，平成20年６月１日付けで5,000,000円を貸し付けており，その残額1,500,000円の回収が完了していないとのこと。弊社は，当該貸金債権の残額について，平成27年７月３日付けで債権譲渡を受ける予定。

　この債権について，根抵当権の被担保債権の範囲に含めることはできるか。

⑵　上記⑴の他にも，株式会社ＡＢＣ銀行は，株式会社東京ホテルに対して金銭債権を有するようであり，弊社は今後それらについて債権譲渡を受ける予定。

　弊社と株式会社ＡＢＣ銀行との間の債権譲渡取引に係る債権を，包括的に上記の根抵当権の被担保債権の範囲に含めることはできるか。

⑶　上記⑵について，株式会社ＡＢＣ銀行が株式会社東京ホテルに対して有する金銭債権が，電子記録債権である場合はどうか。

⑷　弊社と株式会社東京ホテルとの間での銀行取引に関連してこれから生じる不法行為に基づく損害賠償債権について，根抵当権の被担保債権の範囲に含めることはできるか。

MEMO

平成27年●答案用紙

第１欄

登記の目的	
登記原因 及びその日付	
申請人の氏名 又は名称	
添付情報	
登録免許税額	

第２欄

⑴　１番目に申請すべき登記

登記の目的	
登記原因 及びその日付	
変更後の事項	
申請人の氏名 又は名称	
添付情報	
登録免許税額	

(2)　2番目に申請すべき登記

登記の目的	
登記原因 及びその日付	
変更後の事項	
申請人の氏名 又は名称	
添付情報	
登録免許税額	

(3)　3番目に申請すべき登記

登記の目的	
登記原因 及びその日付	
変更後の事項	
申請人の氏名 又は名称	
添付情報	
登録免許税額	

第３欄

(1)　１番目に申請すべき登記

登記の目的	
登記原因 及びその日付	
変更後の事項	
申請人の氏名 又は名称	
添付情報	
登録免許税額	

(2)　２番目に申請すべき登記

登記の目的	
登記原因 及びその日付	
変更後の事項	
申請人の氏名 又は名称	
添付情報	
登録免許税額	

⑶　３番目に申請すべき登記

登記の目的	
登記原因 及びその日付	
変更後の事項	
申請人の氏名 又は名称	
添付情報	
登録免許税額	

⑷　４番目に申請すべき登記

登記の目的	
登記原因 及びその日付	
変更後の事項	
申請人の氏名 又は名称	
添付情報	
登録免許税額	

(5) 登記することができない債権の番号及びその理由

MEMO

[本問の重要論点一覧表]

出題範囲	重要論点	解説箇所
相続による所有権移転	養子縁組前に生まれていた養子の子は，養親との間には血族関係を生じないので，養親の代襲相続人になることはできない。	P488参照
根抵当権の債務者の相続及び一部代位弁済による根抵当権一部移転	根抵当権の債務者が死亡した場合に，相続開始後６か月以内に，相続による債務者の変更登記及び指定債務者の合意の登記をしない場合，当該根抵当権で担保すべき元本は，相続開始の時に確定したものとみなされる。	P491参照
	登記記録から根抵当権の元本が確定していることが明らかな場合であれば，元本確定の登記をしなくても，元本の確定を前提とする他の登記をすることができる。	P492参照
	根抵当権の元本確定後，被担保債権の一部について代位弁済があれば，一部代位が生じ，代位弁済者は債権者とともに権利を行使することとなる。	P494参照
根抵当権の極度額増額変更	根抵当権の極度額の変更は，増額，減額変更ともに元本確定の前後を問わず行うことができる。極度額の変更登記をする場合に，利害関係を有する者があるときは，その者の承諾を要し，当該利害関係人の承諾がなければ変更の効力が生じない。なお，利害関係人としては，同順位又は後順位の（根）抵当権者その他担保権者等が該当する。	P498参照
根抵当権の全部譲渡	根抵当権の全部譲渡とは，元本確定前の根抵当権を，根抵当権設定者の承諾を得て第三者に移転することをいう。根抵当権の全部譲渡がされた場合，以後その根抵当権は，譲受人が根抵当権者となる。	P502参照

出題範囲	重要論点	解説箇所
根抵当権の債権の範囲及び債務者の変更	根抵当権の債権の範囲は，債務者との特定の継続的取引契約から生じた債権，債務者との一定の種類の取引から生じた債権，特定の原因に基づいて債務者との間に継続して生ずる債権，手形上若しくは小切手上の請求権又は特定債権（前記の債権とともに担保する場合）でなければならない。なお，電子記録債権は，被担保債権の範囲として認められる。	P505参照
	根抵当権の債権の範囲の変更及び債務者の変更が同一の契約により行われている場合における根抵当権の変更登記は，一の申請情報によって申請することができる。	P506参照
	甲株式会社（代表取締役A）を債務者兼設定者とする根抵当権において，債務者を甲株式会社の他に代表取締役であるAを追加する行為は，利益相反取引に該当する。	P507参照

1 事件の概要

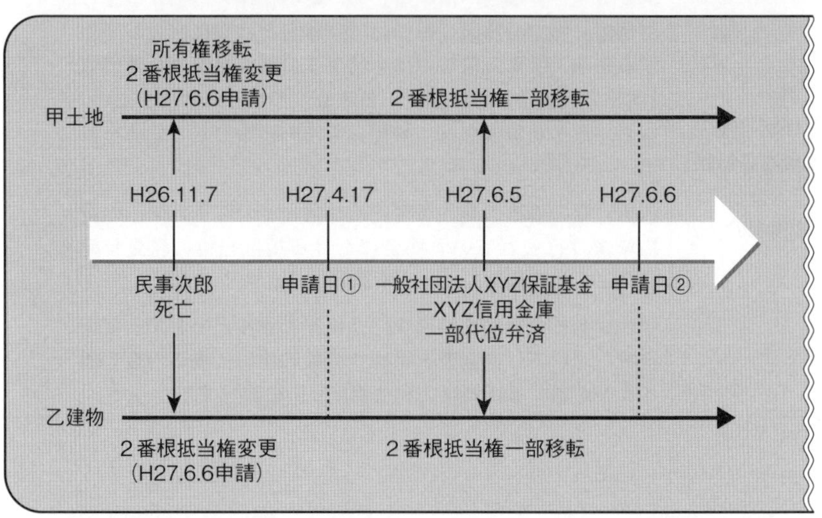
所有権移転
２番根抵当権変更
（H27.6.6申請）
２番根抵当権一部移転
甲土地
H26.11.7
H27.4.17
H27.6.5
H27.6.6
民事次郎
死亡
申請日①
一般社団法人XYZ保証基金
ーXYZ信用金庫
一部代位弁済
申請日②
乙建物
２番根抵当権変更
（H27.6.6申請）
２番根抵当権一部移転

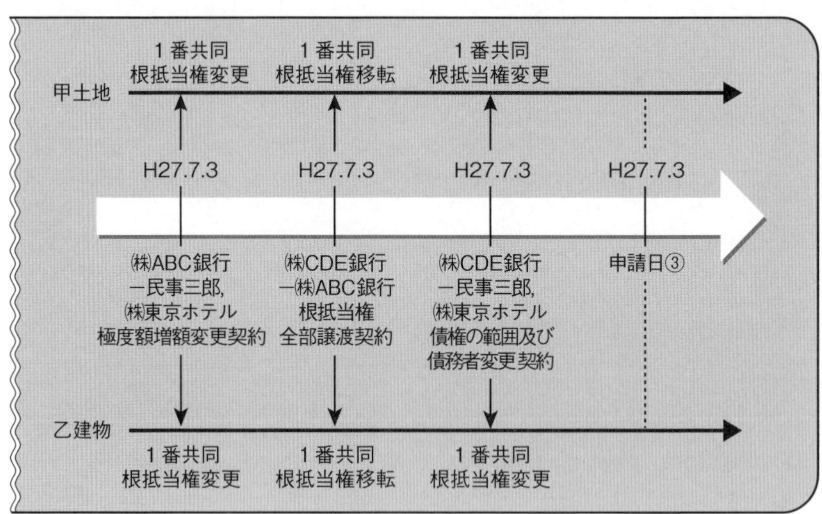
１番共同
根抵当権変更
１番共同
根抵当権移転
１番共同
根抵当権変更
甲土地
H27.7.3
H27.7.3
H27.7.3
H27.7.3
㈱ABC銀行
ー民事三郎,
㈱東京ホテル
極度額増額変更契約
㈱CDE銀行
ー㈱ABC銀行
根抵当権
全部譲渡契約
㈱CDE銀行
ー民事三郎,
㈱東京ホテル
債権の範囲及び
債務者変更契約
申請日③
乙建物
１番共同
根抵当権変更
１番共同
根抵当権移転
１番共同
根抵当権変更

2 相続による所有権移転

2−1 問題の所在

本問では，〔**平成27年４月16日民事三郎から聴取した内容**〕１及び別紙４より，甲土地の所有権登記名義人であり，甲土地及び乙建物に設定されている２番根抵当権の債務者でもある民事次郎が，平成26年11月７日に死亡していることが分かる。

問題文冒頭及び〔**平成27年４月16日民事三郎から聴取した内容**〕１より，司法書士法務花子は，平成27年４月16日に，民事次郎が死亡時に所有していた積極財産が甲土地のみであることを聴取した上で，民事次郎の相続人の全員より，登記の申請手続等について代理することの依頼を受け，翌日，登記の申請を行っている。

そこで，甲土地の所有権に関する登記手続について検討する必要がある。

ここで，甲土地の所有権に関する登記手続を検討するに当たっては，民事次郎の相続人を検討する必要がある。本問では，別紙４より，民事次郎の親族関係が示されているが，民事次郎の養子である民事太郎の死亡時期や民事太郎の実子である民事光太郎の代襲相続権の有無に注意して相続人を判断する必要がある。

2−2 問題点　相続による所有権移転登記に関する検討

前提の知識

相続人及び具体的相続分の判断

(イ)　子

第１順位の相続人は被相続人の子であり，子が数人いる場合には，共同して相続人となる。実子か養子か，嫡出子か非嫡出子かを問わず，子は全て相続人となる。

(ロ)　配偶者

被相続人の配偶者は，常に相続人となり（民890前段），血族相続人がいるときは，それと同順位で相続人となる（民890後段）。相続人としての「配偶者」は，法律上の婚姻関係にある夫婦の一方のことであり，内縁関係を含まない。

(ハ)　子及び配偶者の具体的相続分

子及び配偶者が相続人であるときは，子の相続分及び配偶者の相続分は各２分の１である（民900①）。なお，子が数人あるときは，各自の相続分は，相等しいものとなる。

(ニ)　相続放棄者

相続放棄をした者は，その相続に関しては，初めから相続人とならなかったものとみなされる（民939）。したがって，相続放棄をした者を相続人の数に入れないで，他の相続人の相続分を算定すべきこととなる。

(ホ)　代襲相続

被相続人の死亡以前に相続人となるべき子・兄弟姉妹が死亡等で相続権を失ったときに，その者の直系卑属（兄弟姉妹の場合はその子に限る。）が，その者に代わってその者の受けるはずであった相続分を相続する（民887Ⅱ・889Ⅱ）。

代襲原因は，相続開始以前に被代襲者が死亡しているか（同時死亡の場合も含まれる。），被代襲者が相続欠格者若しくは廃除されている場合に限られる。相続人が相続放棄をしている場合は，代襲原因とはならない。

(ヘ)　養子の子と代襲相続権

被相続人の子が相続開始以前に死亡したときは，その者の子が代襲して相続人となる。しかし，被相続人の直系卑属でない者は代襲相続人となることはできないものとされている（民887Ⅱ）。具体的には，養子縁組前に生まれていた養子の子は，養親との間には血族関係を生じない（大判昭7.5.11）ので，養親の代襲相続人になることはできない。

ただし，次のような例外がある。

下記の図の例では，Ｅは養子ＤのＡ，Ｂとの養子縁組前に生まれた子であるから，Ｄの側からみれば，Ａの直系卑属ではないため，Ａの代襲相続人にはなり得ないが，ＥはＡの実子Ｃの子でもあるので，Ｃの側からみれば，Ａの代襲相続人となり得ることとなり，先例は，Ｅの代襲相続権を認めている（昭35.8.5民甲1997号，昭36.12.25民甲3140号）。

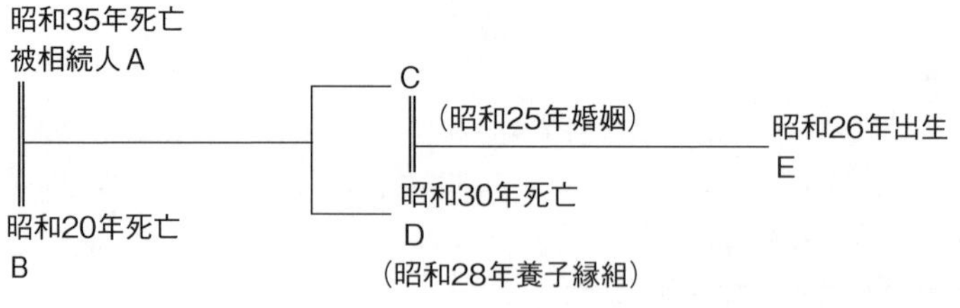

2−3 本問へのあてはめ

本問では，**〔平成27年４月16日民事三郎から聴取した内容〕**１及び別紙４より，平成26年11月７日，甲土地の所有権登記名義人である民事次郎が死亡していることが分かる。そこで，民事次郎の相続人について検討する必要がある。

この点，別紙４より，被相続人の配偶者である民事花子は，平成21年７月17日に既に死亡しているため，相続人とならない。他方，民事三郎は，被相続人の実子であり，民事次郎の相続開始時に生存しているので，民事次郎の相続人となる。 また，民事太郎は，平成20年２月８日，民事次郎と養子縁組をしているため，民事次郎の相続人となりうるところ，民事太郎は，平成25年12月10日に既に死亡している。そこで，民事太郎の実子である民事光太郎の代襲相続が問題となるが，代襲相続人は，被代襲者の直系卑属であり，かつ，被相続人の直系卑属であることを要する。そのため，被相続人民事次郎の養子である民事太郎の縁組前の子である民事光太郎は，被相続人民事次郎との間に血族関係を生じず，民事次郎の代襲相続人とならない。

よって，民事次郎の相続人は民事三郎のみとなる。

したがって，平成27年４月17日に，甲土地について，「平成26年11月７日相続」を原因として「所有権移転」登記を申請する。

申請情報に関する事項

《所有権移転》甲土地

⑴　登記の目的

「所有権移転」とする。

⑵　登記原因及びその日付

「平成26年11月７日相続」とする。

⑶　申請人

「相続人（被相続人　民事次郎）

民事三郎　　　　　　　　　　」とする。

⑷　申請情報と併せて提供することが必要な情報（添付情報）

ア　登記原因証明情報（不登61条，不登令７条１項５号ロ）

相続又は法人の合併による権利の移転の登記（不登63Ⅱ）における登記原因証明情報は，相続又は法人の合併を証する市町村長，登記官その他の公務員が職務上作成した情報（公務員が職務上作成した情報がない場合にあっては，これに代わるべき情報）及びその他の登記原因を証する情報である（不登令別表22添）。

本問では，民事次郎の法定相続人を特定することができる戸籍の全部事項証明書・戸籍謄本・除籍謄本及び改製原戸籍謄本，民事光太郎の戸籍の一部事項証明書及び民事三郎の戸籍の一部事項証明書を添付する。

イ　住所を証する情報（不登令別表30添付情報欄ハ）

所有権の保存又は移転の登記を申請する場合に，所有権の登記名義人となる者についての，市町村長，登記官その他の公務員が職務上作成した住所を証する情報（公務員が職務上作成した情報がない場合にあっては，これに代わるべき情報）を提供しなければならない。登記記録上に架空の所有者が現れることを防ぐためである。

なお，オンライン庁における申請では，住民基本台帳法7条13号に規定する住民票コードを提供すれば，当該住所を証する情報を提供することを要しない（不登令9，不登規36Ⅳ）。

本問では，民事三郎の住民票の写しを添付する。

ウ　代理人の権限を証する情報（不登令7条1項2号）

登記の申請を代理人により行う場合には，一定の場合を除き，代理人の権限を証する情報を提供しなければならない。登記の申請が，申請人の意図しているとおりのものであるか否かを登記官が確認する必要があるためである。

本問では，民事三郎の委任状を添付する。

(5)　課税価格

課税標準となる金額に1,000円未満の端数があるときは，その端数は切り捨てる（国税通則118Ⅰ）。

したがって，課税価格は，金1億7,493万3,000円となる。

(6)　登録免許税

課税価格に「1,000分の4」（登録税別表1.1.(2)イ）を乗じた額である。

以上から，次のように算定する。

金1億7,493万3,000円×1000分の4＝金69万9,732円

登録免許税の金額に，100円未満の端数があるときは，その端数は切り捨てる（国税通則119Ⅰ）。

したがって，登録免許税は，金69万9,700円となる。

3 根抵当権の債務者の相続及び一部代位弁済による根抵当権一部移転

3−1 問題の所在

本問では，〔平成27年６月４日関係当事者から聴取した内容〕２【民事三郎から聴取】した内容，３【ＸＹＺ信用金庫担当者から聴取】した内容及び別紙５より，平成27年６月５日に，ＸＹＺ信用金庫が有する甲土地及び乙建物の２番根抵当権の被担保債権の一部を一般社団法人ＸＹＺ保証基金が代位弁済したことが分かる。

そこで，一部代位弁済に基づく登記申請について検討する必要がある。

また，先述のとおり，２番根抵当権の債務者である民事次郎は，平成26年11月７日に死亡している。そこで，一部代位弁済に基づく登記申請の前提として必要となる登記についても併せて検討する必要がある。

ここでは，登記の申請順序に則って，まず，一部代位弁済に基づく登記の前提として必要となる登記（問題点①），次いで，一部代位弁済に基づく登記（問題点②）の順に検討する。

3−2 問題点①　根抵当権の債務者の相続及び元本確定登記の要否に関する検討

前提の知識

⑴　**根抵当権の債務者の相続**

元本確定前の根抵当権の債務者について相続が開始した場合は，その相続開始時に現存する債務（確定債務）は，相続人が承継する。したがって，この場合には，承継した相続人を明らかにするために債務者の変更の登記を申請する。

変更後の債務者の表示には，共同相続人全員の氏名及び住所を記載する。しかし，相続人が複数である場合においても，その持分を記載することを要しない。

⑵　**指定債務者の合意の登記と根抵当権の元本確定**

根抵当権の債務者が死亡した場合に，根抵当権者及び債務者の相続人が元本を確定させないで引き続き根抵当取引を継続しようとするときは，債務者の相続開始後６か月以内に，根抵当権者及び設定者の間で指定債務者の合意をし，さらに，①相続による債務者の変更登記及び②指定債務者の合意の登記をしなければならない。債務者の相続開始後６か月以内に①及び②の登記をしないときは，当該根抵当権で担保すべき元本は，相続開始の時に確定したものとみなされる。

(3) 元本確定の登記

元本の確定後であれば可能となる登記をするためには，原則として，元本の確定の登記を要するが，登記記録から根抵当権の元本が確定していることが明らかな場合であれば，元本確定の登記をしなくても，元本の確定を前提とする他の登記をすることができる。

○ 元本の確定の登記が不要な場合
- ・登記記録上の確定期日が到来しているとき。
- ・根抵当権者又は債務者について相続による移転又は変更の登記がされた後，合意の登記が期間内にされていないとき。
- ・民法398条の20第１項１号・２号・４号の規定により元本確定していることが登記記録上明らかなとき（注）。

（注） 民法398条の20第１項４号で規定する「債務者」が設定者と別人の場合，すなわち，物上保証である場合においては，元本確定の登記による公示が必要である。また，同条項号で規定する「根抵当権設定者」が法人である場合においても，同様に元本確定の登記を申請する必要がある。

3−3 本問へのあてはめ

本問では，〔**平成27年４月16日民事三郎から聴取した内容**〕１及び別紙４より，平成26年11月７日，甲土地及び乙建物の２番根抵当権の債務者である民事次郎が死亡し，その相続人が民事三郎のみであることが分かる。

そして，〔**平成27年６月４日関係当事者から聴取した内容**〕２【民事三郎から聴取】した内容及び別紙５より，平成27年６月５日に，ＸＹＺ信用金庫が有する甲土地及び乙建物の２番根抵当権の被担保債権の一部を一般社団法人ＸＹＺ保証基金が代位弁済したことが分かる。

そこで，まず，後述する甲土地及び乙建物の２番根抵当権一部移転登記の前提として，甲土地及び乙建物の２番根抵当権の債務者を，民事三郎とする相続による債務者変更の登記を申請する必要がある。

また，別紙１及び別紙２より，平成27年６月４日時点において，甲土地及び乙建物の２番根抵当権について，指定債務者の合意の登記がされないまま，債務者の相続開始から６か月が経過していることは明らかであるため，当該根抵当権の元本は確定していることが分かる。この点，指定債務者の合意の登記が期間内にされていない場合，元本確定の登記をしなくても，元本の確定を前提とする他の登記をすることができる。

本問では，〔事実関係に関する補足〕4より，司法書士法務花子は，申請件数及び登録免許税の額が最少となるように登記を申請しているため，２番根抵当権一部移転登記の前提として，民事次郎の相続を原因とする根抵当権の変更登記のみを申請する必要がある。

したがって，平成27年６月６日に，甲土地及び乙建物について，「平成26年11月７日相続」を原因として「２番根抵当権変更」登記を申請する。

3－4 問題点② 根抵当権一部移転登記に関する検討

前提の知識

⑴ **代位弁済**

保証人，物上保証人，連帯保証人等の第三者が，債務者に代わってその債務を弁済した場合，債務者に対して求償権を取得する（民459）。そして，債務者のために弁済した者は，弁済をするについて正当な利益を有するか否かにかかわらず，債権者に代位することができる（民499）。代位弁済は，代位弁済者の債務者に対する求償権を確保するために，法の規定によって，弁済により消滅するはずの原債権及び担保権を代位弁済者に移転させ，代位弁済者が求償権の範囲内で原債権及び担保権を行使することを認める制度である（民501Ⅰ・Ⅱ）。

代位弁済者が，弁済をするについて正当な利益を有しない場合には，債権譲渡の債務者・第三者対抗要件を具備しなければ，代位の事実を債務者・第三者に対抗することはできない（民500）。正当な利益を有する者の具体例としては，保証人，連帯保証人，物上保証人，連帯債務者，後順位抵当権者，債務者の財産保全の必要がある場合の一般債権者，担保目的物の第三取得者等がある。

なお，債権の一部についての代位弁済であれば一部代位が生じ，弁済者は債権者の同意を得て，債権者とともにその権利を行使することができる（民502Ⅰ）。ただし，その権利の行使によって得られる金銭について，債権者は代位者に優先する（民502Ⅲ）。

⑵ **根抵当権に関する代位の効果**

(ｲ) **確定前**

元本確定前の根抵当権の被担保債権の一部又は全部を代位弁済した場合，

根抵当権者が債務者に対して有していた債権は，求償権の範囲内で代位弁済者に移転するが，この債権を担保していた根抵当権は当然には移転しない。元本確定前の根抵当権は，債権に対する随伴性が否定されているからである（民398の７Ⅰ）。

(ロ) **確定後**

元本確定後の根抵当権の被担保債権について全部の代位弁済があったときは，債権とともにこれを担保している根抵当権も代位弁済者に移転する（民398の７Ⅰ参照）。また，債権の一部について代位弁済があったときは，代位弁済者は，その弁済した価額に応じて債権者とともにその権利を行うこととなり（民502Ⅰ），根抵当権の一部も代位弁済者に移転する。

3−5 本問へのあてはめ

本問では，〔**平成27年６月４日関係当事者から聴取した内容**〕２【**民事三郎から聴取**】した内容及び別紙５より，ＸＹＺ信用金庫が有する甲土地及び乙建物の２番根抵当権の被担保債権の一部を，平成27年６月５日に，一般社団法人ＸＹＺ保証基金が代位弁済することが分かる。

この点，〔**平成27年６月４日関係当事者から聴取した内容**〕３【**ＸＹＺ信用金庫担当者から聴取**】した内容より，一般社団法人ＸＹＺ保証基金は，平成24年４月18日，民事次郎の委託を受けて，ＸＹＺ信用金庫との間で保証契約を締結していることが分かるため，法律上当然に債権者に代位することとなり，２番根抵当権は一般社団法人ＸＹＺ保証基金に一部移転する。

したがって，平成27年６月６日に，甲土地及び乙建物について，「平成27年６月５日一部代位弁済」を原因として「２番根抵当権一部移転」登記を申請する。

＊　本問では，問題文冒頭より，司法書士法務花子は，民事三郎及びＸＹＺ信用金庫の担当者より，平成27年６月４日に，別紙５の提示を受けつつ２番根抵当権で担保されている債権の一部代位弁済に関する事実を聴取している。この時点において，別紙５の日付は「平成27年６月５日」となっていることから，別紙５は，一部代位弁済の事実に基づかずに作成されていることとなる。また，問題文中，登記の申請日である平成27年６月６日までに一部代位弁済が適法に行われたとの明確な記載もない。

そのため，一部代位弁済の効力に関しては疑義が残るところであるが，〔事実関係に関する補足〕１に，「…〔平成27年６月４日関係当事者から聴取した内容〕…は全て真実に合致しており，また，これらに基づく行為…は，全て適法である。」とあることから，一部代位弁済に基づく登記は申請すべきと考えることが，出題者の意図を酌んだ解答と解される。

申請情報に関する事項

《２番根抵当権変更》甲土地及び乙建物

(1)　**登記の目的**

「２番根抵当権変更」とする。

(2)　**登記原因及びその日付**

「平成26年11月７日相続」とする。

(3)　**登記事項**

「変更後の事項
　債務者（被相続人　民事次郎）
　　東京都中央区日本橋人形町六丁目６番６号
　　民事三郎　」とする。

(4)　**申請人**

「権利者　ＸＹＺ信用金庫
　　（会社法人等番号　0100－05－333004）
　　代表理事　（省略）
　義務者　民事三郎
　　株式会社東京ホテル
　　（会社法人等番号　0100－01－111002）
　　代表取締役　民事三郎　」とする。

(5)　**申請情報と併せて提供することが必要な情報（添付情報）**

ア　**登記原因証明情報（不登61条，不登令７条１項５号ロ）**

本問では，民事次郎の法定相続人を特定することができる戸籍の全部事項証明書・戸籍謄本・除籍謄本及び改製原戸籍謄本，民事光太郎の戸籍の一部事項証明書及び民事三郎の戸籍の一部事項証明書を添付する。

イ　**登記識別情報（登記済証）（不登22条，不登令８条，不登附則７条）**

本問では，民事三郎の甲土地甲区２番の登記識別情報及び株式会社東京ホテルの乙建物甲区１番の登記済証を添付する。

ウ　印鑑に関する証明書（不登令18条２項，不登規49条）

本問では，民事三郎の市町村長作成の印鑑証明書を添付する。なお，株式会社東京ホテルについては，会社法人等番号の提供により，印鑑証明書の添付を省略することができるが，（答案作成に当たっての注意事項）２(2)より【添付情報一覧】から株式会社東京ホテルの印鑑に関する証明書を選択し，その記号を記載する。

エ　代理人の権限を証する情報（不登令７条１項２号）

本問では，ＸＹＺ信用金庫の代表理事，民事三郎及び株式会社東京ホテルの代表取締役民事三郎の委任状を添付する。

オ　会社法人等番号（不登令７条１項１号イ）

申請人が会社法人等番号を有する法人であるときは，原則として，当該法人の会社法人等番号を提供することを要する。

また，申請情報と併せて会社法人等番号を提供したときは，印鑑証明書，住所証明情報，住所変更証明情報は提供不要となる。さらに，申請情報と併せて会社法人等番号を提供したときは，法人の合併による承継を証する情報又は法人の名称変更等を証する情報の提供に代えることができるものとされ，加えて，登記原因証明情報の一部として登記事項証明書の提供が必要とされている場合に，申請情報と併せて会社法人等番号を提供したときは，登記事項証明書の提供に代えることができる。

なお，住所の変更事項等が閉鎖登記記録に記録されている場合であっても，会社法人等番号を提供すれば，原則として，法人の住所変更等を証する情報の提供を省略することができる。ただし，平成24年５月20日（外国会社にあっては平成27年３月１日）以前の法人の登記においては，組織変更や他の登記所の管轄区域内への本店の移転の登記等をする場合に会社法人等番号が変更されていたため，平成24年５月20日（外国会社にあっては平成27年３月１日）以前の会社法人等番号が記録された登記記録に住所の移転の事項が記録されているときは，現在の会社法人等番号の提供に加えて，住所の移転の事項を確認することができる閉鎖事項証明書又は閉鎖登記簿謄本を提供する必要がある。

本問では，申請人欄に，XYZ信用金庫及び株式会社東京ホテルの本店，商号，代表者の氏名とともに，会社法人等番号を申請情報の内容とする。

(6)　登録免許税

不動産１個につき，金1,000円である（登録税別表1.1.(14)）。

本問では，金2,000円となる。

《2番根抵当権一部移転》甲土地及び乙建物

(1) **登記の目的**

「2番根抵当権一部移転」とする。

(2) **登記原因及びその日付**

「平成27年6月5日一部代位弁済」とする。

(3) **登記事項**

「弁済額　金6,534万5,566円」とする。

＊　答案用紙第2欄(2)2番目に申請すべき登記の解答欄には「変更後の事項」と記載されている。本件登記は，変更登記ではなく移転登記であるため，疑義の残る表現ではあるが，この箇所に「弁済額」を記載すべきと考えられる。

(4) **申請人**

「権利者　一般社団法人ＸＹＺ保証基金
　　　　(会社法人等番号　0100－05－444005)
　　　　代表理事　(省略)
義務者　ＸＹＺ信用金庫
　　　　(会社法人等番号　0100－05－333004)
　　　　代表理事　(省略)　」とする。

(5) **申請情報と併せて提供することが必要な情報（添付情報）**

ア　**登記原因証明情報（不登61条，不登令7条1項5号ロ）**

本問では，代位弁済証書（別紙5）を添付する。

イ　**登記識別情報（不登22条，不登令8条）**

本問では，甲土地乙区2番及び乙建物乙区2番の登記識別情報を添付する。

ウ　**代理人の権限を証する情報（不登令7条1項2号）**

本問では，一般社団法人ＸＹＺ保証基金及びＸＹＺ信用金庫の代表理事の委任状を添付する。

エ　**会社法人等番号（不登令7条1項1号イ）**

本問では，申請人欄に，一般社団法人XYZ保証基金及びXYZ信用金庫の本店，商号，代表者の氏名とともに，会社法人等番号を申請情報の内容とする。

(6) **課税価格**

代位弁済による根抵当権の一部移転の登記の課税価格は，代位弁済額が根抵当権の極度額を下回るときは，代位弁済額であり，上回るときは極度額である（昭43.4.2 民甲397号）

したがって，課税価格は，金5,000万円となる。

(7) **登録免許税**

「極度額」を課税価格として，それに「1,000分の２」（登録税別表1.1.(6)ロ）を乗じた額である。

以上から，次のように算定する。

金5,000万円×1,000分の２＝金10万円

4 根抵当権の極度額増額変更

4−1 問題の所在

本問では，〔**平成27年７月３日関係当事者から聴取した内容**〕４【**民事三郎から聴取**】した内容，５【**株式会社ＡＢＣ銀行担当者から聴取**】した内容及び別紙６より，平成27年７月３日，甲土地及び乙建物に設定されている１番根抵当権につき，極度額の増額変更契約が締結されていることが分かる。

そこで，根抵当権の極度額増額変更契約に基づく登記申請について検討する必要がある。

根抵当権の極度額を変更する場合，実体上，利害関係人の承諾がなければ変更の効力が生じない。そのため，利害関係人の有無についても検討する必要がある。

4−2 問題点　根抵当権の極度額増額変更に関する検討

前提の知識

(1) **極度額の変更**

根抵当権の極度額の変更は，増額，減額変更ともに元本確定の前後を問わず行うことができる（民398の５）。なお，共同根抵当権についての極度額の変更は，すべての不動産について登記をしなければ，その効力を生じない（民398の17Ⅰ）。

極度額の変更登記をする場合に，利害関係を有する者があるときは，その者の承諾を要し，当該利害関係人の承諾がなければ変更の効力が生じない（民398の５）。よって，登記原因についての利害関係人の承諾を証する情報は不動産登記令７条１項５号ハの情報ということとなり，この利害関係人の承諾を証する情報が提供された上で，必ず付記により極度額の変更登記がされる。

⑵　根抵当権の極度額変更登記における利害関係人

㈠　増額変更の場合

①　同順位又は後順位の（根）抵当権者その他担保権者

※　担保権者間で順位変更がされている場合，順位変更が当初から変更後の順位で各担保権を設定したものとする効果を生ずることから，変更後の順位に基づいて利害関係人を判断することとなる。

②　①の者が有する権利を目的として権利を有する者

③　後順位の不動産の（仮）差押債権者

※　ただし，後順位の国税又は地方税の滞納処分による差押登記がある場合であっても，その差押債権者は利害関係人とならない。

④　後順位の処分禁止の仮処分債権者

⑤　後順位の所有権の移転又は移転請求権等の仮登記名義人

㈡　減額変更の場合

①　民法376条の規定による処分の受益者

転抵当権者，根抵当権又はその順位の譲渡・放棄を受けた受益者は，当該根抵当権による優先弁済の額を限度として自己の債権の優先弁済を受けることができるので，極度額の減少により優先弁済の額が減少してしまい，不利益を受けるおそれがあるからである。

②　根抵当権の被担保債権に対する差押え又は仮差押登記の債権者及び質権者

4－3　本問へのあてはめ

本問では，〔**平成27年７月３日関係当事者から聴取した内容**〕４【民事三郎から聴取】した内容，５【株式会社ＡＢＣ銀行担当者から聴取】した内容及び別紙６より，平成27年７月３日，株式会社ＡＢＣ銀行，民事三郎及び株式会社東京ホテルの間で，株式会社ＡＢＣ銀行が有する甲土地及び乙建物の１番根抵当権の極度額を金３億円から金４億円に増額変更する旨の契約が締結されていることが分かる。

ここで，当該極度額増額変更の利害関係人として，後順位の担保権者であるＸＹＺ信用金庫（乙区２番で登記済）及び一般社団法人ＸＹＺ保証基金（平成27年６

月６日登記申請により，乙区２番付記１号で登記済）が該当するため，その承諾が必要となるが，〔**事実関係に関する補足**〕３より，各承諾は登記申請日までに得られていることが分かる。

よって，契約締結日である平成27年７月３日を原因日付として，１番共同根抵当権変更の登記を申請することができる。

したがって，平成27年７月３日に，甲土地及び乙建物について，「平成27年７月３日変更」を原因として「１番共同根抵当権変更」登記を申請する。

＊　根抵当権の極度額の変更は，利害関係人の承諾がなければ効力を生じないため（民398の５），極度額変更の登記申請に当たって利害関係人が存在する場合は，登記原因について第三者が許可，同意又は承諾したことを証する情報（不登令７Ⅰ⑤ハ）を添付しなければならない。

本問では，極度額増額変更登記申請に当たって，【添付情報一覧】ナ及びニが添付すべき承諾書になると考えられる。しかし，【添付情報一覧】ノからヒでは「登記原因に関する同意又は承諾」と記載されている一方，ナ及びニは，いずれも「登記上の利害関係人としての」と記載されていることから，不動産登記法第66条に規定される承諾書と解することもできる。しかし，【添付情報一覧】中，ナ及びニ以外にＸＹＺ信用金庫及び一般社団法人ＸＹＺ保証基金の承諾書に関する記載はないため，答案用紙第３欄(1)１番目に申請すべき登記の添付情報としては，ナ及びニを記載するものと解される。

申請情報に関する事項

《1番共同根抵当権変更》甲土地及び乙建物

(1)　**登記の目的**

「１番共同根抵当権変更」とする。

(2)　**登記原因及びその日付**

「平成27年７月３日変更」とする。

(3)　**登記事項**

「変更後の事項
　　極度額　金４億円」とする。

(4)　**申請人**

「権利者　株式会社ＡＢＣ銀行
　　　　　（会社法人等番号　0100 - 01 - 222003）
　　　　　代表取締役　（省略）

義務者　民事三郎
株式会社東京ホテル
（会社法人等番号　0100－01－111002）
代表取締役　民事三郎　　　　　」とする。

(5)　申請情報と併せて提供することが必要な情報（添付情報）

ア　登記原因証明情報（不登61条，不登令7条1項5号ロ）

本問では，根抵当権変更契約証書（別紙6）を添付する。

イ　登記識別情報（登記済証）（不登22条，不登令8条，不登附則7条）

本問では，民事三郎の甲土地甲区2番の登記識別情報及び株式会社東京ホテルの乙建物甲区1番の登記済証を添付する。

ウ　印鑑に関する証明書（不登令18条2項，不登規49条）

本問では，民事三郎の市町村長作成の印鑑証明書を添付する。なお，株式会社東京ホテルについては，会社法人等番号の提供により，印鑑証明書の添付を省略することができるが，（答案作成に当たっての注意事項）2(2)より【添付情報一覧】から株式会社東京ホテルの印鑑に関する証明書を選択し，その記号を記載する。

エ　登記原因についての第三者の許可，同意又は承諾を証する情報（不登令7条1項5号ハ）

登記原因について第三者の許可，同意又は承諾を要するときは，当該第三者が許可し，同意し，又は承諾したことを証する情報を提供しなければならない。

登記官が登記原因の発生に実体法上必要な第三者の許可等がされたことを手続の上で確認することで，無効な権利変動による登記がされることを防ぐためである。

本問では，ＸＹＺ信用金庫及び一般社団法人ＸＹＺ保証基金の承諾書を添付する。

オ　代理人の権限を証する情報（不登令7条1項2号）

本問では，株式会社ＡＢＣ銀行の代表取締役民事三郎及び株式会社東京ホテルの代表取締役民事三郎の委任状を添付する。

カ　会社法人等番号（不登令7条1項1号イ）

本問では，申請人欄に，株式会社ABC銀行及び株式会社東京ホテルの本店，商号，代表者の氏名とともに，会社法人等番号を申請情報の内容とする。

(6)　課税価格及び登録免許税

「極度額の増加分」を課税価格として（登録税12Ⅰ），それに「1,000分の4」

（登録税別表1.1.(5)）を乗じた額である。

以上から，次のように算定する。

金４億円－金３億円＝金１億円

金１億円×1,000分の４＝金40万円

5 根抵当権の全部譲渡

5−1 問題の所在

本問では，〔**平成27年７月３日関係当事者から聴取した内容**〕４【民事三郎から聴取】した内容，５【株式会社ＡＢＣ銀行担当者から聴取】した内容，６【株式会社ＣＤＥ銀行担当者から聴取】した内容及び別紙７より，平成27年７月３日，甲土地及び乙建物に設定されている１番根抵当権につき，全部譲渡契約が締結されていることが分かる。

そこで，根抵当権の全部譲渡契約に基づく登記申請について検討する必要がある。

5−2 問題点　根抵当権の全部譲渡に関する検討

前提の知識

(1)　**根抵当権の全部譲渡**

根抵当権の全部譲渡とは，元本確定前の根抵当権を，根抵当権設定者の承諾を得て第三者に移転することをいう（民398の12Ⅰ）。この根抵当権設定者の承諾が全部譲渡契約の後に得られているときは，その承諾の日が，全部譲渡契約の効力発生日となる。

(2)　**根抵当権全部譲渡の効果**

根抵当権の全部譲渡がされた場合には，以後その根抵当権は，譲受人のみが根抵当権者となり，譲渡人は当該根抵当権関係から離脱する。したがって，根抵当権の全部譲渡の後は，当該根抵当権は譲受人と債務者の間の根抵当取引により生じた債権を担保する根抵当権となる。

なお，根抵当権のその他の内容は変更されるわけではなく，極度額，債務者，被担保債権の範囲，確定期日の定めは変更しない。

5-3 本問へのあてはめ

本問では，〔**平成27年７月３日関係当事者から聴取した内容**〕４【民事三郎から聴取】した内容，５【株式会社ＡＢＣ銀行担当者から聴取】した内容，６【株式会社ＣＤＥ銀行担当者から聴取】した内容及び別紙７より，平成27年７月３日，株式会社ＣＤＥ銀行及び株式会社ＡＢＣ銀行の間で，根抵当権を全部譲渡する旨の契約が締結されたことが分かる。当該根抵当権につき，元本が確定している事実はなく，また，〔**事実関係に関する補足**〕３より，設定者である民事三郎及び株式会社東京ホテルの各承諾は登記申請日までに得られていることが分かる。

よって，契約締結日である平成27年７月３日を原因日付として，１番共同根抵当権移転の登記を申請することができる。

したがって，平成27年７月３日に，甲土地及び乙建物について，「平成27年７月３日譲渡」を原因として「１番共同根抵当権移転」登記を申請する。

申請情報に関する事項

《１番共同根抵当権移転》甲土地及び乙建物

⑴ **登記の目的**
「１番共同根抵当権移転」とする

⑵ **登記原因及びその日付**
「平成27年７月３日譲渡」とする。

⑶ **申請人**
「権利者　株式会社ＣＤＥ銀行
（会社法人等番号　0100 - 01 - 555006）
代表取締役　（省略）
義務者　株式会社ＡＢＣ銀行
（会社法人等番号　0100 - 01 - 222003）
代表取締役　（省略）」とする。

⑷ **申請情報と併せて提供することが必要な情報（添付情報）**

ア　**登記原因証明情報（不登61条，不登令７条１項５号ロ）**
本問では，根抵当権譲渡契約証書（別紙７）を添付する。

イ　**登記識別情報（登記済証）（不登22条，不登令８条，不登附則７条）**
本問では，株式会社ＡＢＣ銀行の甲土地乙区１番及び乙建物乙区１番の登記済証を添付する。

ウ　**登記原因についての第三者の許可，同意又は承諾を証する情報（不登令７条１項５号ハ）**

本問では，民事三郎及び株式会社東京ホテルの承諾書を添付する。

エ　代理人の権限を証する情報（不登令７条１項２号）

本問では，株式会社ＣＤＥ銀行及び株式会社ＡＢＣ銀行の代表取締役の委任状を添付する。

オ　会社法人等番号（不登令７条１項１号イ）

本問では，申請人欄に，株式会社CDE銀行及び株式会社ABC銀行の本店，商号，代表者の氏名とともに，会社法人等番号を申請情報の内容とする。

(5)　課税価格及び登録免許税

「極度額」を課税価格として，それに「1,000分の２」（登録税別表1.1.(6)ロ）を乗じた額である。

以上から，次のように算定する。

金４億円×1,000分の２＝金80万円

6　根抵当権の債権の範囲及び債務者の変更

6−1　問題の所在

本問では，〔**平成27年７月３日関係当事者から聴取した内容**〕４【民事三郎から聴取】した内容，５【株式会社ＡＢＣ銀行担当者から聴取】した内容，６【株式会社ＣＤＥ銀行担当者から聴取】した内容及び別紙７より，平成27年７月３日，甲土地及び乙建物に設定されている１番根抵当権につき，債権の範囲及び債務者を拡張する旨の変更契約が締結されていることが分かる。

そこで，根抵当権の債権の範囲及び債務者を変更した場合における登記申請について検討する必要がある。

ここで，別紙７の第３条では，変更後の被担保債権の範囲に空欄となっている箇所がある。この点に関して，別紙８(1)〜(4)に記載されている各債権につき，根抵当権の債権の範囲としての適格性が問題となる。

また，債務者として追加される民事三郎は，乙建物の所有権登記名義人である株式会社東京ホテルの代表取締役でもある。そこで，会社取締役間の利益相反取引についても検討する必要がある。

6−2 問題点　根抵当権の債権の範囲及び債務者に関する検討

前提の知識

⑴　**根抵当権変更登記**

元本確定前においては，当事者の合意によって債権の範囲を変更することができる。債務者の変更についても同様である（民398の４Ⅰ）。また，債務者が複数である場合に，債務者ごとに異なる債権の範囲を定めることは差し支えない。しかし，元本確定後には，債権の範囲及び債務者を変更することはできない（民398の４Ⅰ）。

⑵　**債務者の変更登記の申請人**

原則として，根抵当権者が登記権利者，設定者が登記義務者となって申請する。

なお，債務者が「Ａ及びＢからＡ」と縮減的に変更する場合は，設定者が登記権利者，根抵当権者が登記義務者となって申請する。債務者が「ＡからＡ及びＢ」と追加的に変更する場合は，原則どおり，根抵当権者が登記権利者，設定者が登記義務者となる。債務者が「ＡからＣ，Ａ及びＢからＣ」と交換的に変更する場合は，原則どおり，根抵当権者が登記権利者，設定者が登記義務者となる。

⑶　**債権の範囲**

被担保債権の定め方は法定されており，具体的には，次の要領で定めることを要する（民398の２）。

⑴　**債務者との特定の継続的取引契約から生じた債権**

⑵　**債務者との一定の種類の取引から生じた債権**

〈登記することができる例〉

売買取引，保証委託取引，商品供給取引，銀行取引，手形貸付取引，請負取引，消費貸借取引，保証取引，賃貸借取引，使用貸借取引，信託取引

〈登記することができない例〉

商取引，根抵当取引，商社取引，準消費貸借取引，リース取引，保証債務取引，商品委託取引，手形・小切手取引

⑶　**特定の原因に基づいて債務者との間に継続して生ずる債権**

登記することができる例として，「甲工場の排液による損害賠償債権」，「乙工場からの清酒移出による酒税債権」等がある。

(ニ)　**手形上若しくは小切手上の請求権**

この場合，「手形債権　小切手債権」と記載する。「手形・小切手債権」と省略して記載することはできない。

(ホ)　**電子記録債権**

(ヘ)　**特定債権**

ただし，特定債権のみを担保する根抵当権を設定することはできないため，上記(イ)から(ホ)までのいずれかとともに担保することとなる。

《債権の範囲の変更の可否》　　○＝変更可能　×＝変更不可

債権の範囲を全く入れ替える変更契約	○
債権の範囲を追加する変更契約	○
債権の範囲を縮減する変更契約	○
共有根抵当権の各根抵当権者ごとに債権の範囲を変更する契約	○
共用根抵当権の債務者ごとに債権の範囲を変更する契約	○
特定債権のみを被担保債権とする変更契約	○
cf. 特定債権のみを被担保債権とする根抵当権設定契約	×

(4)　**利害関係人**

債権の範囲を変更する場合も，債務者を変更する場合も，後順位抵当権者や転抵当権者その他の第三者の承諾は一切不要である（民398の４Ⅱ）。

(5)　**一申請情報申請の可否**

根抵当権の債務者の変更及び債権の範囲の変更が同一の契約により行われているときは，当該変更登記は一の申請情報によって申請することができる。

(6)　**会社の利益相反取引**

取締役が自己又は第三者のために株式会社と取引をしようとするとき，又は，株式会社が取締役の債務を保証することその他取締役以外の者との間において株式会社と当該取締役との利益が相反する取引をしようとするときには，取締役は，株主総会において，当該取引につき重要な事実を開示し，その承認を受けなければならない（会社356Ⅰ②・③）。ただし，取締役会設置会社においては，会社法356条１項中「株主総会」とあるのは，「取締役会」とする（会社365Ⅰ）。

これに違反して取引をした場合の効力については，会社は，取締役及び悪意の第三者に無効を主張できるが，善意の第三者には無効を主張できない（相対的無効説：最判昭43.12.25参照）。したがって，承認決議は，厳密な意味で効力発生要件とはいえず，登記原因の日付にも影響を与えないが，登記実務は，取引の安全の要請から，株式会社の株主総会議事録又は取締役会議事録の添付を要求している（不登令７Ⅰ⑤ハ)。

⑺　**根抵当権の債務者の変更**

甲株式会社（代表取締役Ａ）を債務者兼設定者とする根抵当権において，債務者を甲株式会社の代表取締役であるＡに変更する行為は，Ａの債務を担保するために甲株式会社を設定者とする根抵当権を設定する場合と同様，利益相反取引に該当する。よって，甲株式会社の株主総会（取締役会設置会社においては取締役会）の承認を要する。

6−3　本問へのあてはめ

本問では，〔**平成27年７月３日関係当事者から聴取した内容**〕４【民事三郎から聴取】した内容，５【株式会社ＡＢＣ銀行担当者から聴取】した内容，６【株式会社ＣＤＥ銀行担当者から聴取】した内容及び別紙７より，平成27年７月３日，株式会社ＣＤＥ銀行，民事三郎及び株式会社東京ホテルの間で，根抵当権の債権の範囲及び債務者を拡張する変更契約が締結されたことが分かる。この点，当該根抵当権には確定期日の定めはなく，また，他に根抵当権の元本が確定している事実も示されていないため，根抵当権の債権の範囲及び債務者を変更することは可能である。

そして，根抵当権の債権の範囲及び債務者の変更が同一の契約により行われている場合は，変更登記を一の申請情報により申請することができるところ，〔**事実関係に関する補足**〕４より，司法書士法務花子は，申請件数及び登録免許税の額が最少となるように登記を申請しているため，一の申請情報により申請することとなる。なお，本問では，債権の範囲及び債務者ともに拡張する場合であるので，原則どおり，根抵当権者株式会社ＣＤＥ銀行を登記権利者，民事三郎及び株式会社東京ホテルを登記義務者として申請する。

【債権の範囲の変更について検討すべき論点】

〔**平成27年７月３日関係当事者から聴取した内容**〕６【株式会社ＣＤＥ銀行担当者から聴取】した内容，別紙７及び別紙８より，根抵当権の債権の範囲として担保可能な債権の種類が問題となる。

まず，別紙８の検討メモ⑴で記載されている，株式会社ＣＤＥ銀行が株式会社ＡＢＣ銀行より平成27年７月３日に譲り受ける債権については，特定債権として，根抵当権の債権の範囲に含めることができる。次に⑵で問題となる，株式会社ＣＤＥ銀行が株式会社ＡＢＣ銀行より，将来譲り受ける債権を包括的に根抵当権の債権の範囲とすることの可否であるが，根抵当権者の地位が強大化し，後順位担保権者の担保価値が損なわれることを防ぐ趣旨から，このような債権を根抵当権の債権の範囲とすることはできない。他方，(3)で記載されている，株式会社ＡＢＣ銀行の株式会社東京ホテルに対する金銭債権が電子記録債権である場合，当該債権は手形・小切手と類似の性質を持つことから，根抵当権の債権の範囲として認められる。なお，債権の範囲として銀行取引が含まれている場合であっても，債権者が第三者から電子記録債権を譲り受けた場合は，手形・小切手と同様の性質を有するため，電子記録債権として登記することができる。最後に，(4)株式会社ＣＤＥ銀行と株式会社東京ホテルとの間の銀行取引に関連して生じる不法行為に基づく損害賠償請求権については，継続発生原因の特定がないため，債権の範囲として認められず，登記をすることはできない。

よって，別紙７の変更後の被担保債権の範囲として［（※）］に記載されている債権は，(1)「平成27年７月３日債権譲渡（譲渡人株式会社ＡＢＣ銀行）に係る債権」及び(3)「電子記録債権」となる。

【債務者の変更について検討すべき論点】

別紙３より，債務者として追加される民事三郎は，株式会社東京ホテルの代表取締役であることが分かる。ここで，株式会社東京ホテルを設定者とする根抵当権の債務者を，株式会社東京ホテルに加えて当会社の代表取締役である民事三郎を追加することは，利益相反取引に該当するため，株式会社東京ホテルの承認を得なければならない。この点，株式会社東京ホテルは取締役会設置会社であり，また，〔**事実関係に関する補足**〕３より，承認決議は登記申請日までに得られていることから，取締役会議事録を添付して根抵当権変更登記を申請する必要がある。

以上を踏まえて，平成27年７月３日に，甲土地及び乙建物について，「平成27年７月３日変更」を原因として「１番共同根抵当権変更」登記を申請する。

申請情報に関する事項

《１番共同根抵当権変更》甲土地及び乙建物

(1)　**登記の目的**

「１番共同根抵当権変更」とする。

(2)　**登記原因及びその日付**

「平成27年７月３日変更」とする。

(3)　**登記事項**

「変更後の事項

債権の範囲　銀行取引

保証取引

手形債権
小切手債権
平成27年７月３日債権譲渡（譲渡人株式会社ＡＢＣ銀行）
に係る債権
電子記録債権
債務者　東京都中央区日本橋人形町五丁目５番５号
株式会社東京ホテル
東京都中央区日本橋人形町六丁目６番６号
民事三郎　」とする。

⑷　**申請人**

「権利者　株式会社ＣＤＥ銀行
（会社法人等番号　0100－01－555006）
代表取締役　（省略）
義務者　民事三郎
株式会社東京ホテル
（会社法人等番号　0100－01－111002）
代表取締役　民事三郎　」とする。

⑸　**申請情報と併せて提供することが必要な情報（添付情報）**

ア　登記原因証明情報（不登61条，不登令７条１項５号ロ）

本問では，根抵当権譲渡契約証書（別紙７）を添付する。

イ　登記識別情報（登記済証）（不登22条，不登令８条，不登附則７条）

本問では，民事三郎の甲土地甲区２番の登記識別情報及び株式会社東京ホテルの乙建物甲区１番の登記済証を添付する。

ウ　印鑑に関する証明書（不登令18条２項，不登規49条）

本問では，民事三郎の市町村長作成の印鑑証明書を添付する。なお，株式会社東京ホテルについては，会社法人等番号の提供により，印鑑証明書の添付を省略することができるが，（答案作成に当たっての注意事項）２⑵より【添付情報一覧】から株式会社東京ホテルの印鑑に関する証明書を選択し，その記号を記載する。

エ　登記原因についての第三者の許可，同意又は承諾を証する情報（不登令７条１項５号ハ）

本問では，株式会社東京ホテルの取締役会議事録を添付する。

オ　代理人の権限を証する情報（不登令７条１項２号）

本問では，株式会社ＣＤＥ銀行の代表取締役，民事三郎及び株式会社東京ホテルの代表取締役民事三郎の委任状を添付する。

カ　会社法人等番号（不登令７条１項１号イ）

本問では，申請人欄に，株式会社CDE銀行及び株式会社東京ホテルの本店，商号，代表者の氏名とともに，会社法人等番号を申請情報の内容とする。

⑹　登録免許税

不動産１個につき，金1,000円である（登録税別表1.1.⒁）。

本問では，金2,000円となる。

MEMO

第１欄

登記の目的	所有権移転
登記原因 及びその日付	平成26年11月７日相続
申請人の氏名 又は名称	相続人（被相続人　民事次郎） 　民事三郎
添付情報	オ，カ，キ，ケ
登録免許税額	金69万9,700円

第２欄

⑴　**１番目に申請すべき登記**

登記の目的	２番根抵当権変更
登記原因 及びその日付	平成26年11月７日相続
変更後の事項	債務者（被相続人　民事次郎） 　東京都中央区日本橋人形町六丁目６番６号 　民事三郎
申請人の氏名 又は名称	権利者　ＸＹＺ信用金庫 　　　　（会社法人等番号　0100－05－333004） 義務者　民事三郎 　　　　株式会社東京ホテル 　　　　（会社法人等番号　0100－01－111002）
添付情報	オ，カ，ケ，サ，セ，ツ，ト
登録免許税額	金2,000円

(2) ２番目に申請すべき登記

登記の目的	２番根抵当権一部移転
登記原因 及びその日付	平成27年６月５日一部代位弁済
変更後の事項	弁済額　金6,534万5,566円
申請人の氏名 又は名称	権利者　一般社団法人ＸＹＺ保証基金 （会社法人等番号　0100－05－444005） 義務者　ＸＹＺ信用金庫 （会社法人等番号　0100－05－333004）
添付情報	イ，ス，タ
登録免許税額	金10万円

(3) ３番目に申請すべき登記

登記の目的	登記不要
登記原因 及びその日付	
変更後の事項	
申請人の氏名 又は名称	
添付情報	
登録免許税額	

第３欄

⑴　**１番目に申請すべき登記**

登記の目的	１番共同根抵当権変更
登記原因 及びその日付	平成27年７月３日変更
変更後の事項	極度額　金４億円
申請人の氏名 又は名称	権利者　株式会社ＡＢＣ銀行 （会社法人等番号　0100－01－222003） 義務者　民事三郎 株式会社東京ホテル （会社法人等番号　0100－01－111002）
添付情報	ウ，サ，セ，ツ，ト，ナ，ニ
登録免許税額	金40万円

⑵　**２番目に申請すべき登記**

登記の目的	１番共同根抵当権移転
登記原因 及びその日付	平成27年７月３日譲渡
変更後の事項	なし
申請人の氏名 又は名称	権利者　株式会社ＣＤＥ銀行 （会社法人等番号　0100－01－555006） 義務者　株式会社ＡＢＣ銀行 （会社法人等番号　0100－01－222003）
添付情報	エ，シ，ソ，ノ，ヒ
登録免許税額	金80万円

(3) ３番目に申請すべき登記

登記の目的	１番共同根抵当権変更
登記原因 及びその日付	平成27年７月３日変更
変更後の事項	債権の範囲　銀行取引　保証取引 手形債権　小切手債権 平成27年７月３日債権譲渡（譲渡人 株式会社ＡＢＣ銀行）に係る債権 電子記録債権 債務者　東京都中央区日本橋人形町五丁目５番５号 株式会社東京ホテル 東京都中央区日本橋人形町六丁目６番６号 民事三郎
申請人の氏名 又は名称	権利者　株式会社ＣＤＥ銀行 （会社法人等番号　0100 - 01 - 555006） 義務者　民事三郎 株式会社東京ホテル （会社法人等番号　0100 - 01 - 111002）
添付情報	エ，サ，セ，ツ，ト，ヒ
登録免許税額	金2,000円

(4) ４番目に申請すべき登記

登記の目的	登記不要
登記原因 及びその日付	
変更後の事項	
申請人の氏名 又は名称	
添付情報	
登録免許税額	

(5) 登記することができない債権の番号及びその理由

(2) 根抵当権の債権の範囲を包括的に定めることはできないから。

(4) 不法行為に基づく損害賠償請求権を根抵当権の債権の範囲とする場合,継続的な発生原因に基づくものでなければならないから。

MEMO

過去問題資料集

※　次頁以降の問題は本試験当時の内容をそのまま掲載しており，一部現行法に対応していない部分があります。現行法に対応していない部分については，網掛けで表示をしています。予めご了承ください。

問題　平成26年

次の【事実関係】に記載された事実に基づき，司法書士法務花子が依頼を受けて申請をした登記の手続及び登記が完了した後に受けた質問について，後記の問1から問4までに答えなさい。

【事実関係】

1　A株式会社の代表取締役であるCは，D株式会社の取締役を兼任している。

2　Bは，平成15年4月1日，名古屋市名東区藤が丘二丁目1番9号に，住所を移転した。

3　Vファイナンス株式会社は，長年，A株式会社に対して金銭を貸し付けていたが，その返済が滞り，期限の利益が失われた。そこで，Vファイナンス株式会社は，A株式会社に対する債務名義を取得し，平成26年5月8日，横浜地方裁判所に，A株式会社の所有する甲土地の持分について強制競売の申立てをした。

4　株式会社ABC銀行は，A株式会社に対する銀行取引上の債権の回収が遅滞し，その期限の利益喪失後の対応に苦慮していたところ，A株式会社が持分を有している甲土地が，C及びD株式会社に賃貸されているとの情報を得た。そこで，株式会社ABC銀行は，甲土地に設定した根抵当権に基づき，平成26年5月15日，横浜地方裁判所に，当該賃貸によってA株式会社がC及びD株式会社から得る賃料債権につき，物上代位による差押えの申立てをした。

5　横浜地方裁判所は，上記3の申立てに基づく当該強制競売の開始決定をした後，別紙1の甲区3番の差押えの登記を嘱託するとともに，株式会社ABC銀行とZ信託銀行株式会社に対し，債権届出の催告書を発送した。催告書は平成26年5月23日に両銀行に到達し，これにより，株式会社ABC銀行とZ信託銀行株式会社は，同日，別紙1の甲区3番の差押えの事実を了知した。

6　さらに，横浜地方裁判所は，平成26年5月22日，上記4の申立てに基づく債権の差押命令を発令し，同日，C及びD株式会社にその命令が送達され，更に同月23日，A株式会社にもその命令が送達された。

7　Bは，平成26年5月23日，元々住んでいた横浜市西区大岩町二丁目3番地に，再度，住所を移転した。

8　B，C及びFは，平成26年5月26日，株式会社ABC銀行，株式会社Y銀行，Z信託銀行株式会社及びVファイナンス株式会社と，今後の対応について協議した。その結果，後日，A株式会社とBが共有する甲土地をD株式会社に売ると同時に，A株式会社の負債を完済することで，協議がまとまった。

9　平成26年5月26日，司法書士法務花子は，関係当事者から不動産登記に関する相談を受け，上記１から８までの事実関係を聴取するとともに，別紙１から別紙４までの各書面の提示を受けた。司法書士法務花子は，関係当事者に対して，登記に必要な書類を準備するよう求めるとともに，登記の申請に先立ってするべき手続があることを告げ，同年６月４日までに，必要な準備や手続を終えるよう依頼した。

10　A株式会社，B及びD株式会社は，平成26年６月４日，別紙５のとおりの売買契約を締結した。

11　A株式会社は，平成26年６月４日，株式会社ＡＢＣ銀行に対し，その被担保債権の全額を弁済した。当該弁済を受けた株式会社ＡＢＣ銀行は，A株式会社及びBに対し，別紙６の根抵当権解除証書を交付した。

12　A株式会社は，平成26年６月４日，Z信託銀行株式会社に対し，その被担保債権の全額を弁済した。別紙１の乙区２番付記１号の担保権の移転に係る信託には，その終了原因や弁済金の受領権限につき信託行為に別段の定めはなく，当該弁済により，Z信託銀行株式会社と株式会社Y銀行との間の信託も，その目的を達成したので終了した。

13　Vファイナンス株式会社は，平成26年６月４日，横浜地方裁判所にて，上記３の強制競売の申立てを取り下げた。同裁判所の担当書記官は，Vファイナンス株式会社に対し，事件処理上の都合により，同日付けでは別紙１の甲区３番の差押えの登記の抹消を嘱託できないので，当該差押えの登記の抹消は，同月５日付けで管轄登記所に嘱託することになると告げた。

14　株式会社ＡＢＣ銀行は，平成26年６月４日，横浜地方裁判所にて，上記４の差押えの申立てを取り下げた。

15　平成26年６月４日，司法書士法務花子は，関係当事者から上記10から14までの事実関係を聴取するとともに，必要な手続を終えたとの報告を受けたため，株式会社Y銀行を除く関係当事者全員から，上記１から14までの事実に基づいて必要となる全ての登記の申請手続につき代理することの依頼を受けるとともに，登記申請に関する委任状その他**【添付情報一覧】**に記載された書類を受領し，同日，管轄登記所に書面を提出する方法により，登記の申請を行った。

16⑴　登記申請に当たって法律上必要な手続は，登記の申請までに全てされている。

なお，登記原因につき第三者の許可，同意又は承諾を要する場合には，平成26年６月３日に，それぞれ第三者の許可，同意又は承諾を得ている。

⑵　甲土地に係る不動産の課税標準の額は２億4,365万7,819円であり，乙建物に係る不動産の課税標準の額は7,281万2,436円である。

問１　**【事実関係】**に基づき，司法書士法務花子が甲土地について申請した根抵当権に関する各登記の申請情報の内容のうち，登記の目的，登記原因及びその日付，申請人の氏名又は名称，添付情報並びに登録免許税額について，司法書士法務花子が申請した登記の順に従って，答案用紙の第１欄⑴から⑶までの各欄に記載しなさい。

問２　**【事実関係】**に基づき，司法書士法務花子が甲土地について申請した抵当権に関する各登記の申請情報の内容のうち，登記の目的，登記原因及びその日付，申請人の氏名又は名称，添付情報並びに登録免許税額について，司法書士法務花子が申請した登記の順に従って，答案用紙の第２欄⑴及び⑵の各欄に記載しなさい。

問３　**【事実関係】**に基づき，司法書士法務花子が甲土地について申請した所有権に関する各登記の申請情報の内容のうち，登記の目的，登記原因及びその日付，申請人の氏名又は名称，添付情報並びに登録免許税額について，司法書士法務花子が申請した登記の順に従って，答案用紙の第３欄⑴から⑶までの各欄に記載しなさい。

問４　**【事実関係】**及び上記問１から問３までに基づく登記が完了した後の平成26年６月27日，司法書士法務花子は，甲土地上にある乙建物につき，Ｄ株式会社の代表者から，次の**【質問内容】**記載の質問を受けるとともに，改めて別紙７及び別紙８の各書面の提示を受けた。そこで，司法書士法務花子は，Ｄ株式会社の代表者に対し，質問に対する回答をした。

この場合における司法書士法務花子がした回答について，その回答が**【質問内容】**記載の用益権の登記をすることができるという内容であるときは，当該登記の申請情報の内容のうち，登記記録の「権利者その他の事項」欄に記録される事項について，当該登記をすることができないという内容であるときは，当該登記をすることができない理由について，答案用紙の第４欄に記載しなさい。

なお，登記原因につき第三者の許可，同意又は承諾を要する場合には，平成26年６月27日までに，それぞれ第三者の許可，同意又は承諾を得ているものとする。

【質問内容】

甲土地上に乙建物が存在し，それによって不動産が有益に活用されていることは，かねてから関係当事者全員が承知しているところです。したがって，当社は，平成26年６月30日に，別紙８の用益権を承認する予定です。

そこで，同日，Ｃとともに，別紙８を登記原因証明情報とする用益権の設定の登記を依頼したいのですが，その登記をすることはできますか。

（答案作成に当たっての注意事項）

1　司法書士法務花子は，複数の登記の申請をする場合には，申請件数や登録免許税の額が最も少なくなるように登記を申請するものとする。

2　司法書士法務花子は，後記**【添付情報一覧】**に掲げる情報を添付情報として利用することができる場合は，これを添付情報として利用するものとする。

3　答案用紙の第１欄から第４欄までの各欄に申請人等の氏名又は名称について解答を記載するに当たっては，次の要領で行うこと。

⑴　「権利者」，「申請人」，「(被承継会社)」等の表示も記載するほか，持分の表示が必要な場合は，持分の表示も，記載する。

⑵　住所，本店又は代表機関の資格及び氏名は，記載することを要しない。

4　答案用紙の第１欄から第３欄までの添付情報の欄に解答を記載するに当たっては，次の要領で行うこと。

⑴　添付情報の解答は，その登記の申請に必要な添付情報を後記**【添付情報一覧】**から選択し，その記号（アからニまで）を記載する。

⑵　法令の規定により添付を省略することができる情報及び提供されたものとみなされる情報についても，後記**【添付情報一覧】**から選択し，その記号（アからニまで）を記載する。

⑶　後記**【添付情報一覧】**のアからニまでに掲げられた情報以外の情報（登記申請に関する委任状等）は，記載することを要しない。

⑷　後記**【添付情報一覧】**のチからトまで及びニに掲げられた印鑑に関する証明書は，登記名義人の住所を証する情報や法人の代表者の資格を証する情報としては使用しないものとする。

5　答案用紙の第１欄から第３欄までの各項目の欄に申請すべき登記の申請情報等の内容を記載するに当たり，記載すべき情報等がない場合には，その欄に「なし」と記載すること。

6　申請すべき登記がない場合には，答案用紙の第１欄から第３欄までの登記の目的欄に「登記不要」と記載すること。

7　添付情報のうち，登記申請に際して有効期限の定めがあるものは，登記の申請時において，全て有効期限内のものであるものとする。

8　別紙は，いずれも，実際の様式と異なる。また，別紙には，記載内容の一部が省略されているものがあり，別紙を含め，登記の申請に必要な添付情報は，いずれも，**【事実関係】**及び**【質問内容】**に沿う形で，法律上適式に作成されているものとする。

9　数字を記載する場合には，算用数字を使用すること。

10　登録免許税額の算出について，租税特別措置法等の特別法による税の減免の規定の適用はないものとする。

11　訂正，加入又は削除をしたときは，訂正は訂正すべき字句に線を引き，近接箇所に訂正後の字句を記載し，加入は加入する部分を明示して行い，削除は削除すべき字句に線を引いて，訂正，加入又は削除をしたことが明確に分かるように記載すること。

【添付情報一覧】

ア	甲土地の全部事項証明書（別紙１）	サ	甲土地甲区１番の登記済証
イ	株式会社ＡＢＣ銀行の履歴事項一部証明書（別紙２）	シ	甲土地甲区２番の登記済証
ウ	Ａ株式会社の現在事項一部証明書（別紙３）	ス	甲土地乙区１番の登記済証
エ	Ｄ株式会社の現在事項一部証明書（別紙４）	セ	甲土地乙区２番付記１号の登記識別情報
オ	売買契約書（別紙５）	ソ	株式会社Ｙ銀行の代表者事項証明書
カ	根抵当権解除証書（別紙６）	タ	Ｚ信託銀行株式会社の代表者事項証明書
キ	乙建物の全部事項証明書（別紙７）	チ	Ａ株式会社の印鑑に関する証明書
ク	平成25年２月１日作成の賃借権設定契約公正証書（別紙８）	ツ	Ｂの印鑑に関する証明書
ケ	根抵当権の元本確定の事実を証する登記原因証明情報	テ	Ｃの印鑑に関する証明書
コ	抵当権付債務の弁済及びそれによる信託の終了の事実を証する登記原因証明情報	ト	Ｄ株式会社の印鑑に関する証明書
		ナ	Ｂ，Ｃ又はＦの住民票の写し
		ニ	登記原因につき第三者の許可，同意又は承諾を証する情報及び当該情報の作成者の印鑑に関する証明書

別紙1

甲土地の全部事項証明書

表題部（土地の表示）	調製	【略】	不動産番号	【略】
地図番号	余白	筆界特定	余白	
所在	横浜市鶴見区新町二丁目		余白	
① 地 番	② 地 目	③ 地 積 ㎡	原因及びその日付［登記の日付］	
311番1	宅地	1600 : 00	余白	
余白	余白	余白	昭和63年法務省令第37号附則第2条第2項の規定により移記 平成8年5月23日	

権利部（甲区）（所有権に関する事項）			
順位番号	登記の目的	受付年月日・受付番号	権利者その他の事項
1	所有権移転	平成7年3月2日 第6214号	原因 平成7年3月2日売買 所有者 横浜市中区中央五丁目3番12号 A株式会社 順位3番の登記を移記
2	所有権一部移転	平成7年5月8日 第8715号	原因 真正な登記名義の回復 共有者 横浜市西区大岩町二丁目3番地 持分3分の1 B 順位4番の登記を移記
	余白	余白	昭和63年法務省令第37号附則第2条第2項の規定により移記 平成8年5月23日
3	A株式会社持分差押	平成26年5月23日 第13657号	原因 平成26年5月20日横浜地方裁判所強制競売開始決定 債権者 大阪市浪速区難波七丁目6番1号 Vファイナンス株式会社

権利部（乙区）（所有権以外の権利に関する事項）			
順位番号	登記の目的	受付年月日・受付番号	権利者その他の事項
1	根抵当権設定	平成７年３月２日 第6215号	原因　平成７年３月２日設定 極度額　金１億5,000万円 債権の範囲　銀行取引　手形債権　小切手債権 債務者　横浜市中区中央五丁目３番12号 Ａ株式会社 根抵当権者　東京都中央区京橋三丁目２番３号 株式会社Ｘ銀行 順位７番の登記を移記
	余白	余白	昭和63年法務省令第37号附則第２条第２項の規定により移記 平成８年５月23日
2	抵当権設定	平成20年１月７日 第683号	原因　平成20年１月７日金銭消費貸借同日設定 債権額　金5,000万円 利息　年２％ 債務者　横浜市中区中央五丁目３番12号 Ａ株式会社 抵当権者　東京都千代田区丸の内五丁目1番1号 株式会社Ｙ銀行
付記１号	2番抵当権移転	平成20年５月７日 第10352号	原因　平成20年５月７日債権譲渡（信託） 受託者　東京都千代田区丸の内五丁目２番１号 Ｚ信託銀行株式会社
	信託	余白	信託目録第12号

信　託　目　録		調製	平成20年５月７日
番　号	受付年月日・受付番号	予備	
第12号	平成20年５月７日 第10352号	余白	
1　委託者に関する事項	東京都千代田区丸の内五丁目１番１号 株式会社Ｙ銀行		
2　受託者に関する事項	東京都千代田区丸の内五丁目２番１号 Ｚ信託銀行株式会社		
3　受益者に関する事項	受益者を定める方法の定め 【略】		
4　信託条項	【略】		

これは登記記録に記録されている事項の全部を証明した書面である。

平成26年５月26日
横浜地方法務局神奈川出張所　　　　　登記官　○　○　○　○　印

別紙２

株式会社ＡＢＣ銀行の履歴事項一部証明書

商号	株式会社Ｘ銀行	
	株式会社ＡＢＣ銀行	平成16年４月１日変更 平成16年４月１日登記
本店	東京都中央区京橋三丁目２番３号	昭和51年４月１日移転 昭和51年４月１日登記
	東京都中央区内神田一丁目１番２号	平成19年６月１日移転 平成19年６月１日登記
公告をする方法	官報に掲載してする	
会社成立の年月日	昭和４年４月４日	
役員に関する事項	東京都杉並区成田北五丁目２番３号 代表取締役　Ｅ	平成25年６月25日重任 平成25年６月28日登記
取締役会設置会社に関する事項	取締役会設置会社 平成17年法律第87号第136条の規定により平成18年５月１日登記	
監査役設置会社に関する事項	監査役設置会社 平成17年法律第87号第136条の規定により平成18年５月１日登記	
監査役会設置会社に関する事項	監査役会設置会社 平成18年５月２日登記	
会計監査人設置会社に関する事項	会計監査人設置会社 平成18年５月２日登記	

これは登記記録に記録されている閉鎖されていない事項の一部であることを証明した書面である。

平成26年５月26日
東京法務局　　　　登記官　○　○　○　○　印

別紙３

Ａ株式会社の現在事項一部証明書

商号	Ａ株式会社	
本店	横浜市中区中央五丁目３番12号	
公告をする方法	官報に掲載してする	
会社成立の年月日	平成６年４月１日	
役員に関する事項	取締役　Ｂ	平成26年４月25日重任 平成26年４月25日登記
	取締役　Ｃ	平成26年４月25日重任 平成26年４月25日登記
	横浜市西区東町７番６号 代表取締役　Ｃ	平成26年４月25日重任 平成26年４月25日登記

これは登記記録に記録されている現に効力を有する事項の一部であることを証明した書面である。

平成26年５月26日
横浜地方法務局　　　　登記官　○　○　○　○　印

別紙４

Ｄ株式会社の現在事項一部証明書

<table>
<tr><td>商号</td><td colspan="2">Ｄ株式会社</td></tr>
<tr><td>本店</td><td colspan="2">横浜市中区中央五丁目３番13号</td></tr>
<tr><td>公告をする方法</td><td colspan="2">官報に掲載してする</td></tr>
<tr><td>会社成立の年月日</td><td colspan="2">平成21年12月１日</td></tr>
<tr><td rowspan="6">役員に関する事項</td><td rowspan="2">取締役　Ｃ</td><td>平成26年４月25日重任</td></tr>
<tr><td>平成26年４月25日登記</td></tr>
<tr><td rowspan="2">取締役　Ｆ</td><td>平成26年４月25日重任</td></tr>
<tr><td>平成26年４月25日登記</td></tr>
<tr><td rowspan="2">横浜市南区大岡六丁目15番１号
代表取締役　Ｆ</td><td>平成26年４月25日重任</td></tr>
<tr><td>平成26年４月25日登記</td></tr>
</table>

これは登記記録に記録されている現に効力を有する事項の一部であることを証明した書面である。

平成26年５月26日
横浜地方法務局　　　　登記官　○　○　○　○　印

別紙５

売買契約書

平成26年６月４日

【本店の記載は省略】　売主(甲)　Ａ株式会社　代表取締役　Ｃ　印
【住所の記載は省略】　売主(乙)　Ｂ　印
【本店の記載は省略】　買主(丙)　Ｄ株式会社　代表取締役　Ｆ　印

売主Ａ株式会社（以下「甲」という。）及び同Ｂ（以下「乙」という。）並びに買主Ｄ株式会社（以下「丙」という。）は，以下のとおり契約を締結した。

第１条　甲及び乙は，「不動産の表示」記載の不動産(以下「本物件」という。）を丙に売り渡し，丙はこれを買い受けた。
第２条　前条の売買の代金は，金３億円とする。
第３条　丙は，前条の代金の全額を甲及び乙に提供し，甲及び乙はこれを受領した。
第４条　本物件の所有権は本契約時に丙に移転し，甲及び乙は遅滞なく本物件を丙に引き渡す。
第５条　甲及び乙は，丙に対し，本物件の所有権の移転の登記の申請に必要な書類を引き渡す。
第６条　甲及び乙は，本物件について，本契約に基づく所有権の移転の登記を申請する前に，その責任と負担において，担保権，用益権等，丙の完全な所有権の行使を阻害する一切の負担を除去するものとし，その担保権，用益権等が登記されているときは，その登記を抹消しなければならない。

【中略】

不動産の表示　　横浜市鶴見区新町二丁目311番１　宅地　1600・00平方メートル

別紙６

根抵当権解除証書

Ａ株式会社　代表取締役　Ｃ　殿
Ｂ　殿

平成７年３月２日横浜地方法務局神奈川出張所受付第6215号をもって登記された下記の不動産に対する根抵当権は，本日，弁済により消滅しました。

平成26年６月４日
【本店の記載は省略】 株式会社ＡＢＣ銀行　代表取締役　Ｅ　印

不動産の表示　　横浜市鶴見区新町二丁目311番１　宅地　1600・00平方メートル

別紙７

乙建物の全部事項証明書

表題部（主である建物の表示）	調製	【略】		不動産番号	【略】
所在図番号	余白				
所　在	横浜市鶴見区新町二丁目311番地１			余白	
家屋番号	311番１			余白	
① 種 類	② 構 造	③床 面 積　㎡		原因及びその日付〔登記の日付〕	
店舗 事務所	鉄骨造スレートぶき平家建	619	85	平成25年１月８日新築 〔平成25年１月24日〕	

権利部（甲区）（所有権に関する事項）			
順位番号	登記の目的	受付年月日・受付番号	権利者その他の事項
1	所有権保存	平成25年２月４日 第4207号	共有者 横浜市西区東町７番６号 持分２分の１ C 横浜市中区中央五丁目３番13号 ２分の１ D株式会社

権利部（乙区）（所有権以外の権利に関する事項）			
順位番号	登記の目的	受付年月日・受付番号	権利者その他の事項
1	抵当権設定	平成25年２月４日 第4208号	原因　平成25年２月４日保証委託契約による 求償債権同日設定 債権額　金8,500万円 損害金　年10％ 債務者　横浜市中区中央五丁目３番13号 D株式会社 抵当権者　東京都豊島区西池袋二丁目１番２号 J保証株式会社

これは登記記録に記録されている事項の全部を証明した書面である。

平成26年５月26日
横浜地方法務局神奈川出張所　　　　登記官　○　○　○　○　印

別紙８

平成25年２月１日作成の賃借権設定契約公正証書

賃貸人Ａ株式会社（以下「甲」という。）及び同Ｂ（以下「乙」という。）並びに賃借人Ｃ（以下「丙」という。）及び同Ｄ株式会社（以下「丁」という。）は，後記「賃貸借対象の土地の表示」記載の土地の賃貸借について，次のとおり契約を締結する。

第１条　平成25年２月１日，甲及び乙は，丙及び丁に対し，本件土地を後記「建物の表示」記載の店舗及び事務所を使用させる目的として賃貸し，丙及び丁はこれを借り受けた（以下，本項の賃貸借を「本件賃貸借」という。）。

２　甲，乙，丙及び丁は，本件賃貸借が，丙及び丁のために，借地借家法第23条第２項に定める事業用借地権を設定するものであることを承認した。

第２条　本件土地の賃貸借期間は，平成25年２月１日から10年間とする。

第３条　甲，乙，丙及び丁は，本件賃貸借について，契約の更新（更新の請求及び土地の使用の継続によるものを含む。）をしないことを約した。

２　甲，乙，丙及び丁は，前条の期間満了前に後記建物が滅失し，丙又は丁が新たに建物を築造したときも存続期間の延長がなく，また，丙及び丁は，建物の買取りを請求することができないことを約した。

第４条　本件土地の賃料は，土地１平方メートル当たり月額金1,000円とし，毎月末日に翌月分を甲の指定する金融機関口座【口座の特定事項は省略】に振り込み支払う。

第５条　丙及び丁は，甲及び乙に対し，敷金2,000万円を本契約締結時に交付した。

第６条　丙及び丁は，甲及び乙の事前の承諾を得ずに第三者に本件借地権を譲渡し，又は本件土地を転貸してはならない。

２　甲及び乙は，本件賃貸借により生ずる賃料その他丙及び丁に対する債権を他に譲渡し，又は担保に提供してはならない。

第７条　甲及び乙は，本件土地に関する公租公課を負担し，丙及び丁は，本件建物に関する公租公課を負担する。

第８条　甲，乙，丙，又は丁が次の各号の一つに該当したときは，相手方は催告を要しないで，直ちに本件賃貸借の全部又は一部を解除することができる。

【各号の記載は省略】

第９条　本件賃貸借が，期間満了，契約の解除又は解約により終了したときは，丙及び丁は，自己の費用負担において直ちに本件土地上の建物等を撤去し，更地にして甲及び乙に返還する。ただし，甲又は乙の責めに帰すべき理由による解除により終了したときは，甲及び乙が費用を負担する。

第10条　甲，乙，丙，又は丁のいずれかが，本件賃貸借に定める金員の支払を怠ったときは，その支払うべき日の翌日より年５パーセントの割合による遅延損害金を相手方に支払う。
第11条　本件賃貸借に定めのない事項，又は本件賃貸借の各条項の解釈に疑義が生じた事項については，甲，乙，丙及び丁が互いに信義を重んじて協議をもって決定する。
第12条　前項の協議にもかかわらず，本件賃貸借に関して甲，乙，丙及び丁間に紛争が生じた場合，横浜地方裁判所を管轄裁判所とする。

記

1　賃貸借対象の土地の表示
所　　在　横浜市鶴見区新町二丁目
地　　番　311番１
地　　目　宅地
地　　積　1600・00平方メートル
（持分３分の２　Ａ株式会社　　持分３分の１　Ｂ）
2　建物の表示
所　　在　　横浜市鶴見区新町二丁目311番地１
家屋番号　　311番１
種　　類　　店舗・事務所
構　　造　　鉄骨造スレートぶき平家建
床 面 積　　619・85平方メートル
（持分２分の１　Ｃ　持分２分の１　Ｄ株式会社）

【以下，本旨外要件，当事者及び公証人の署名押印その他の記載は省略】

MEMO

平成26年●答案用紙

第１欄

(1)

登記の目的	
登記原因 及びその日付	
申請人の氏名 又は名称	
添付情報	
登録免許税額	

(2)

登記の目的	
登記原因 及びその日付	
申請人の氏名 又は名称	
添付情報	
登録免許税額	

(3)

登記の目的	
登記原因 及びその日付	
申請人の氏名 又は名称	
添付情報	
登録免許税額	

第２欄

(1)

登記の目的	
登記原因 及びその日付	
申請人の氏名 又は名称	
添付情報	
登録免許税額	

(2)

登記の目的	
登記原因 及びその日付	
申請人の氏名 又は名称	
添付情報	
登録免許税額	

第3欄

(1)

登記の目的	
登記原因 及びその日付	
申請人の氏名 又は名称	
添付情報	
登録免許税額	

(2)

登記の目的	
登記原因 及びその日付	
申請人の氏名 又は名称	
添付情報	
登録免許税額	

(3)

登記の目的	
登記原因 及びその日付	
申請人の氏名 又は名称	
添付情報	
登録免許税額	

第４欄

MEMO

第１欄

(1)

登記の目的	１番根抵当権登記名義人住所・名称変更
登記原因 及びその日付	平成16年４月１日商号変更 平成19年６月１日本店移転
申請人の氏名 又は名称	申請人　株式会社ＡＢＣ銀行
添付情報	イ
登録免許税額	金1,000円

(2)

登記の目的	１番根抵当権元本確定
登記原因 及びその日付	平成26年５月15日確定
申請人の氏名 又は名称	権利者　Ａ株式会社 　　　　Ｂ 義務者　株式会社ＡＢＣ銀行
添付情報	イ，ウ，ケ，ス
登録免許税額	金1,000円

(3)

登記の目的	１番根抵当権抹消
登記原因 及びその日付	平成26年６月４日弁済
申請人の氏名 又は名称	権利者　Ａ株式会社 　　　　Ｂ 義務者　株式会社ＡＢＣ銀行
添付情報	イ，ウ，カ，ス
登録免許税額	金1,000円

第２欄

(1)

登記の目的	２番抵当権抹消及び信託登記の抹消
登記原因 及びその日付	抵当権抹消　平成26年６月４日弁済 信託登記抹消　信託終了
申請人の氏名 又は名称	権利者　Ａ株式会社 　　　　Ｂ 義務者（信託抹消登記申請人）Ｚ信託銀行株式会社
添付情報	ウ，コ，セ，タ
登録免許税額	金1,000円

(2)

登記の目的	登記不要
登記原因 及びその日付	
申請人の氏名 又は名称	
添付情報	
登録免許税額	

第３欄

(1)

登記の目的	Ａ株式会社持分全部移転
登記原因 及びその日付	平成26年６月４日売買
申請人の氏名 又は名称	権利者　持分３分の２　Ｄ株式会社 義務者　Ａ株式会社
添付情報	ウ，エ，オ，サ，チ，ニ
登録免許税額	金324万8,700円

(2)

登記の目的	Ｂ持分全部移転
登記原因 及びその日付	平成26年６月４日売買
申請人の氏名 又は名称	権利者　持分３分の１　Ｄ株式会社 義務者　Ｂ
添付情報	エ，オ，シ，ツ
登録免許税額	金162万4,300円

(3)

登記の目的	登記不要
登記原因 及びその日付	
申請人の氏名 又は名称	
添付情報	
登録免許税額	

第４欄

原因　平成25年２月１日設定
目的　借地借家法第23条第２項の建物所有
賃料　１平方メートル１月金1,000円
支払時期　毎月末日に翌月分を支払う
存続期間　平成25年２月１日から10年間
敷金　金2,000万円
賃借権者　持分２分の１　C
２分の１　D株式会社

MEMO

問題　平成25年

次の【事実関係】に記載された事実に基づき，司法書士法人シビルローが依頼を受けて申請をした登記の手続について，後記の問1から問3までに答えなさい。

【事実関係】

1　平成25年3月8日，民事二郎は，死亡した。

2　民事二郎は，生前に，別紙1のとおり，公正証書によって遺言をしていた。

3　民事二郎の相続関係は，別紙2の相続関係説明図のとおりであり，相続人は，他にいない。

4　上記2の遺言の第1条記載の土地（以下「甲土地」という。）の登記事項証明書は別紙3のとおりであり，当該遺言の第3条記載の土地（以下「乙土地」という。）の登記事項証明書は別紙4のとおりである。

5　平成25年4月12日，法務春男は，民事二郎の法定相続人に対し，遺言執行者への就職につき，承諾した。

6　平成25年5月10日，民事夏子は上記2の遺言の第2条の遺贈を，公益社団法人ジャスティスは当該遺言の第3条の遺贈をそれぞれ承認した。

7　平成25年6月7日，法務春男と司法秋男は，乙土地を目的として，上記2の遺言の第3条に基づき，別紙5の不動産売買契約書記載のとおり，売買契約を締結した。

8　平成25年7月5日，司法秋男は，法務春男に対し，乙土地の売買代金の全額を支払い，法務春男は，これを受領した。

9　平成25年7月5日，法務春男は，乙土地の抵当権者である株式会社甲乙丙興産に対し，抵当権の被担保債務，その利息及び遅延損害金の合計額の全額を支払い，株式会社甲乙丙興産は，法務春男に対し，別紙6の債務弁済証書を交付した。

10　株式会社甲乙丙興産の現在事項一部証明書は，別紙7のとおりである。

11　民事二郎の住民票の除票の写しは，別紙8のとおりである。

12　平成25年7月5日，関係当事者全員は，司法書士法人シビルローに対し，上記1から11までの事実に基づいて必要となる全ての登記申請手続の代理を依頼し，必要な書類を預託した。また，関係当事者のうち，申請情報と併せて提供すべき登記識別情報又は登記済証を提供することができない者は，司法書士法人シビルローに対し，資格者代理人による本人確認情報を作成し，提供することを依頼した。

13　法務春男及び司法秋男は，乙土地の売買を登記原因とする所有権の移転の登記の申請情報と併せて提供すべき登記原因を証する情報について，上記7の売買契約書の原本を使用せず，別に登記原因証明情報を作成して提供することとし，その起案を司法書士法人シビルローに依頼した。

14　司法書士法人シビルローは，上記13の依頼に基づき，別紙９の登記原因証明情報を起案し，法務春男及び司法秋男は，当該登記原因証明情報に署名押印した上，司法書士法人シビルローに交付した。

15　甲土地に係る不動産の課税標準の額は金2,424万2,400円であり，乙土地に係る不動産の課税標準の額は金3,636万3,600円である。

16　甲土地及び乙土地の所在地を管轄する登記所は，平成19年２月19日に不動産登記法附則第６条第１項の指定（いわゆるオンライン庁の指定）を受けているものとする。

17　平成25年７月５日，司法書士法人シビルローは，書面申請の方法により，登記の申請を行った。

問１　**【事実関係】**に基づき，司法書士法人シビルローが申請した甲土地に係る各登記の登記の目的，登記原因及びその日付，申請人の氏名又は名称，添付情報，課税価格並びに登録免許税額について，司法書士法人シビルローが申請した登記の順に従って，答案用紙の第１欄(1)から(3)までの各欄に記載しなさい。

問２　**【事実関係】**の14の登記原因証明情報（別紙９）における「登記の原因となる事実又は法律行為」欄の（X）の欄に記載すべき事実や法律行為について，箇条書で，答案用紙の第２欄に記載しなさい。

問３　**【事実関係】**に基づき，司法書士法人シビルローが申請した乙土地に係る各登記の登記の目的，登記原因及びその日付，申請人の氏名又は名称，添付情報，課税価格並びに登録免許税額について，司法書士法人シビルローが申請した登記の順に従って，答案用紙の第３欄(1)から(4)までの各欄に記載しなさい。

(答案作成に当たっての注意事項)

1　司法書士法人シビルローは，複数の登記の申請をする場合には，申請件数が最も少なくなるように登記を申請するものとする。

2　司法書士法人シビルローは，後記**【添付情報一覧】**に掲げる情報を添付情報として利用することができる場合は，これを添付情報として利用するものとする。

3　法務春男のほかに他の者が申請をすることができる場合であっても，法務春男が登記の申請をするものとする。

4　答案用紙の第１欄及び第３欄の申請人の氏名又は名称欄に解答を記載するに当たっては，次の要領で行うこと。

⑴　「権利者」，「申請人」等の表示も記載するほか，持分の表示が必要な場合は，持分の表示も，記載する。

⑵　住所，本店又は代表機関の資格及び氏名は，記載することを要しない。

5　答案用紙の第１欄及び第３欄の添付情報の欄に解答を記載するに当たっては，次の要領で行うこと。

⑴　添付情報の解答は，その登記の申請に必要な添付情報を後記**【添付情報一覧】**から選択し，その記号（アからトまで）を記載する。

⑵　法令の規定により添付を省略することができる情報及び提供されたものとみなされる情報についても，後記**【添付情報一覧】**から選択し，その記号（アからトまで）を記載する。

⑶　後記**【添付情報一覧】**のアからトまでに掲げられた情報以外の情報（登記申請に関する委任状等）は，記載することを要しない。

6　答案用紙の第１欄及び第３欄の各項目の欄に申請すべき登記の申請情報等の内容を記載するに当たり，記載すべき情報等がない場合には，その欄に「なし」と記載すること。

7　申請すべき登記がない場合には，答案用紙の第１欄及び第３欄の登記の目的欄に「登記不要」と記載すること。

8　添付情報のうち，登記申請に際して有効期限の定めがあるものは，登記の申請時において，全て有効期限内のものであるものとする。

9　別紙は，いずれも，実際の様式とは異なる。また，別紙には，記載内容の一部が省略されているものがあり，別紙を含め，登記の申請に必要な添付情報は，いずれも，**【事実関係】**に沿う形で，法律上適式に作成されているものとする。

10　数字を記載する場合には，算用数字を使用すること。

11　登録免許税額の算出について，租税特別措置法等の特別法による税の減免の規定の適用は，ないものとする。

12　訂正，加入又は削除をしたときは，訂正は訂正すべき字句に線を引き，近接箇所に訂正後の字句を記載し，加入は加入する部分を明示して行い，削除は削除すべき字句に線を引いて，訂正，加入又は削除をしたことが明確に分かるように記載すること。

【添付情報一覧】

ア　民事二郎の遺言公正証書（別紙１）
イ　株式会社甲乙丙興産の債務弁済証書（別紙６）
ウ　株式会社甲乙丙興産の現在事項一部証明書（別紙７）
エ　民事二郎の住民票の除票の写し（別紙８）
オ　登記原因証明情報（別紙９）
カ　民事二郎の戸籍の一部事項証明書
キ　民事冬子の戸籍の一部事項証明書
ク　民事夏子の戸籍の一部事項証明書
ケ　民事一郎の戸籍の一部事項証明書
コ　民事二郎の法定相続人を特定することができる戸籍の全部事項証明書，戸籍謄本，除籍謄本及び改製原戸籍謄本（カからケまでの戸籍の一部事項証明書を除く。）
サ　民事冬子の住民票の写し（本籍の記載あり）
シ　民事夏子の住民票の写し（本籍の記載あり）
ス　民事一郎の住民票の写し（本籍の記載あり）
セ　司法秋男の住民票の写し
ソ　法務春男の印鑑に関する証明書
タ　法務春男以外の申請人の印鑑に関する証明書
チ　甲土地の所有権に関する登記識別情報又は登記済証
ツ　乙土地の所有権に関する登記識別情報又は登記済証
テ　乙土地の所有権以外の権利に関する登記識別情報又は登記済証
ト　**【事実関係】**の12において作成した本人確認情報

別紙1

平成23年　第100号

遺言公正証書

本公証人は，平成23年12月20日，遺言者民事二郎の嘱託により，証人山川太郎，同海川次郎の立会いの下に，遺言者の口述の趣旨を次のとおり筆記し，この証書を作成する。

第１条　遺言者は，遺言者の有する下記１の不動産（土地）の所有権のうち持分３分の１並びに同２の預貯金及び同３の株式の全てを遺言者の妻民事冬子（昭和28年10月１日生，住所【略】）に相続させる。

記

1　不動産

所　在	東京都新宿区甲町一丁目
地　番	22番３
地　目	宅地
地　積	65.43㎡

2　預貯金　【略】

3　株　式　【略】

第２条　遺言者は，第１条記載の不動産の所有権のうち持分３分の２を，遺言者の長男亡民事太一の妻民事夏子（昭和56年８月１日生，住所【略】）に遺贈する。

第３条　遺言者は，遺言者の有する下記の不動産（土地）を遺言執行者をして換価処分させ，その換価処分によって得た代金から，遺言者の借入金，入院費用，未払の租税公課及びその他一切の債務並びに本遺言の執行に要する費用を控除した残額を，公益社団法人ジャスティス（主たる事務所【略】）に遺贈（寄付）する。

記

所　在	東京都新宿区乙町四丁目
地　番	55番６
地　目	宅地
地　積	98.76㎡

第４条　遺言者は，本遺言の遺言執行者に法務春男（昭和28年６月３日生，住所【略】）を指定する。

本旨外要件

東京都新宿区甲町一丁目１番１号

会社役員

遺言者　　民　事　二　郎

昭和17年５月２日生

上記遺言者は，印鑑証明書の提出により人違いでないことを証明させた。

（以下省略）

別紙２

遺言者　民事二郎　相続関係説明図

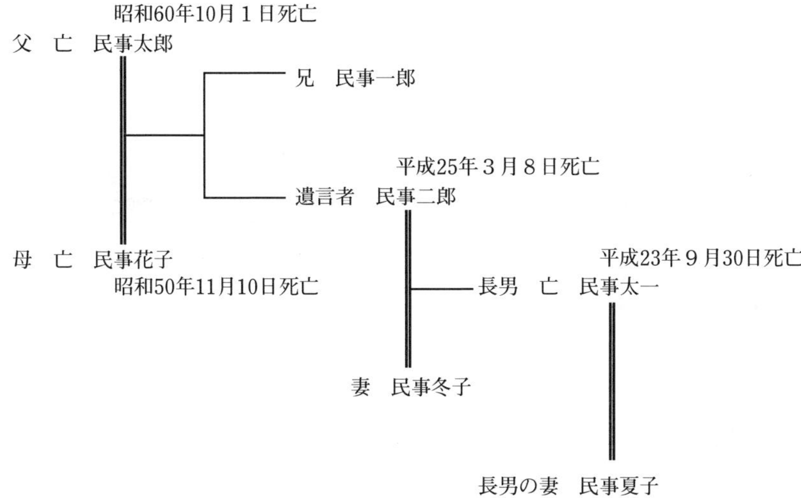

別紙3

東京都新宿区甲町１丁目22－３　　　　全部事項証明書　　（土地）

表題部（土地の表示）	調製	【略】	不動産番号	【略】
地図番号	余白	筆界特定	余白	
所在	新宿区甲町一丁目		余白	
① 地　番	② 地　目	③ 地　積　㎡	原因及びその日付［登記の日付］	
22番３	宅地	65　43	余白	
余白	余白	余白	昭和63年法務省令第37号附則第2条第2項の規定により移記 【略】	

権利部（甲区）（所有権に関する事項）			
順位番号	登記の目的	受付年月日・受付番号	権利者その他の事項
1	所有権移転	昭和30年２月21日 第1111号	原因　昭和30年２月21日売買 所有者　世田谷区丁町45番地 民事太郎 順位１番の登記を移記
2	所有権移転	昭和63年12月23日 第2222号	原因　昭和60年10月１日相続 共有者　市川市戊町一丁目23番地 持分２分の１　民事一郎 鎌倉市丙町987番地 ２分の１　民事二郎 代位者　千葉市己町67番地 株式会社ＡＢＣ銀行 代位原因　昭和61年２月３日設定の抵当権設定登記請求権 順位２番の登記を移記
3	民事一郎持分全部移転	平成４年４月１日 第3333号	原因　平成４年４月１日売買 所有者　鎌倉市丙町987番地 持分２分の１　民事二郎

権利部(乙区)(所有権以外の権利に関する事項)			
順位番号	登記の目的	受付年月日・受付番号	権利者その他の事項
1	民事一郎持分抵当権設定	昭和63年12月23日 第2223号	原因　昭和61年2月3日金銭消費貸借同日設定 債権額　金2,000万円 利息　年5％ 損害金　年14・5％（年365日日割計算） 債務者　市川市戊町一丁目23番地 民事一郎 抵当権者　千葉市己町67番地 株式会社ABC銀行 順位1番の登記を移記
2	1番抵当権抹消	平成4年4月1日 第3332号	原因　平成4年4月1日解除

これは登記記録に記録されている事項の全部を証明した書面である。

平成25年7月1日
東京法務局新宿出張所　　　　登記官　○　○　○　○　印

別紙４

東京都新宿区乙町４丁目55－６　　全部事項証明書　　（土地）

表題部（土地の表示）		調製	【略】	不動産番号	【略】
地図番号	余白	筆界特定	余白		
所在	新宿区乙町四丁目			余白	
① 地 番	② 地 目	③ 地 積 ㎡		原因及びその日付［登記の日付］	
55番６	宅地	98	76	余白	
余白	余白	余白		昭和63年法務省令第37号附則第２条第２項の規定により移記 【略】	

権利部（甲区）（所有権に関する事項）			
順位番号	登記の目的	受付年月日・受付番号	権利者その他の事項
1	所有権移転	平成２年６月２日 第5555号	原因　平成２年６月２日売買 所有者　鎌倉市丙町987番地 　民事二郎 順位１番の登記を移記

権利部（乙区）（所有権以外の権利に関する事項）			
順位番号	登記の目的	受付年月日・受付番号	権利者その他の事項
1	抵当権設定	平成11年７月４日 第6666号	原因　平成11年７月４日金銭消費貸借同日設定 債権額　金1,000万円 利息　年２・７％ 損害金　年14％（年365日日割計算） 債務者　鎌倉市丙町987番地 　民事二郎 抵当権者　千代田区庚町七丁目８番９号 　有限会社甲乙丙興産

これは登記記録に記録されている事項の全部を証明した書面である。

平成25年７月１日
東京法務局新宿出張所　　登記官　○　○　○　○　印

別紙５

不動産売買契約書

不動産の表示
　東京都新宿区乙町四丁目55番６　宅地　98.76㎡

　売主民事二郎遺言執行者法務春男と買主司法秋男は，上記不動産について，次のとおり，売買契約を締結した。

第１条　売主は，買主に対し，本日，上記の不動産を金7,500万円にて売り渡し，買主は，これを買い受けた。

第２条　買主は，売主に対し，平成25年７月５日限り，第４条の所有権の移転の登記の申請に必要な書類の引渡しと引換えに，上記の売買代金を支払う。

第３条　上記の不動産の所有権は，買主が売買代金の全額を支払い，売主がこれを受領したときに，売主から買主に移転する。

第４条　売主は，買主に対し，平成25年７月５日限り，上記の売買代金の支払と引換えに，上記の不動産の所有権の移転の登記の申請に必要な書類を引き渡す。

第５条　売主は，上記の不動産について，本売買契約に基づく所有権の移転の登記を申請する前に，その責任と負担において，担保権，用益権等，買主の完全な所有権の行使を阻害する一切の負担を除去するものとし，その担保権，用益権等が登記されている場合には，その登記を抹消しなければならない。

（以下省略）

平成25年６月７日

売主　住所　【略】
　　　氏名　民事二郎遺言執行者　法務春男　　印

買主　住所　【略】
　　　氏名　司法秋男　　印

別紙6

債務弁済証書

平成25年7月5日

民事二郎遺言執行者
　法　務　春　男　殿

東京都千代田区庚町七丁目8番9号
株式会社　　甲乙丙興産
代表取締役　甲乙丙一郎　　　　㊞

当社は，本日，下記不動産に設定された下記抵当権の被担保債権（民事二郎氏に対する平成11年7月4日付金銭消費貸借契約による貸付金残金，当初債権額金1,000万円），利息及び遅延損害金につき，その全額金300万円の弁済を受けました。

記

不動産の表示
　新宿区乙町四丁目55番6　宅地　98.76㎡
抵当権の表示
　平成11年7月4日東京法務局新宿出張所受付第6666号

別紙７

現在事項一部証明書

東京都千代田区庚町七丁目８番９号
株式会社甲乙丙興産

商号	株式会社甲乙丙興産
本店	東京都千代田区庚町七丁目８番９号
公告をする方法	官報に掲載してする
会社成立の年月日	平成２年８月14日
役員に関する事項	取締役　　　甲乙丙一郎　　　平成24年11月１日就任 平成24年11月２日登記
	東京都千代田区庚町七丁目８番９号　　平成24年11月１日就任 代表取締役　甲乙丙一郎　　平成24年11月２日登記
登記記録に関する事項	平成24年６月29日有限会社甲乙丙興産を商号変更し，移行したことにより設立 平成24年６月29日登記

これは登記簿に記録されている現に効力を有する事項の一部であることを証明した書面である。

平成25年７月１日
東京法務局
登記官　　　　　　○　○　○　○　印

別紙８

住民票（除票）

<table>
<tr><td>氏名</td><td colspan="5">民事二郎</td></tr>
<tr><td>生年月日
昭和17年５月２日</td><td>性別　男</td><td>続柄　本人</td><td colspan="2">住民となった年月日
平成12年１月１日</td><td>住民票コード
【略】</td></tr>
<tr><td>住所</td><td colspan="5">東京都新宿区甲町１丁目１番１号</td></tr>
<tr><td>世帯主</td><td colspan="5">民事二郎</td></tr>
<tr><td>本籍</td><td colspan="2">【略】</td><td>筆頭者</td><td colspan="2">民事二郎</td></tr>
<tr><td colspan="4">平成12年１月１日　神奈川県鎌倉市丙町987番地
から転入</td><td colspan="2">平成12年１月７日
転入届出</td></tr>
<tr><td colspan="6">平成25年３月11日　戸籍の届出により消除
死亡年月日　平成25年３月８日</td></tr>
</table>

この写しは，除かれた住民票の原本と相違ないことを証明する。

平成25年７月１日

新宿区長　　　　　　　　○　○　○　○　印

別紙9

登記原因証明情報

1　登記申請情報の要領

(1)　登記の目的　　【略】

(2)　登記の原因　　【略】

(3)　当　事　者　　登記権利者　【略】

登記義務者　【略】

(4)　不　動　産　　東京都新宿区乙町四丁目55番6　宅地　98.76㎡

2　登記の原因となる事実又は法律行為

・　民事二郎は，平成23年12月20日，遺産である上記の不動産を換価処分し，その換価代金から，同人が負担する一切の債務及び遺言の執行に要する費用を控除した残額を公益社団法人ジャスティスに遺贈する旨とともに，遺言執行者に法務春男を指定する旨の遺言をした。

・　民事二郎は，平成25年３月８日，死亡した。

・　法務春男は，民事二郎遺言執行者への就職を承諾した。

（X）

・　よって，上記の不動産の所有権は，同日，登記権利者に移転した。

上記のとおり，相違ない。

東京法務局新宿出張所　御中

平成25年７月５日

登記権利者　　　【略】

登記義務者　　　【略】

第１欄

(1)　甲土地につき，１番目に申請すべき登記

登記の目的	２番，３番所有権登記名義人住所変更
登記原因 及びその日付	平成12年１月１日住所移転
申請人の氏名 又は名称	申請人　亡民事二郎
添付情報	ア，エ，カ
課税価格	なし
登録免許税額	金1,000円

(2)　甲土地につき，２番目に申請すべき登記

登記の目的	所有権一部移転
登記原因 及びその日付	平成25年３月８日遺贈
申請人の氏名 又は名称	権利者　持分３分の２　民事夏子 義務者　亡民事二郎
添付情報	ア，カ，シ，ソ，チ，ト
課税価格	移転した持分の価格　金1,616万1,000円
登録免許税額	金32万3,200円

平成23年

び別紙２の建物に関する次の【事実関係】に記載された事実に基
橋和子が行った登記の申請について，後記の問いに答えなさい。

月１日，あいうＸＹＺ銀行株式会社（別紙３）とＸＹＺ銀行株式会
吸収合併が行われた。
月１日，株式会社ＡＢＣ食堂（別紙４）といろはレストラン株式会
との間で，吸収分割が行われた。この吸収分割は，いろはレストラ
レストラン部門を株式会社ＡＢＣ食堂に承継させるものであり，別
所有権は，分割して承継された権利に含まれている。当該吸収分割
分割契約書は，登記原因証明情報として適法に作成されている。
会社ＡＢＣ食堂の代表取締役である田中二郎は，別紙１の土地の所
人である田中二郎と同一人物である。
平成23年２月15日，死亡し，その相続人は，いずれも田中一郎の
二郎及び田中三郎である。別紙１の土地については，田中二郎が相

の土地の所有権登記名義人として記録されていた田中一郎と根抵
として記録されている田中一郎は，同一人物である。
月１日，いろは食堂株式会社（別紙５）といろはレストラン株式会
吸収合併が行われた。
月20日，田中二郎，鈴木四郎及び山田花子（あいうＸＹＺ銀行株式
者）が，司法書士高橋和子の事務所を訪れ，別紙１から別紙６まで
，別紙１の土地に設定された根抵当権について，今後，田中二郎
に負担する債務を担保すること及び別紙２の建物を当該根抵当権
目的とすることを司法書士高橋和子に依頼したところ，司法書士高
別紙１の土地について，ある期限までに一定の登記の申請をしなけ
の建物を別紙１の土地に設定された根抵当権の共同担保の目的とす
い旨のアドバイスがされた。
月23日，司法書士高橋和子のアドバイスに基づき，根抵当権変更
事者間で締結された。続いて，別紙１の土地について設定されてい
ついて，別紙２の建物を共同担保の目的とする根抵当権追加設定契
事者間で締結された。
月24日，田中二郎，鈴木四郎及び山田花子が，再び司法書士高橋

解答例

⑶　甲土地につき，３番目に申請すべき登記

登記の目的	民事二郎持分全部移転
登記原因 及びその日付	平成25年３月８日相続
申請人の氏名 又は名称	相続人（被相続人　民事二郎） 持分３分の１　民事冬子
添付情報	ア，カ，キ，コ，サ
課税価格	移転した持分の価格　金808万円
登録免許税額	金３万2,300円

第２欄　登記の原因となる事実又は法律行為

・法務春男と司法秋男は，平成25年６月７日，上記不動産の売買契約を締結した。
・上記契約には，売買代金の支払いをもって所有権が移転する特約がある。
・平成25年７月５日，司法秋男は，法務春男に代金全額を支払った。

解答例

第３欄

⑴　乙土地につき，１番目に申請すべき登記

登記の目的	所有権移転
登記原因 及びその日付	平成25年３月８日相続
申請人の氏名 又は名称	相続人（被相続人　民事二郎） 持分４分の３　民事冬子 ４分の１　民事一郎
添付情報	ア，エ，カ，キ，ケ，コ，サ，ス
課税価格	金3,636万3,000円
登録免許税額	金14万5,400円

⑵　乙土地につき，２番目に申請すべき登記

登記の目的	１番抵当権抹消
登記原因 及びその日付	平成25年７月５日弁済
申請人の氏名 又は名称	権利者　民事冬子 民事一郎 義務者　株式会社甲乙丙興産
添付情報	ア，イ，ウ，カ，テ
課税価格	なし
登録免許税額	金1,000円

⑶　乙土地につき，３番目に申請すべき登記

解答例

登記の目的	共有者全員
登記原因 及びその日付	平成25年７
申請人の氏名 又は名称	権利者　司 義務者　民 民
添付情報	ア，オ，カ
課税価格	金3,636万3
登録免許税額	金72万7,20

⑷　乙土地につき，４番目に申請す

登記の目的	登記不要
登記原因 及びその日付	
申請人の氏名 又は名称	
添付情報	
課税価格	
登録免許税額	

問題

別紙１の土地
づく司法書士高

【事実関係】
1　平成22年４
社との間で，
2　平成23年２
社（別紙６）
ン株式会社の
紙２の建物の
における吸収
また，株式
有権登記名義
3　田中一郎は，
子である田中
続した。
なお，別紙
当権の債務者
4　平成23年６
社との間で，
5　平成23年６
会社融資担当
の情報を示し
が相続開始後
の共同担保の
橋和子から，
れば，別紙２
ることができ
6　平成23年６
契約が関係当
る根抵当権に
約が，関係当
7　平成23年６

和子の事務所を訪れ，平成23年６月23日に登記の申請に必要な契約が全て締結された旨を述べ，登記の申請の代理を依頼した。高橋和子は，登記の申請に必要な全ての書面を受領した。

8　司法書士高橋和子による登記の申請においては，登記識別情報は適法に提供されており，登記の申請に必要な書面については，適法に作成されている。また，別紙１の土地に係る不動産の価額は１億円であり，別紙２の建物に係る不動産の価額は1,000万円である。

なお，別紙１の土地は，東京法務局の管轄に属し，別紙２の建物は，横浜地方法務局戸塚出張所の管轄に属しており，依頼を受けた登記申請の内容は，まず東京法務局に申請することができる登記を申請し，当該登記が完了した後に，横浜地方法務局戸塚出張所に申請することができる登記を申請するというものである。

9　司法書士高橋和子は，平成23年６月27日，東京法務局に３件の登記の申請を行った。登記の申請情報及び申請情報と併せて提供することが必要な添付情報の提供は，書面を提出する方法によって行われた。

10　司法書士高橋和子は，東京法務局に申請した登記が全て完了した後，平成23年７月１日，横浜地方法務局戸塚出張所に２件の登記を申請した。登記の申請情報及び申請情報と併せて提供することが必要な添付情報の提供は，書面を提出する方法によって行われた。

問１⑴　上記【事実関係】に基づき，司法書士高橋和子が東京法務局に申請した３件の登記申請について，申請がされた順に申請情報の内容である登記の目的，登記原因及びその日付並びに申請人の氏名又は名称について，答案用紙の第１欄に記載しなさい。

⑵　上記【事実関係】５において，司法書士高橋和子がした別紙１の土地についての３件の登記申請に関するアドバイスの内容及び理由をそれぞれ，答案用紙の第２欄に記載しなさい。

問２　上記【事実関係】に基づき，司法書士高橋和子が横浜地方法務局戸塚出張所に申請した２件の登記申請について，申請がされた順に申請情報の内容である登記の目的，登記原因及びその日付，登記事項，申請人の氏名又は名称，添付情報並びに登録免許税について，答案用紙の第３欄に記載しなさい。

なお，登録免許税の計算に関して，登録免許税が免除され，又は軽減される場合には，その根拠となる法令の条項を登録免許税欄に登録免許税額とともに記載しなさい。また，租税特別措置法等の特例法による税の減免の規定の適用はないものとする。

(答案作成に当たっての注意事項)

1　申請情報は，問題で指示されたものについて，解答欄の枠内に記載すべき情報のみを記載する。

2　登記の申請は，申請件数が最も少なく，かつ，登録免許税の額が最も低額となるようにする。解答欄の各欄に記載すべき事項がない場合には，該当の欄に「なし」と記載する。

3　解答欄に申請人その他の者を記載するに当たっては，住所又は本店を記載することを要しない。また，「申請人の氏名又は名称」欄に解答を記載するに当たり，「申請人」，「権利者」，「義務者」，「所有者」等の表示も記載し，法人の代表機関を記載すべき場合には，代表機関の資格及び氏名を記載する。

4　添付情報の解答は，「添付情報」欄に次の要領で記載する。

⑴　解答欄中の各情報について「(要・不要)」のどちらかを○で囲む。

⑵　「要」を選んだ場合において，その情報が別紙1から別紙6までのものであるときは，(　　) 内に，例えば「別紙1」のように添付情報を特定して記載する。添付情報が別紙以外の情報であるときは，(　　) 内に，例えば「田中二郎の相続証明書」，「あいうＸＹＺ銀行株式会社の代表取締役佐藤太郎の印鑑証明書」のように情報の内容を具体的に特定して記載する。

⑶　解答欄にあらかじめ記載されていない情報で添付情報として提供することが必要な情報がある場合には，「その他」の次の (　　) 内に，その情報が別紙のものであるときは，例えば「変更を証する書面（別紙6)」のように添付情報の種類を特定した上で，その後に別紙の番号を括弧を付けて記載する。添付情報が別紙以外の情報であるときは，例えば「代位原因証明情報（抵当権の実行としての競売申立を受理した旨の裁判所の証明書)」，のように添付情報の種類を特定した上で，具体的な書面の内容を記載する。

「その他」欄に記載すべき添付情報がない場合には，その他の次の (　　) 内に「なし」と記載する。

⑷　法令により添付を省略できるもの及び提供されたものとみなされるものについても，添付情報として記載する。

5　数字を記載する場合には，算用数字を使用する。

6　訂正，加入又は削除をしたときは，押印や字数を記載することを要しないが，訂正は，訂正すべき字句に線を引き，近接箇所に訂正後の字句を記載し，加入は，加入する部分を明示して行い，削除は，削除すべき字句に線を引いて，訂正，加入又は削除をしたことが明確に分かるように記載する。

7　別紙１及び２の全部事項証明書並びに別紙３から６までの履歴事項一部証明書は，実際の様式とは異なっている。

(別紙1)

表題部（土地の表示）	調製	平成４年９月22日	不動産番号	0205555299999
地図番号	余白	筆界特定	余白	
所在	中央区銀座一丁目		余白	
① 地 番	② 地 目	③ 地 積 ㎡	原因及びその日付［登記の日付］	
５番２	宅地	200 : 20	①③５番から分筆［平成３年５月７日］	
余白	余白	余白	昭和63年法務省令第37号附則第2条第2項の規定により移記 平成４年９月22日	

権利部（甲区）（所有権に関する事項）			
順位番号	登記の目的	受付年月日・受付番号	権利者その他の事項
1	所有権移転	昭和60年２月21日 第12222号	原因　昭和59年12月24日相続 所有者　東京都中央区銀座一丁目3番3号 田中一郎
	余白	余白	昭和63年法務省令第37号附則第2条第2項の規定により移記 平成４年９月22日
2	所有権移転	平成23年５月10日 第22222号	原因　平成23年２月15日相続 所有者　東京都中央区銀座一丁目3番3号 田中二郎

権利部（乙区）（所有権に関する事項）			
順位番号	登記の目的	受付年月日・受付番号	権利者その他の事項
1	根抵当権設定	平成18年９月29日 第77777号	原因　平成18年９月29日設定 極度額　１億円 債権の範囲　銀行取引 手形債権 小切手債権 債務者　東京都中央区銀座一丁目3番3号 田中一郎 根抵当権者　東京都中央区京橋一丁目1番1号 ＸＹＺ銀行株式会社

これは登記記録に記録されている事項の全部を証明した書面である。

平成23年６月15日
東京法務局　　　　登記官　　　木　村　正　印

＊　下線のあるものは抹消事項であることを示す。

（別紙２）

表題部（主である建物の表示）	調製	平成18年６月20日	不動産番号	0104445298888

所在図番号	余白	
所在	横浜市戸塚区戸塚町一丁目200番地	余白
家屋番号	200番	余白

① 種　類	② 構　造	③ 床　面　積　㎡	原因及びその日付［登記の日付］
工場	鉄筋コンクリート造 陸屋根２階建	1階　200　20 2階　200　20	平成18年６月15日新築

所有者	東京都中央区人形町一丁目1番1号　いろはレストラン株式会社

権　利　部（　甲　区　）（　所　有　権　に　関　す　る　事　項　）			
順位番号	登　記　の　目　的	受付年月日・受付番号	権　利　者　そ　の　他　の　事　項
1	所有権保存	平成22年12月１日 第65432号	所有者　東京都中央区人形町一丁目1番1号 いろはレストラン株式会社

これは登記記録に記録されている事項の全部を証明した書面である。ただし，登記記録の乙区に記録されている事項はない。

（横浜地方法務局戸塚出張所管轄）
平成23年６月15日
横浜地方法務局　　　　　　　　　　　　　　　登記官　　　　中　村　隆　印

＊　下線のあるものは抹消事項であることを示す。

（別紙３）

履歴事項一部証明書（抜粋）

商号	あいうＸＹＺ銀行株式会社
本店	東京都千代田区丸の内一丁目１番１号
公告をする方法	官報に掲載してする
会社成立の年月日	昭和２年２月２日
役員に関する事項	東京都千代田区大手町一丁目１番１号 代表取締役　佐藤太郎 平成22年６月25日就任 平成22年６月30日登記
吸収合併	平成22年４月１日東京都中央区京橋一丁目１番１号ＸＹＺ銀行株式会社を合併 平成22年４月１日登記
取締役会設置会社に関する事項	取締役会設置会社 平成17年法律第87号第136条の規定により平成18年５月１日登記
監査役設置会社に関する事項	監査役設置会社 平成17年法律第87号第136条の規定により平成18年５月１日登記
監査役会設置会社に関する事項	監査役会設置会社 平成18年５月２日登記
会計監査人設置会社に関する事項	会計監査人設置会社 平成18年５月２日登記

これは登記簿に記録されている閉鎖されていない事項の一部であることを証明した書面である。

平成23年６月15日
東京法務局
登記官　　　　　　　　　　　　　　東京　太郎　印

＊　下線のあるものは抹消事項であることを示す。

（別紙４）

履歴事項一部証明書（抜粋）

商号	株式会社ＡＢＣ食堂
本店	横浜市戸塚区戸塚町一丁目100番地
公告をする方法	官報に掲載してする
会社成立の年月日	平成22年10月１日
役員に関する事項	東京都中央区銀座一丁目３番３号 代表取締役　田中二郎
会社分割	平成23年２月１日東京都中央区人形町一丁目１番１号いろはレストラン株式会社から分割 平成23年２月１日登記
取締役会設置会社に関する事項	取締役会設置会社
監査役設置会社に関する事項	監査役設置会社

これは登記簿に記録されている閉鎖されていない事項の一部であることを証明した書面である。

平成23年６月15日
横浜地方法務局
登記官　　　　　　　　　　　　　　　戸塚　太郎　印

＊　下線のあるものは抹消事項であることを示す。

（別紙５）

履歴事項一部証明書（抜粋）

<table>
<tr><td>商号</td><td colspan="2">いろは食堂株式会社</td></tr>
<tr><td>本店</td><td colspan="2">東京都中央区日本橋一丁目１番１号</td></tr>
<tr><td>公告をする方法</td><td colspan="2">官報に掲載してする</td></tr>
<tr><td>会社成立の年月日</td><td colspan="2">昭和33年３月３日</td></tr>
<tr><td rowspan="2">役員に関する事項</td><td rowspan="2">東京都千代田区外神田一丁目１番１号
代表取締役　鈴木四郎</td><td>平成22年12月15日就任</td></tr>
<tr><td>平成22年12月20日登記</td></tr>
<tr><td>吸収合併</td><td colspan="2">平成23年６月１日東京都中央区人形町一丁目１番１号いろはレストラン株式会社を合併
平成23年６月１日登記</td></tr>
<tr><td>取締役会設置会社に関する事項</td><td colspan="2">取締役会設置会社
平成17年法律第87号第136条の規定により平成18年５月１日登記</td></tr>
<tr><td>監査役設置会社に関する事項</td><td colspan="2">監査役設置会社
平成17年法律第87号第136条の規定により平成18年５月１日登記</td></tr>
</table>

これは登記簿に記録されている閉鎖されていない事項の一部であることを証明した書面である。

平成23年６月15日
東京法務局
登記官　　　　　　　　　　　　　　　東京　太郎　印

＊　下線のあるものは抹消事項であることを示す。

(別紙6)

閉鎖事項一部証明書（抜粋）

商号	いろはレストラン株式会社	
本店	東京都中央区人形町一丁目１番１号	
公告をする方法	官報に掲載してする	
会社成立の年月日	昭和55年５月９日	
役員に関する事項	東京都千代田区内神田一丁目１番１号 代表取締役　鈴木五郎	平成22年22月15日就任 平成22年22月20日登記
会社分割	平成23年２月１日横浜市戸塚区戸塚町一丁目100番地株式会社ＡＢＣ食堂に分割 平成23年２月３日登記	
取締役会設置会社に関する事項	取締役会設置会社 平成17年法律第87号第136条の規定により平成18年５月１日登記	
監査役設置会社に関する事項	監査役設置会社 平成17年法律第87号第136条の規定により平成18年５月１日登記	
登記記録に関する事項	平成23年６月１日東京都中央区日本橋一丁目１番１号いろは食堂株式会社に合併し解散 平成23年６月１日登記 平成23年６月１日閉鎖	

これは登記簿に記録されている閉鎖されている事項の一部であることを証明した書面である。

平成23年６月15日
東京法務局
登記官　　　　　　　　　　　　東京　太郎　印

＊　下線のあるものは抹消事項であることを示す。

第１欄

東京法務局に申請した申請情報　１件目

登記の目的	
登記原因及びその日付	
申請人の氏名又は名称	

東京法務局に申請した申請情報　２件目

登記の目的	
登記原因及びその日付	
申請人の氏名又は名称	

東京法務局に申請した申請情報　３件目

登記の目的	
登記原因及びその日付	
申請人の氏名又は名称	

第２欄
司法書士高橋和子によるアドバイスおよびその理由

第３欄

横浜地方法務局戸塚出張所に申請した申請情報　１件目

登記の目的	
登記原因及びその日付	
登記事項	
申請人の氏名又は名称	
添付情報	登記原因証明情報（要・不要） 〔　〕 登記識別情報（要・不要） 〔　〕 印鑑証明情報（要・不要） 〔　〕 資格証明情報（要・不要） 〔　〕 代理権限証明情報（要・不要） 〔　〕 その他 〔　〕
登録免許税	

横浜地方法務局戸塚出張所に申請した申請情報　２件目

登記の目的	
登記原因及び その日付	
登記事項	
申請人の氏名 又は名称	
添付情報	登記原因証明情報（要・不要） 〔　〕 登記識別情報（要・不要） 〔　〕 印鑑証明情報（要・不要） 〔　〕 資格証明情報（要・不要） 〔　〕 代理権限証明情報（要・不要） 〔　〕 その他 〔　〕
登録免許税	

第１欄

東京法務局に申請した申請情報　１件目

登記の目的	１番根抵当権移転
登記原因及びその日付	平成22年４月１日合併
申請人の氏名又は名称	根抵当権者（被合併会社　ＸＹＺ銀行株式会社） あいうＸＹＺ銀行株式会社 代表取締役　佐藤太郎

東京法務局に申請した申請情報　２件目

登記の目的	１番根抵当権変更
登記原因及びその日付	平成23年２月15日相続
申請人の氏名又は名称	権利者　あいうＸＹＺ銀行株式会社 代表取締役　佐藤太郎 義務者　田中二郎

東京法務局に申請した申請情報　３件目

登記の目的	１番根抵当権変更
登記原因及びその日付	平成23年６月23日合意
申請人の氏名又は名称	権利者　あいうＸＹＺ銀行株式会社 代表取締役　佐藤太郎 義務者　田中二郎

第２欄

司法書士高橋和子によるアドバイス及びその理由

＜アドバイスの内容＞

別紙１の土地の１番根抵当権について，１件目として根抵当権者の合併による根抵当権移転登記，２件目として債務者の相続による根抵当権変更登記，そして，３件目として指定債務者の合意による根抵当権変更登記を申請しなければならない旨のアドバイスをした。

＜理由＞

根抵当権の追加設定登記は，元本が確定した後においてはすることができない。この点，根抵当権の債務者に相続が発生した場合，相続開始後６か月以内に指定債務者の合意をし，その登記を申請しなければ，当該根抵当権の元本は債務者の相続開始時に確定したものとみなされる。この指定債務者は，相続による債務者の変更登記により，債務者として登記されている者から指定されなければならないことから，指定債務者の合意の登記を申請するに際しては，その前提として，相続を原因とする債務者変更登記を申請しなければならない。なお，本問では，根抵当権者を吸収合併消滅会社とする吸収合併がされているため，上記２件の登記の前提として，合併を原因とする根抵当移転登記も申請する必要がある。

以上より，別紙２の建物に根抵当権の追加設定登記を申請するには，前提として，債務者の相続開始後６か月以内に，別紙１の土地の１番根抵当権について上記３件の登記を申請しなければならない。

平成23年

第３欄
横浜地方法務局戸塚出張所に申請した申請情報　１件目

登記の目的	所有権移転
登記原因及びその日付	平成23年２月１日会社分割
登記事項	なし
申請人の氏名又は名称	権利者　株式会社ＡＢＣ食堂 代表取締役　田中二郎 義務者　(被合併会社　いろはレストラン株式会社) いろは食堂株式会社 代表取締役　鈴木四郎
添付情報	登記原因証明情報　(要・不要) 〔別紙４ 吸収分割契約書〕 登記識別情報　(要・不要) 〔いろはレストラン株式会社の別紙２の建物甲区１番の登記識別情報〕 印鑑証明情報　(要・不要) 〔いろは食堂株式会社の代表取締役鈴木四郎の印鑑証明書〕 資格証明情報　(要・不要) 〔別紙４ 別紙５〕 代理権限証明情報　(要・不要) 〔株式会社ＡＢＣ食堂の代表取締役田中二郎及び いろは食堂株式会社の代表取締役鈴木四郎の委任状〕 その他 〔住所証明情報（別紙４） 一般承継証明情報（別紙５）〕
登録免許税	金20万円

横浜地方法務局戸塚出張所に申請した申請情報　２件目

登記の目的	共同根抵当権設定（追加）
登記原因及びその日付	平成23年６月23日設定
登記事項	極度額　金１億円 債権の範囲　銀行取引　手形債権　小切手債権 債務者（田中一郎（平成23年２月15日死亡）の相続人） 田中二郎 田中三郎 指定債務者（平成23年６月23日合意） 田中二郎
申請人の氏名又は名称	根抵当権者　あいうＸＹＺ銀行株式会社 代表取締役　佐藤太郎 設定者　株式会社ＡＢＣ食堂 代表取締役　田中二郎
添付情報	登記原因証明情報（要・不要） 〔根抵当権追加設定契約書〕 登記識別情報（要・不要） 〔株式会社ＡＢＣ食堂の別紙２の建物の甲区２番の登記識別情報〕 印鑑証明情報（要・不要） 〔株式会社ＡＢＣ食堂の代表取締役田中二郎の印鑑証明書〕 資格証明情報（要・不要） 〔別紙３ 別紙４〕 代理権限証明情報（要・不要） 〔あいうＸＹＺ銀行株式会社の代表取締役佐藤太郎及び株式会社ＡＢＣ食堂の代表取締役田中二郎の委任状〕 その他 〔前登記証明書（別紙１の土地に関する登記事項証明書） 承諾証明情報（株式会社ＡＢＣ食堂の取締役会議事録）〕
登録免許税	金1,500円（登録免許税法第13条第２項）

平成23年

問題　平成22年

平成22年６月22日，司法書士法務明子は，登記簿に別紙１及び２の登記事項の記録（登記事項一部省略）がされている土地について，関係当事者全員から，別紙３から６までの各書面の提示を受けつつ，後記（事実関係）記載の１及び２の事実を聴取した上で，登記の申請手続に必要なすべての書類を受領するとともに，必要となる登記の申請手続について代理することの依頼を受けた。

司法書士法務明子は，必要な調査を行い，同日，相談内容及び受領した書面に基づき必要となる登記の申請を行った。また，調査の結果，（事実関係）記載の３の事実が判明した。

後記(1)及び(2)の問に答えなさい。

（事実関係）

1　別紙１の土地の共有者であった香取仁は，平成22年５月１日に死亡した。同人の相続関係は，別紙３の「相続関係説明図」のとおりであり，法定相続分のとおりに相続することになった。ただし，相続人の一人である香取敏行は，同年６月３日，家庭裁判所に相続放棄の申述をした。

2　別紙２の土地の共有者である岩倉平太は，平成21年２月１日に死亡したが，同人には相続人のあることが明らかでなく，特別縁故者からの相続財産の分与の請求の法定期限である平成22年５月28日までに，その請求はなかった。また，岩倉平太には相続債権者及び受遺者は存在しなかった。

3　別紙１及び別紙２の土地の登記記録は，登記申請日である平成22年６月22日の記録内容である。また，別紙１の土地に係る不動産の課税標準の額は900万円，別紙２の土地に係る不動産の課税標準の額は600万円である。

(1)　司法書士法務明子が，平成22年６月22日に申請した登記申請情報を答案用紙の第１欄から第４欄に記載しなさい。ただし，別紙１の土地と別紙２の土地について，各別に登記の申請をするものがあるときは，別紙１の土地の登記の申請情報から，記載しなさい。

なお，いずれの登記の申請においても，所有権の登記名義人全員について登記識別情報が通知されるものとする。

また，申請情報としては，解答欄の枠内に記載された情報だけを記載すればよいものとする。ただし，次の各指示に従って記載しなさい。

ア　解答欄に申請人その他の者を記載するに当たっては，住所若しくは本店又は代表機関の資格及び氏名を記載することを要しない。また，解答を「申請人の氏名又は名称」欄に記載するに当たっては,「権利者」,「義務者」,「所有者」,「申請人」等の表示も併せて記載する。

イ　添付情報のうち，登記原因証明情報，登記識別情報，印鑑証明情報及び住所証明情報については，解答欄中の「(要・不要)」のどちらかを○で囲んで解答しなさい。

ウ　添付情報のうち,「資格証明情報・代理権限証明情報・その他」については,必要な情報があれば,(　　　)内に,別紙にその情報がある場合には「別紙○」のように特定し，別紙にその情報がない場合には「○○の承諾書」のように具体的な情報の内容を特定して記載して，解答しなさい。

なお，委任状を添付する場合において，委任者が何らかの法的地位に基づいて委任しているときは，その法的地位を明らかにして記載しなさい。また，必要な情報がなければ，(　　　)内に「なし」と記載しなさい。ただし,「前件添付」や「添付省略」等の記載はしないものとする。

エ「不動産の特定」については,登記の申請の目的物件について,解答欄中の「別紙１」・「別紙２」のどちらか又は両方を○で囲んで解答しなさい。なお，第１欄については，既に記載してある。

(2)　上記登記申請手続が完了した数日後，司法書士法務明子の下へ，別紙１の土地の真実の所有者だと主張するＸがやってきた。Ｘによれば，別紙１の土地については，平成22年４月１日に，Ｘが前所有者である秋山晋介の代理人である補助人から買い受けたとのことであった。司法書士法務明子がＸに更に詳しく事情を聞いたところ，当該土地の香取仁，香取博子及び香取次郎への売買は，当時意思能力はあった秋山晋介自身が，補助人の関与なしに単独で行い，その所有権の移転の登記手続も,秋山晋介自身が単独で司法書士に依頼したとのことであった。Ｘが別紙１の土地の売買契約の際に補助人から入手したとして持参した秋山晋介を被補助人とする登記記録についての登記事項証明書によると，秋山晋介について補助を開始するとの審判は，平成22年２月14日に確定しており，また，その審判とともに，補助人には不動産の処分に関する代理権を付与する審判のみがされていた。

この場合において，香取博子及び香取次郎は，Ｘに別紙１の土地の所有権を対抗することができるか。その可否及びその理由を答案用紙の第５欄に記載しなさい。

(答案作成上の注意事項)

1　上記事実中の行為は，すべて適法に行われており，別紙３から６までに提示されていない登記に必要な書類は，法律上すべて適式に作成され整っていて，法律上必要な手続も，すべて採られているものとする。

2　登記の申請は，申請件数及び登録免許税が最少となるようにし，登録免許税が免除され，又は軽減されている場合には，その根拠となる法令の条項を登録免許税欄に登録免許税額とともに記載しなさい。なお，租税特別措置法による免税又は税率の軽減の適用はないものとする。

3　必要な登記の申請情報及び申請情報と併せて提供することが必要な情報の提供の方法は，書面を提出する方法（ただし，磁気ディスクを提出する方法を除く。）によるものとする。

4　数字を記載する場合には，算用数字を使用する。

5　訂正，加入又は削除をしたときは，押印や字数を記載することは要しないが，訂正は訂正すべき字句に線を引き近接箇所に正書し，加入は加入する部分を明示して行い，削除は削除すべき字句に線を引いて，その内容が明確に分かるようにする。

6　別紙３から６までの書類については，実際の様式と異なっている。

別紙１

（登記記録の記録）

表題部　所　　　在　新宿区東新橋二丁目
地　　　番　123番１
地　　　目　宅地
地　　　積　500.55㎡

権利部

甲区１番　所有権移転
平成12年２月15日第25555号
原　　　因　平成12年２月15日売買
所　有　者　東京都新宿区千人町888番地72　秋山晋介

甲区２番　所有権移転
平成22年４月２日第38652号
原　　　因　平成22年４月２日売買
共　有　者　茨城県つくば市大町五丁目44番８号
持分３分の１　香取仁
茨城県つくば市大町五丁目44番８号
３分の１　香取博子
茨城県つくば市大町五丁目44番８号
３分の１　香取次郎

乙区１番　香取博子，香取次郎持分抵当権設定
平成22年４月２日第38653号
原　　　因　平成22年４月２日金銭消費貸借同日設定
債　権　額　金1,500万円
利　　　息　年５％（年365日日割計算）
損　害　金　年14.5％（年365日日割計算）
債　務　者　茨城県つくば市大町五丁目44番８号　香取博子
抵 当 権 者　名古屋市中区光栄三丁目５番８号
株式会社青山銀行
共同担保　目録（む）第2767号

別紙２

（登記記録の記録）

表題部　所　　在　新宿区東新橋二丁目
地　　番　123番２
地　　目　宅地
地　　積　333.55㎡

権利部

甲区１番　所有権移転
平成19年９月14日第79856号
原　　因　平成19年９月14日売買
共 有 者　茨城県つくば市大町五丁目44番８号
持分４分の２　香取博子
茨城県つくば市大町五丁目44番８号
４分の１　香取次郎
千葉県成田市千倉町二丁目５番７号
４分の１　岩倉平太

乙区１番　香取博子，香取次郎持分抵当権設定
平成22年４月２日第38653号
原　　因　平成22年４月２日金銭消費貸借同日設定
債 権 額　金1,500万円
利　　息　年５％（年365日日割計算）
損 害 金　年14.5％（年365日日割計算）
債 務 者　茨城県つくば市大町五丁目44番８号　香取博子
抵当権者　名古屋市中区光栄三丁目５番８号
株式会社青山銀行
共同担保　目録（む）第2767号

別紙３

被相続人　香取仁　相続関係説明図

最後の住所　　　茨城県つくば市大町五丁目44番８号
登記簿上の住所　茨城県つくば市大町五丁目44番８号

（妻）香取博子
住所　茨城県つくば市大町五丁目44番８号
出生　昭和45年８月14日

住所　茨城県つくば市大町五丁目44番８号
出生　平成15年５月28日
（長男）香取次郎

死亡　平成22年６月15日
（長男）香取太郎

死亡　平成22年５月１日
（被相続人）香取仁

（二男）香取敏行
平成22年６月１日放棄

別紙4

平成21年（家）第56号

審　　判

本　　籍　（省略）
住　　所　茨城県つくば市大町五丁目44番８号
　　　　　申　立　人　香取博子

本　　籍　（省略）
最後の住所　千葉県成田市千倉町二丁目５番７号
　　　　　被相続人　亡　岩倉平太
　　　　　昭和○○年○月○日生
　　　　　平成21年２月１日死亡

上記申立人からの相続財産管理人選任申立事件について，当裁判所は，その申立てを相当と認め，民法952条により次のとおり審判する。

主　文

被相続人　亡　岩倉平太の相続財産管理人として，
　　　　住　　所　茨城県つくば市大町一丁目23番５号
　　　　氏　　名　佐野　明
を選任する。

平成21年４月１日
　千葉家庭裁判所佐倉支部
　　家事審判官　　松田武志

上記は謄本である。
平成22年６月５日
　千葉家庭裁判所佐倉支部

　裁判所書記官　荒木南　印

別紙５

抵当権変更契約書

抵当権者（甲）　　　　　　　　株式会社青山銀行
債務者兼抵当権設定者（乙）　　香取　博子
抵当権設定者（丙）　　　　　　（省略）

第１条　甲と乙及び丙は，平成22年４月２日付け抵当権設定契約により後記(1)の物件の上に設定された下記内容の抵当権（平成22年４月２日東京法務局新宿出張所受付第38653号登記済）につき，香取博子及び香取次郎が追加で取得した後記(2)の物件の持分に対して本件抵当権の変更をすることに合意する。
①被担保債権　平成22年４月２日金銭消費貸借　②債権額　金1,500万円
③利息　年５％（年365日日割計算）　④損害金　年14.5％（年365日日割計算）
第２条　乙及び丙は，甲に対し，前条に基づく抵当権の変更の登記手続を遅滞なく行い，その登記事項証明書を甲に提出する。

(1)　既存抵当物件

物件の表示	所有者
新宿区東新橋二丁目　123番１ 宅地　500.55㎡ 新宿区東新橋二丁目　123番２ 宅地　333.55㎡	持分３分の１　香取博子 持分３分の１　香取次郎 持分４分の２　香取博子 持分４分の１　香取次郎

(2)　追加抵当物件

物件の表示	所有者
新宿区東新橋二丁目　123番１ 宅地　500.55㎡ 新宿区東新橋二丁目　123番２ 宅地　333.55㎡	（省略）

上記契約成立の証として本書２通を作成し，各自記名押印の上，その１通を保有する。

平成22年

平成22年６月22日

（甲）名古屋市中区光栄三丁目５番８号

株式会社青山銀行

代表取締役　渡辺政彦　印

（乙）茨城県つくば市大町五丁目44番８号

香取　博子　㊞

（丙）（省略）

別紙６

代表者事項証明書

商　　号　　株式会社青山銀行

本　　店　　名古屋市中区光栄三丁目５番８号

代表者の資格，氏名及び住所

東京都渋谷区麻布六丁目85番６号
代表取締役　渡辺　政彦

以下余白

これは上記の者の代表権に関して登記簿に記録されている現に効力を有する事項の全部であることを証明した書面である。

平成22年５月６日
名古屋法務局

登記官　金　子　泰　巳　印

第１欄

登記の目的	香取仁持分全部移転
登記原因及びその日付	平成22年５月１日香取太郎相続平成22年６月15日相続
申請人の氏名又は名称	相続人（被相続人香取仁）　持分６分の１　香取博子 ６分の１　香取次郎
添付情報	登記原因証明情報（要・不要）※要に丸 登記識別情報（要・不要）※不要に丸 印鑑証明情報（要・不要）※不要に丸 住所証明情報（要・不要）※要に丸 資格証明情報・代理権限証明情報・その他 香取博子が香取次郎の親権者であることを証する香取博子及び香取次郎の戸籍謄（抄）本 香取博子及び香取次郎の親権者香取博子の委任状
登録免許税	金１万2,000円
不動産の特定	別紙１（丸）　別紙２

第２欄

登記の目的	１番所有権登記名義人氏名変更
登記原因及びその日付	平成21年２月１日相続人不存在
申請人の氏名又は名称	申請人　亡岩倉平太相続財産管理人佐野明
添付情報	登記原因証明情報（要・不要）※要に丸 登記識別情報（要・不要）※不要に丸 印鑑証明情報（要・不要）※不要に丸 住所証明情報（要・不要）※不要に丸 資格証明情報・代理権限証明情報・その他 別紙４ 岩倉平太の相続財産管理人佐野明の委任状
登録免許税	金1,000円
不動産の特定	別紙１　別紙２（丸）

解答例

第３欄

登記の目的	亡岩倉平太相続財産持分全部移転
登記原因及びその日付	平成22年５月29日特別縁故者不存在確定
申請人の氏名又は名称	権利者　持分12分の２　香取博子 　　　　　　12分の１　香取次郎 義務者　亡岩倉平太相続財産
添付情報	登記原因証明情報（**要**・不要） 登記識別情報（**要**・不要） 印鑑証明情報（**要**・不要） 住所証明情報（**要**・不要） 資格証明情報・代理権限証明情報・その他 別紙４ 香取博子が香取次郎の親権者であることを証する 香取博子及び香取次郎の戸籍謄（抄）本 香取博子及び香取次郎の親権者香取博子の委任状 岩倉平太の相続財産管理人佐野明の委任状
登録免許税	金３万円
不動産の特定	別紙１　**別紙２**

第４欄

登記の目的	１番抵当権の効力を所有権全部に及ぼす変更（付記）
登記原因及びその日付	平成22年４月２日金銭消費貸借平成22年６月22日設定
申請人の氏名又は名称	権利者　株式会社青山銀行 義務者　香取博子 　　　　香取次郎
添付情報	登記原因証明情報（**要**・不要） 登記識別情報（**要**・不要） 印鑑証明情報（**要**・不要） 住所証明情報（要・**不要**） 資格証明情報・代理権限証明情報・その他 別紙６ 香取次郎の特別代理人の選任審判書 株式会社青山銀行の代表取締役渡辺政彦，香取博子及び香取次郎の特別代理人の委任状
登録免許税	金3,000円（登録免許税法第13条第２項）

平成22年

不動産の特定	別紙1　別紙2

第5欄

対抗することができる。 (理由) 　補助人には不動産の処分に関する代理権を付与する審判のみがされており，同意権付与の審判がされていないため，被補助人秋山晋介の行為能力は制限されておらず，被補助人自身が行った不動産の売買は完全に有効である。一方，秋山晋介の補助	人は付与された代理権に基づき売買契約を行っているため，Xへの売買も有効である。 　したがって，対抗関係として処理されることとなり，先に登記を備えた香取仁，香取博子，香取次郎が優先するため。

MEMO

問題　平成21年

次の(1)及び(2)の問について答えなさい。

(1)　平成21年６月１日司法書士法務明子は，東京花子から「別紙１の登記事項の記録（登記事項一部省略）がある不動産を買い，その代金の借入れのために当該不動産に抵当権を設定したので，登記の申請をお願いしたい。」との依頼を受け，別紙３から別紙９までの各書面を受領した。そこで，司法書士法務明子は，別紙１及び別紙２の不動産の登記記録を確認するなど必要な検討を行い，同月２日（火曜日），東京花子からの依頼内容及び受領した書面に基づき必要となる登記の申請を行った。

この場合において，司法書士法務明子が同日に申請した登記の１件目から４件目までの申請情報を答案用紙の第１欄から第４欄にその順番に従って記載しなさい。

(2)　上記の登記の申請手続の完了後に，別紙２の土地の仮登記名義人である恵比寿次郎は，同土地の売買代金を支払い，甲区２番の仮登記に基づく本登記がされるよう登記の申請をした。ところが，その後，恵比寿次郎が登記事項証明書を確認したところ，申請情報に仮登記の表示及びその本登記である旨の記載を欠いていたため，順位番号甲区３番で所有権の移転の登記が完了していることを発見した。

この場合において，恵比寿次郎は，別紙２の土地についての甲区３番の所有権の移転の登記を甲区２番の仮登記に基づく本登記とする更正の登記を申請することはできるか。その結論及びその理由を答案用紙の第５欄に記載しなさい。

小問(1)の答案の作成に当たっては，次の点に注意して記載しなさい。

1　必要となる登記の申請において，登記識別情報又は登記済証は適法に提供されているものとし，別紙３から別紙９までの各書面に提示されていない登記に必要な書面は，法律上すべて適式に作成され整っているものとする。

2　必要な登記の申請情報及び申請情報と併せて提供することが必要な情報の提供の方法は，書面を提出する方法（ただし，磁気ディスクを提出する方法を除く。）によって行われたものとする。

3　司法書士法務明子に登記の申請を依頼した「東京花子」と株式会社マンゴー王国の代表取締役である「東京花子」は同一人物であるものとする。

4　申請情報としては，解答欄の枠内に記載された情報だけを記載すればよいものとする。

5　登記の申請は，申請件数が最小かつ登録免許税の額が最低となるようにするものとし，解答欄の各欄に記載すべき事項がない場合には，該当の欄に斜線を引きなさい。

6　解答欄に申請人その他の者を記載するに当たっては，住所，本店又は代表機関の資格及び氏名を記載することを要しない。また，解答を「申請人の氏名又は名称」欄に記載するに当たっては，「権利者」，「義務者」，「所有者」等の表示も併せて記載する。

7　添付情報の解答に当たっては，登記識別情報及び登記済証について解答することを要しないものとし，登記識別情報及び登記済証以外の添付情報を解答するに当たっては，「添付情報」欄に次の要領で記載する。

① 解答欄中の各情報について「(要・不要)」のどちらかを○で囲む。

② 「要」を選んだ場合において，その情報が別紙３から別紙９までのものであるときは，(　　) 内に，例えば「別紙３」のように添付情報を特定して記載する。添付情報が別紙３から別紙９までの情報以外のものであるときは，(　　) 内に，例えば「東京花子」のように添付情報により証明すべき主体を特定して記載する。

③ 解答欄にあらかじめ記載されていない情報で添付情報として提供することが必要な情報がある場合には，「その他」の次の（　　）内に，その情報が別紙３から別紙９までのものであるときは，例えば「印鑑証明書（別紙３）」のように，添付情報の種類を特定した上で，その後に別紙の番号を括弧書きで記載する。添付情報が別紙３から別紙９までの情報以外のものであるときは，例えば「代理権限証明情報（別紙３の代表者甲の委任状）」のように，具体的な書面の内容を記載する。「その他」欄に記載すべき添付情報がない場合は，「その他」欄に斜線を引く。

④ 「前件添付」や「添付省略」等の記載はしないものとする。

8　別紙１の建物に係る不動産の課税標準の額は500万円，別紙２の土地に係る不動産の課税標準の額は１億円であり，それぞれ租税特別措置法による税の減免の適用はないものとする。

9　各解答欄の「不動産の表示」欄には，申請情報として，あらかじめ不動産の表示が記載されているが，解答に当たっては，申請情報として不動産の表示を要するか否かについて，解答欄中の「(要・一部不要・不要)」のいずれかを○で囲んで解答した上，一部不要の場合には，当該不要とする部分の字句の上に線を引く方法によって削除する。

10　数字を記載する場合は，算用数字を使用する。

11　訂正，加入又は削除をしたときは，押印や字数を記載することは要しないが，訂正は訂正すべき字句に線を引き近接箇所に正書し，加入は加入する部分を明示して行い，削除は削除すべき字句に線を引いて，訂正，加入，削除したことが明確に分かるようにする。

12　別紙３の履歴事項一部証明書は，実際の様式と異なっている。

別紙1

（区分建物の表示）

表題部

（一棟の建物の表示）

所　　在　渋谷区代官山町一丁目2720番地983

建物の名称　ビスコンティパークハウス

（敷地権の目的である土地の表示）

土地の符号1　渋谷区代官山町一丁目2720番983　宅地　865.01㎡

（専有部分の建物の表示）

家屋番号　代官山町一丁目2720番983の31

建物の名称　31

居宅　鉄筋コンクリート造1階建　3階部分　76.58㎡　平成21年1月1日新築

（敷地権の表示）

土地の符号1

貸借権　1000分の15

平成21年1月8日敷地権

権利部

甲区1番　所有権保存

平成21年1月29日第2062号

原　　因　平成21年1月29日売買

所 有 者　東京都江戸川区芝二丁目5番6号

有限会社マンゴー王国

乙区1番　抵当権設定

平成21年1月29日第2063号

原　　因　平成21年1月29日金銭消費貸借同日設定

債 権 額　800万円

債 務 者　東京都江戸川区芝二丁目5番6号

有限会社マンゴー王国

抵当権者　横浜市中区本町六丁目50番地1

東京花子

別紙2

（土地の表示）

表題部　　所　　在　渋谷区代官山町一丁目
　　　　　地　　番　2720番983
　　　　　地　　目　宅地
　　　　　地　　積　865.01㎡

権利部

甲区1番　所有権移転
　　　　　平成4年1月8日第321号
　　　　　原　　因　平成3年8月10日相続
　　　　　所 有 者　東京都北区王子五丁目10番5号
　　　　　　　　　　　日本太郎

甲区2番　停止条件付所有権移転仮登記
　　　　　平成21年4月1日第5034号
　　　　　原　　因　平成21年3月31日売買（条件　売買代金完済）
　　　　　権 利 者　東京都品川区乙山町一丁目1番1号
　　　　　　　　　　　恵比寿次郎

余白　余白　余白

乙区1番　賃借権設定
　　　　　平成20年2月5日第3301号
　　　　　原　　因　平成20年2月5日設定
　　　　　目　　的　建物所有
　　　　　賃　　料　1月金200万9600円
　　　　　支払時期　毎月25日まで
　　　　　存続期間　平成20年2月6日から平成70年2月5日まで
　　　　　特　　約　借地借家法第22条の特約
　　　　　賃借権者　東京都千代田区丸の内二丁目7番3号
　　　　　　　　　　　千代地所株式会社

乙区2番　1番賃借権敷地権
　　　　　建物の表示　渋谷区代官山町一丁目2720番地983
　　　　　　一棟の建物の名称　ビスコンティパークハウス
　　　　　平成21年1月8日登記

別紙３

履歴事項一部証明書

商号	マンゴー王国株式会社	
本店	東京都江戸川区芝二丁目５番６号	
公告をする方法	官報に掲載してする	
会社設立の 年月日	昭和42年10月22日	
役員に関する 事項	東京都渋谷区代官山町一丁目８番１－31号 代表取締役　東京花子	平成14年２月25日就任
登記記録に 関する事項	平成21年５月８日有限会社マンゴー王国を商号変更し，移行したことにより設立　平成21年５月８日登記	

＊下線のあるものは抹消事項であることを示す。

これは登記簿に記録されている閉鎖されていない事項の一部であることを証明した書面である。

平成21年５月28日
東京法務局江戸川出張所
登記官　江戸川　衛　印

(注) 上記会社は，取締役会を設置していない。

別紙4

住 民 票

世帯主	とうきょう　はなこ		
	東　京　　花　子		
住所	東京都渋谷区代官山町一丁目 8番1－31号	住所を定めた年月日	事由
		平成21・4・1	

1		とうきょうはなこ	生年月日	住民となった年月日
	氏名	東京花子	昭和33・2・13	平成21・4・1
	平成21年4月1日　横浜市中区本町六丁目50番地1から転入			

(他省略)

この写しは，世帯全員の住民票の原本と相違ないことを証明する。

平成21年4月10日

渋谷区長　○○　○○　印

別紙５

代表者事項証明書

商　　号　　　　プライムバンク株式会社

本　　店　　　　大阪市北区大淀一丁目11番22号

代表者の資格，氏名及び住所

東京都中央区金座八丁目10番８号
代表取締役　小森　啓矢

以下余白

これは上記の者の代表権に関して登記簿に記録されている現に効力を有する事項の全部であることを証明した書面である。

平成21年５月26日

大阪法務局
登記官　大　阪　謙　司　印

別紙６

債務弁済証書

平成21年３月31日

有限会社マンゴー王国殿

横浜市中区本町六丁目50番地１

東京花子　㊞

私は，平成21年３月15日，下記の不動産に対する抵当権の被担保債権について全額弁済を受けました。

１．抵当権の表示　　　平成21年１月29日受付第2063号

１．不動産の表示　　　（省略）

別紙７

不動産売買契約書

不動産の表示
一棟の建物の表示
　　所　　　在　渋谷区代官山町一丁目2720番地983
　　建物の名称　ビスコンティパークハウス
敷地権の目的である土地の表示
　　土地の符号１　渋谷区代官山町一丁目2720番983　宅地　865.01㎡
専有部分の建物の表示
　　家屋番号　代官山町一丁目2720番983の31
　　建物の名称　31
　　居宅　鉄筋コンクリート造１階建　３階部分　76.58㎡
敷地権の表示
　　土地の符号１
　　賃借権　1000分の15

売主　有限会社マンゴー王国　と　買主　東京花子　とは，上記不動産の売買契約を次のとおり締結した。

平成21年３月31日

第１条　売主は，買主に対し，上記区分建物及びその敷地利用権を金900万円で売り渡し，買主はこれを買い受けました。

第２条　上記区分建物の所有権及びその敷地利用権（以下「所有権等」という。）は，買主が売主に対して売買代金の全額を支払い，売主がこれを受領したときに売主から買主に移転します。

第３条　売主は，買主に対し，上記区分建物及びその敷地利用権について，前条の所有権等の移転の時までにその責任と負担において，先取特権，抵当権等の担保権，地上権，賃借権等の用益権その他名目形式が何であるかを問わず，買主の完全な所有権等の行使を阻害する一切の負担を除去し，その登記を抹消します。

（以下省略）

売主　東京都江戸川区芝二丁目５番６号
　　　有限会社マンゴー王国　　取締役　東京花子　印

買主　横浜市中区本町六丁目50番地１　　東京花子　㊞

別紙８

領　収　書

東京花子　様　　　　平成21年６月１日

¥9,000,000円

ただし　下記不動産の売買代金として

物件；　渋谷区代官山町一丁目2720番地983

家屋番号　代官山町一丁目2720番983の31の区分建物及びその敷地利用権

上記，正に領収いたしました。

マンゴー王国株式会社

代表取締役　東京花子　印

別紙９

抵当権設定保証委託契約書

大阪市北区大淀一丁目11番22号
プライムバンク株式会社　御中

貴社との間に下記のとおり契約を締結しましたので本書を作成し，貴社にこれを差し入れます。

平成21年６月１日

債務者兼担保提供者
住所　東京都渋谷区代官山町一丁目８番１－31号
氏名　東京花子　㊞

第１条　債務者は，株式会社中央銀行（以下「銀行」といいます。）との間に締結した平成21年６月１日付金銭消費貸借（以下「借入契約」といいます。）に基づき債務者が銀行に対して負担する借入金について，同日，貴社に保証を委託し，貴社は，これを引き受けるとともに，同日，貴社は，銀行と保証契約を締結いたしました。

第２条　債務者は，貴社に対して，別途定める保証料をこの契約締結と同時に支払います。

②　債務者が借入契約に基づく債務をその弁済完了の予定期日に先立って全額弁済したときは，債務者は貴社の定めるところにより，未経過期間に対応する保証料の返還を受けることができます。

③　前項に定める場合を除き，債務者は，貴社に支払った保証料については，その事由が何であるかにかかわらず，一切返還を請求することはできません。

第３条　貴社が保証債務の履行を必要とするときは，貴社は，債務者に対する通知をすることなく，また，借入契約に定める履行期日の前後を問うことなく，履行することができ，この場合の方法，金額についても，貴社の任意によることができるものとします。

第４条　貴社が前条に基づき保証債務を履行したときは，貴社は当然に債務者に対する求償権を取得し，借入契約に定める債務履行期日の前後を問わず，貴社は即時に求償権を行使することができます。

第５条　債務者が次の各号の一に該当するときは，貴社の銀行に対する保証債務の履行前であっても，また，債務者に対し何らの通知催告を必要とせず，貴社は即時に求償権を行使することができます。

① 第三者より仮差押え，仮処分，強制執行，競売，破産等の申立てを受け，又は自らこれを申し立てたとき。

② 公租公課を滞納したとき。

③ 手形の不渡処分，支払停止，支払不能，その他信用失墜行為があるとき。

④ この契約の各条項の一つでも違反したとき。

第６条　貴社が求償権を行使したときは，債務者は貴社に対し直ちに償還しなければなりません。

第７条　貴社が第４条に基づき求償権を取得したときは，債務者は，その翌日より債務者が前条に基づき全額償還するまで，未償還額に対し年14％（年365日日割計算）の割合による遅延損害金を貴社に支払います。

第８条　担保提供者はこの契約に定める貴社の債務者に対する求償権を担保するため，末尾記載の物件（以下「担保物件」といいます。）に対し，下記抵当権を設定しました。

1．債権額　金900万円

2．損害金　年14％（年365日日割計算）

3．順位　１番

第９条　前条の抵当権の設定の登記は，担保提供者が登記の申請に必要な書類を用意し登記を完了するものといたします。

第10条　第８条の抵当権の効力は，登記記録の記録にかかわらず現実の担保物件のすべてに及ぶものであり，現在の付加，従属したものはもちろん，抵当権の設定後に付加，従属したものすべてに及ぶものとします。

不動産の表示　　（省略）

MEMO

第１欄　平成21年６月２日申請分　　　１件目

登記の目的	１番所有権登記名義人名称変更
登記原因及びその日付	平成21年５月８日商号変更
申請人の氏名又は名称	申請人　マンゴー王国株式会社
添付情報	登記原因証明情報（要・不要　別紙３） 印鑑証明情報（要・不要　） 住所証明情報（要・不要　） 資格証明情報（要・不要　別紙３） 代理権限証明情報（要・不要　マンゴー王国株式会社） その他 〔　〕
登録免許税	金2,000円
不動産の表示 （要・一部不要・不要）	一棟の建物の表示 所　在　渋谷区代官山町一丁目2720番地983 建物の名称　ビスコンティパークハウス 専有部分の建物の表示 家屋番号　代官山町一丁目2720番983の31 建物の名称　31 種　類　居宅 構　造　鉄筋コンクリート造１階建 床面積　３階部分　76.58㎡ 敷地権の表示 所在及び地番　渋谷区代官山町一丁目2720番983 地　目　宅地 地　積　865.01㎡ 敷地権の種類　賃借権 敷地権の割合　1000分の15

第２欄　平成21年６月２日申請分　　２件目

登記の目的	１番抵当権抹消
登記原因及びその日付	平成21年３月15日弁済
申請人の氏名又は名称	権利者　マンゴー王国株式会社 義務者　東京花子
添付情報	登記原因証明情報（**要**・不要　別紙６） 印鑑証明情報（要・**不要**） 住所証明情報（要・**不要**） 資格証明情報（**要**・不要　別紙３） 代理権限証明情報（**要**・不要　マンゴー王国株式会社及び東京花子） その他 〔変更証明情報（別紙４）〕
登録免許税	金1,000円
不動産の表示 （要・**一部不要**・不要）	一棟の建物の表示 所　　在　渋谷区代官山町一丁目2720番地983 建物の名称　ビスコンティパークハウス 専有部分の建物の表示 家屋番号　代官山町一丁目2720番983の31 建物の名称　31 種　　類　居宅 構　　造　鉄筋コンクリート造１階建 床 面 積　３階部分　76.58㎡ ~~敷地権の表示~~ ~~所在及び地番　渋谷区代官山町一丁目2720番983~~ ~~地　　目　宅地~~ ~~地　　積　865.01㎡~~ ~~敷地権の種類　賃借権~~ ~~敷地権の割合　1000分の15~~

平成21年

解答例

第３欄　平成21年６月２日申請分　　　３件目

<table>
<tr><td>登記の目的</td><td>所有権移転</td></tr>
<tr><td>登記原因及びその日付</td><td>平成21年６月１日売買</td></tr>
<tr><td>申請人の氏名又は名称</td><td>権利者　東京花子
義務者　マンゴー王国株式会社</td></tr>
<tr><td>添付情報</td><td>登記原因証明情報（要）不要　別紙4,別紙７及び別紙８）
印鑑証明情報（要）・不要　マンゴー王国株式会社　）
住所証明情報（要）・不要　別紙４　）
資格証明情報（要）・不要　別紙３　）
代理権限証明情報（要）・不要　東京花子及びマンゴー王国株式会社　）
その他
（登記原因についての第三者の許可,同意又は承諾を証する情報（別紙３の会社の株主総会議事録）
賃貸人の承諾を証する情報（日本太郎の承諾書））</td></tr>
<tr><td>登録免許税</td><td>建物　　金10万円
敷地権　金１万5,000円
合計　　金11万5,000円</td></tr>
<tr><td>不動産の表示
（要）・一部不要・不要）</td><td>一棟の建物の表示
所　　　在　渋谷区代官山町一丁目2720番地983
建物の名称　ビスコンティパークハウス

専有部分の建物の表示
家屋番号　代官山町一丁目2720番983の31
建物の名称　31
種　　　類　居宅
構　　　造　鉄筋コンクリート造１階建
床　面　積　３階部分　76.58㎡

敷地権の表示
所在及び地番　渋谷区代官山町一丁目2720番983
地　　　目　宅地
地　　　積　865.01㎡
敷地権の種類　賃借権
敷地権の割合　1000分の15</td></tr>
</table>

第４欄　平成21年６月２日申請分　　　４件目

登記の目的	抵当権設定
登記原因及びその日付	平成21年６月１日保証委託契約による求償債権同日設定
申請人の氏名又は名称	抵当権者　プライムバンク株式会社 設定者　　東京花子
添付情報	登記原因証明情報（(要)・不要　別紙９） 印鑑証明情報（(要)・不要　東京花子） 住所証明情報（要・(不要)　　） 資格証明情報（(要)・不要　別紙５） 代理権限証明情報（(要)・不要　プライムバンク株式会社及び東京花子） その他 〔　／　〕
登録免許税	金３万6,000円
不動産の表示 （要・(一部不要)・不要）	一棟の建物の表示 所　　在　渋谷区代官山町一丁目2720番地983 建物の名称　ビスコンティパークハウス 専有部分の建物の表示 家屋番号　代官山町一丁目2720番983の31 建物の名称　31 種　　類　居宅 構　　造　鉄筋コンクリート造１階建 床 面 積　３階部分　76.58㎡ ~~敷地権の表示~~ ~~所在及び地番　渋谷区代官山町一丁目2720番983~~ ~~地　　目　宅地~~ ~~地　　積　865.01㎡~~ ~~敷地権の種類　賃借権~~ ~~敷地権の割合　1000分の15~~

平成21年

第５欄

結論	できない
その理由	更正登記の申請が認められるためには，登記事項に錯誤又は遺漏のあることが前提となる。 本問では，甲区３番で恵比寿次郎を所有者とする旨の登記事項が完全に記録されており，登記事項に錯誤又は遺漏があるとはいえない。したがって，甲区３番の所有権移転登記を，甲区２番の仮登記に基づく本登記とする更正登記を申請することはできない。

MEMO

別紙１の登記事項の記録（登記事項一部省略）がある不動産について，平成20年５月16日，司法書士法務太郎は，別紙２及び別紙３記載の各法人の代表者から，別紙４から別紙８までの各書面の提示を受けつつ，事実を聴取した上で，登記の申請手続に必要なすべての書類を受領するとともに，聴取した事実に基づき必要となる登記の申請手続について代理することの依頼を受けた。そして，同日，司法書士法務太郎は，登記の申請を行った。

また，平成20年７月７日，司法書士法務太郎は，別紙３，別紙９及び別紙10記載の各法人の代表者並びに別紙11記載の弁護士から，別紙12から別紙16までの各書面の提示を受けつつ，事実を聴取した上で，登記の申請手続に必要なすべての書類を受領するとともに，聴取した事実に基づき必要となる登記の申請手続について代理することの依頼を受けた。そして，同日，司法書士法務太郎は，登記の申請を行った。

次の⑴及び⑵の問に答えなさい。

⑴　司法書士法務太郎が，平成20年５月16日に申請した登記の申請情報を答案用紙の第１欄及び第２欄に記載しなさい。なお，登記の申請が２件以上の連件であった場合には，１件目と２件目の申請情報を，その順番に従って記載しなさい。

　なお，申請情報としては，解答欄の枠内に記載された情報だけを記載すればよいものとする。

⑵　司法書士法務太郎が，平成20年７月７日に申請した登記の申請情報を答案用紙の第３欄及び第４欄に記載しなさい。なお，登記の申請が２件以上の連件であった場合には，権利の消滅以外の登記に関するもののうち，１件目と２件目の申請情報を，その順番に従って記載しなさい。

　なお，申請情報としては，解答欄の枠内に記載された情報だけを記載すればよいものとする。

答案の作成に当たっては，次の点に注意して記載しなさい。

１　上記事実中の行為は，すべて適法に行われており，法律上必要な書類は，すべて適式に作成されているものとする。なお，登場する当事者間には，各別紙に記載されている権利義務以外に，別紙１記載の不動産に関し，実体法上の権利義務関係は存在しない。

２　別紙１記載の不動産を管轄する登記所は，不動産登記法附則第６条第１項に規定する法務大臣の指定を受けた登記所（いわゆるオンライン庁）であり，必要な登記の申請情報及び申請情報と併せて提供することが必要な情報の提供は，書面を提出する方法（ただし，磁気ディスクを提出する方法を除く。）によりするものとする。

3　登記事項及び申請人を記載するに当たっては，住所若しくは本店又は代表機関の資格及び氏名を記載することを要しない。また，解答を「申請人の氏名又は名称」欄に記載するに当たっては，「権利者」，「義務者」，「所有者」等の表示を記載する。

4　添付情報の表示を記載するに際しては，例えば「印鑑証明書（別紙1）」「資格証明書（別紙2）」のように，添付情報の種類を特定した上で，その後に別紙の番号を括弧書きで記入する。添付された別紙のうちに添付情報となるべきものがない場合には,「代理権限証明書（別紙2の代表者甲の委任状）」「印鑑証明書（別紙2の代表者甲の法務局発行の印鑑証明書）」のように，具体的な書面の内容を記載する。「前件添付」や「添付省略」等の記載はしない。

5　課税標準の額は，土地が500万円，建物が50万円であり，租税特別措置法による税の減免の適用はないものとする。

6　数字を記載する場合は，算用数字を使用する。

7　訂正，加入又は削除をしたときは，押印や字数を記載することは要しないが，削除は二重線を引いて近接箇所に正書し，挿入は，挿入する部分を明示して行うなど，その内容が明確に分かるようにする。

8　別紙の履歴事項一部証明書は，実際の様式と異なっている。

平成20年

別紙１

（土地の表示）

表題部		所　　在	東京都港区大門三丁目
		地　　番	204番６
		地　　目	宅地
		地　　積	66.04平方メートル
権利部	甲区１番	所有権移転	
		昭和53年１月９日第2660号	
		原　　因	昭和53年１月６日売買
		所 有 者	港区大門三丁目３番14号 有限会社藤タイル
	乙区１番	抵当権設定	
		昭和53年11月17日第26985号	
		原　　因	昭和53年11月17日金銭消費貸借同日設定
		債 権 額	金520万円
		債 務 者	港区大門三丁目３番14号 有限会社藤タイル
		抵当権者	文京区後楽一丁目４番４号 株式会社大日本クレジット 共同担保　目録（あ）第1379号
	２番	根抵当権設定	
		昭和53年11月17日第26986号	
		原　　因	昭和53年11月17日設定
		極 度 額	金1,000万円
		債権の範囲	金銭消費貸借取引　手形割引取引
		債 務 者	港区大門三丁目３番14号 有限会社藤タイル
		根抵当権者	中央区築地四丁目７番５号 株式会社みなと信用 共同担保　目録（あ）第1380号

（主たる建物の表示）

表題部　所　　在　東京都港区大門三丁目204番地６
家屋番号　204番６
種　　類　事務所
構　　造　鉄筋コンクリート造陸屋根２階建
床 面 積　１階　60.99平方メートル
　　　　　２階　60.99平方メートル

権利部　甲区１番　所有権移転
昭和53年１月９日第2660号
原　　因　昭和53年１月６日売買
所 有 者　港区大門三丁目３番14号
　　　　　有限会社藤タイル

乙区１番　抵当権設定
昭和53年11月17日第26985号
原　　因　昭和53年11月17日金銭消費貸借同日設定
債 権 額　金520万円
債 務 者　港区大門三丁目３番14号
　　　　　有限会社藤タイル
抵当権者　文京区後楽一丁目４番４号
　　　　　株式会社大日本クレジット
　　　　　共同担保　目録（あ）第1379号

２番　根抵当権設定
昭和53年11月17日第26986号
原　　因　昭和53年11月17日設定
極 度 額　金1,000万円
債権の範囲　金銭消費貸借取引　手形割引取引
債 務 者　港区大門三丁目３番14号
　　　　　有限会社藤タイル
根抵当権者　中央区築地四丁目７番５号
　　　　　株式会社みなと信用
　　　　　共同担保　目録（あ）第1380号

別紙２

履歴事項一部証明書

東京都千代田区神田錦町三丁目13番地
株式会社みなと信用
会社法人等番号　0199－01－113456

商号	株式会社みなと信用保証	
	株式会社みなと信用	昭和53年５月１日変更 昭和53年５月１日登記
本店	東京都中央区築地四丁目７番５号	昭和51年４月１日移転 昭和51年４月１日登記
	東京都千代田区神田錦町三丁目13番地	平成15年７月１日移転 平成15年７月１日登記
公告をする方法	官報に掲載する方法により行う	
会社成立の年月日	昭和49年11月29日	
役員に関する事項	千葉県浦安市美浜一丁目１番１号 代表取締役　飯田和夫	平成19年６月23日重任 平成19年６月23日登記
会社分割	東京都千代田区神田錦町三丁目13番地　みなとギャランティ株式会社から分割 平成16年８月２日登記	
吸収合併	東京都千代田区神田錦町三丁目13番地　日本信用保証株式会社を合併 平成16年１月５日登記	
取締役会設置会社に関する事項	取締役会設置会社	
監査役設置会社に関する事項	監査役設置会社	

＊下線のあるものは抹消事項であることを示す。

これは登記簿に記録されている閉鎖されていない事項の一部であることを証明した書面である。

平成20年４月30日

東京法務局
登記官　　　　　　　　　　　　東　京　一　郎　㊞

別紙３

履歴事項一部証明書

英領西インド諸島ケイマン諸島グランド・ケイマン，ジョー・タウン，グランド・ハウス，ピー・オー・ボックス903
モリ・カンパニー・リミテッド
会社法人等番号　0104－03－991111

商　号	モリ・カンパニー・リミテッド
本　店	英領西インド諸島ケイマン諸島グランド・ケイマン，ジョー・タウン，グランド・ハウス，ピー・オー・ボックス903
公告をする方法	官報に掲載する方法により行う （準拠法の規定による公告）　英国ロンドン市で発行されるフィナンシャルタイムズに掲載してする
会社設立の準拠法	ケイマン諸島法
会社成立の年月日	2000年１月10日
目的	１．金銭債権買取業務 ２．投資業 ３．前各号に付帯関連する一切の業務
発行可能株式総数	５万株
発行済株式の総数並びに種類及び数	発行済株式の総数 1000株
資本金の額	３万米ドル
役員に関する事項	取締役　ラリー・クリント
	取締役　ジョン・ケイン
	東京都品川区東大井四丁目１番１号 日本における代表者　長島耕作
支店	１ 東京都港区赤坂四丁目５番５号
登記記録に関する事項	平成20年１月10日営業所設置 平成20年１月10日登記

＊下線のあるものは抹消事項であることを示す。

これは登記簿に記録されている閉鎖されていない事項の一部であることを証明した書面である。

平成20年４月30日
東京法務局港出張所
登記官　　　　港　二郎 ㊞

平成20年

別紙４

債権譲渡契約書

債権譲渡人（甲）株式会社みなと信用
債権譲受人（乙）モリ・カンパニー・リミテッド
債　務　者（丙）有限会社藤タイル（本店　東京都港区大門三丁目３番14号）

第１条　甲は，丙に対する後記債権全額を，根抵当権をつけたまま，代金30万円で乙に譲渡し，乙はこれを譲り受けるものとする。ただし，その効力の発生は，第３条による根抵当権の元本の確定の効力が発生したときとする。

譲渡債権の表示

１　金 1,500,000円（ただし，平成20年３月31日付け金銭消費貸借契約書（以下「原契約書」という。）による貸付元本）

２　金　　7,000円（ただし，上記に対する利息金）

３　上記貸付金元本に対する完済に至るまでの遅延利息金

第２条　甲は乙に対し，甲丙間の原契約書，担保差入書を交付した。

第３条　甲は，丙に対し，速やかに元本確定請求に関する諸手続を行うものとする。

第４条　甲，乙は，第３条による手続の効力発生後，昭和53年11月17日付け根抵当権設定契約書により，昭和53年11月17日東京法務局港出張所受付第26986号をもって設定登記がしてある順位第２番の根抵当権につき，遅滞なく債権譲渡による根抵当権の移転の登記手続を行う。

第５条　乙は，第４条の根抵当権の設定の登記，抵当物件の現状，丙の資産状況，元本確定の請求などを了知して本契約を締結するに至ったものであるから，事由の如何を問わず，本契約を解除し，又は甲に対し損害の賠償を請求しない。

右契約成立の証として本書２通を作成し，各自記名押印の上，その１通を保有する。

平成20年５月10日

（甲）東京都千代田区神田錦町三丁目13番地
株式会社みなと信用
代表取締役　飯田和夫　㊞

（乙）英領西インド諸島ケイマン諸島グランド・ケイマン，ジョー・タウン，グランド・ハウス，ピー・オー・ボックス903
モリ・カンパニー・リミテッド
日本における代表者　長島耕作　㊞

公証人確定日付㊞

別紙５

根抵当権元本確定請求通知書

平成20年５月12日

当社は，昭和53年11月17日付け根抵当権の設定契約により下記の物件に設定された極度額金1,000万円の根抵当権（昭和53年11月17日東京法務局港出張所受付第26986号登記済）について，担保すべき元本の確定を請求します。

記

所　　在　東京都港区大門三丁目
地　　番　204番６
地　　目　宅地
地　　積　66.04平方メートル

所　　在　東京都港区大門三丁目204番地６
家屋番号　204番６
種　　類　事務所
構　　造　鉄筋コンクリート造陸屋根２階建
床 面 積　１階　　60.99平方メートル
　　　　　２階　　60.99平方メートル

以上

通知人　東京都千代田区神田錦町三丁目13番地
株式会社みなと信用
代表取締役　飯田和夫　㊞

被通知人　東京都港区大門三丁目３番14号
有限会社藤タイル　殿

この郵便物は
平成20年５月12日第12345号書留
内容証明郵便物として差し出したことを証明します

港郵便局長　日付㊞

別紙6

＊注　別紙5に関する証明書である。

契　㊞　印

郵便物配達証明書

<table>
<tr><td>受取人の
氏　　名</td><td>有限会社藤タイル　　様</td></tr>
<tr><td>引受番号</td><td>136－26－12345－0</td></tr>
<tr><td colspan="2">上記の郵便物は，平成20年5月13日
配達したのでこれを証明します。

100－0865
東京都　　　　　　日　付　印
港　　郵便局　　　　　㊞</td></tr>
</table>

別紙７

平成20年５月14日

被通知人　　東京都港区大門三丁目３番14号
有限会社藤タイル　御中

通知人　　東京都千代田区神田錦町三丁目13番地
株式会社みなと信用
代表取締役　飯田和夫

債権譲渡通知書

当社は，貴社に対して有する後記表示の債権を，平成20年５月10日付け債権譲渡契約に基づき，英領西インド諸島ケイマン諸島グランド・ケイマン，ジョー・タウン，グランド・ハウス・ピー・オー・ボックス903　モリ・カンパニー・リミテッド　に譲渡しましたので，ご通知いたします。

つきましては，今後は，後記表示の債権は，すべて上記　モリ・カンパニー・リミテッドへ直接お支払いくださいますようお願いいたします。

記

譲渡債権の表示
1　金 1,500,000円（ただし，平成20年３月31日付け金銭消費貸借契約書による貸付元本）
2　金　7,000円（ただし，上記に対する利息金）
3　上記貸付金元本に対する完済に至るまでの遅延利息金

以上

この郵便物は
平成20年５月14日第43210号書留
内容証明郵便物として差し出したことを証明します

港　郵便局長　日付㊞

別紙８

＊注　別紙７に関する証明書である。

契　㊞　印

郵便物配達証明書

受取人の氏　　名	有限会社藤タイル　　様
引受番号	136－26－43210－0

上記の郵便物は，平成20年５月15日
配達したのでこれを証明します。

100－0865
東京都

港　　郵便局

日　付　印

㊞

別紙９

履歴事項一部証明書

東京都文京区後楽一丁目４番４号
株式会社大日本クレジット
会社法人等番号　0199－01－345676

<table>
<tr><td rowspan="3">商号</td><td colspan="2">株式会社富士クレジット</td></tr>
<tr><td rowspan="2">株式会社大日本クレジット</td><td>平成19年１月４日変更</td></tr>
<tr><td>平成19年１月４日登記</td></tr>
<tr><td rowspan="4">本店</td><td rowspan="2">東京都中央区築地四丁目７番５号</td><td>平成17年８月２日移転</td></tr>
<tr><td>平成17年８月２日登記</td></tr>
<tr><td rowspan="2">東京都文京区後楽一丁目４番４号</td><td>平成19年１月４日移転</td></tr>
<tr><td>平成19年１月４日登記</td></tr>
<tr><td>公告をする方法</td><td colspan="2">官報に掲載する方法により行う</td></tr>
<tr><td>会社成立の年月日</td><td colspan="2">昭和50年４月２日</td></tr>
<tr><td>役員に関する事項</td><td>千葉県浦安市猫実二丁目１番１号
代表取締役　西澤　哲</td><td>平成19年６月23日重任
平成19年６月23日登記</td></tr>
<tr><td>会社分割</td><td colspan="2">東京都中央区築地三丁目13番地　新日本保証株式会社に分割
平成17年８月１日登記</td></tr>
<tr><td>吸収合併</td><td colspan="2">平成19年１月４日東京都文京区後楽一丁目４番４号　株式会社大日本クレジットを合併　平成19年１月４日登記</td></tr>
<tr><td>取締役会設置会社に関する事項</td><td colspan="2">取締役会設置会社</td></tr>
<tr><td>監査役設置会社に関する事項</td><td colspan="2">監査役設置会社</td></tr>
</table>

＊下線のあるものは抹消事項であることを示す。

これは登記簿に記録されている閉鎖されていない事項の一部であることを証明した書面である。

平成20年４月30日

東京法務局
登記官　　　　東　京　一　郎　㊞

別紙10

履歴事項一部証明書

東京都千代田区日本橋宝町三丁目１番地
株式会社ファンドトラスト
会社法人等番号　0199－01－23456

商号	株式会社かおまる	
	株式会社ファンドトラスト	平成14年４月１日変更 平成14年４月１日登記
本店	東京都千代田区日本橋三丁目12番１号	平成14年４月１日移転 平成14年４月１日登記
	東京都千代田区日本橋宝町三丁目１番地	平成15年７月１日移転 平成15年７月１日登記
公告をする方法	官報に掲載する	
会社成立の年月日	平成５年４月１日	
役員に関する事項	千葉県柏市裏柏１番１号 代表取締役　和田　敦	平成19年６月23日重任 平成19年６月23日登記
会社分割	東京都千代田区西神田四丁目１番１号　株式会社ふじ保証に分割 平成16年８月２日登記	
吸収合併	東京都千代田区神田二丁目２番11号　オリエント保証株式会社を合併 平成16年１月５日登記	
取締役会設置会社に関する事項	取締役会設置会社	
監査役設置会社に関する事項	監査役設置会社	

＊下線のあるものは抹消事項であることを示す。

これは登記簿に記録されている閉鎖されていない事項の一部であることを証明した書面である。

平成20年４月30日

東京法務局
登記官　　　　東　京　一　郎 ㊞

別紙11

平成20年（フ）第12345号

破産管財人選任及び印鑑証明書

（不動産登記申請用）

東京都港区芝大門一丁目３番14号
破産者　有限会社藤タイル
代表取締役　藤　太郎

標記の事件につき，下記の者が破産管財人であること及び下記の届出印欄の印鑑が破産管財人の印鑑として裁判所に届けられたものと相違ないことを証明する。

選任日　平成20年５月20日午後５時
氏　名　村田晴夫
職　業　弁護士
住　所　東京都新宿区左門町１番地13
　　　　村田法律事務所

届出印

平成20年７月１日
東京地方裁判所民事第20部
裁判所書記官　　　　　　甲田　直子　㊞

別紙12

履歴事項一部証明書

東京都港区大門三丁目３番14号
有限会社藤タイル
会社法人等番号　0104－02－654321

商　号	有限会社藤本タイル工務店	
	有限会社藤タイル	昭和52年７月12日変更 昭和52年７月12日登記
本　店	東京都港区大門二丁目５番５号	
	東京都港区大門三丁目３番14号	昭和52年７月12日変更 昭和52年７月12日登記
公告をする方法	官報に掲載してする	平成17年法律第87号第136条の規定により平成18年５月１日移記
会社成立の年月日	昭和51年７月12日	
目　的	1．タイル工事業 2．上記に付帯する一切の業務	
役員に関する事項	千葉県船橋市浅間町12番地３ 取締役　　　藤　太郎	
	千葉県船橋市浅間町12番地３ 取締役　　　藤　恵子	
	代表取締役　藤　太郎	
	東京都新宿区左門町１番地13村田法律事務所破産管財人　村田晴夫	平成20年５月25日登記
破　産	平成20年５月20日午後５時東京地方裁判所の破産手続開始	平成20年５月25日登記

＊下線のあるものは抹消事項であることを示す。

これは登記簿に記録されている閉鎖されていない事項の一部であることを証明した書面である。

平成20年７月１日
東京法務局港出張所
登記官　　　　　　　　　　港　二　郎　㊞

別紙13

本件につき許可する 平成　　年　　月　　日 東京地方裁判所民事第20部 裁判官	本件につき平成20年７月１日許可があったことを証明する。 右同日東京地方裁判所民事第20部 裁判所書記官　乙　山　雅　子　㊞

平成20年（フ）第12345号（破産者　有限会社藤タイル）

平成20年７月１日

東京地方裁判所民事第20部Ｇ－Ｅ係　御中

破産者　有限会社藤タイル
上記破産管財人　村田晴夫　㊞

不動産売却等許可申立書

本件につき，破産財団に属する別紙「物件の表示」記載の不動産を，①次の内容で別紙売買契約書（案）により売却すること，②売買代金から後記のとおり別除権者に金員を支払って，別除権を受け戻すことにつき，許可するよう申し立てます。

１　売買契約の内容

①買主の表示　住所　東京都千代田区日本橋宝町三丁目１番地
　　　　　　　氏名　株式会社ファンドトラスト

②売買代金額及び諸費用　５記載のとおり

③売買契約の内容　別紙売買契約書（案）記載のとおり

２　別除権の表示

別紙記載のとおり

３　財団組入れ額　　金200,000円

４　管財人が保有する疎明資料

不動産全部事項証明書　２通
買付証明書　　　　　　１通
固定資産評価証明書　　２通

５　売買経費等計算書

別紙記載のとおり

（別　　紙）

1　物件の表示

所　　在　　東京都港区大門三丁目
地　　番　　204番６
地　　目　　宅地
地　　積　　66.04平方メートル

所　　在　　東京都港区大門三丁目204番地６
家屋番号　　204番６
種　　類　　事務所
構　　造　　鉄筋コンクリート造陸屋根２階建
床 面 積　　１階　　60.99平方メートル
　　　　　　２階　　60.99平方メートル

2　別除権者の表示

別除権者	①㈱大日本クレジット	②モリ・カンパニー・リミテッド	合計
現存被担保債権額	4,000,000円	1,600,000円	5,600,000円
弁済額	4,000,000円	1,500,000円	5,500,000円

3　売買経費等計算書

売買代金額	6,000,000円
財団組入れ額（3．3%）	200,000円
固定資産税・都市計画税	30,000円
司法書士費用	70,000円
仲介手数料	180,000円
契約書印紙代	20,000円
別除権者（㈱大日本クレジット）への弁済額	4,000,000円
別除権者（モリ・カンパニー・リミテッド）への弁済額	1,500,000円

4以下は，有効な記載がされているが記載省略とし，別紙売買契約書（案）は添付省略とする。

別紙14

抵当権放棄証書

平成20年７月７日

破産者　有限会社藤タイル
上記破産管財人　村田晴夫　殿

東京都文京区後楽一丁目４番４号
株式会社大日本クレジット
代表取締役　西澤　哲　㊞

当社は，下記をもって登記された後記不動産に対する抵当権を放棄します。

記

昭和53年11月17日東京法務局港出張所受付第26985号設定登記

（不動産の表示）
所　　在　　東京都港区大門三丁目
地　　番　　204番６
地　　目　　宅地
地　　積　　66.04平方メートル

所　　在　　東京都港区大門三丁目204番地６
家屋番号　　204番６
種　　類　　事務所
構　　造　　鉄筋コンクリート造陸屋根２階建
床 面 積　　１階　60.99平方メートル
　　　　　　２階　60.99平方メートル

以上

別紙15

根抵当権解除証書

平成20年７月７日

破産者　有限会社藤タイル
上記破産管財人　村田晴夫　殿

英領西インド諸島ケイマン諸島グランド・ケイマン，ジョー・タウン，グランド・ハウス，ピー・オー・ボックス903
　　モリ・カンパニー・リミテッド
　　日本における代表者　長島耕作　㊞

当社は，下記をもって登記された後記不動産に対する根抵当権を解除します。

記

昭和53年11月17日東京法務局港出張所受付第26986号設定登記

（不動産の表示）
所在　　東京都港区大門三丁目
地番　　204番６
地目　　宅地
地積　　66.04平方メートル

所在　　東京都港区大門三丁目204番地６
家屋番号　204番６
種類　　事務所
構造　　鉄筋コンクリート造陸屋根２階建
床面積　　１階　　60.99平方メートル
　　　　　２階　　60.99平方メートル

以上

別紙16

不動産売買契約書

売主破産者有限会社藤タイル破産管財人弁護士村田晴夫（以下「甲」という。）と買主株式会社ファンドトラスト（以下「乙」という。）との間において，末尾記載の不動産（以下「本件物件」という。）について，下記のとおり売買契約を締結する。

記

第１条　甲は，その管理に係る本件物件を現状有姿のまま乙に売り渡し，乙はこれを買い受けた。

第２条　売買代金は，下記の金額と定める。

売買代金総額金600万円也

以下省略

以上

契約の証として本書２通を作成し，甲，乙記名押印の上，甲，乙それぞれが保有する。

平成20年７月７日

売主（甲）「破産者」有限会社藤タイル
破産管財人
弁護士　村田晴夫　㊞
事務所　東京都新宿区左門町１番地13　村田法律事務所

買主（乙）東京都千代田区日本橋宝町三丁目１番地
株式会社ファンドトラスト
代表取締役　和田　敦　㊞

対象物件

所　在　東京都港区大門三丁目
地　番　204番６
地　目　宅地
地　積　66.04平方メートル

所　在　東京都港区大門三丁目204番地６
家屋番号　204番６
種　類　事務所
構　造　鉄筋コンクリート造陸屋根２階建
床面積　１階　60.99平方メートル
　　　　２階　60.99平方メートル

第１欄　平成20年５月16日申請分　１件目

登記の目的	２番根抵当権登記名義人住所変更
登記原因及びその日付	平成15年７月１日本店移転
申請人の氏名又は名称	申請人　株式会社みなと信用
添付情報の表示	登記原因証明情報（別紙２） 資格証明情報（別紙２） 代理権限証明情報（別紙２の代表取締役飯田和夫の委任状）
登録免許税額	金2,000円

第２欄　平成20年５月16日申請分　２件目

登記の目的	２番根抵当権元本確定
登記原因及びその日付	平成20年５月13日確定
申請人の氏名又は名称	権利者　有限会社藤タイル 義務者　（申請人）株式会社みなと信用
添付情報の表示	登記原因証明情報（別紙５，別紙６） 資格証明情報（別紙２） 代理権限証明情報（別紙２の代表取締役飯田和夫の委任状）
登録免許税額	金2,000円

解答例

第３欄　平成20年７月７日申請分　１件目

登記の目的	１番抵当権移転
登記原因及びその日付	平成19年１月４日合併
申請人の氏名又は名称	抵当権者 （被合併会社　株式会社大日本クレジット） 株式会社大日本クレジット
添付情報の表示	登記原因証明情報（別紙９） 資格証明情報（別紙９） 代理権限証明情報（別紙９の代表取締役西澤哲の委任状）
登録免許税額	金5,200円

第４欄　平成20年７月７日申請分　２件目

登記の目的	所有権移転
登記原因及びその日付	平成20年７月７日売買
申請人の氏名又は名称	権利者　株式会社ファンドトラスト 義務者　有限会社藤タイル 破産者　有限会社藤タイル 破産管財人　村田晴夫
添付情報の表示	登記原因証明情報（別紙16） 許可証明情報（別紙13） 印鑑証明書（別紙11） 住所証明情報（別紙10） 資格証明情報（別紙10） 代理権限証明情報（別紙11，別紙10の代表取締役和田敦の委任状，別紙11の破産管財人村田晴夫の委任状）※
登録免許税額	金11万円

※「代理権限証明情報（別紙12，別紙10の代表取締役和田敦の委任状，別紙12の破産管財人村田晴夫の委任状）」と記載しても良いと解される。

問題　平成19年

登記記録に次のような登記事項の記録（登記事項一部省略）がある甲区分建物について，平成19年５月15日，司法書士法務太郎は，Ｊ株式会社の代表取締役Ｋから，「競売の申立てに関する書類の作成及び登記手続について教えて欲しい。」との相談を受け，事実関係１及び２の事実を聴取した。法務太郎は，Ｋに対し，事実関係３の手続に関してアドバイスするとともに，Ｋから事実関係２の事実に基づく登記の申請手続に必要な書類を受領し，登記の申請手続等について代理することの依頼を受けた。同月16日，法務太郎は，事実関係２の事実に基づく登記の申請を行った。

同月18日，法務太郎は，Ｋから事実関係３の手続が完了したことを聴取し，事実関係１の事実に基づく登記の申請手続に必要な書類を受領した。同月21日，法務太郎は，事実関係１に基づく登記の申請を行った。

同年６月29日，法務太郎は，Ｋから事実関係４から７までの事実を聴取した。法務太郎は，事実関係４，６及び７の事実に基づく登記の申請手続に必要な書類を受領し，すべての関係者から登記の申請手続等について代理することの依頼を受け，同日，事実関係４，６及び７の事実に基づく登記の申請を行った。

次の⑴から⑷までの問いに答えなさい。

⑴　平成19年５月16日に申請した登記の申請書に記載すべき申請情報のうち，不動産の所在事項（敷地権に関する事項を含む。），代理人の表示，申請年月日，登記所の表示及び課税標準の金額を除いた事項を答案用紙の第１欄に記載しなさい。

⑵　平成19年５月21日に申請した登記の申請書に記載すべき申請情報のうち，不動産の所在事項（敷地権に関する事項を含む。），代理人の表示，申請年月日，登記所の表示及び課税標準の金額を除いた事項を答案用紙の第２欄に記載しなさい。

⑶　平成19年６月29日に申請した登記の申請書に記載すべき申請情報のうち，不動産の所在事項（敷地権に関する事項を含む。），代理人の表示，申請年月日，登記所の表示及び課税標準の金額を除いた事項を答案用紙の第３欄に記載しなさい。なお，申請すべき登記が２件以上ある場合には，甲区の登記についてすべき申請のうち，最初に申請すべき登記について第３欄の１に，最後に申請すべき登記について第３欄の２に，それぞれ記載しなさい。

⑷　仮に，事実関係２の事実の後，その事実に基づく登記を申請する前に，甲区分建物の所有権を第三取得者Ｍが取得してその旨の登記をしていた場合，司法書士法務太郎は，事実関係２の事実に基づく登記を申請することができるか。結論とその理由を答案用紙の第４欄に記載しなさい。

（登記記録の記録）

甲区分建物

　表題部　一棟の建物の表示（省略）

　　　　　敷地権の目的である土地の表示

　　　　　　符号１　乙土地

　　　　　専有部分の建物の表示（省略）

　　　　　敷地権の表示

　　　　　　土地の符号１　所有権　10000分の500

　　　　　　昭和62年７月２日敷地権

　権利部　甲区

　　　　　　１番　（省略）

　　　　　　２番　所有権移転

　　　　　　　　　平成６年11月25日受付第55806号

　　　　　　　　　原因　平成６年11月25日売買

　　　　　　　　　所有者　A

　　　　　乙区

　　　　　　１番　抵当権設定

　　　　　　　　　平成６年11月25日受付第55807号

　　　　　　　　　原因　平成６年11月25日金銭消費貸借同日設定

　　　　　　　　　債権額　金1000万円

　　　　　　　　　債務者　A

　　　　　　　　　抵当権者　I

(事実関係)

1　平成19年３月20日，Ａは，死亡した。Ａの死亡時，Ａには，妻Ｂ，子Ｃ，子Ｄ及び父Ｅがいた。

2　平成19年４月20日，Ｊ株式会社は，Ａの保証人として，Ｉに対し，甲区分建物の乙区１番で設定の登記がされている抵当権の被担保債権の全額を弁済した。

3　平成19年５月18日，Ｊ株式会社は，地方裁判所に対し，抵当権実行による競売の申立てを行い，これが受理された。

4　平成19年５月23日，Ｂ，Ｃ及びＤが家庭裁判所に相続放棄の申述をし，これが受理された。

5　平成19年５月25日，甲区分建物の登記記録にＪ株式会社を権利者とする差押えの登記がされた。

6　平成19年６月29日，甲区分建物の所有者，Ｊ株式会社及びＬ株式会社の三者間で，「本日，甲区分建物の所有者は，Ｌ株式会社に甲区分建物を売却し，その売却代金を原資にして，Ｊ株式会社の亡Ａに対する求償権に係る残債務を完済する。Ｊ株式会社は，残債務の完済を条件に甲区分建物についての競売の申立てを取り下げる。」との合意が成立し，同日，上記の合意に基づく売買代金の授受及び残債務の完済が行われた。

7　Ｌ株式会社は，取締役会設置会社であり，監査役設置会社である。Ｌ株式会社の定款には，会社法第370条の定めがある。平成19年６月29日，Ｌ株式会社の取締役であったＥは，甲区分建物を本店として購入したいと提案して，他の取締役Ｆ及び代表取締役Ｇの同意を書面により得ている。監査役Ｈは，甲区分建物の購入について異議を述べていない。代表取締役Ｇは，甲区分建物の購入の提案について取締役会議事録を作成している。

(参考)

会社法第370条

取締役会設置会社は，取締役が取締役会の決議の目的である事項について提案をした場合において，当該提案につき取締役（当該事項について議決に加わることができるものに限る。）の全員が書面又は電磁的記録により同意の意思表示をしたとき（監査役設置会社にあっては，監査役が当該提案について異議を述べたときを除く。）は，当該提案を可決する旨の取締役会の決議があったものとみなす旨を定款で定めることができる。

会社法施行規則第101条第４項

次の各号に掲げる場合には，取締役会の議事録は，当該各号に定める事項を内容とするものとする。

一　法第370条の規定により取締役会の決議があったものとみなされた場合　次に掲げる事項

イ　取締役会の決議があったものとみなされた事項の内容

ロ　イの事項の提案をした取締役の氏名

ハ　取締役会の決議があったものとみなされた日

ニ　議事録の作成に係る職務を行った取締役の氏名

二　(略)

（答案作成上の注意事項）

1　上記事実関係中の行為は，すべて適法に行われており，法律上必要な書類は，すべて適式に作成されているものとする。なお，甲区分建物の登記記録に記載されている当事者間には，各登記記録に記載されている権利義務以外に，甲区分建物に関し，実体法上の権利義務関係は存在しない。

2　甲区分建物の所在地を管轄する登記所は，不動産登記法附則第６条第１項に規定する法務大臣の指定を受けた登記所（いわゆるオンライン庁）であり，必要な登記の申請情報及び申請情報と併せて提供することが必要な情報の提供は，書面を提出する方法（ただし，磁気ディスクを提出する方法を除く。）によりするものとする。

3　一の事実関係を登記に反映させるために行い得る登記の申請が複数ある場合には，登録免許税がより低額な登記の申請を選択するものとする。

4　登記記録に記録されている登記名義人の住所及び氏名又は本店及び商号に変更事項はない。

5　平成19年６月29日時点におけるＬ株式会社の役員構成は，代表取締役Ｇ，取締役Ｅ及びＦ並びに監査役Ｈである。

6　登記事項及び申請人等の記載をするには，住所，本店又は代表機関の資格及び氏名を記載することを要しない。

　また，「申請人」を記載するに当たっては，「権利者」，「義務者」，「所有者」等の表示を記載する。

7　登記原因証明情報以外の添付情報を記載するに際しては，例えば「印鑑証明書（Ｘの印鑑証明書）」，「代理権限証明情報（Ｙの委任状）」のように，添付情報の種類が特定されている場合には当該種類を明記するとともに，括弧書きで，個々の具体的な書面の名称を明記し，だれの又は何に関するものなのか内容を特定できるものはそれを明記する。なお，「前件添付」や「添付省略」等の記載はしない。

8　登記識別情報を提供することができない場合には，司法書士法務太郎の作成に係る申請人が申請の権限を有する登記名義人であることを確認するために必要な情報を提供する方法によることとする。

9　課税標準の額は，甲区分建物が1,000万円，乙土地が１億円であり，租税特別措置法による税の減免の適用はないものとする。

10　数字を記載する場合は，算用数字を使用する。

11　訂正，加入又は削除をしたときは，押印や字数を記載することは要しないが，削除は二重線を引いて近接箇所に正書し，挿入は，挿入する部分を明示して行うなど，その内容が明確に分かるようにする。

MEMO

第１欄　平成19年５月16日申請分

登記の目的	１番抵当権移転
原因	平成19年４月20日代位弁済
権利者	Ｊ株式会社
義務者	Ｉ
添付情報	登記原因証明情報
	登記識別情報（Ｉの乙区１番の登記済証）
	資格証明情報（Ｊ株式会社の登記事項証明書）
	代理権限証明情報（Ｊ株式会社の代表取締役Ｋ及びＩの委任状）
登録免許税	金２万円

第２欄　平成19年５月21日申請分

登記の目的	所有権移転
原因	平成19年３月20日相続
相続人	（被相続人　Ａ）
（被代位者）	持分４分の２　Ｂ
（被代位者）	４分の１　Ｃ
（被代位者）	４分の１　Ｄ
代位者	Ｊ株式会社
代位原因	平成６年11月25日設定の抵当権の実行による競売
添付情報	登記原因証明情報
	住所証明情報（Ｂ，Ｃ及びＤの住民票の写し）
	代位原因証明情報（Ｊ株式会社の競売申立受理証明書）
	資格証明情報（Ｊ株式会社の登記事項証明書）
	代理権限証明情報（Ｊ株式会社の代表取締役Ｋの委任状）
登録免許税	金６万円

第３欄　平成19年６月29日申請分

1　申請すべき登記が２件以上ある場合には、最初に申請すべき登記

登記の目的	３番所有権抹消
原因	錯誤
権利者	亡Ａ 上記相続人　Ｅ
義務者	Ｂ，Ｃ，Ｄ
添付情報	登記原因証明情報 本人確認情報（法務太郎作成に係るＢ，Ｃ及びＤの本人確認情報） 印鑑証明書（Ｂ，Ｃ及びＤの印鑑証明書） 承諾証明情報（Ｊ株式会社の承諾書） 相続証明情報（Ａの戸(除)籍謄本，Ｅの戸籍謄(抄)本，Ｂ，Ｃ及びＤの相続放棄申述受理証明書） 代理権限証明情報（Ｅ，Ｂ，Ｃ及びＤの委任状）
登記識別情報を提供できない理由	不通知
登録免許税	金2,000円

2　申請すべき登記が２件以上ある場合には、最後に申請すべき登記

登記の目的	所有権移転
原因	平成19年６月29日売買
権利者	Ｌ株式会社
義務者	Ｅ
添付情報	登記原因証明情報 登記識別情報（Ｅの甲区７番の登記識別情報） 印鑑証明書（Ｅの印鑑証明書） 住所証明情報（Ｌ株式会社の登記事項証明書） 承諾証明情報（Ｌ株式会社の取締役会議事録） 資格証明情報（Ｌ株式会社の登記事項証明書） 代理権限証明情報（Ｌ株式会社の代表取締役Ｇ及びＥの委任状）
登録免許税	金30万円

第４欄

（結論）申請することはできない。
（理由）保証人はあらかじめ代位による付記登記をしなければ，代位弁済後の第三取得者に対して債権者に代位することができない。本問では，保証人Ｊ株式会社が弁済した後，代位による付記登記をする前に，第三取得者Ｍが所有権取得の登記をしているため，保証人Ｊ株式会社は債権者Ｉに代位することができないから。

問題　平成18年

登記記録に次のような登記事項の記録（登記事項一部省略）がある甲土地，乙土地及び丙建物について，司法書士法務太郎は，関係する当事者全員から後記事実関係を聴取し，これらの事実関係により生ずる権利変動に基づく登記の申請手続に必要なすべての書類を受領するとともに，これらの登記の申請手続及び登記識別情報の受領について代理することの依頼を受けた。

次の⑴から⑷までの問いに答えなさい。

⑴　事実関係１から３までの事実に基づき，甲土地，乙土地及び丙建物について申請することのできる登記（ただし，根抵当権に関する登記を除く。）の申請書に記載すべき申請情報のうち，登記の目的，登記原因及びその日付，申請人，添付情報（ただし，登記原因証明情報を除く。）並びに登録免許税を，甲土地については答案用紙の第１欄に，乙土地については同用紙の第２欄に，丙建物については同用紙の第３欄に，それぞれ記載しなさい。

⑵　⑴の登記申請の後に，事実関係４の事実に基づき，甲土地及び乙土地について申請することのできる根抵当権に関する登記の申請書に記載すべき申請情報のうち，登記の目的，登記原因及びその日付，登記事項，申請人並びに添付情報（ただし，登記原因証明情報を除く。）を，答案用紙の第４欄に記載しなさい。

⑶　仮に，司法書士法務太郎が平成18年６月30日に⑵に関する登記の申請手続について代理することの依頼を受けたとした場合において，登記を申請することができない事項があるときは，登記を申請することができない事項を指摘するとともに，その理由を答案用紙の第５欄に簡潔に記載しなさい。なお，登記を申請することができない事項がないときは，同欄に「ない」と記載しなさい。

⑷　同じく司法書士法務太郎が平成18年６月30日に⑵に関する登記の申請手続について代理することの依頼を受けたとした場合において，さらに，K株式会社が，同日，根抵当権の唯一の被担保債権である貸金返還請求権をNに譲渡した場合，⑶で申請することができる登記の申請の後に，この債権譲渡に関して登記を申請することができる事項があるときは，登記の申請書に記載すべき申請情報のうち，登記の目的並びに登記原因及びその日付を，ないときはその理由を，答案用紙の第６欄に簡潔に記載しなさい。

（登記記録の記録）
甲土地
表題部（省略）
権利部
甲区
１番 （省略）
２番 所有権移転
平成10年11月25日第1111号
原因 平成10年11月25日売買
所有者 A
乙区
１番 抵当権設定
平成10年11月25日第1112号
原因 平成10年11月25日金銭消費貸借同日設定
債権額 金500万円
債務者 C
抵当権者 J
２番 根抵当権設定
平成12年11月25日第2222号
原因 平成12年11月25日設定
極度額 金1,000万円
債権の範囲 金銭消費貸借取引
債務者 A
根抵当権者 K株式会社
共同担保目録（あ）第4444号
３番 抵当権設定
平成14年12月25日第3333号
原因 平成14年12月25日金銭消費貸借同日設定
債権額 金100万円
債務者 C
抵当権者 B
共同担保目録
記号及び番号（あ）第4444号
番号 1 担保の目的である権利の表示 甲土地 順位番号 2
番号 2 担保の目的である権利の表示 乙土地 順位番号 2

乙土地
　表題部（省略）
　権利部
　　甲区
　　　1番　（省略）
　　　2番　共有者全員持分全部移転
　　　　　　平成12年11月25日第2220号
　　　　　　所有者　C
　　乙区
　　　1番　抵当権設定
　　　　　　平成12年11月25日第2221号
　　　　　　原因　平成12年10月25日金銭消費貸借同年11月25日設定
　　　　　　債権額　金200万円
　　　　　　債務者　株式会社L
　　　　　　抵当権者　A
　　　2番　根抵当権設定
　　　　　　平成12年11月25日第2222号
　　　　　　原因　平成12年11月25日設定
　　　　　　極度額　金1,000万円
　　　　　　債権の範囲　金銭消費貸借取引
　　　　　　債務者　A
　　　　　　根抵当権者　K株式会社
　　　　　　共同担保目録（あ）第4444号
　　共同担保目録（省略）

丙建物
　表題部（一部省略）
　　所有者　持分3分の2　A
　　　　　　　　3分の1　株式会社L
　（権利部には，登記の記録はない。）

（事実関係）

1　平成17年12月26日，Ａは，死亡した。Ａには妻Ｂのほか，Ｃ，Ｄ及びＥの３人の子がいたが，Ｅは，平成８年７月６日に死亡している。

2　Ｅには，妻Ｆと子Ｇがいるほか，婚姻関係のないＨとの間に子Ｉがおり，Ｅは，Ｉを認知している。

3　平成18年５月１日，Ａの死亡に伴い，その共同相続人間で次のような遺産分割協議が成立した。

①　甲土地は，Ｂが取得する。

②　乙土地の１番抵当権の被担保債権である平成12年10月25日付け金銭消費貸借契約に基づくＡの株式会社Ｌ（代表取締役Ｂ）に対する貸金返還請求権は，Ｃが取得する。

③　丙建物のＡ持分は，共同相続人が法定相続分の割合に応じて取得する。

4　また，平成18年６月１日，Ａの共同相続人とＫ株式会社（代表取締役Ｍ）とは，甲土地及び乙土地に設定された共同根抵当権について，Ａ死亡後の指定債務者をＣとする旨を合意した。

(注)　答案の作成に当たっては，次の点に注意して記載しなさい。

1　上記事実関係中の行為は，すべて適法に行われており，法律上必要な書類は，すべて適式に作成されているものとする。
　なお，甲土地，乙土地及び丙建物の登記記録に記録されている当事者間には，各登記記録に記録されている権利義務以外に，甲土地，乙土地及び丙建物に関し，実体法上の権利義務関係は存在しない。

2　甲土地，乙土地及び丙建物はすべて同一の登記所の管轄区域内にある。また，同登記所は，不動産登記法附則第６条第１項に規定する法務大臣の指定を受けた登記所（いわゆるオンライン庁）であり，必要な登記の申請情報及び申請情報と併せて提供することが必要な情報の提供は，書面を提出する方法（ただし，磁気ディスクを提出する方法によらない。）によりするものとする。

3　各登記記録に記録されている登記名義人の住所及び氏名又は本店及び商号に変更事項はない。

4　数字を記載する場合は，算用数字を使用する。

5　登記事項及び申請人を記載するには，住所又は本店を記載することを要しない。また，「申請人」を記載するに当たっては，「権利者」，「義務者」，「所有者」等の表示を記載する。

6　登記原因証明情報以外の添付情報を記載するに際しては，例えば「印鑑証明書（Xの印鑑証明書）」，「代理権限証明情報（Yの委任状）」のように，添付情報の種類が特定されている場合には当該種類を明記するとともに，かっこ書きで個々の具体的な書面の名称を明記し，だれの又は何に関するものか特定することができるものはそれを明記する。なお，「前件添付」や「添付省略」等の記載はしない。

7　課税標準の額は，甲土地が522万円，乙土地が350万円，丙建物が125万円であり，租税特別措置法による税の減免の規定の適用はないものとする。

8　訂正，加入又は削除をしたときは，押印や字数を記載することを要しないが，削除は二重線を引いて近接箇所に正書し，挿入は挿入する部分を明示して行うなど，その内容が明確に分かるようにする。

9　記載すべき事項のない欄については，斜線を引く。また，⑴及び⑵の各問いについては，答案用紙の各欄に指示された件数の範囲内で，事実関係に基づき申請することのできるすべての登記の申請をするものとする（問題文において特に指示のある場合を除く。）とともに，同用紙の第１欄，第２欄及び第４欄において，１件の登記申請で足りる場合は，２件目の申請情報の記載欄すべてに斜線を引く。

10　登記の申請日は，⑴及び⑵の問いについては平成18年６月23日とし，⑶及び⑷の問いについては平成18年６月30日とする。

MEMO

解答例

第1欄

	1件目	2件目
登記の目的	所有権移転	３番抵当権抹消
登記原因及びその日付	平成17年12月26日相続	平成17年12月26日混同
申請人	相続人（被相続人Ａ） Ｂ	権利者兼義務者　Ｂ
添付情報	住所証明情報 （Ｂの住民票の写し） 代理権限証明情報（Ｂの委任状）	登記識別情報（Ｂの甲土地乙区３番の登記済証） 代理権限証明情報（Ｂの委任状）
登録免許税	金２万800円	金1,000円

第2欄

	1件目	2件目
登記の目的	１番抵当権移転	
登記原因及びその日付	平成17年12月26日相続	
申請人	抵当権者（被相続人　Ａ） Ｃ	
添付情報	代理権限証明情報（Ｃの委任状）	
登録免許税	金2,000円	

第3欄

登記の目的	所有権保存
登記原因及びその日付	
申請人	所有者　持分27分の９　株式会社Ｌ　代表取締役　Ｂ （被相続人Ａ） 27分の９　Ｂ 27分の３　Ｃ 27分の３　Ｄ 27分の２　Ｇ 27分の１　Ｉ
添付情報	一般承継証明情報（Ａ及びＥの戸（除）籍謄本，Ｂ，Ｃ，Ｄ，Ｇ及びＩの戸籍謄（抄）本） 住所証明情報（Ｂ，Ｃ，Ｄ，Ｇ及びＩの住民票の写し，株式会社Ｌの登記事項証明書） 資格証明情報（株式会社Ｌの登記事項証明書） 代理権限証明情報（Ｂ，Ｃ，Ｄ，Ｇ，Ｉ及び株式会社Ｌの代表取締役Ｂの委任状）
登録免許税	金5,000円

第４欄

	１件目	２件目
登記の目的	２番共同根抵当権変更	２番共同根抵当権変更
登記原因及びその日付	平成17年12月26日相続	平成18年６月１日合意
登記事項	変更後の事項 債務者（被相続人Ａ） Ｂ　Ｃ　Ｄ　Ｇ　Ｉ	指定債務者　Ｃ
申請人	権利者　Ｋ株式会社　代表取締役　Ｍ 義務者　Ｂ　Ｃ	権利者　Ｋ株式会社　代表取締役　Ｍ 義務者　Ｂ　Ｃ
添付情報	登記識別情報（Ｂの甲土地甲区３番の登記識別情報及びＣの乙土地甲区２番の登記済証） 印鑑証明書（Ｂ及びＣの印鑑証明書） 資格証明情報（Ｋ株式会社の登記事項証明書） 代理権限証明情報（Ｋ株式会社の代表取締役Ｍ，Ｂ及びＣの委任状）	登記識別情報（Ｂの甲土地甲区３番の登記識別情報及びＣの乙土地甲区２番の登記済証） 印鑑証明書（Ｂ及びＣの印鑑証明書） 資格証明情報（Ｋ株式会社の登記事項証明書） 代理権限証明情報（Ｋ株式会社の代表取締役Ｍ，Ｂ及びＣの委任状）

第５欄　平成18年６月30日に（２）に関する登記の申請手続について代理することの依頼を受けた場合において，登記を申請することができない事項があるときはその事項及び理由又は登記を申請することができない事項がないときはその旨

２番共同根抵当権の指定債務者の合意による変更の登記

根抵当権の債務者の死亡による指定債務者の合意による変更の登記は，債務者の相続開始後，６か月以内に合意をし，かつ，その旨の変更の登記を申請しなければならない。

本設問では，２番共同根抵当権の債務者Ａが死亡した平成17年12月26日から６か月を経過した平成18年６月30日に登記を申請することになるため，当該根抵当権の指定債務者の合意による変更の登記は，申請することができない。

第６欄　債権譲渡に関し,登記を申請することのできる事項があるときの申請書に記載すべき申請情報のうち登記の目的，登記原因及びその日付又は登記を申請することのできる事項がないときのその理由

登記の目的　２番共同根抵当権移転
原　　　因　平成18年６月30日債権譲渡

登記記録に次のような登記事項の記録（登記事項一部省略）がある甲土地について，司法書士法務太郎は，当事者から後記事実関係を聴取し，登記申請に必要なすべての書類を受領し，これらに基づく登記の申請手続について代理することの依頼を受けた。

次の(1)から(4)までの問いに答えなさい。

(1)　甲土地についてのＢを債権者とする権利部甲区３番の処分禁止の仮処分の登記が，所有権の一部４分の３についてのみされている理由を，答案用紙の第１欄に簡潔に記載しなさい。

(2)　Ｂが事実関係４の持分の移転の登記を実現するために，事実関係７の判決の確定後，法律上必要な手続を経てから２週間経過後に，当該判決に基づく登記を申請する場合，当該登記の申請書に記載すべき申請情報のうち，不動産所在事項，代理人の表示，添付書面，申請年月日及び登記所の表示を除いた事項を答案用紙の第２欄に，添付書面を同用紙の第３欄に，それぞれ記載しなさい。

なお，数件の登記申請が必要な場合には，第２欄及び第３欄をそれぞれ申請件数に応じて実線で区切り，かつ，第２欄と第３欄との対応関係が明らかとなるよう同一の番号を付す等の適宜の措置を施した上で記載しなさい。また，添付書面がない申請については，第３欄に添付書面がない旨を記載しなさい。

(3)　仮に，Ｂが事実関係５の仮処分の申立てをすることなく事実関係７の判決を得た場合において，同判決に基づく甲土地の持分の取得に関し，Ｂが申請することのできる登記があるときは，当該登記の申請書に記載すべき申請情報のうち，登記の目的，登記原因及びその日付を答案用紙の第４欄に記載しなさい。申請することのできる登記がないときは，同欄の冒頭に「ない」と記載するとともに，その理由を簡潔に記載しなさい。

(4)　Ｂが事実関係７の判決を得た場合において，乙区１番の抵当権の登記に関し，申請する必要のある登記の申請書に申請情報として記載すべき登記事項のうち，登記原因及びその日付を除いた事項を答案用紙の第５欄に記載しなさい。

また，その登記が必要となる理由を答案用紙の第６欄に記載しなさい。

（登記記録の記録）

甲土地

表題部

所在　（省略）

地番　（省略）

地目　畑

地積　（省略）

権利部

甲区

１番　（省略）

２番　所有権移転

昭和55年４月１日第1111号

原因　昭和55年４月１日売買

所有者　A

３番　所有権の一部４分の３処分禁止仮処分

平成16年９月30日第2222号

原因　平成16年９月28日H簡易裁判所仮処分命令

債権者　B

４番　所有権移転

平成16年11月25日第3333号

原因　平成16年７月１日売買

所有者　C

乙区

１番　抵当権設定

平成11年４月23日第4444号

原因　平成11年４月23日金銭消費貸借同日設定

債権額　金200万円

債務者　A

抵当権者　D

（事実関係）

1　昭和57年４月１日，Ｅは，所有の意思をもって，平穏かつ公然に甲土地の占有を開始した。

2　平成15年10月１日，Ｅが死亡し，その相続人は，妻Ｆのほか，長男Ｂ，二男Ｇである。

　なお，Ｂは，Ｆからその有する相続分の譲渡を受けており，また共同相続人の間では，遺産分割協議が成立していない。

3　Ｂは，Ｅの死亡後も引き続き所有の意思をもって，平穏かつ公然に甲土地の占有を継続している。

4　平成16年８月25日，Ｂは，Ａに対し，「Ｅが生前甲土地の占有を20年間継続したことから，時効により甲土地の所有権を取得した。」旨主張して，取得時効を援用するとともに，これに係る持分の移転の登記を請求した。

5　しかし，ＡがＢの持分の移転の登記の請求に応じなかったことから，Ｂは，Ａを被告として持分の移転の登記手続を求める訴えを提起することにし，まず，その前提として，Ｈ簡易裁判所に対して処分禁止の仮処分の申立てをし，平成16年９月28日，同申立てについて処分禁止の仮処分命令を発する旨の決定を得た。

6　その一方で，Ｄは，Ｂに対し，Ａが甲土地に対するＢの取得時効を認めた場合又はＢの取得時効を認容する判決が確定した場合には，乙区１番の抵当権の設定の登記に関して何らかの登記の申請をする必要があるときは，その登記の申請に協力する旨の意思表示をしている。

7　そこで，Ｂは，Ｈ簡易裁判所の嘱託による処分禁止の仮処分の登記が完了していることを確認した後，当該処分禁止の仮処分の被保全権利について，Ａを被告としてＨ簡易裁判所に本案の訴えを提起した。当該本案訴訟は，平成17年４月15日に口頭弁論が終結し，同年５月６日にＢ勝訴の判決が言い渡され，同月23日に同判決が確定した。

(注)　答案の作成に当たっては，次の点に注意して記載しなさい。

1　上記事実関係中の行為は，すべて適法に行われており，法律上必要な書類は，すべて適式に作成されているものとする。

2　甲土地を管轄する登記所は，不動産登記法附則第6条第1項の指定がされていない登記所（いわゆる非オンライン庁）であり，必要な登記の申請は，書面を提出する方法によりするものとする。

3　各登記記録に記録されている登記名義人の住所及び氏名に変更はないものとする。

4　数字を記載する場合は，多画文字を使用せず，算用数字を使用する。

5　登記事項及び申請人を記載するには，住所を記載することを要しない。また，「申請人」を記載するに当たっては，「権利者」，「義務者」，「所有者」等の表示を記載する。

6　添付書面を記載するには，例えば「代位原因証書」のように概括的に記載するのでなく，個々の具体的な書面の名称を明記し，添付書面の種類が特定されている場合には当該種類を明記し，また，だれに関するものか特定することができるものは，それを明記する。

なお，必要な登記の申請については，登記済証の交付を受けるべき者があらかじめ登記済証の交付を希望しているものとする。

7　本件土地の課税標準の額は135万円であり，租税特別措置法による税の減免の規定の適用はないものとする。

8　訂正，加入又は削除をしたときは，押印や字数を記載することを要しないが，削除は二重線を引いて近接箇所に正書し，挿入は挿入する部分を明示して行うなど，その内容が明確に分かるようにする。

解答例

第１欄　Ｂを債権者とする権利部甲区３番の処分禁止の仮処分の登記が，所有権の一部４分の３についてのみされている理由

時効の援用の効果は，援用した当事者が直接に受けるべき利益の存する部分に限られ，援用しない他の当事者に関する部分にまで援用の効果を及ぼすことは認められない。そのため，被相続人の占有により取得時効が完成した場合において，その共同相続人の一人が時効を援用する場合は，自己の相続分の限度においてのみ取得時効の援用をすることができるにすぎない。

本問では，Ｂは，法定相続分４分の１及びＦから譲渡された相続分２分の１の合計である４分の３についてのみ取得時効の援用をすることができる。

よって，Ｂの申立てによる処分禁止仮処分も，その部分のみを対象とすることとなるから。

第２欄　申請書に記載すべき申請情報のうち，不動産所在事項，代理人の表示，添付書面，申請年月日及び登記所の表示を除いた事項

（１の１・同時申請）
登記の目的　４番所有権更正
原　　因　仮処分による一部失効
更正後の事項　目　的　所有権一部移転
　　　　　　　共有者　持分４分の１　Ｃ
義 務 者　Ｃ
申 請 人　Ｂ
登録免許税　金1,000円

（１の２・同時申請）
登記の目的　Ａ持分全部移転
原　　因　昭和57年４月１日時効取得
権 利 者　（申請人）　持分４分の３　Ｂ
義 務 者　Ａ
課税価格　移転した持分の価格　金101万2,000円
登録免許税　金２万200円

解答例

第３欄　添付書面の名称（添付書面がない申請については，添付書面がない旨）

（１の１）
Ｃに通知をしたことを証する内容証明郵便
Ｂの委任状
申請書の写し

（１の２）
登記原因証明情報として判決書正本及び確定証明書
Ｂの住民票の写し
Ｂの委任状

第４欄　申請書に記載すべき申請情報のうち，登記の目的，登記原因及びその日付（申請することのできる登記がないときは，その旨及びその理由）

「ない」
理由　取得時効完成後に，時効取得者であるＢが登記をする前に，第三者であるＣが当該不動産を取得し，その旨の登記をすれば，時効取得者であるＢは，先に登記を備えたＣに対抗することはできないため。

第５欄　申請書に申請情報として記載すべき登記事項のうち，登記原因及びその日付を除いた事項

登記の目的　　１番抵当権をＣ持分の抵当権とする変更

第６欄　その登記が必要となる理由

Ｂの甲土地持分の時効取得は原始取得であり，実体上，Ｄの甲土地に対する抵当権はＢが取得した持分について消滅するが，当該抵当権の登記は，登記官の職権により変更される旨の規定はないので，Ｂ及びＤより，変更登記を申請する必要があるため。

#《主要参考文献一覧》

＊「ジュリスト」（有斐閣）
＊「重要判例解説」（有斐閣）
＊「登記研究」（テイハン）
＊「不動産登記記録例集（平成28年６月８日法務省民二第386号民事局長通達）」（テイハン）
＊幾代通＝浦野雄幸 編「判例先例コンメンタール新編不動産登記法１～５」（三省堂）
＊幾代通＝宮脇幸彦＝貞家克巳 編「不動産登記先例百選〔第２版〕」（有斐閣）
＊登記制度研究会不動産部会 編「不動産登記先例判例要旨集１・２」（新日本法規）
＊青山正明 著「改正区分所有関係法の解説」（きんざい）
＊青山正明 編「民事訴訟法と不動産登記一問一答〔新訂〕」（テイハン）
＊林良平＝青山正明 編「注解不動産法６・不動産登記法〔補訂版〕」（青林書院）
＊青山修 著「根抵当権の法律と登記〔改訂版〕」（新日本法規）
＊青山修 著「改訂登記名義人表示変更・更正登記の手引」（新日本法規）
＊青山修 著「共有に関する登記の実務」（新日本法規）
＊青山修 著「補訂新版不動産登記申請MEMO権利登記編」（新日本法規）
＊新井克美 著「一問一答不動産登記添付書面」（日本加除出版）
＊幾代通＝徳本伸一 補訂「不動産登記法〔第４版〕」（有斐閣）
＊香川保一 編「全訂不動産登記書式精義上・中・下」（テイハン）
＊鎌田薫＝日本司法書士会連合会 監修「新不動産登記法の解説と申請様式」（商事法務）
＊河合芳光 著「逐条不動産登記令」（きんざい）
＊神崎満治郎 著「改訂判決による登記の実務と理論」（テイハン）
＊新井克美 著「判決による不動産登記の理論と実務」（テイハン）
＊司法書士登記実務研究会 編「不動産登記の実務と書式〔第３版〕」（民事法研究会）
＊清水響 著「一問一答新不動産登記法」（商事法務）
＊清水響 著「Ｑ＆Ａ不動産登記法」（商事法務）
＊清水湛 編「登録免許税法詳解」（きんざい）
＊鈴木禄弥 著「根抵当権概説」（新日本法規）
＊寺本昌広 著「逐条解説　新しい信託法〔補訂版〕」（商事法務）
＊登記研究編集室 編「増補不動産登記先例解説総覧」（テイハン）
＊登記申請実務研究会 編「事例式不動産登記申請マニュアル」（新日本法規）
＊日本法令不動産登記研究会 編「不動産登記のＱ＆Ａ210選〔８訂版〕」（日本法令）
＊根抵当権登記実務研究会 編「新訂ケースブック根抵当権の実務」（ちくさ出版）
＊枇杷田泰助 監修「根抵当登記実務一問一答」（きんざい）
＊五十嵐徹 著「マンション登記法　登記･規約･公正証書〔第５版〕」（日本加除出版）
＊藤原勇喜 著「新訂相続・遺贈の登記」（テイハン）
＊藤原勇喜 著「登記原因証書の理論と実務」（きんざい）

＊藤原勇喜 著「不動産登記の実務上の諸問題」(テイハン)
＊不動産登記法実務研究会 編「問答式不動産登記の実務」(新日本法規)
＊法務省民事局参事官室 編「一問一答新しい借地借家法〔新訂版〕」(社団法人商事法務研究会)
＊法務省民事局内参事官室 編「平成10年改正QアンドA新競売・根抵当制度」(社団法人商事法務研究会)
＊法務省民事局第三課職員 編「区分所有登記実務一問一答」(きんざい)
＊法務省民事局第三・四課職員 編「登記関係先例要旨総覧」(テイハン)
＊法務省民事局内法務研究会 編「新訂不動産登記実務総覧〔第4版〕」(きんざい)
＊登記制度研究会編集「不動産登記総覧＜１＞〜＜４＞」(新日本法規)
＊法務省民事局内法務研究会 編「例解新根抵当登記の実務〔増補版〕」(社団法人商事法務研究会)
＊堀内仁＝鈴木正和＝石井真司 編「根抵当実務全書」(きんざい)
＊松尾英夫 著「改正区分建物登記詳述」(テイハン)
＊吉野衛 著「不動産登記講座Ⅰ〜Ⅳ」(日本評論社)
＊吉野衛 著「注釈不動産登記法総論上・下〔新版〕」(金融財政)
＊村瀬鎮一 編著「新不動産登記先例・実例総覧」(民事法研究会)
＊石井眞司・佐久間弘道 著「新金融実務手引シリーズ根抵当実務」(きんざい)
＊後藤浩平 編著「〔新版〕不動産登記添付情報全集」(新日本法規)
＊鎌田薫・寺田逸郎 編「新基本法コンメンタール不動産登記法」(日本評論社)
＊不動産登記法実務研究会 編「権利に関する登記の実務Ⅰ〜Ⅷ」(日本加除出版)
＊七戸克彦 著「条解不動産登記法」(弘文堂)
＊小宮山秀史 著「逐条解説不動産登記規則１」(テイハン)
＊青山修 著「用益権の登記実務」(新日本法規)
＊新井克美＝後藤浩平 著「不動産登記添付情報」(日本加除出版)
＊青山修 著「第三者の許可・同意・承諾と登記実務」(新日本法規)
＊木村三男＝藤谷定勝 著「仮登記の理論と実務」(日本加除出版)
＊青山修 著「仮登記の実務」(新日本法規)
＊信託登記実務研究会 編「信託登記の実務〔第三版〕」(日本加除出版)
＊清水湛 監修＝藤谷定勝 編著「Ｑ＆Ａ登録免許税の実務〔第２版〕」(日本加除出版)
＊幸良秋夫 著「設問解説判決による登記〔新訂〕」(日本加除出版)

令和７年版　司法書士　合格ゾーン　記述式過去問題集
⑪不動産登記法

2012年11月20日　第１版　第１刷発行
2024年12月５日　第13版　第１刷発行
編著者●株式会社　東京リーガルマインド
LEC総合研究所　司法書士試験部

発行所●株式会社　東京リーガルマインド
〒164-0001　東京都中野区中野4-11-10
アーバンネット中野ビル
LECコールセンター　0570-064-464
受付時間　平日9：30〜19：30/土・日・祝10：00〜18：00
※このナビダイヤルは通話料お客様ご負担となります。
書店様専用受注センター　TEL 048-999-7581 / FAX 048-999-7591
受付時間　平日9：00〜17：00/土・日・祝休み
www.lec-jp.com/

印刷・製本●株式会社サンヨー

ISBN978-4-8449-6335-6

司法書士講座のご案内

新15ヵ月合格コース

短期合格のノウハウが詰まったカリキュラム

LECが初めて司法書士試験の学習を始める方に自信をもってお勧めする講座が新15ヵ月合格コースです。司法書士受験指導40年以上の積み重ねたノウハウと、試験傾向の徹底的な分析により、これだけ受講すれば合格できるカリキュラムとなっております。司法書士試験対策は、毎年一発・短期合格を輩出してきたLECにお任せください。

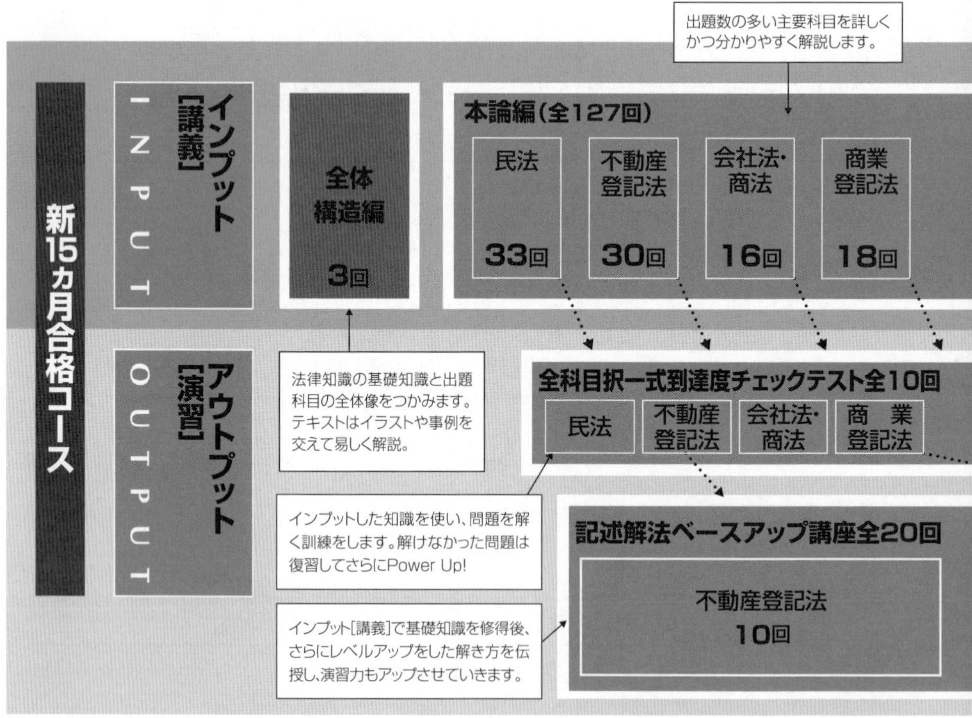

インプットとアウトプットのリンクにより短期合格を可能に！

合格に必要な力は、適切な情報収集（インプット）→知識定着（復習）→実践による知識の確立（アウトプット）という３つの段階を経て身に付くものです。新15ヵ月合格コースではインプット講座に対応したアウトプットを提供し、これにより短期合格が確実なものとなります。

司法書士講座のご案内

スマホで司法書士　S式合格講座

スキマ時間を有効活用！1回15分で続けやすい講座

講義の視聴が**スマホ完結！**
1回15分のユニット制だから**スキマ時間**にいつでもどこでも**手軽に学習可能**です。忙しい方でも続けやすいカリキュラムとなっています。
本講座は、LECが40年以上の司法書士受験指導の中で積み重ねた学習方法、短期合格を果たすためのノウハウを凝縮し、本試験で必ず出題されると言ってもいい重要なポイントに絞って講義をしていきます。

1st. STEP	基礎知識修得期（INPUT）	択一式対策 S式合格講座 15分×560ユニット
2nd. STEP	応用力養成期（INPUT）（OUTPUT）	記述式対策 記述式対策講座 15分×98ユニット
3rd. STEP	実践力養成期（OUTPUT）	直前対策 全国公開模擬試験 全2回

司法書士試験

※過去問対策、問題演習対策を独学で行うのが不安な方には、それらの対策ができる講座・コースもご用意しています。

LEC Webサイト ▷▷ www.lec-jp.com/

情報盛りだくさん!

資格を選ぶときも,
講座を選ぶときも,
最新情報でサポートします!

最新情報

各試験の試験日程や法改正情報，対策講座，模擬試験の最新情報を日々更新しています。

資料請求

講座案内など無料でお届けいたします。

受講・受験相談

メールでのご質問を随時受付けております。

よくある質問

LECのシステムから，資格試験についてまで，よくある質問をまとめました。疑問を今すぐ解決したいなら，まずチェック!

書籍・問題集（LEC書籍部）

LECが出版している書籍・問題集・レジュメをこちらで紹介しています。

充実の動画コンテンツ!

ガイダンスや講演会動画，
講義の無料試聴まで
Webで今すぐCheck!

動画視聴OK

パンフレットやWebサイトを見てもわかりづらいところを動画で説明。いつでもすぐに問題解決!

Web無料試聴

講座の第1回目を動画で無料試聴!気になる講義内容をすぐに確認できます。

スマートフォン・タブレットから簡単アクセス！ ▷▷

自慢のメールマガジン配信中！（登録無料）

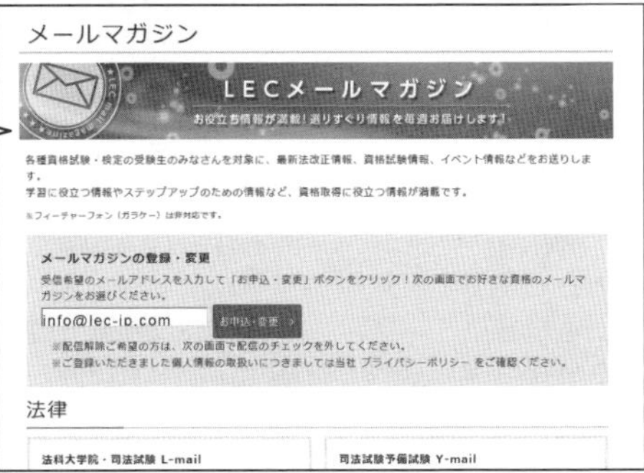

LEC講師陣が毎週配信！　最新情報やワンポイントアドバイス，改正ポイントなど合格に必要な知識をメールにて毎週配信。

www.lec-jp.com/mailmaga/

LECオンラインショップ

充実のラインナップ！　LECの書籍・問題集や講座などのご注文がいつでも可能です。また，割引クーポンや各種お支払い方法をご用意しております。

online.lec-jp.com/

LEC電子書籍シリーズ

LECの書籍が電子書籍に！　お使いのスマートフォンやタブレットで，いつでもどこでも学習できます。

※動作環境・機能につきましては，各電子書籍ストアにてご確認ください。

www.lec-jp.com/ebook/

LEC書籍・問題集・レジュメの紹介サイト **LEC書籍部** www.lec-jp.com/system/book/

- LECが出版している書籍・問題集・レジュメをご紹介
- 当サイトから書籍などの直接購入が可能(*)
- 書籍の内容を確認できる「チラ読み」サービス
- 発行後に判明した誤字等の訂正情報を公開

＊商品をご購入いただく際は，事前に会員登録（無料）が必要です。
＊購入金額の合計・発送する地域によって，別途送料がかかる場合がございます。

※資格試験によっては実施していないサービスがありますので，ご了承ください。

LEC全国学校案内

＊講座のお問合せ，受講相談は最寄りのLEC各校へ

LEC本校

北海道・東北

札　幌本校　☎011(210)5002
〒060-0004 北海道札幌市中央区北4条西5-1　アスティ45ビル

仙　台本校　☎022(380)7001
〒980-0022 宮城県仙台市青葉区五橋1-1-10　第二河北ビル

関東

渋谷駅前本校　☎03(3464)5001
〒150-0043 東京都渋谷区道玄坂2-6-17　渋東シネタワー

池　袋本校　☎03(3984)5001
〒171-0022 東京都豊島区南池袋1-25-11　第15野萩ビル

水道橋本校　☎03(3265)5001
〒101-0061 東京都千代田区神田三崎町2-2-15　Daiwa三崎町ビル

新宿エルタワー本校　☎03(5325)6001
〒163-1518 東京都新宿区西新宿1-6-1　新宿エルタワー

早稲田本校　☎03(5155)5501
〒162-0045 東京都新宿区馬場下町62　三朝庵ビル

中　野本校　☎03(5913)6005
〒164-0001 東京都中野区中野4-11-10　アーバンネット中野ビル

立　川本校　☎042(524)5001
〒190-0012 東京都立川市曙町1-14-13　立川MKビル

町　田本校　☎042(709)0581
〒194-0013 東京都町田市原町田4-5-8　MIキューブ町田イースト

横　浜本校　☎045(311)5001
〒220-0004 神奈川県横浜市西区北幸2-4-3　北幸GM21ビル

千　葉本校　☎043(222)5009
〒260-0015 千葉県千葉市中央区富士見2-3-1　塚本大千葉ビル

大　宮本校　☎048(740)5501
〒330-0802 埼玉県さいたま市大宮区宮町1-24　大宮GSビル

東海

名古屋駅前本校　☎052(586)5001
〒450-0002 愛知県名古屋市中村区名駅4-6-23　第三堀内ビル

静　岡本校　☎054(255)5001
〒420-0857 静岡県静岡市葵区御幸町3-21　ペガサート

北陸

富　山本校　☎076(443)5810
〒930-0002 富山県富山市新富町2-4-25　カーニープレイス富山

関西

梅田駅前本校　☎06(6374)5001
〒530-0013 大阪府大阪市北区茶屋町1-27　ABC-MART梅田ビル

難波駅前本校　☎06(6646)6911
〒556−0017 大阪府大阪市浪速区湊町1-4-1
大阪シティエアターミナルビル

京都駅前本校　☎075(353)9531
〒600-8216 京都府京都市下京区東洞院通七条下ル2丁目
東塩小路町680-2　木村食品ビル

四条烏丸本校　☎075(353)2531
〒600-8413　京都府京都市下京区烏丸通仏光寺下ル
大政所町680-1　第八長谷ビル

神　戸本校　☎078(325)0511
〒650-0021 兵庫県神戸市中央区三宮町1-1-2　三宮セントラルビル

中国・四国

岡　山本校　☎086(227)5001
〒700-0901 岡山県岡山市北区本町10-22　本町ビル

広　島本校　☎082(511)7001
〒730-0011 広島県広島市中区基町11-13　合人社広島紙屋町アネクス

山　口本校　☎083(921)8911
〒753-0814 山口県山口市吉敷下東 3-4-7　リアライズⅢ

高　松本校　☎087(851)3411
〒760-0023 香川県高松市寿町2-4-20　高松センタービル

松　山本校　☎089(961)1333
〒790-0003 愛媛県松山市三番町7-13-13　ミツネビルディング

九州・沖縄

福　岡本校　☎092(715)5001
〒810-0001 福岡県福岡市中央区天神4-4-11
天神ショッパーズ福岡

那　覇本校　☎098(867)5001
〒902-0067 沖縄県那覇市安里2-9-10　丸姫産業第2ビル

EYE関西

EYE 大阪本校　☎06(7222)3655
〒530-0013　大阪府大阪市北区茶屋町1-27　ABC-MART梅田ビル

EYE 京都本校　☎075(353)2531
〒600-8413　京都府京都市下京区烏丸通仏光寺下ル
大政所町680-1　第八長谷ビル

LEC提携校

＊提携校はLECとは別の経営母体が運営をしております。
＊提携校は実施講座およびサービスにおいてLECと異なる部分がございます。

北海道・東北

八戸中央校【提携校】 ☎0178(47)5011
〒031-0035　青森県八戸市寺横町13　第1朋友ビル
新教育センター内

弘前校【提携校】 ☎0172(55)8831
〒036-8093　青森県弘前市城東中央1-5-2
まなびの森　弘前城東予備校内

秋田校【提携校】 ☎018(863)9341
〒010-0964　秋田県秋田市八橋鯲沼町1-60
株式会社アキタシステムマネジメント内

関東

水戸校【提携校】 ☎029(297)6611
〒310-0912　茨城県水戸市見川2-3079-5

所沢校【提携校】 ☎050(6865)6996
〒359-0037　埼玉県所沢市くすのき台3-18-4　所沢K・Sビル
合同会社LPエデュケーション内

日本橋校【提携校】 ☎03(6661)1188
〒103-0025　東京都中央区日本橋茅場町2-5-6　日本橋大江戸ビル
株式会社大江戸コンサルタント内

北陸

新潟校【提携校】 ☎025(240)7781
〒950-0901　新潟県新潟市中央区弁天3-2-20　弁天501ビル
株式会社大江戸コンサルタント内

金沢校【提携校】 ☎076(237)3925
〒920-8217　石川県金沢市近岡町845-1
株式会社アイ・アイ・ピー金沢内

福井南校【提携校】 ☎0776(35)8230
〒918-8114　福井県福井市羽水2-701
株式会社ヒューマン・デザイン内

中国・四国

松江殿町校【提携校】 ☎0852(31)1661
〒690-0887　島根県松江市殿町517　アルファステイツ殿町
山路イングリッシュスクール内

岩国駅前校【提携校】 ☎0827(23)7424
〒740-0018　山口県岩国市麻里布町1-3-3　岡村ビル　英光学院内

新居浜駅前校【提携校】 ☎0897(32)5356
〒792-0812　愛媛県新居浜市坂井町2-3-8
パルティフジ新居浜駅前店内

九州・沖縄

佐世保駅前校【提携校】 ☎0956(22)8623
〒857-0862　長崎県佐世保市白南風町5-15　智翔館内

日野校【提携校】 ☎0956(48)2239
〒858-0925　長崎県佐世保市椎木町336-1　智翔館日野校内

長崎駅前校【提携校】 ☎095(895)5917
〒850-0057 長崎県長崎市大黒町10-10　KoKoRoビル
minatoコワーキングスペース内

高原校【提携校】 ☎098(989)8009
〒904-2163　沖縄県沖縄市大里2-24-1
有限会社スキップヒューマンワーク内

※上記は2024年10月1日現在のものです。

書籍の訂正情報について

このたびは，弊社発行書籍をご購入いただき，誠にありがとうございます。
万が一誤りの箇所がございましたら，以下の方法にてご確認ください。

1 訂正情報の確認方法

書籍発行後に判明した訂正情報を順次掲載しております。
下記Webサイトよりご確認ください。

www.lec-jp.com/system/correct/

2 ご連絡方法

上記Webサイトに訂正情報の掲載がない場合は，下記Webサイトの入力フォームよりご連絡ください。

lec.jp/system/soudan/web.html

フォームのご入力にあたりましては，「Web教材・サービスのご利用について」の最下部の「ご質問内容」に下記事項をご記載ください。

- 対象書籍名（○○年版，第○版の記載がある書籍は併せてご記載ください）
- ご指摘箇所（具体的にページ数と内容の記載をお願いいたします）

ご連絡期限は，次の改訂版の発行日までとさせていただきます。
また，改訂版を発行しない書籍は，販売終了日までとさせていただきます。

※上記「2ご連絡方法」のフォームをご利用になれない場合は，①書籍名，②発行年月日，③ご指摘箇所，を記載の上，郵送にて下記送付先にご送付ください。確認した上で，内容理解の妨げとなる誤りについては，訂正情報として掲載させていただきます。なお，郵送でご連絡いただいた場合は個別に返信しておりません。

送付先：〒164-0001 東京都中野区中野4-11-10 アーバンネット中野ビル
株式会社東京リーガルマインド 出版部 訂正情報係

- 誤りの箇所のご連絡以外の書籍の内容に関する質問は受け付けておりません。
  また，書籍の内容に関する解説，受験指導等は一切行っておりませんので，あらかじめご了承ください。
- お電話でのお問合せは受け付けておりません。

講座・資料のお問合せ・お申込み

LECコールセンター 携帯OK 0570-064-464

受付時間：平日9:30〜19:30/土・日・祝10:00〜18:00

※このナビダイヤルの通話料はお客様のご負担となります。
※このナビダイヤルは講座のお申込みや資料のご請求に関するお問合せ専用ですので，書籍の正誤に関するご質問をいただいた場合，上記「2ご連絡方法」のフォームをご案内させていただきます。